Mitos y utopías del descubrimiento: II. El Pacífico

Alianza Universidad

Juan Gil

Mitos y utopías del descubrimiento:
II. El Pacífico

5⬤⬤
1492·1992
QUINTO CENTENARIO

Alianza
Editorial

© Juan Gil
© Sociedad Quinto Centenario
© Alianza Editorial, S. A., Madrid, 1989
    Calle Milán, 38, 28043 Madrid; teléf. 200 00 45
    ISBN: 84-206-2585-X (Tomo II)
    ISBN: 84-206-2959-6 (O. C.)
    Depósito legal: M. 6.339-1989
    Compuesto en: FER Fotocomposición, S. A. Lenguas, 8. 28021 Madrid
    Impreso en Lavel. Los Llanos, nave 6. Humanes (Madrid)
    Printed in Spain

A mi hermano Luis

INDICE

PROLOGO

I. LAS ARMADAS A LA ESPECIERIA.

1. El clavo, el oro y la Banca: la vía del Estrecho (p. 13). 2. La perspectiva escatológica (p. 20). 3. La Casa de la Contratación de la Especiería (p. 23). 4. La expedición de Loaysa (p. 26). 5. Sevilla contra la Coruña: la armada de Caboto (p. 29) 13

II. LA CONQUISTA DE LAS FILIPINAS.

1. Nuevos planes de descubrimiento (p. 43). 2. El viaje equinoccial de Grijalba (p. 46). 3. Ruy López de Villalobos y la isla de San Bartolomé (p. 48). 4. Tras las huellas de los Reyes Magos (p. 52). 5. El asentamiento definitivo en Filipinas: Legazpi (p. 56). 6. Rebelión a bordo: el drama de Lope Martín (p. 61). 7. Política y Cosmografía (p. 64) . 43

III. EL CAMINO A LA CALIFORNIA.

1. La punta de las Mujeres (p. 69). 2. Intermedio bélico: la conquista de la Nueva España (p. 72). 3. La isla de la reina California (p. 73). 4. Las primeras exploraciones de California (p. 76). 5. Ulloa y Cabrillo (p. 77) 69

IV. LA EXPLORACION AUSTRAL: MENDAÑA Y QUIROS.

1. La exploración fallida de Nueva Guinea (p. 84). 2. Las islas del Perú. Los primeros tanteos (p. 87). 3. La armada de Alvaro de Mendaña (p. 88). 4. La estrella de los Reyes Magos (p. 90). 5. Saba y Santa Isabel de la Estrella (p. 95). 6. Competencia internacional y rivalidades indianas (p. 97). 7. Vieja y nueva Cosmografía (p. 102). 8. Los nuevos preparativos de Mendaña (p. 104). 9. Un proyecto contemporáneo: la isla Fontasia (p. 107). 10. La herencia de Mendaña: Pedro Fernández de Quirós (p. 109) 83

V. LAS ISLAS RICA DE ORO Y RICA DE PLATA.

1. Crise y Argire (p. 126). 2. El galeón de Manila y Hernando de los Ríos Coronel (p. 135). 3. Sebastián Vizcaíno en el Japón (p. 142) 126

VI. LOS SECRETOS DE LA CALIFORNIA.

1. Quimeras, franciscanos y perlas (p. 148). 2. Mitos de la California (p. 153). 3. Un descubridor en la picota: el pleito de Carbonel (p. 155). 4. Venturas y desventuras de

Porter Casanate (p. 162). 5. El viaje de Lucenilla (p. 163). 6. El primer asentamiento:
D. Isidro Atondo (p. 165). 7. Los jesuitas en California: el padre Kino (p. 167)   148

VII.   LA DEFENSA DE LAS FILIPINAS.

1. Una nueva junta cosmográfica hispano-portuguesa (p. 168). 2. Pacifismo y belicismo.
Los arbitrios de Guillermo Semple (p. 170). 3. El camino del socorro a Filipinas
(p. 177). 4. La armada de Filipinas (1619) (p. 182). 5. Las ilusiones secretas de Diego
Ramírez de Arellano (p. 190). 6. La isla de oro de Gaspar Conquero (p. 198). 7. Nuevos
proyectos de auxilio a Filipinas (p. 206). 8. El cuarteamiento del imperio (p. 211)   168

VIII.   OFIR, SALVACION DE LA MONARQUIA.

1. La importancia estratégica de las islas del Pacífico (p. 216). 2. Un soñador salomónico:
D. Andrés de Medina Dávila (p. 218). 3. Los apoyos de Medina Dávila y los apuros del
gobernador Hurtado de Corcuera (p. 221). 4. El círculo limeño de D. Andrés y su ilustre
parentela (p. 228). 5. La estancia de Medina Dávila en México (p. 233). 6. Triunfo y fin
de D. Andrés (p. 237). 7. La evangelización de un nuevo mundo: el padre Diego Luis de
San Vítores (p. 243). 8. Un escéptico andariego: fray Ignacio Muñoz (p. 247). 9. Un
capitán pinturero: Francisco Palomino (p. 254)   216

IX.   LA TIERRA DE CESAR.

1. El país de los portentos (p. 258). 2. La tierra de César, buscada desde Chile (p. 268).
3. La tierra de César, buscada desde Tucumán (p. 274). 4. La tierra de César, buscada
desde el Río de la Plata (p. 278). 5. Amigos y enemigos del clan Cabrera (p. 283). 6.
Viejos sueños de una nueva Compañía (p. 288). 7. Un espía y un traidor al servicio de
Inglaterra: Carlos Enríquez Clerque y Diego de Peñalosa (p. 293). 8. Vagos rumores y
ciertas expediciones (p. 305)   258

X.   EL ESTRECHO DE ANIAN.

1. Presupuestos previos (p. 315). 2. El viaje imaginario de Juan de Fuca (p. 322). 3. Un
«marinero alquimista»: Lorenzo Ferrer Maldonado (p. 324). 4. Atisbos y presentimien-
tos del Estrecho (p. 334)   315

XI.   EL SIGLO XVIII. OCASO Y FIN DE LAS QUIMERAS.

1. El descubrimiento de las Palaos y las Carolinas (p. 337). 2. De nuevo las islas Rica de
Oro y Rica de Plata (p. 346). 3. El reconocimiento de Tahití (p. 351). 4. Un palo
de ciego afortunado: Mourelle en el archipiélago de Mayorga (p. 357). 5. La expedición
de Alejandro Malaspina (1789-1794) (p. 359)   337

XII.   EPILOGO   364

Indice de personas   383

Indice de lugares   403

PROLOGO

Cuando Vasco Núñez de Balboa dio vista a la Mar del Sur, no sólo se abrió por fin para la Corona española la posibilidad efectiva de llegar al Cipango y a la Especiería descrita por Marco Polo, sino que al mismo tiempo volvieron a proyectarse sobre esa meta, real ya y no imaginaria, los ensueños que el fructífero error de Colón había desencajado de su sitio y trasladado al Atlántico. A la acuciante llamada del oro y de la droguería acudieron presurosas las armadas españolas a través del Pacífico y las naves portuguesas a través del Indico; entonces tornó asimismo a plantearse el ya viejo problema de la repartición del mundo, a muy pocos decenios de que se hubiera intentado dar en Tordesillas una solución al conflicto de la demarcación de límites. No es de extrañar que la historia pareciera repetirse, pues la expansión marítima de los dos reinos peninsulares se había dirigido a la misma meta por caminos diferentes al menos desde 1492. El descubrimiento del Pacífico, pues, esclarece muchos enigmas del descubrimiento del Atlántico y viceversa, dado que la navegación al Maluco es heredera directa del primer viaje colombino y éste, incomprensible sin el señuelo de las Indias y muy especialmente de sus islas, viene a ser una armada a la Especiería *avant la lettre,* una especie de ensayo general de la jornada de Magallanes, donde no sólo se monta el mismo aparato escénico, sino que se urde idéntica trama ideológica: todo igual, sí, pero de otra manera y con distinto desenlace, pues diversos son los actores y diferentes las circunstancias, que varían con la mudanza de los tiempos. He aquí expuesto en breves palabras el hilo argumental de este volumen que, aunque figura como una segunda parte por la fuerza del sino, constituye no obstante por entidad propia un conjunto unitario e independiente.

En la exposición de los «mitos», los móviles y objetivos que guiaron a los navegantes del Pacífico —que huelga decir que no son otros que los

colombinos— he seguido, al igual que en el primer tomo, un criterio
lineal por la sencilla razón de que, preferencias personales aparte, la
diacronía me parece ser en este caso un método más útil que la sincronía.
Ahora bien, una narración continua exige dar una cierta visión de conjunto, por más que este afán de coherencia interna conlleve innumerables
peligros, entre ellos el muy fatal riesgo de caer en ciertas generalizaciones
temerarias y de cometer algún que otro error infantil que quizá se podría
haber soslayado en una monografía más ceñida. El especialista sabrá excusar benévolo tanto los deslices como los chafarrinones. Aunque ni por
pienso me ha pasado por la cabeza la idea de llevar a cabo una historia
exhaustiva de los descubrimientos españoles, he puesto especial cuidado
en reunir y presentar algunos datos biográficos de los protagonistas siempre que se ofrecía tal oportunidad y cuando se trataba de ilustrar la vida
de personajes poco conocidos, y ello a trueque de incurrir en desequili-
brios y agravios comparativos que soy el primero en reconocer y por los
que pido nuevamente perdón. Era obligado hablar en este volumen de
California; por ende y como oportuno contrapunto se ha añadido el
capítulo relativo a la fabulosa región de los Césares, plantada en el extremo opuesto del continente, si bien la abundancia extrema de papeles
referentes al s. XVIII ha impuesto como tope cronológico a la investigación el cambio de dinastía. Como de costumbre, las fuentes van citadas de
primera mano, tarea que me ha llevado tiempo infinito pero que parecía
inexcusable; el libro pierde así quizás en erudición, pero gana en frescura.
Capítulo aparte y desesperante lo constituye la bibliografía, inabarcable,
de la que se han escogido los títulos más significativos o los que simple-
mente me han sido accesibles, que hay veces que la selección viene dada
por las circunstancias y no se ajusta al arbitrio personal. Por último,
espero y confío que las largas horas gastadas en remover el polvo de
archivos y bibliotecas no se hayan empleado en balde y sean de alguna
utilidad para otros; al menos para mí han supuesto una gratísima e inolvi-
dable experiencia.

Sanlúcar de Barrameda, agosto de 1988

I. LAS ARMADAS A LA ESPECIERIA

1. *El clavo, el oro y la Banca: la vía del Estrecho*

No parece fuera de lugar que la presente historia, en la que tanto se va a hablar de oro imaginario, empiece por ocuparse del oro real y de sus celosos depositarios: los banqueros. Entre los tratantes de dinero de comienzos del s. XVI los castellanos no figuraban en último lugar por su emprendedora iniciativa; preciso es recordar que los mercaderes burgaleses, la compañía de Juan de Castro y Juan de Astudillo, un Diego López Gallo, un Francisco de Covarrubias o un Gonzalo de Almazán habían puesto dinero en los navíos despachados por los portugueses a Calicut desde 1509 a 1514, con un rédito del ciento por ciento o aún más[1]. Era lógico que trataran de obtener mayores lucros todavía en armadas fletadas desde España, si bien para ello era menester contar con la sabiduría náutica y la habilidad cosmográfica de los portugueses. Por esta razón el también burgalés Juan de Aranda, futuro factor de la Casa de Contratación, «abía escrito a Portugal a algunos amigos suyos que, si supiesen de algunas personas que tobiesen mucha esperiencia de las cosas de navegación para descubrir las islas y tierras que tenía el Rey nuestro Señor, que trabajasen por gelos enbiar a Sevilla y que les prometiesen que sus costos y abiso les sería pagado»[2]. Cuando Ruy Falero y Fernando de Magallanes vinieron a Sevilla en 1518, fue Aranda quien los recibió y quien en definitiva los introdujo en la Corte, por lo que no le faltó cierta razón a primera vista para considerarse «inbentor y primera causa del servicio que

---

[1] A.G.I., Patron. 35, 9 (6) f. 138r, 147r y 147v.
[2] A.G.I., Patron. 34, 4 f. 16r. Se trata de un interrogatorio presentado a Magallanes en Barcelona el 19 de abril de 1519; el navegante contesta «que él lo oyó dezir».

en este descubrimiento, que agora ban a hazer los portugueses, a Vuestra Alteza se haze»[3].

Aún hay otros motivos para considerar el viaje de Magallanes como un triunfo de la Banca burgalesa. En Valladolid los portugueses fueron huéspedes de Diego Lope de Castro, otro mercader de Burgos, y en definitiva, gracias a la influencia y al dinero de otro burgalés, Cristóbal de Haro, pudieron hacerse a la vela. En efecto, Cristóbal de Haro jugó muy fuerte, poniendo en la armazón de las cinco naos la importante suma de 1.616.781 maravedíes[4], aproximadamente la quinta parte del costo total de la flota, suma que iba a percibir sin descuento de los gastos ni del sueldo y sin interés mucho más tarde, según sentencia del Consejo de Indias del 28 de junio de 1538[5]; el resto lo financiaba la Corona. Da la sensación, pues, de que los mercaderes burgaleses tejieron una tupida maraña en torno a Magallanes y Falero, en la que cayeron por fuerza los navegantes. Maximiliano Transilvano[6] relaciona la venida de Magallanes y la venida de Haro a Castilla; puede que tenga razón, pero no hay que olvidar que Maximiliano Transilvano era yerno de Haro. En cualquier caso, tampoco conviene dislocar la realidad. Hasta entonces habían sido los genoveses (los Grimaldo, los Centurión, los Espíndolas) los únicos extranjeros en intervenir en el comercio de Indias, ejerciendo poco menos que un monopolio bancario. Si en la financiación del viaje de Magallanes la situación es otra, ello se debe a que una serie de circunstancias han alterado sustancialmente el panorama internacional. En primer lugar, D. Manuel de Portugal había comenzado a tomar medidas restrictivas con los mercaderes burgaleses, empezando por su principal representante, Cristóbal de Haro, que pasó a Castilla en 1518. En segundo término, en el trono de España se había sentado en 1517 un adolescente criado en Flandes, Carlos I, muy pronto necesitado de préstamos ingentes para

---

[3] A.G.I., Patron. 34, 3 f. 38r. Inicia este legajo una muy interesante información que permite seguir las marrullerías de Aranda a fin de hacer caer en sus redes a Magallanes y Falero. Viajando con ellos de Medina a Valladolid les propuso en el puente de Aranda que le diesen el quinto de los beneficios del viaje, so pena si no de pasar al rey información que de ellos tenía de Portugal (A.G.I., Patron. 34, 1 f. 4r-4v). Al final Aranda hubo de conformarse con la ochava parte en documento firmado el 3 de febrero de 1518, que habría de ser impugnado posteriormente por el fiscal real. Por su parte, los oficiales de la Casa de la Contratación pusieron todas las pegas posibles al nombramiento de Aranda como factor. La disputa dio lugar a toda una larga serie de requerimientos conservados en A.P.S.

[4] A.G.I., Patron. 34, 10 f. 45r.

[5] A.G.I., Patron. 34, 23. Según M. Fernández de Navarrete (*Colección de los viajes que hicieron por mar los españoles desde fines del s. XV* [*BAE* 76, p. 517 a]), ascendió a 1.880.126 mrs. lo invertido por el burgalés; pero de ahí hay que restar 263.345 mrs. A Haro se le cortaron las alas en lo sucesivo; a título comparativo, en la armada de Loaysa puso sólo 750.000 mrs., esto es, 2.000 ducados.

[6] *Relación* § III (*BAE* 76, p. 560).

hacer realidad sus sueños. Era la ocasión ideal para que se abrieran nuevas puertas al dinero de los Fúcares o los Welser y para que se restableciera el equilibrio comercial en España, roto por el imán irresistible de Sevilla. De esta suerte, los banqueros burgaleses, con el apoyo de los alemanes, pretenden contrarrestar el tirón del Sur, continuando al tiempo el comercio por rutas marítimas muy antiguas; a su vez, los banqueros alemanes, con la ayuda de los burgaleses, intentan con mayor o menor éxito alzarse con el mercado que antes controlaban los genoveses. Todo ello a pequeña escala, porque a un nivel más elevado la apertura de una nueva vía de contratación de la especiería podía asestar un golpe vital a los intereses de Portugal, que recibía las especias por el Atlántico, y a los de Venecia, a la que llegaban por el Mediterráneo [7].

El primer viaje colombino hizo época no ya por la evidente trascendencia de sus logros, sino incluso por una secuela tan aparentemente banal de su triunfo como es su carácter paradigmático: de 1493 en adelante, en efecto, el genovés se convirtió en figura a imitar por todo aprendiz de descubridor, y sus genialidades y manías fueron el punto de referencia obligado de todo navegante que se preciara. La leyenda colombina se proyecta de esta suerte sobre los futuros pretendientes a realizar jornadas quiméricas, que tienen que demostrar su suficiencia emulando tanto las hazañas como los gestos y posturas del almirante de las Indias, aunque también puede ocurrir que acabe predicándose de ellos las mismas cosas que se decían de Colón, para ajustar todo a un mismo canon ejemplar muy del gusto del vulgo. Siguiendo la pauta tradicional de todos los asientos regios, la meta de la armada quedó disimulada de manera muy cauta. Ruy Falero y Magallanes se comprometieron por la capitulación a descubrir en el mar Océano, dentro de la demarcación de Castilla, «islas y tierras firmes e ricas especerías e otras cosas de que seremos muy servidos y estos reinos muy aprovechados» [8]. Durante su estancia en la Corte, Magallanes se rodeó de un cierto aire misterioso, adoptando posturas que recuerdan de manera paladina las actitudes de Colón. Las Ca-

---

[7] Ya antes la ruta de las especias, otrora monopolio de Alejandría, había sufrido una transformación radical con los descubrimientos portugueses, que asestaron un rudo golpe a los intereses comerciales de venecianos, genoveses y florentinos, «los más ricos mercaderes del mundo», como ya señaló A. Bernal (*Memorias del reinado de los Reyes Católicos,* cap. CLIX, p. 386 Gómez Moreno-Carriazo). El testimonio de la *Historia veneta* de Daniel Bárbaro en 1501 no puede ser más elocuente (*Raccolta colombiana,* III 2, p. 119); recuérdese que P. Vaglienti había expresado el deseo de que Porto Pisano pasara a convertirse en la nueva Venecia (*Raccolta colombiana,* V 1, p. 551 y A. Altolaguirre, *Cristóbal Colón y Pablo del Pozzo Toscanelli,* Madrid, 1903, p. 106ss.). Cf. sobre todo V. Magallães Godinho, *Os descobrimentos e a Economia mundial,* Lisboa, 1987, III, p. 81ss.

[8] A.G.I., Patron. 34, 1.

sas[9] sorprendió una vez al navegante portugués enseñando una mapamundi al emperador, mapamundi que no podía encerrar más verdades
que la famosa carta de Toscanelli. Es que Magallanes, como Colón, sabe
muy bien que, como en todo descubrimiento mantener la intriga es fundamental, había que deslumbrar a todos, empezando por el mismísimo
Carlos, por más que la idea no podía ser más simple, basándose en concepciones de la Geografía clásica [10]que extraña no hayan sido tenidas en
cuenta. En efecto, ya Eratóstenes y Estrabón habían afirmado, sin afectar
en absoluto originalidad, que todos los continentes no son en realidad
más que gigantescas islas. La exactitud de tal afirmación respecto a Africa
había quedado demostrada con el viaje de Bartolomé Díaz. Por lógica
elemental cabía trasponer el mismo proyecto a las Indias: al bordear su
costa hacia el Sur, era de esperar que llegaría un momento en que se daría
bien con un estrecho, bien con mar abierto. El Nuevo Mundo no podía
ser una excepción a la regla de que el mar baña todas las tierras: para
doblar su cabo austral no se precisaba más que de paciencia.

Esta habilidad y maña para prender la atención no es el único lazo
que une a los dos grandes navegantes, que pasaron uno y otro por peripecias parecidas. A Colón, genovés, se le acusó de haberse querido alzar en
Indias con el mando de la Española, o al menos de haber favorecido de
manera descarada a sus coterráneos. Es el problema que plantea siempre
toda empresa dirigida por un extranjero, por mucho prestigio que lo
aureole: la envidia siempre puede atacar tocando las fibras de un patrioterismo barato. En este punto concreto la expedición de Magallanes no
constituyó una excepción a la regla. Ya los sutiles manejos del factor
Aranda provocaron la suspicacia de los oficiales de la Casa de la Contratación, a los que el propio Carlos I hubo de reiterar su confianza en carta
del 16 de abril de 1518[11], aplacando sus quejas por la prisa con que se

[9] *Historia*, III 101 (*BAE* 96, p. 415 b). El mapa era de Martín Behaim, según Pigafetta
(*Viaje*, p. 32). Una fuente tardía, Argensola, habla de la autoría de Pedro Reinel (cf. A. Pinheiro
Marques, *Origem e desenvolvimento da Cartografia portuguesa da época dos descobrimentos*, Lisboa,
1987, pp. 149-50); lo que sí consta documentalmente es que Magallanes entregó a Carlos I "un
plano espérico" hecho por los Reinel y que había costado 12 ducados (A.G.I., Contrat. 3255, f.
106v).

[10] La teoría, antiquísima, de que la ecúmene forma una inmensa isla rodeada por el Océano
la sustentó en Grecia Platón (Timeo 24 C, Critias 108 E), y después le dio mayor fundamento
científico Eratóstenes (cf. Estrabón, *Geografía*, I 3, 13), seguido por Posidonio (*FGrHist* 87 F 28
74-105 Jacoby). En lo que a nosotros interesa, ésta es la forma de la tierra que representaron en
sus mapas los cartógrafos catalanes, como Abraham Cresques en 1375, y después fra Mauro en
su mapamundi y Martín Behaim en su globo (cf. F. Gisinger, *RE* s.u. Okeanos, c. 2328ss. y
2378ss.). Como es sabido, justamente la tesis contraria defendieron Marino y Ptolemeo. En
definitiva, pues, Magallanes bien podía argumentar ante la Corte con una carta de marear en la
mano.

[11] A.G.I., Indif. 419, vol. VII, f. 708.

había hecho el asiento con los portugueses. Pero la voluntad decidida del monarca no logró allanar los obstáculos con que parte de la Sevilla oficial zancadilleó el despacho de la armada: Magallanes quería partir antes del 25 de agosto de 1518, mas los oficiales de la Contratación consiguieron retrasar su salida, pretextando las dificultades del flete, hasta diciembre por lo menos [12]. El interés de Carlos en la empresa se trasluce en otra carta a los oficiales en la que, de unos 30.000 pesos que le habían llegado de las Indias, destinaba 5.000 ducados al aparejo de la armada [13]. Pero no puede decirse que el favor regio limara todas las asperezas, y un incidente nimio vino a demostrar la tensión existente: el viernes 22 de octubre se convino en varar una nao, y Magallanes cometió la imprudencia de colocar su pendón de armas sobre el cabrestante antes de que se hubiera puesto la bandera real. Al punto el teniente de almirante, Sebastián Ropero, protestó airadamente de que se hubiesen desplegado armas de Portugal y el alcalde, informado del alboroto, prendió sin pensárselo dos veces a Magallanes, decisión irresponsable que le valió una tajante reprimenda por parte de Carlos I [14].

Es indudable que en esta actitud contraria a Magallanes aflora una marcada xenofobia no exenta de cierto resentimiento por las mercedes dispensadas a los marinos forasteros. El 5 de febrero de 1518 se había tomado el asiento de piloto mayor con Sebastián Caboto, veneciano injerto en inglés [15]; cinco días más tarde, el 10 de febrero, se había recibido como piloto al portugués Esteban Gómez, con un salario de 30.000 mrs. anuales [16]. Ahora, con el empinamiento social de Magallanes y Falero, convertidos ya en caballeros de Santiago, se podía temer un aluvión de portugueses que despertaba desasosiego entre los miembros de la Casa de Contratación; uno de sus oficiales, el alguacil Lorenzo Pinelo, era de ascendencia genovesa, pero hacía tiempo que su familia estaba arraigada en Sevilla, habiéndose incorporado plenamente a la ciudad. En cambio, la nueva oleada de advenedizos contrariaba profundamente los intereses de unos y otros, por más que sobre Magallanes se alzara la protección de su suegro, el poderoso teniente de alcaide de los alcázares y atarazanas Diego Barbosa, vocero de personaje tan influyente como D. Jorge de Portugal. Las incriminaciones y los descargos se sucedieron sin parar: se

[12] Parece que lograron convencer al rey, como resulta de las cartas de Carlos I a los oficiales y a Magallanes y Falero dadas en Zaragoza el 21 de mayo de 1518 (A.G.I., Indif. 419, vol. VII, f. 709r-10v).

[13] A.G.I., Indif. 419, vol. VII, f. 742v.

[14] Cf. las cédulas expedidas el 11 de noviembre de 1518 a Magallanes, al asistente de Sevilla Sancho Martínez de Leiva, al Cabildo de Sevilla y al doctor Matienzo (A.G.I., Indif. 419, vol. VII, f. 796v ss.).

[15] A.G.I., Indif. 419, vol. VII, f. 691.

[16] A.G.I., Indif. 419, vol. VII, f. 693v.

acusó a Magallanes de enrolar excesivo número de portugueses; replicó
Magallanes que, habiéndose publicado el pregón en Málaga, Cádiz, el
Condado y Sevilla, no se habían presentado naturales de los reinos de
España dispuestos a embarcarse, por lo que se había visto obligado a
coger portugueses, como había alistado a venecianos, griegos, bretones,
francos, alemanes y genoveses; entonces se ofreció la Casa de la Contratación a reemplazar a los portugueses por españoles. Tras estos tiras y
aflojas, todo quedó en que una cédula real del 17 de junio de 1519 limitó
a cinco el número de portugueses que podía llevar como criados cada uno
de los dos flamantes santiaguistas. [17]

Este rosario de nombramientos y de incidentes revela por otra parte
una alarmante carencia de técnica en España. Las grandes empresas náuticas están proyectadas por forasteros, aunque sean españoles quienes al fin
las lleven a buen término. Comienza a abrirse un foso insalvable entre la
teoría y la práctica, a la larga profundamente perjudicial para sostener un
imperio ultramarino.

En la derrota por el Pacífico el viaje presenta un punto oscuro. Gracias a Serrano era conocida de sobra la latitud a la que se encontraban las
islas del Maluco. Sin embargo, Magallanes no endereza allí su rumbo,
sino que pone proa más al N., diciendo, como afirma Poncevera [18], que
quería alcanzar los diez o doce grados de latitud Norte. Así llegó, tras una
corta escala en las islas de los Ladrones, al archipiélago de San Lázaro (las
Filipinas). Del oro de estas islas se habla entonces con gran insistencia.
Según Francisco Albo [19], en Mazava «dizen que ay mucho oro y nos

---

[17] A.G.I., Patron. 34, 8.
[18] *Raccolta colombiana*, III 2, p. 276, 22ss.: «correram té que chegaram a linha, domde dixe
Fernam de Magalhaes que já estava em paraje de Maluco. Porterem enformaçam que em Maluco
nam avia mantimentos, dixe que queria hir da banda do Norte até des ou doze grados, domde
chegaram até .13. da banda do Norte».
Aprovecho esta ocasión para deshacer un error en la interpretación del *Viaje* de Pigafetta.
En plena travesía del Pacífico dice el texto tanto manuscrito como impreso: «En esta derrota
pasamos a poca distancia de dos islas riquísimas, una a 20° de latitud austral, que se llama
Cipango la otra a 15°, llamada Sumbdit-Pradit» (*Raccolta colombiana*, V 2, p. 67, 7). Da Mosto,
seguido por R. A. Skelton (*Magellan's Voyage*, New Haven-Londres, 1969, I, p. 158), identifica
Cipangu con Japón y cree contra toda evidencia que Sumbdit-Pradit es corrupción de *Septem
ciuitates;* ninguno de los dos parece haberse tomado la molestia de consultar las cartas antiguas,
pues A. Ortelius (*Theatrum orbis terrarum*, Amberes, 1588, Indiae Orientalis insularumque adia-
centium typus) coloca Cimpegua y Sumbdit al O. de Nueva Guinea, entre 170°-180° de longitud y unos 13° de latitud S. A mayor abundamiento, Sumbdit-Pradit vuelve a ser citado en el
texto de Pigafetta más tarde ("Bassi Bassa, terra ferma e poi Sumbdit Pradit, due isole richisime
de oro" [*ibidem*, p. 111, 2]). Por ende, se trata de islas vecinas a Timor. Y de hecho, ya en la
mapamundi de fra Mauro aparecen junto a Sumatra unas islas Canpangu y Sondai (Sonda), que
son sin duda las que menciona Pigafetta, descabaladas, en medio del Océano Pacífico. Alonso de
Santa Cruz (*Islario general de todas las islas del mundo*, ed. de A. Blázquez, Madrid, 1920, p. 415)
sitúa junto a Java Mayor los distritos de Sunda y Panda.
[19] A.G.I., Patron. 34, 5 f. 12v.

mostraron cómo lo cogían: hallavan pedacicos como garvanços y como lentexas». Otros contaron que los navegantes habían llegado a unas tierras «donde dizen havía y vieron tanto oro y que con arneros vieron ahechar, y davan por una acha diez o doce pesos de oro y por un crustalino dos o tres y por un poco de fierro tres o cuatro pesos de oro»[20]. Si estas noticias nos resultan sorprendentes, mayor pasmo aún produce la conducta de Magallanes, que «mandó, cuando llegaron a las islas de oro, que ninguno fuese osado so pena de muerte de rescatar oro ni tomar oro, porque quería despreciar el oro»[21]. Quizás se comprenda mejor la actitud del capitán general si recordamos que una tradición relataba que, allende las islas fronteras a China,

va una tierra muy grande que dizen que es tierra firme <e> otras islas donde venían a Malac cada año tres o quatro juncos de gentes blancas, que son muy grandes mercadores e muy ricos: traen mucho oro en varras y plata y seda y mucho y muy buen trigo y muy fermosas porcelanas y otras mercaderías, y llevan mucha pimienta y todas las otras cosas que los dichos chinos llevan; a los quales les llaman lequios[22].

Al margen de esta descripción una apostilla exegética escrita por otra mano dice: «Ofir». Y no es éste el único testimonio de tal identificación[23], pues también A. Galvão[24] piensa que Tarsis y Ofir se encuentran en la isla de los Luzones, Lequios y Chinos. ¿No da la impresión de que Magallanes buscaba premeditadamente las islas de los lequíos, esto es, Ofir, y que, como Colón, se convenció a sí mismo de que las había encontrado? Antes de partir se rumoreó que el portugués iba a descubrir donde «había minas y arenas de oro»[25]; y efectivamente, al encontrar que en tan pequeña tierra como Mazagua había oro, «dixo a los suyos que ya

[20] A.G.I., Patron. 34, 19 f. 7r y 9r (sexta pregunta de la información).

[21] A.G.I., Patron. 34, 19 f. 2r (declaración de Elcano).

[22] A.G.I., Patron. 34, 13 n° 1. Es la Redacción breve de la *Descripción de las costas desde Buena Esperanza a Leyquios,* publicada por A. Blázquez con una falsa atribución a Magallanes (se suele pensar en la autoría de Duarte Barbosa), Madrid, 1921, pp. 177-78.

[23] E. F. Benson (*Ferdinand Magellan,* Londres, 1929, p. 176) piensa que Magallanes tomó la isla vista el 16 de marzo, Samar, por una de las de la Especiería; pero esta afirmación choca expresamente con el testimonio de los navegantes, como él mismo reconoce. Está preñado de significado el nombre que Magallanes puso a una de las islas, a vueltas de los recuerdos de los lequios (*Raccolta colombiana,* III 2, p. 277, 20ss.): «logo se fizeram a vella a outra ilha muito perto daquesta ilha que está em .10. grados e puseram-lhe nome a ilha dos Bons Sinaes, porque acharam em ella algum houro; e estando así surtos em esta ilha vieram a elles dous parós; trouxeram-lhes gallinhas e cocos, e digeram-lhes que j'alli aviam visto outros homes como elles, donde presumiram que podíam ser Lequios hou Mogores... ou Chiis ». Es de advertir, en efecto, que el mismo nombre, de las Buenas Señales, había dado Bartolomé Díaz al cabo de Buena Esperanza antes de doblarlo.

[24] *Tratado... de todos os descobrimentos,* ed. Bethune, Londres, 1862, p. 33.

[25] López de Gómara, *Historia de las Indias,* XCI (*BAE* 22, p. 213 a).

estava en la tierra que havía desseado»[26], esto es, en las cercanías de las minas del rey Salomón. He aquí, pues, el objetivo fundamental de la armada, y no la búsqueda del clavo. A la vuelta de la «Victoria» Pedro Mártir[27], que recogió con avidez todas las noticias referentes a la pasmosa circumnavegación del mundo, anotó que los navegantes habían encontrado cerca del ecuador islas cuya arena era oro; y esta playa aurífera es justamente la característica esencial de la isla bíblica.

2. La perspectiva escatológica

Ahora bien, el descubrimiento de Tarsis dista mucho de ser un acontecimiento de resonancia puramente económica, sino que tiene consecuencias trascendentes. De creer a Colón, el oro de Tarsis iba a servir para la reconstrucción del segundo Templo, con lo que se entraba de hoz y coz en la era mesiánica judía. Esta interpretación resultaba inaceptable por razones obvias para un cristiano, que asimismo pensaba, no obstante, que los tesoros salomónicos habían de propiciar la conquista de Jerusalén, dando así inicio al reinado del último emperador universal, cuya halo resplandeciente era proyectado por la propaganda cortesana sobre la juvenil figura de Carlos I, no ya Carlo Magno sino Carlos Máximo, el postrer cruzado del mundo. Con la arribada a Tarsis se abre para judíos y cristianos el período escatológico que presagia sucesos inenarrables. Sólo de esta manera se explica el extraordinario comportamiento en las Filipinas de Magallanes, que de tenaz descubridor pasa a convertirse en un ardiente misionero, de suerte que sus cálidos sermones convierten al rey y a la reina de Zebú, que reciben el agua bautismal en solemne ceremonia. Y no todo para en simples palabras, sino que el capitán consigue en su celo apostólico que hasta se produzcan milagros, como la curación también en Zebú del hermano del príncipe Fernando, que se recupera nada más ser bautizado de la postración agónica en que se hallaba. Síguese de inmediato la destrucción de los ídolos que han sido convencidos de falsedad, y a poco la semilla del evangelio prende también en los demás habitantes que, tocados por la gracia divina, acuden en bandadas a abrazar el cristianismo[28]. No es de extrañar que un fervor místico se apoderara del navegante, que veía enardecido los maravillosos efectos que surtía la palabra del Señor en la Ofir testamentaria[29].

[26] Relación de Ginés de Mafra (BN Madrid, ms. Res. 18, I 11, f. 12r), publicada por A. Blázquez, *Descubrimiento del Estrecho de Magallanes*, Madrid, 1921, p. 198.

[27] *Decades de orbe nouo*, Compluti, 1530, V 7 (f. 78v), VII 6 (f. 96v y 97v).

[28] En un día llegaron a abrazar la fe cristiana 800 indios (*Raccolta colombiana*, II 3, p. 278, 8).

[29] E. F. Benson (*Ferdinand Magellan*, p. 201, 205, 217, 213, 223) insiste mucho en el

En este momento cumbre de su vida Magallanes, como Colón, sufre una profundísima crisis religiosa y experimenta algo así como una revelación de Dios, pues al milagro terapéutico se suman otros hechos que el capitán no duda en interpretar como sobrenaturales. Pero una diferencia abismal separa a los dos navegantes: Colón es un místico judío, Magallanes un visionario cristiano. Así se explica la obsesiva atención que se presta en 1521 a la predicación del Evangelio, aspecto que se había soslayado muy prudentemente en 1492. No ya la curación del reyezuelo, sino la conversión masiva de los indígenas hubieron de provocar la más viva conmoción en el adusto pero sensible Magallanes; es que cuando se sucedían esos bautismos sin cuento, que parecían preludiar la segunda parusía de Cristo, el hombre más cuerdo podía perder la cabeza: alucinaciones semejantes habían de trastornar a los religiosos, fueran franciscanos o jesuitas, en tiempos y parajes muy diversos. En consecuencia, para mejor comprender los sentimientos de Magallanes conviene dirigir la vista a aquellos predicadores del Evangelio que despertaban la admiración y envidia de otro fraile, Nicolás Herborn, en 1532. De todos ellos reclama nuestra atención la figura de un franciscano eminente, de un misionero que a una aguda sensibilidad une un especialísimo atractivo literario: fray Toribio de Benavente, Motolinía, uno de los doce apóstoles de México. De su libro sobre los indios de Nueva España se desprende que la vida de fray Toribio, que discurre en un permanente bautizar, confesar y predicar a vueltas de mil atenciones y cuidados a los indios enfermos, menesterosos y desvalidos, fue un continuo y maravilloso ensueño. Cada uno de los apóstoles bautiza a lo mejor en un día «cuatro y cinco y seis mil» indios[30], más que el propio Cristo. En cierta ocasión Motolinía no tiene empacho en proclamar que su llegada y la de sus compañeros significó una revolución en la vida mexicana, hasta el punto de que los indios comenzaron a contar los años según una nueva era: «el año que vino la fe»[31]. Se trata al parecer de una confesión ingenua, pero no nos dejemos engañar: los escritores de Indias no son tan ingenuos ni tan espontáneos como se dice. En esta tan ejemplar como abnegada existencia hay un extremo anormal: esa sublime embriaguez de bautismos

fanatismo religioso de Magallanes, poniendo de relieve que lo poseía un éxtasis religioso que acabó por ser causa de su muerte. Lo mismo repiten sin gran variación los diversos biógrafos del gran navegante, despreocupados de las motivaciones y de las circunstancias que rodearon su trágico fin.

[30] *Historia*, III 3 § 304 (p. 131 O'Gorman). Creo que se muestra excesivamente optimista sobre los métodos que usaron entonces los admirables franciscanos R. Ricard, *La «conquête spirituelle» du Mexique*, Oapis, 1933, p. 104ss.

[31] *Historia*, III 1 § 275 (p. 115 O'Gorman). Como útil elemento de comparación conviene advertir que Gómara introduce otro inicio de una era: el año de la viruela (*Conquista de México* [*BAE* 22, p. 363 a]).

masivos, que pronto levantó las censuras de los religiosos de otras órdenes llegadas más tarde. De tantos cientos de miles de hombres cristianados ¿cuántos lo eran de corazón? Pero a Motolinía, conviene reconocerlo, no le preocupa la aceptación interna de la fe cristiana, sino la celebración externa del sacramento. Esta es la razón por la que Motolinía y Las Casas nunca podían llegar a un entendimiento, así como tampoco podía reinar el acuerdo entre fray Toribio y el padre de la Merced, que había pronunciado ante Cortés unas palabras áureas de política misionera respecto a los indios[32]. Claro está que fray Toribio tiene sus razones, al igual que las tenía su maestro Martín de Valencia, que anhelaba estar presente en la conversión final de todos los infieles «en la tarde y fin de nuestros días y en la última edad del mundo»[33]. Los doce apóstoles franciscanos sienten que el Universo está dando las últimas boqueadas: hay que darse prisa a evangelizar, a predicar, a bautizar con y sin razón, de grado o por la fuerza. Así lo declara a Carlos I el buen fraile en un pasaje estremecedor:

El de Las Casas en lo que dice quiere ser adivino o profeta, y será verdadero profeta, porque dice el Señor será predicado este evangelio en todo el universo antes de la consumación del mundo. Pues a V. M. conviene de oficio darse priesa que se predique el Santo Evangelio por todas estas tierras; y los que no quisieren oír de grado el Evangelio de Jesu-Cristo, sea por fuerza; que aquí tiene lugar aquel proverbio: mas vale bueno por fuerza que malo por grado[34].

El abnegado Motolinía, cuando procede a realizar estos bautismos forzosos —que no otro nombre merecen—, se siente ejecutor de los designios de Dios ni más ni menos que Sisebuto o Heraclio, los soberanos que se consideran llamados por la providencia a ordenar la conversión masiva de los judíos. Apenas los brazos dan abasto para tanto bautismo, pero el tiempo apremia. Un Bartolomé de Olmedo, el padre de la Merced, «entendido y teólogo», ve el drama individual; fray Toribio, místico y apasionado, sólo tiene ojos para contemplar el drama universal. Por esta razón Motolinía comete una grave injusticia con los que antes y después de los franciscanos evangelizaron a los indios, al condenarlos al más soberano de los desprecios. La postura ideológica del fraile remonta en definitiva a la

[32] Merecen este calificativo las palabras que pone en su boca Bernal Díaz del Castillo, *Conquista de la Nueva España*, 77 (*BAE* 26, p. 69 a). El soldado metido a cronista alaba mucho al padre Bartolomé de Olmedo, «buen letrado» (cap. 162 [p. 218 c]; cf. cap. 164 [p. 221 b]) «santo fraile» (cap. 169 [p. 240 a]), «santo hombre» (cap. 185 [p. 265 b]), «muy buen fraile y religioso» (cap. 174 [p. 246 b]).
[33] Motolinía, *Historia*, III 2 § 288 (p. 122 O'Gorman).
[34] Carta al emperador, p. 211 O'Gorman. Muy contrario a estos bautismos precipitados se muestra también G. Fernández de Oviedo, *Historia*, XXIX 34 (*BAE* 119, pp. 355-56), XLII 3 (*BAE* 120, p. 384).

doctrina muy común que defendía una serie de teólogos, entre ellos Conrado de Villadiego en su tratado *Contra hereticam pravitatem:* a los herejes, «cuando existe esa posibilidad, hay que prohibirles cometer el mal y hay que obligarlos a hacer el bien»[35]. Del mismo modo fray Toribio justifica por el fin los medios:

si se pudiera excusar aquel castigo y ellos no dieran causa a que se hiciese, que mejor fuera; mas que ya que se hizo, que fue bueno para que todos los indios de todas las provincias de la Nueva España vieren y conocieren que aquellos ídolos y los demás son malos y mentirosos[36].

No de otra manera Magallanes se cree el enviado de Dios sobre una tierra nunca hollada por cristianos, y en el convencimiento de ser él un nuevo apóstol acaba por adoptar posturas radicales en exceso. Esta anómala excitación religiosa es la que, a fin de cuentas, provocó la tragedia de Mactán. Sin duda el navegante estaba convencido de que apenas habría lucha con los indígenas, teniendo a Cristo de su parte. Y quizá cabe sospechar que sus mismos compañeros no pusieron demasiado empeño en ayudar a un visionario cuyas manías de grandeza podían a la postre resultar peligrosas para todos y que decía, en los momentos más críticos de la lucha, que «bastaban los cristianos con el favor divino para vencer a toda aquella canalla»[37]. Al fin y al cabo, al «noble capitán» lo perdió un exceso de fe.

3. *La Casa de la Contratación de la Especiería*

El viaje de Magallanes y Elcano había abierto por fin la tan deseada ruta de la especiería, con lo que se paladeaban fabulosos negocios, que encandilaban al monarca, a sus súbditos y sobre todo a los banqueros. Sólo la venta del clavo de la nao «Victoria» había supuesto una ganancia de 25.000 escudos[38]. Es comprensible que los Fúcares y los Welser se lanzaran como aves de presa sobre esa oportunidad óptima que se les ofrecía de amasar riquezas sin cuento. En recompensa a sus servicios, Cristóbal de Haro fue nombrado, con un sueldo de 120.000 maravedíes anuales, factor de la Contratación de la Especiería del Maluco[39], contratación cuya Casa había de radicar en la Coruña. Con enorme optimismo y

[35] Cap. 25 (ed. de Salamanca, 1496).
[36] Bernal Díaz del Castillo, *Verdadera historia,* 83 (*BAE* 26, p. 78 b).
[37] Pigafetta, *Viaje,* p. 103. Con su testimonio concuerda el de Ginés de Mafra (BN Madrid, ms. Res. 18, I 13, f. 14v): «y todavía, anque le dezían que mandase a los de Çubú que peleassen, no quiso, hasta que andando animando a su gente se desangró tanto que cayó muerto».
[38] A.G.I., Patron. 32, 23.
[39] A.G.I., Patron. 38, 10.

fruición se forjaron entonces planes de gran alcance. El 13 de noviembre de 1522 Carlos I se comprometió con los armadores a enviar, sin contar con la de Loaysa, cuatro flotas más a las islas del Maluco desde la Coruña, y a pagarles a razón de un veinte por ciento de interés si era él el causante del impedimento de la partida de las naves[40]. Mas no por ello dejaron de buscarse otros caminos: el infatigable Cristóbal de Haro[41] es quien respalda la frustada expedición de Gil González Dávila, que en 1521 pensaba en arribar al Maluco desde las costas panameñas. Los proyectos acariciados entonces no brillaban precisamente por su modestia, pero todavía parecían viables más de medio siglo después: en 1582 Juan Bautista Román acertó a expresar con precisión lo mismo que se soñaba despierto en 1522: «Valdrá la especiería barata en España y en los demás reinos de Vuestra Magestad; y podráse vender a los venecianos para la distribución de todo levante en Sevilla, y a los franceses y bretones para las partes septentrionales, y de Cadiz pasará a Africa»[42]. El entusiasmo por el Maluco no podía ser más desbordante. Como es lógico, estos ambiciosísimos planes contrariaban profundamente a Portugal, cuyos intereses económicos se sentían heridos en lo más vivo. Como decía Ruy Falero[43], la contratación del Maluco «fazía mucho perjuicio al trato de Portugal»; y aun se rumoreaba que el rey portugués estaba dispuesto a dar 400.000 ducados al año por tener la exclusiva de la Especiería. Como urgía llegar a un acuerdo, en 1524 se reunió en Badajoz y Elvas una junta hispano-lusa para determinar los derechos de ambas naciones sobre las tierras afectadas por el nuevo derrotero. Según los diputados españoles, el Maluco no estaba en la longitud que decían los cartógrafos portugueses; los argumentos que aducían se basaban en la autoridad de escritores y geógrafos muy manejados por Colón: Marco Polo, Ptolemeo, Juan de Mandevilla. Pero incluso en estas sesiones de cavilosos cosmógrafos no puede faltar un destello ofírico:

aun esto corresponde lo que se lee en el tercero libro de los Reyes de las armadas que hazía Yram a intercesión del rey Salomón en el Mar Rubro, que tardavan tres años en ir y venir a las partes orientales de Ofir y Cetím (=Quettim), de do traían el oro para edificar el Templo, las quales tierras todos los que escriven sobre la Sacra Escritura afirman ser hazía lo más oriental de Yndia; de todo lo cual se infiere que la navegación desd'el dicho mar Rubro hasta lo oriental de Yndia es mucho más larga distancia de lo que los portugueses la publican[44].

[40] Cf. A.G.I., Patron. 415, vol. I, f. 22v (antiguo, 26v moderno) § 30 (publicada por M. Fernández de Navarrete, *Colección de los viajes* [*BAE* 77, p. 103 b]).
[41] A.G.I., Patron. 37, 6; 39, 10.
[42] A.G.I., Filip. 27, 3 n.º 59.
[43] Carta de 22 de enero de 1523 (A.G.I., Patron. 34, 2).
[44] A.G.I., Patron, 48, 13 f. 4r (mal numerado); publicado en M. Fernández de Navarrete, *Colección de los viajes* (*BAE* 76, p. 620 b).

Tal dictamen, suscrito en primer lugar por Hernando Colón, no distaba en realidad un ápice de las ideas del primer almirante, que situaba el reino de Tarsis en el extremo de Oriente, en el fin del Catayo [45], con la salvedad de que entonces se sabía ya que entre Europa y la India se alzaba una tierra nueva antes desconocida. En efecto, por increíble que parezca, todavía se seguía atendiendo como a un oráculo a la autoridad de Ptolemeo, cuyos cálculos trataban de ajustarse a los datos que ofrecían los modernos descubrimientos. Así, en la misma reunión afirmaron muy graves fray Tomás Durán, Sebastián Caboto y Juan Vespuche:

No puede ser el cabo del Catígara sino la dicha isla de Gilolo con los Malucos. Item este cabo de Catígara pone el Tolomeo a la punta del Sino Magno, después del sino Gangético e de la Aurea Cresonensus; lo cual conforma todo con la descripción agora descubierta, de suerte que la descripción e figura del Tolomeo e la descripción padrón nuevamente allado por los que vinieron de la Especería son conformes; e no solamente son conformes en la figura, más también en el nombre: llámase agora aquella región la China; Tolomeo llamóla *regio Sinarum;* como los bárbaros aprietan más la ese, por dezir China dizen Sina; e los mesmos portugueses ponen la China en este sitio. Esto así dicho que la isla de Gilolo e de los Malucos son el Catígara, como de hecho son, viene la linea de la demarcación treinta e dos grados más al poniente, e corta por la boca del Gange; e así cae Çamatra e Malaca e los Malucos en nuestra demarcación [46].

El 27 de marzo de 1523 Carlos I firmó otra capitulación con el portugués Esteban Gómez, cuya conducta en la expedición de Magallanes había dejado mucho que desear, pero que ahora se ofrecía a «ir a descubrir al Cathayo oriental, de que tenéis noticia y relación, por donde hazeis fundamento descubrir hasta las nuestras islas de Maluco» [47]. De esta suerte se completaba la exploración, que trazaba un arco gigantesco por el hemisferio boreal hasta llegar al equinoccio. Y hay que añadir que Esteban Gómez pretendía llegar a la Especería buscando un paso correlativo por el hemisferio norte, paso que ya había intentado descubrir mucho antes Juan Caboto; como es natural, sólo llegó a explorar el río de San Antón. A finales de 1524 o principios de 1525 el obispo de Burgos Fonseca escribía a Carlos I:

Aquí me han dicho cómo estando Vuestra Magestad en Valladolid mandó que [se des]pachase Estevan Gómez, piloto, con una caravela de hasta cincuén[ta] toneles que él

[45] Cf. la larga apostilla C 166 a la *Imago mundi* de Pedro d'Ailly, cap. XXIIII (*Raccolta colombiana*, I 2, p. 387).
[46] A.G.I., Patron. 48, 13 f. 3v.
[47] A.G.I., Indif. 415, vol. I, f. 30r ss. Su asiento, con 30.000 mrs. de salario al año, se encuentra en A.G.I., Patron. 34, 10. Sobre esta expedición cf. sobre todo J. T. Medina, *El portugués Esteban Gómez al servicio de España*, Santiago de Chile, 1908 y L.-A. Vigneras, *Revista de Indias*, XVII (1957) 189ss.

hiziese para ir a descubrir el Catayo oriental. Entonces se hizo fundamento que aparejada y adreçada costare hasta mill y quinientos ducados, de que Vuestra Magestad pagase la meitad, que heran setecientos y cincuenta ducados, y armadores la otra meitad. Agora él es venido aquí y dize que dexa hecha la caravela de algo más porte, y lo que hasta oy está gastado en ella son al pie de mill ducados de Vuestra Magestad, y los armadores que entonces querían armar han faltado, y son menester para acaballa de despachar otros mill ducados. Vea Vuestra Magestad, si es servido que todavía vaya su viaje, mande proveer de los dineros necesarios; y si no, está caravela podrá servir en otra armada principal de la especiería en lugar de una de las caravelas[48].

Ignoro la razón por la que Gómez se encontraba desasistido, máxime cuando en el éxito de la empresa se halla también muy interesado el ubicuo Cristóbal de Haro, que había invertido en la armazón de la carabela, a tenor de lo puesto en el despacho de Loaysa (2.000 ducados), 200 ducados, es decir, un diez por ciento que parece fijado por la Corona. En último término más nos importa que de nuevo comiencen a sonar nombres familiares en los proyectos colombinos.

4. La expedición de Loaysa

El 24 de julio de 1525 partió de la Coruña la armada de Loaysa, en la que marchaba la flor y nata de los marinos españoles. En su aparejamiento se había vertido oro a raudales, proveniente en primer lugar de las arcas de Juan Fúcar, tan remiso entonces en hacer empréstitos a Carlos I (10.000 ducados), y después de las de Jerónimo Welser (2.000 ducados). Hasta qué punto ha cambiado la procedencia del capital lo indica la lista de armadores[49]. En efecto, además de los grandes banqueros alemanes aparecen dos flamencos (Pablo de Gamarra [52 ducados] y Juan de Latumba [150 ducados]), altos cargos de la administración como el doctor Beltrán (200 ducados) y Juan de Samano (100 ducados), los banqueros burgaleses (Cristóbal de Haro: 2000 ducados; Lope Gallo: 100 ducados; Alonso de Espinosa: 100 ducados; Juan López de Haro: 150 ducados; Fernando Yáñez: 300 ducados) y gallegos nobles o adinerados, como el conde de Villalba y futuro asistente de Sevilla D. Hernando de Andrada (685 ducados) o el vecino de Betanzos Vasco García (200 ducados y dos tercios). De la misma manera la construcción de los navíos se llevó a cabo parte en la Coruña (la «Santa María del Parral», el «San Lesmes» y el patache) y parte en Vizcaya (la «Trinidad», la capitana, la «Anunciada»,

[48] A.G.I., Patron. 37, 9.
[49] La lista de armadores se conserva en A.G.I., Patron. 37, 17 (cf. Patron. 37, 38, f. 43 y la cédula del emperador [Patron. 40, 6 (n.º 1) ff. 39-40]). Una visión de conjunto ofrece F. Solano, *A viagem de Fernão de Magalhães e a questão das Molucas,* Lisboa, 1975, p. 581ss.

el «San Gabriel»); de la fábrica de los cuatro últimos se encargó el también mercader Francisco de Burgos, sobrino de Cristóbal de Haro[50].

A esta expedición, que había de tener un final desastrado, se le dio el nombre de «armada de la espeçería» y sus barcos fueron llamados «naos de la espeçería». Pero no nos engañemos: lo que se intentó, con unos años de diferencia, fue alcanzar otra vez los objetivos que había acariciado Colón. Así se comprende que Andrés de Urdaneta, refiriendo las calamidades que sufrió la desventurada flota, advierta que en junio y agosto de 1526

andábamos muy trabajados e fatigados quatorze o quinze grados de la banda del Norte en busca de Cipango... e por este respeto acordamos de arribar a nuestro camino para Maluco. Yendo así nuestra derrota, descubrimos una isla en quatorze grados por la parte del Norte. Pusímosle nombre San Bartolomé; la cual isla parecía grande, e no la pudimos tomar[51].

A su vez Hernando de la Torre declara que el 9 de agosto «acordaron todos los oficiales de la nao con el capitán de no correr más al Norte; porque se nos murió mucha gente hobimos de hazer la vía de las islas de Maluco»[52]. De esta manera tan elusiva nos enteramos de que Loaysa no se dirigía sólo a Maluco, sino también a Cipango. El propio Urdaneta confiesa: «Bien creo que si Juan Sebastián de Elcano no falleciera, que no arribáramos a las islas de los Ladrones tan presto, porque su intención siempre fue de ir en busca de Cienpago: por éste se llegó tanto hacia la tierra firme de la Nueva España»[53]. En efecto, Elcano, que había visto con sus propios ojos la pretendida «isla de oro», era demasiado crítico como para dar crédito a las alucinaciones de Magallanes: para un entendido como él, la isla de oro no podía ser otra que la fabulosa Cipango de Marco Polo.

Y conviene retener en la memoria esta isla de San Bartolomé, porque muy pronto se va a forjar en torno a ella la consabida leyenda. Este

---

[50] A.G.I., Patron. 40, 3 = 40, 6, (n.º 3): cuarta pregunta en el pleito de los Fúcares.

[51] Patron. 37, 34 (cf. M. Fernández de Navarrete, *Colección de los viajes* [BAE 77, p. 230 a]).

[52] A.G.I., Patron. 37, 24 (M. Fernández de Navarrete, *Colección de los viajes* [BAE 77, p. 145 b].

[53] Relación publicada por F. Uncilla (*Urdaneta y la conquista de las Filipinas,* San Sebastián, 1907, p. 344). Urdaneta, como Elcano, se mueve siempre en un estrecho círculo de vascos amigos, como demuestran las no pocas ocasiones en que aparece en los documentos de la expedición. Así, el 3 de abril de 1529 confirma el testamento de Juan de Goiri (A.G.I., Patron. 39, 4), y el 29 de diciembre del mismo año rubrica la última voluntad de Martín García de Carquizano (A.G.I., Patron. 39, 3). En 1530 se remató en él una cuera de pelo negro que había sido de Juan de Mena (Patron. 38, 16). Fue albacea de Andrés de Carquizano el 27 de julio de 1533 (A.G.I., Patron. 40, 4). En 1537, ya de vuelta en España, compareció como testigo en los pleitos entablados por Lope Perea de Lasalde (A.G.I., Patron. 38, 11) y Juan López de Elorriaga (A.G.I., Patron. 39, 14).

atractivo atolón (Taongui, en el archipiélago Marshall, según el común de los historiadores [54]), en el que la nao trató de fondear sin conseguirlo el día y la noche del 22 de agosto, así como la restringa que lo rodeaba, debió de disparar con el tiempo la imaginación de los marinos: ¿no habían propalado los portugueses la especie de que el Maluco se encontraba en un mar innavegable a causa de los arrecifes? [55] La escollera es uno de los rasgos típicos de la isla mítica inaccesible a los navegantes. En torno a Ofir, como decía Martín Fernández de Enciso [56], «es el mar de baxos, por donde las naos no podían navegar sino por ciertas canales». Y hay que recordar también que la isla más famosa de la literatura de entonces, la Utopia, tenía precisamente traza de luna creciente: sus brazos formaban un compás de 500 millas y estaban separados por un estrecho de 11 millas, estrecho plagado de bajos y arrecifes de manera que no se podía entrar en él sin la guía de un utopiense que conociera los canales al dedillo [57]. Tal descripción, basada según creo en relatos portugueses, convenía a maravilla a la naturaleza de los atolones, y es probable que tal coincidencia no pasara desapercibida a los hombres cultos de la época. He aquí una posible confirmación, aun basada en un *argumentum ex silentio:* el Océano griego está poblado de islas mágicas (de lestrígones, ciclopes y otros monstruos y mujeres no menos peligrosas); en la *Verdadera Historia* de Luciano se narra la fantástica navegación por un Atlántico lleno de islas, por el que se llega a impulsos del viento hasta la mismísima Luna, ascensión ésta que no deja de recordar ciertas concepciones colombinas. Ahora bien, ninguna de estas islas se parece a la descrita por Moro [58], singularidad que me parece enormemente significativa acerca de la dependencia del humanista, que escribió parte de la *Utopia* en Amberes en 1515, donde oía contar a sus amigos mil maravillas acerca de los

---

[54] F. Coello, «Conflicto hispano-alemán», *Boletín de la Real Sociedad Geográfica de Madrid,* XIX (1885) 265, A. Sharp, *The Discovery of the Pacific Islands,* Oxford, 1962, pp. 12-13, A. Landín Carrasco, *Islario español del Pacífico,* Madrid, 1984, p. 135-36.

[55] Así dice Pigafetta el 6 de noviembre de 1521 (p. 133).

[56] *Suma de Geographía,* Sevilla, 1530, f. 50r. Frente a China Alonso de Santa Cruz (*Islario general,* p. 103 ed. Blázquez, con lám. XIV) dibuja unos bajos que «tienen canales por do pasan los lequíos que vienen a Baharen y a otras partes».

[57] *Omnia quae hucusque ad manus nostras pervenerunt Latina opera,* Lovanii, 1566, libro II, f. 6v. En la descripción de Moro hay que contar también con elementos tradicionales, como el puerto en forma de media luna (otro describe Ariosto, *Orlando furioso,* XIX 64). Es de notar que en 1768, cuando Bougainville puso pie en Tahití, su botánico Commerson redactó una inscripción latina en la que se establecía una idílica correspondencia entre Tahití y Utopia (*in hanc-ce tandem insulam affluente omni beatae uitae suppelectili ditissimam re et nomine Vtopiam nuncupandam* [errores de transcripción en el latín en Corney, *The Quest and Occupation of Tahiti by Emissaries of Spain During the Years 1772-1776,* Londres, 1915, II, pp. 461-62, cf. 466]). Cf. más adelante p.

[58] Sólo quizá algunos detalles en II 30ss.

viajes contemporáneos. Pero además la Utopia, en abierta contradicción con el significado de su nombre, puede localizarse con cierta precisión en la carta de marear, pues su protagonista «Charlatán» (*Hythlodaeus*)[59], tras vivir cinco años en la Utopia, logró a continuación llegar a la Tapróbana y navegar de allí a Calicut; la isla, por tanto, se encuentra en ningún sitio, sí, pero siempre cerca de ese país de la cucaña que era la India, en las aguas del Océano misterioso llamado Gran Golfo por Ptolemeo.

5.   *Sevilla contra la Coruña: la armada de Caboto*

Mientras tanto, el apresto de las naos de Loaysa en los astilleros de la Coruña y Vizcaya produjo hondos recelos y encendidas protestas en la sede por excelencia del comercio indiano, Sevilla, que no podía permitir con los brazos cruzados que se le arrebatara por las buenas el negocio de la especiería. Por esta razón nada tiene de extraño que el 2 de diciembre de 1524 un grupo de acaudalados mercaderes afincados en Sevilla se reunieran para firmar ante escribano una importantísima escritura, una propuesta de descubrimiento en la que ellos, todos extranjeros, se comprometían a invertir sumas sustanciosas: Franco Leardo, Leonardo Cataño y Pero Benito de Basiñana estaban dispuestos a poner en la empresa 500 ducados cada uno, Juan de Riberol 250 y Roberto Thorne 200. El encargado de lograr el permiso del rey no era otro que Sebastián Caboto, el piloto mayor de la Casa de la Contratación y en teoría el más prestigioso cosmógrafo de Castilla. Los capítulos que debía presentar al monarca especificaban el número de naves a armar (tres en principio), el astillero (Sevilla, por supuesto) y hasta el rumbo; Carlos I le había de dar a Caboto

liçençia e facultad para que pueda ir e vaya por el Estrecho de Todos Santos en demanda de las islas del Maluco e de las otras que fueron descubiertas así por el dicho Fernando de Magallanes e Juan Sevastián d'Elcano como por otras cualesquier presonas e gente, que fueron en el armada que Vuestra Magestad mandó enbiar con ellos e de las otras islas e tierras de Tarsis e Ofir e el Catayo oriental e Çepango, atravesando aquel golfo, y que pueda ir a ellas o a cualquier de las que hallaren e mejor le paresçieren que conviene para hazer el rescate e cargar las dichas naos de oro, plata, piedras preçiosas, perlas, droguería, espeçería, sedas, brocados e otras cualesquier cosas de valor...[60]

No se podía pedir más claridad en la solicitud ni había indicio más evidente de que los genoveses lanzaban un contraataque a la desesperada:

---

[59] Fue presunto compañero de Vespuche en las tres últimas navegaciones, y habría sido uno de los 24 hombres dejados en un fortín por el italiano (así cuenta la última de las *Quattuor navigationes* publicadas en latín por M. Waldseemüller).

[60] Publico este concierto en un artículo en prensa. El libro fundamental sobre Caboto sigue siendo la excelente monografía de J. T. Medina, *El veneciano Sebastián Caboto al servicio de España,* Santiago de Chile, 1907.

si Carlos quería y necesitaba dinero, allí estaban ellos muy dispuestos a proporcionárselo y no con préstamos ruinosos, sino con el descubrimiento de las más ricas islas del mundo. El deseado acuerdo con el rey llegó no sin cierta tardanza el 4 de marzo de 1525. Aceptadas en su mayor parte las cláusulas de Caboto al pie de la letra, el monarca, después de estipular las condiciones y de fijar la aportación de la Corona en 4.000 ducados, indicó a micer Sebastián y a los armadores que las naos tenían que estar aparejadas «en fin de mes de agosto o mediado setiembre» de 1525, término pronto aplazado por su imposible cumplimiento. Ese mismo año, en las gradas de la Catedral, se pregonaron ante el notario público de Sevilla Pedro Tristán las provisiones reales [61], si bien hasta el 3 de abril de 1526 no fue despachada de la barra de Sanlúcar de Barrameda la armada, compuesta de tres naos (la «Santa María de la Concepción», la «Trinidad» y la «Santa María del Espinar») y una carabela (el «San Gabriel»), «para las islas de Tarsis y Ofir, Cipango y el Catayo oriental», como rezan los diplomas de la cancillería regia [62]. Esta expedición sevillana deja traslucir de manera paladina la pervivencia del pensamiento del primer almirante de las Indias: no en vano vivía en esta ciudad su hijo D. Hernando, que, además de asistir a la negociación en la Corte, hubo de ver complacido cómo se rendía el más palpable de los tributos a una de las ideas predilectas de su padre. La expedición, en efecto, «fue a descubrir el Espeçería», como se dice en varias ocasiones [63], en fraglante atentado contra los derechos de la Casa de la Coruña. Pero resulta que esta Especiería, este Maluco, ya descubierto por otra parte, no es la meta última, que se convierte por arte de magia en las islas de Tarsis y Ofir. Los marinos que se enrolaron en la flota no aspiraban a enriquecerse con quintaladas de clavo o de canela, sino que su sueño iba más allá, como indica de manera expresa el texto de la capitulación.

Oro, plata y piedras preciosas —las riquezas de las minas salomónicas— vuelven a sorber el seso de los españoles y de los extranjeros, que por segunda vez exponen sus caudales y sus vidas en una expedición que va a finalizar en un nuevo desastre. Como es lógico, apenas arriesgan dinero los Fúcares, representados por Lorenzo de Norimberga, el yerno del impresor Jacobo Cromberger (254.925 mrs.), ni los Welser, representados por Ambrosio Alfinger (152.955 mrs): la armada es más bien una concesión imperial a la presión de los grandes banqueros genoveses en primer lugar y de los mercaderes sevillanos en último término. En la lista final de armadores

---

[61] A.G.I., Patron. 42, 1 (n.° 3), f. 10v (pregunta sexta de la probanza de la gente de la armada en 1532); entre los que oyeron el pregón se encontraba el propio Caboto (cf. f. 22v).

[62] A.G.I., Patron. 42, 1 (n.° 1), f. 3r y passim.

[63] A.G.I., Patron. 42, 1 (n.° 1), f. 165r, 166v, etc.

volvemos a encontrar a todos los promotores y entre ellos a «Leonardo Cataño y Ruberto Torne», que contribuyeron con 509.850 maravedíes[64]. Este Robert Thorne[65], natural de Brístol, residía desde 1511 largas temporadas en Sevilla, donde gracias a una sociedad compuesta por él mismo, Leonardo Cataño y un vecino de Malmesbury, Tomás Mallart, logró hacerse en 1522 con un negocio tan rentable como el monopolio de la fabricación y venta del jabón en Triana y Santiponce. Pues bien, en 1527 envió Thorne al embajador inglés Lee una mapamundi[66] que indica a las claras la meta a la que se dirigía Caboto: en efecto, en el hemisferio austral, al lado de Moabar y Gelolo, aparecen dibujadas *insule Tharsis et Offir ditissime*, por lo que no parece dudoso de que el objetivo era la isla de oro de la que habían oído hablar los marinos de la «Victoria», la «ilha d'ouro» allende la equinoccial que buscaban afanosamente a la sazón los navegantes lusos; y es más, el letrero latino anota que, según las medidas de los españoles, Tarsis y Ofir caían fuera de la jurisdicción de los portugueses y que al revés, de ser ciertos los cálculos de los cosmógrafos de Portugal, las islas de Cabo Verde entrarían entonces dentro de la demarcación española. He aquí, pues, con un Thorne completamente colombizado, hasta el punto de arriesgar con su socio Leonardo Cataño una fortunita en un albur. Porque insisto: la expedición de Caboto no iba por especiería, sino por oro, plata y piedras preciosas, los productos que daba la tierra de las islas de Salomón.

Ahora bien, resulta sobremanera extraño que Caboto, llegado al Río de la Plata después de una larga y desdichada travesía[67] en la que se perdió la capitana, no pensara sino en asentarse allí y descubrir tierra adentro, mandando un bergantín con treinta hombres a remontar el curso del río y después poniéndose él mismo al frente de la hueste para explorar el Paraná y el Paraguay. La belicosidad de los indios dio al traste con estas jornadas de tanteo[68] y después hasta con la fortaleza de Sancti Spíritus. Pero, ¿no se dirigía la armada a Tarsis y Ofir? Entonces, ¿a qué gastar tanto tiempo y esfuerzo sin alcanzar siquiera el Estrecho de Magallanes?

La inquietante cuestión se viene a complicar por la nebulosa que en-

---

[64] A.G.I., Patron. 42, 1 (n.º 1), f. 3v y 50r.

[65] Sobre la figura de este Roberto Thorne he reunido datos en un artículo en prensa.

[66] Reproducida por A. E. Nordenskiöld, *A Facsimile-Atlas to the Early History of Cartography*, Estocolmo, 1889 (Kraus Reprints 1970), tabla XLI.

[67] «No era marinero ni sabía navegar», dice de Caboto Diego García (A.G.I., Patron. 44, 2 f. 1v), que ya sentencia en f. 1r: «esta navegaçión no supo tomar Savastián Cavoto con toda su estrulugía e tomó la contraria». El habla del moguereño se refleja en su escritura, como indican formas tan curiosas como «perfesa» por «perversa» y «quirençial» por «equinoccial». La relación fue publicada en la *Colección de diarios y relaciones para la historia de los viajes y descubrimientos*, Madrid, 1944, vol. IV.

[68] Perecieron en esta internada 16 hombres, quedando malheridos los 13 restantes (A.G.I., Patron. 42, 1 (n.º 1), f. 80v; 42, 1 (n.º 7), f. 1ss.; 42, 1 (n.º 9), f. 1ss.).

vuelve a otra expedición, la que Diego García dice que emprendió el 15 de enero de 1526 desde la Coruña y que no pudo comenzar sino el 15 de agosto de 1527, expedición sobre cuya fecha reina incómoda incertidumbre [69] que se extiende a sus objetivos, pues también éstos distan de estar claros. En efecto, la instrucción [70] llama a García «capitán de la caravela e patax que mandamos ir desde la çibdad de La Coruña a çierto viaje e descubrimiento en las nuestras Yndias del mar Oçéano», y esta sigilosa precaución no se despeja conforme se avanza en la lectura del texto: antes bien, por tres veces se extrema el misterio y se tacha donde estaba escrito «Maluco» para escribir encima «las dichas tierras», «tierras do hazeis fundamento de vuestro viaje» y «tierras de suso contenidas», pese a que después se declara que «el prinçipal viaje» es el «de las islas de Maluco», en las que debía tomar tierra por la banda del Norte para evitar el encuentro con las naves del rey de Portugal, capítulo éste, por cierto, que también fue cancelado. Esta instrucción se contradice en apariencia con las declaraciones del propio Diego García, que atestigua que la nao que le había entregado el conde D. Hernando de Andrada era demasiado grande para entrar por el río de la Plata, y que así se lo había hecho ver él al conde y a los factores, predicando a sordos, pues había podido más en ellos la codicia de llenar lo más posible la nave de mercancía, en este caso de esclavos [71], la

---

[69] Sobre su figura cf. especialmente J. T. Medina, *Los viajes de Diego García de Moguer al Río de la Plata. Estudio histórico,* Santiago de Chile, 1908. En p. 94 (y en la discusión de p. 87ss.) se demuestra la imposibilidad de la fecha: la capitulación con el rey fue firmada el 10 de febrero de 1526.

[70] A.G.I., Patron. 44, 1. En un poder dado el 14 de marzo de 1530 al portugués Gonzalo de Acosta, estante en el puerto de San Vicente, el capitán Francisco de Rojas llamó a Diego García «capitán general del Río de la Plata por Su Magestad» (A.G.I., Patron. 41, 6). J. T. Medina (*Los viajes de Diego García,* p. 81) se admira con razón de estas «recomendaciones en realidad de extrañar». Pero García en su memorial propuso al monarca pasar el Estrecho corriendo por el N., y la capitulación regia estipuló que a su vuelta la armadilla se había de descargar en el puerto de la Coruña: por ende, se pensaba que iba a venir abarrotada de especias, y por esta razón sin duda intervino en su despacho Cristóbal de Haro y puso dinero el conde de Villalba.

[71] A.G.I., Patron. 44, 2 f. 2v. Esta es la nao que había utilizado para su viaje Esteban Gómez. La mercancía del barco dejó huella notarial: el 1 de noviembre de 1530 Juan López de Pravia, vecino de la Coruña, «tesorero de la harmada que vino del Río de la Plata de que es capitán Diego García, vezino de la villa de Moguer», en voz de los armadores y por la facultad que tenía del dicho Diego García, vendió por 7.000 mrs. a D. Alonso de León, prior del monasterio de Santiago de la Espada de Sevilla, «un esclavo indio de color loro que a nonbre Antón, de hedad de diez e seis años poco más o menos, natural de la tierra de la Canynea, qu'es en las Yndias del rey de Portugal» (A.P.S., IV 1530, 2).

También las naves de Caboto trajeron esclavos, como se encargaron de señalar acusadoramente los armadores en su probanza (pregunta vigésimocuarta en A.G.I., Patron. 42, 1 (n.º 2) f. 20r): Francisco Vázquez confesó que provenían del puerto de San Vicente (ibid. f. 22v) y Pero García precisó que a otros indios los habían cogido en la bahía de Santa Catalina y en el Brasil. El que más información ofrece, como suele suceder, es Alonso de Santa Cruz: en el puerto de Los Patos se fundieron las lombardas para hacer hachas y otras cosas de rescate a fin de

carga con que había vuelto repleta asimismo la carabela de Esteban Gómez. Para enredar más las cosas, otro documento [72] guarda las instrucciones dadas a Juan de Sandoval, contador de la «nao capitana de la armada que al presente mandamos despachar en la çibdad de La Coruña para çiertas islas e tierras que dizen de la Plata en el nuestro mar Oçéano», siempre bajo el mando de Diego García. Aunque cabe pensar que por este nombre rimbombante de islas de la Plata no se designase más que el archipiélago del Maluco, parece claro que García no se dirige ante todo a la Especiería, por mucho que en la instrucción se hable del clavo y de las especias, sino más bien al Río de Solís, llamado por los portugueses Río de la Plata y por Caboto Río de San Salvador, muy probablemente para frenar la posible expansión lusitana [73]. Por otra parte, este Diego García, que ya había estado quince años antes en el Río de la Plata, afirma en su relación que «estas generaciones [de indios] dan nuevas d'este Paraguay que en él ay mucho oro e plata e grandes riquezas e piedras preciosas» [74], es decir, los tesoros que esperaban encontrar los hombres de Caboto.

Aquí se plantea el problema. ¿Era también el Río de la Plata uno de los objetivos de Caboto, con quien debía reunirse entonces Diego García, o bien el capitán veneciano se dejó seducir por quienes se hicieron lenguas

conseguir bastimentos, y en el puerto de San Vicente se tomaron esclavos a trueque (A.G.I., Patron. 42, 1 (n.º 15), f. 25v). Fundamental es asimismo el testimonio del propio Caboto y de Juan de Junco en la información hecha en Sevilla en julio de 1530 (A.G.I., Patron. 41, 4): fueron comprados en el puerto de San Vicente a tres, cuatro y cinco ducados según la pieza. También queda constancia documental del destino de estos desdichados indios, atrapados a última hora. Al menos el 6 de setiembre de 1530 el lombardero veneciano Marco de Venecia vendió a Alvaro de Plasencia, corredor de lonja de Sevilla, un «esclavo indio que ha nonbre Fernando, de hedad de diez e seis años poco más o menos, natural del Río de Solís», por precio de 12 ducados de oro (A. P. S., V 1530, V, f. 1r). Marco de Venecia, condestable de la capitana, figura en los poderes otorgados en febrero de 1531 a Antonio Ponce, el alguacil de la armada, para proceder judicialmente contra los armadores reclamándoles el sueldo de los tripulantes (A.G.I., Patron. 42, 1 (n.º 1), f. 20v, 28r, etc.). En una probanza de Caboto en 1531 confesó tener unos 30 años; era entonces contramaestre de la nao de Juan Sánchez (A.G.I., Patron. 41, 6).
Sobre la denominación Río de San Salvador cf. A.G.I., Patron. 42, 1 (n.º 10), f. 10r.
[72] A.G.I., Patron. 44, 1. La misma frase ambigua se emplea en la instrucción dada a Gonzalo Hernández, platero, que iba por contador de la segunda nao (ibidem).
[73] De hecho, algún roce diplomático hubo, como demuestra una respuesta que el rey de Portugal envió a su embajador, Alvar Méndez de Vasconcelos, para dar a la emperatriz, que había protestado de la incursión por el Río de la Plata de la armada de Martín Alonso de Sousa; replicó el monarca que él «ouve que lhe pertençia em quanto se nam lançasse a linha de demarcaçaom» y que, mientras tanto, procedía averiguar quién había llegado allí el primero, si Juan Díaz de Solís o D. Nuno Manuel (A.G.I., Patron. 41, 8). Volveré sobre la cuestión en el volumen tercero.
[74] A.G.I., Patron. 44, 2 f. 5r. Diego García nos da los nombres de muchos pueblos indígenas, algunos de ellos hoy perdidos por completo en el muy maltratado original: «charruases», «guaraníes», «janáes», «carcaráes», «cagaces», «chandules», etc. Es importante tener en cuenta para el itinerario de Caboto la precisión hidronímica de García: el Paraguay «es otro río que entre (sic) en el Paraná que viene de las sierras» (ibidem, f. 4v).

de las maravillas del Paraguay, postergando entonces su meta principal, el
Maluco? Quizá haya un poco de todo. Pero hay que tener en cuenta que
los que se alistaban en la armada de Caboto nunca dudaron de que se
dirigían a la Mar del Sur[75]; y conviene recordar sobre todo que Carlos I no
sólo le ordenó a Caboto reunirse cuanto antes con las naos de Loaysa, sino
que asimismo le encargó a Hernán Cortes que hiciera averiguaciones sobre
la suerte que habían corrido las armadas de Loaysa y Caboto[76], suponiendo
en consecuencia que éste último se hallaba en aguas del Pacífico. Más
tarde, en los pleitos que se entablaron contra el piloto mayor, se le echó en
cara, entre otras acusaciones más graves, que, deslumbrado con el posible
oro del Paraguay, hubiese privado al emperador de una ganancia de dos
millones de ducados: «porque cada nao pudiera traer dos mill quintales de
especería, y vale cada quintal ochenta o noventa ducados»[77]. Aunque es

[75] Cf. A.G.I., Patron. 42, 1 (n.º 13), ff. 22-23. Así lo atestiguan asimismo otros documentos.
El 29 de enero de 1526 otorgó en Sevilla testamento Pero Martín, marinero, hijo de Pedro Blas
y de María Lorenzo, vecino de Ciudad Rodrigo, «presto para ir a las islas del Maluco a la
Espeçería en la armada de que agora vo por marinero en la nao capitana, de que va por maestre
Antón de Grajeda, vezino de Cádiz». Este pobre diablo, que ganaba de sueldo 800 mrs. al mes y
su quintalada como marinero, tenía una hija llamada Ana, horra, de una esclava de Gaspar de
Negro; a esta Ana y su otro hijo Cristóbal los mejoró en su herencia (A.P.S., V 1526, 1 f. 364r).
El 15 de octubre de 1525 acudieron a la casa de Francisco de Santa Cruz Francisco de Rojas
y Gregorio Caro, capitanes de la «Trinidad» y de la «Santa María» respectivamente, y presentaron un requerimiento para que se les concediera cargar los 50 quintales de especería y el
número de cajas francas que se les había permitido cargar a los capitanes de Magallanes, pues no
eran ellos de menor calidad, por lo que pedían 60 quintales y 4 cajas en vez de los 40 quintales y
3 cajas acordadas. Respondieron por parte de los armadores Domingo de Ochandiano, Francisco
de Santa Cruz, Franco Leardo y Silvestre de Brine que se debía dar cuenta de la solicitud al rey,
pues era parte interesada (A.G.I., Indif. 2005; debo este dato a la amabilidad de la Dra. Enrique-
ta Vila). Esta escritura pone de relieve mejor que nada hasta qué punto se trataba de equiparar la
armada de Caboto con la de Magallanes.
[76] A.G.I., Patron. 43, 1 (cédula dada en Granada el 20 de julio de 1526, pidiendo a Cortés
que despachara al Maluco una o dos carabelas); 43, 2 (cédula de la misma fecha comunicando el
envío de la anterior a Luis Ponce de León, juez de residencia de la Nueva España). La Corte se
enteró a fines de 1528 de que Caboto se hallaba en el Río de la Plata, y ello repercutió en la
capitulación con Diego de Ordás (cf. F. Pérez Embid, Diego de Ordás, Sevilla, 1950, p. 110). Los
expedicionarios, en cambio, creyeron que la carabela enviada a España no había llegado a su
destino, en vista de que no les llegaba socorro (así lo declara el propio Caboto [cf. el resumen de
las probanzas hechas por parte de Antonio Ponce y del capitán Antonio Caro en A.G.I., Patron.
42, 1 (n.º 10), f. 10r y las probanzas de Mari Ibáñez de Espalza en A.G.I., Patron, 42, 1 (n.º 17)
f. 19r]).
[77] A.G.I., Patron. 41, 6 (probanzas de Francisco de Rojas, contestación del vecino de Valdeporras (Burgos) Francisco de Hogazón a la pregunta vigésimocuarta). El daño del patrimonio
real lo cifraba el fiscal de la Corona Villalobos en 1531 en más de 150.000 ducados (A.G.I.,
Patron. 42, 1 (n° 1), f. 12r). Este cambio de derrota fue argumento fundamental en la defensa de
los armadores contra la gente de la armada. Por una parte, el fiscal Villalobos señaló «que, si
Vuestra Alteça le dio a Caboto liçençia para la hazer [la armada], fue limittada para el descubrimiento de las dichas islas y no para otras partes», por lo que «fuera de los dichos límites las
partes contrarias [los oficiales y marineros] no eran obligadas a le obedesçer ni guardar jurisdi-
çin» (A.G.I., Patron. 42, 1 (n.º 1), f. 12r). Por otro lado, también el abogado Sebastián Rodríguez

claro que estos reproches se le formularon *a posteriori*, no encuentro motivo razonable para poner en duda que Caboto en un principio trataba de alcanzar las míticas islas auríferas: los navegantes

esperaban fallar en las partes e lugares de la Mar del Sur islas muy ricas e joyas de oro, e cada uno d'ellos dezía que esperava de venir requísimo si Dios les dava vitoria de pasar el Estrecho de Magallanes; e que mucha de la gente que fue en la dicha armada dezía en esta dicha cibdad [Sevilla] que avían oído dezir a la gente que vino en la nao de Magallanes, que fue una nao que tornó a esta cibdad con clabo del Espeçería, que avían topado islas muy requísimas de muncho oro e joyas, e que los indios dezían que avía muncha cantidad de oro en çiertas islas que estaban en la mar del Sur [78].

Sobre este oro de las islas del Pacífico viene a superponerse el oro de las minas del Río del Paraguay, del que Caboto tuvo ya referencia en la factoría portuguesa de Pernambuco [79]. Después, durante la larga estancia en la isla de Santa Catalina, dos hombres de Solís que allí se habían quedado, el lepero Melchor Ramírez y Enrique Montes [80], calentaron la cabeza de todos con sus cuentos fantásticos, prometiéndoles que no podrían cargar el oro en las naves, de tanto que había en las comarcas cercanas: hasta las gavias iban a ir llenas. A mediados de 1527 ya estaba edificada la fortaleza de Sancti Spiritus a la ribera del Paraná. Pues bien, en los apuros monetarios de la gente allí acampada, que mataba sus ratos libres con el juego, salen a relucir las esperanzas que suscitaba aquella tierra antes soñada que vista. He aquí que el maestro Lucas y Tristán Boguer, los dos lombarderos de la nao «Santa María del Espinar», piden prestados a Martín de Arbolancha, despensero de la nao, 12.000 maravedíes en paños, lienzos y otras mercaderías para rescate, y se comprometen a devolverle el dinero «del primer oro o plata o piedras preçiosas o perlas que ubieren en este presente viaje» [81]; en caso contrario se obligan a responder con su

puso de relieve que los hombres de Caboto «fueron al río de Solís e allí se estubieron más tiempo de cuatro años surtos, granjeando sus haziendas e haziendo repartimientos de la tierra con casas e cortijos, de manera que en aquel tiempo no sirbieron a nadie e antes hazían sus haziendas propias» (*ibidem*, f. 18r); de ahí deducía que los armadores no estaban obligados a pagarles ningún sueldo.
[78] A.G.I., Patron. 42, 1 (13), ff. 22-23 (testimonio del corredor de lonja Leonardo Bondinar).
[79] En Pernambuco localiza el mudamiento de Caboto la probanza de Francisco de Rojas en 1530 (A.G.I., Patron. 41, 6 [pregunta tercera]).
[80] De estos dos españoles da noticia la pregunta octava del interrogatorio de Caboto de agosto de 1530 en el pleito contra Catalina Vázquez (A.G.I., Patron. 41, 4).
[81] A.G.I., Patron. 42, 1 (n.° 1), f. 119r. Este y los dos contratos siguientes tuvieron lugar ante el escribano Martín Ibáñez de Urquiza en el pueblo de Sancti Spiritus el 9, 15 y 18 de diciembre de 1527 respectivamente. El bilbaíno Martín de Arbolancha, herido en la pierna de un flechazo, regresó enfermo del Río de la Plata en la carabela de Calderón. Otorgó testamento el 19 de setiembre de 1535, sucediéndole en sus derechos su viuda, Mari Ibáñez de Espalza (A.G.I., Patronato 42, 1 n.° 1], f. 90r ss.; más probanzas de la viuda ibid., 42, 1 (n.° 6, n.° 9 y n.°

sueldo (cuatro ducados mensuales ganaba entonces un lombardero) [82]; otro tanto hace un pariente de Caboto como Alonso Bueno, gentilhombre de la armada, que toma prestados 7.500 maravedíes que bien valía una espada que le había comprado a Arbolancha [83], o Fernando de Molina, que se conforma con 3.750, el precio de un puñal [84]. La expectación subió de punto cuando Caboto, remontando a su vez el Paraná, recibió noticias de los indios chandules y guaraníes, que acariciaban sus oídos hablándoles de minas portentosas. Cuenta Alonso de Santa Cruz que una vez dejadas las naos los españoles subieron con un bergantín y una galeota 60 leguas:

allí fallaron un mayoral con una cofia que tenía muchas hojas que parescían de plata baxa, y el mayoral la dio al capitán general, en que podía pesar fasta media libra de plata; y que allí supieron por dicho de tres naçiones de indios, que unos se decían carcaríes e otros quirandíes e otros tinbúes que en la tierra adentro avía mucha riqueza de oro e de plata y que no pudieron entenderles qué tan lexos hera de allí [85].

Prosiguió la marcha otras 120 leguas, y en una avanzada del bergantín los indios, no por amigos menos hartos de unos intrusos insaciables, dieron muerte a varios españoles, entre ellos a Miguel Rifos. Incluso tras este desastre, el capitán general envió a explorar por tres vías la comarca de los quirandíes, despachando a cuatro hombres por un camino, a seis o siete por otro y a tres o cuatro por otro. Todos relataron a su regreso maravillas; como dice el capitán Gregorio Caro,

los que d'ellos vinieron les oyó dezir este testigo cómo avían entrado por la tierra adentro trezientas e tantas leguas, e que avían visto en algunas partes plata e oro, e que thenían notiçia de que de donde llegaron hasta tres jornadas adelante estava la sierra donde avía mucho metal blanco e amarillo, e que avían visto piedras de colores turquesas finas e otras piedras de colores [86].

A mayor abundamiento, la bondad de la tierra era tal, que los hombres que habían caído enfermos no tardaron en lograr un completo restableci-

17). Un Pedro de Arbolancha, marido de Juana de Astorga, pariente sin duda de Martín, se ocupó de los negocios de Indias ya en tiempo de Cristóbal Colón.

[82] A.G.I., Patron. 42, 1 (n.° 4), f. 105r.

[83] A.G.I., Patron. 42, 1 (n.° 1), f. 120r.

[84] A.G.I., Patron. 42, 1 (n.° 1), f. 118r.

[85] A.G.I., Patron. 41, 4 (pleito de Francisco de Rojas), f. 1xxi.

[86] A.G.I., Patron. 42, 1 (n.° 4), f. 90v-91r (pregunta duodécima de la probanza). También declaró como testigo en esta probanza uno de los exploradores, el escudero Francisco de Castro (*ibid.*, ff. 94-95), que se mostró más parco en sus ditirambos; claro es que ya el genovés Sebastián de Finar había dicho que por un anzuelo o un cuchillo los indios les daban una plancha de oro o plata que pesaba tres o cuatro libras (*ibid.*, f. 73v); los españoles se hubieran hecho de oro si Caboto no les hubiese prohibido el rescate, según afirmó malévola e interesadamente la gente de la armada. Sobre la suerte que corrió otro de sus capitanes, Francisco César, cf. p. 264ss.

miento [87], como era de esperar que ocurriera en las cercanías del gran tesoro, cercado por grandes cordilleras que recordaban la sierra nevada de la India. Se empieza ya a fraguar otro mito, que va a desembocar en la identificación de Ofir con el entonces todavía inexplorado Perú; pero esta identificación corresponde a la fantasía del siguiente decenio. Por los años veinte no se pensaba más que en el oro del Pacífico.

A decir verdad, no fue propicia la suerte al asentamiento de Caboto, que en 1528, decidido ya a instalarse en el país de la Plata, había despachado al tesorero Calderón y al inglés Roger Barlow en la carabela a dar cuenta al monarca de la nueva situación y a pedir socorro. El César a su vez envió el 31 de noviembre de 1528 una carta a los diputados y armadores de Sevilla para información de las incidencias del viaje y recabando su parecer sobre una nueva prestación económica. Tras los problemas y atrasos de rigor se reunió una junta de los principales mercaderes los cuales, sopesados los prões y los contras, respondieron a un requerimiento que les hizo Barlow el 16 de febrero de 1529 diciendo que estaban muy preparados a poner más dinero pro rata siempre que Carlos I les librase la cantidad invertida por ellos en rentas de Castilla que les pudieran ser bien pagadas y con algún interés: en caso contrario, se negaban en redondo a dar una blanca más, escudándose con frase lapidaria en que ellos «no contribuyeron en esta dicha armada para ir a conquistar tierras, sino a rescatar maravedíes, lo cual es su ofiçio e trato» [88]: bien estaba traficar con especias, pero a unos simples comerciantes no se les podía exigir el sacrificio de empeñarse en una guerra de expansión, por muy anchurosas que fuesen las provincias por ganar y muy sumidos en la idolatría que anduviesen sus naturales.

A pesar del fracaso del capitán, a algunos españoles los tentó la idea de quedarse a probar fortuna en aquella frontera última: en el río de Solís o en sus proximidades permanecieron al parecer por propia voluntad Maldonado, alguacil de la nao capitana, y Matías, contramaestre de la «Trinidad» [89]; eligieron la bahía de Los Patos como residencia temporal el gentilhombre Valdés, Pero veneciano, Gómez de Malaver y Juan de Aragón [90]; y también en la isla de Santa Catalina había dos cristianos al menos en 1529: Durango vizcaíno y el negro Francisco Pacheco [91]. Muy fuerte hubo de ser

[87] Así se inquiere en la pregunta decimocuarta de las probanzas de los hombres de la armada, que todos contestan de manera afirmativa (A.G.I., Patron. 42, 1 (n.º 4)).

[88] A.G.I., Patron. 41, 1.

[89] A.G.I., Patron. 42, 1 (n.º 1), f. 30r y preguntas tercera a sétima de la probanza de f. 35v ss.

[90] A.G.I., Patron. 42, 1 (n.º 1), f. 167r ss.

[91] A.G.I., Patron. 41, 3, pregunta séptima (y respuesta de Antonio Ponce). A su vez, la armada de Caboto encontró en la isla de Santa Catalina muchos cristianos que habían quedado allí de la nao de D. Rodrigo de Acuña, que había ido en conserva de Loaysa (A.G.I., Patron. 41, 6 pregunta decimoséptima del interrogatorio de Caboto de 1531]).

la razón que impulsó a estos hombres a vivir lejos de la patria, quién sabe si huyendo de Caboto, de la justicia o deslumbrados por un espejismo.

Para explicar la extraña conducta de micer Sebastián cabe aún otra posibilidad más siniestra, pero no reñida con su carácter voluble: que la diplomacia portuguesa hubiera logrado ganar a su causa al propio capitán de la expedición, que entonces la habría hecho malograr a ciencia y conciencia y muy gozoso de poder desviar a sus hombres hacia otro objetivo, mezclando rumores siniestros sobre el Estrecho y la suerte de Loaysa con halagüeñas esperanzas de encontrar riquezas en el Paraguay. Viene en abono de esta tesis o, al menos, no deja de despertar cierta sospecha que Caboto se desembarazase cuanto antes de los veteranos de Elcano, y tan importantes como Martín Méndez [92], el primer teniente de capitán general, y el piloto mayor Miguel de Rodas [93], que en febrero de 1527 abandonó en la isla de Santa Catalina o de Los Patos juntamente con el capitán de la «Trinidad» Francisco de Rojas [94], tachándolos de traidores y atajando por las bravas un posible levantamiento, muy escarmentado en lo que le había sucedido a Magallanes: el veneciano, calificado por Alonso Bueno de hombre «sospechoso y vengativo» [95], los acusó de que habían jurado

en Sant Pablo en la çibdad de Sevilla sobre el ara consagrada en la capilla de Nuestra Señora e con ellos juraron todos los capitanes y ofiçiales de Su Magestad e çiertas otras presonas de ser contra el capitán general [Caboto], e que quien tocase al uno tocase a todos e que todos muriesen por uno e uno por todos, e que si caso que el dicho capitán general Sebastián Caboto prendiese alguno d'ellos, que en tal caso muriesen todos o lo sacasen a libertad [96].

No parece que a su vuelta a España el piloto mayor lograra convencer de su falta de culpabilidad a los miembros del Consejo de Indias, que el 4 de julio de 1531 lo condenaron a un año de destierro a una isla y al pago

[92] A.G.I., Patron. 41, 3 (pleito seguido en 1531 contra Caboto por la viuda de Miguel de Rodas, Isabel de Rodas, de soltera Isabel del Acebo, en su nombre y como heredera de su hijita Ana, difunta [había otorgado testamento Rodas el 29 de enero de 1526]).

[93] A.G.I., Patron. 41, 4 (pleito contra Caboto de Catalina Vázquez, madre de Martín Méndez, y de las hermanas de éste; cf. asimismo sobre Méndez A.G.I., Patron. 35, 6). El hermano de Martín, Hernán Méndez, también había muerto en la armada, pero de enfermedad.

[94] A.G.I., Patron. 41, 4 (autos de Francisco de Rojas).

[95] A.G.I., Patron. 41, 6. Confesó Bueno, en un escrito firmado en el puerto de San Vicente el 28 de marzo de 1530, que él y Francisco César recibieron orden de Caboto para matar a Rojas.

[96] A.G.I., Patron. 41, 4 pregunta 19 del interrogatorio. En realidad los expedicionarios hicieron juramento de prestarse ayuda mutua unos a otros, como confiesa la mayoría. Pero sobre Caboto pesó mucho el miedo al precedente: el motín contra Magallanes. Quizá por esta razón el veinticuatro de Sevilla Pero Suárez de Castilla reunió a los capitanes y oficiales reales en el monasterio de San Francisco en Sanlúcar de Barrameda y les hizo jurar obediencia al capitán general (A.G.I., Patron. 42, 1 (n.° 3), f. 11v: pregunta décima de la probanza de la gente de la armada).

de 40.000 mrs. de indemnización a las hermanas de Martín Méndez; y aun el tiempo caldeó los ánimos de los consejeros, pues se ratificaron en la sentencia el 1 de febrero de 1532, aumentando encima el plazo del exilio a dos años y fijando ya el destino: Orán[97]. A micer Sebastián, para probar su inocencia, no se le ocurrió cosa mejor que proponer al rey otra capitulación con títulos más rimbombantes todavía: una armada de tres navíos había de salir antes del fin de agosto o mediado setiembre de 1532 al «descubrimiento de Tarsis e Ofir y el Catayo Oriental, Cipango, los Lequios e Sensios e Rumios y la Grand Tartaria», también por el camino del Estrecho. No fueron chicas las exigencias personales de Caboto, que además de pedir que se sentenciaran los pleitos que le habían puesto Francisco de Rojas, las hermanas de Martín Méndez y el fiscal, solicitó un sueldo de 300.000 mrs. anuales, un hábito de Santiago, las dos terceras partes de todo lo obtenido en las presas y cabalgadas y dos mercedes, una de 30 leguas de tierra en los territorios que él descubriese y otra de 20 leguas de tierra en el Paraná, si tenía efecto el asiento que proponía entonces el adelantado de Canarias[98]. Un ciego podía ver que no se iba a llegar a acuerdo alguno entre el piloto mayor y la Corona; pero Caboto logró su propósito, distrayendo con su retórica y aplomo a sus encarnizados enemigos.

Por el rigor de la suerte adversa ni llegaban las especias desde el Maluco ni se derramaba a raudales el oro y la plata de Tarsis y Ofir. La situación comenzaba a ser insostenible para la Hacienda imperial, que debía atender a demasiados flancos al mismo tiempo. El 20 de enero de 1526 Carlos I inquirió a los armadores de la flota de Loaysa si querían volver a serlo en la segunda armada que se estaba preparando en la Coruña, y de la que había sido nombrado capitán general el portugués Simón de Alcazaba, contino y gentilhombre de la Casa de Su Majestad; la respuesta se esperaba antes del setiembre próximo, pues la armada había de estar lista para zarpar antes de fin de año[99]; e incluso se barajaba la posibilidad de hacer la ruta por el Cabo de Buena Esperanza, abandonando el peligroso camino del Estrecho de Magallanes. Pero estas naos no partieron nunca rumbo al Maluco.

Hasta entonces Carlos, que se sentía emperador antes que rey, no había cosechado más que fracasos en sus intentos de explotar la Especiería, y por más que a la larga pudiera obtener muy pingües rentas de las lejanas islas,

---

[97] A.G.I., Patron. 41, 4. En el pleito entablado por el fiscal Villalobos el Consejo de Indias emitió sentencia en febrero de 1532, confirmada el 2 de mayo del mismo año, condenando a Caboto al tiempo que había estado preso y absolviéndolo de los demás cargos (A.G.I., Patron. 41, 7).

[98] A.G.I., Patron. 41, 5.

[99] A.G.I., Patron. 40, 6 (n.º 1), ff. 39-40.

asuntos de máxima urgencia reclamaban dinero y más dinero. Por otra parte, Juan III de Portugal, que ya había puesto el grito en el cielo con el despacho de la armada de Caboto, no cejaba en su porfía, utilizando para lograr sus fines todos los recursos a su alcance, que no eran pocos. En la noche del 10 de marzo de 1526 se casaba Carlos I con Isabel de Portugal en Sevilla; el 23 y el 24 del mismo mes el marqués de Villarreal acuciaba al emperador con las pretensiones portuguesas, y a finales de ese mismo año era ya público y notorio que la Corona castellana no iba ya a patrocinar ninguna expedición a la Especiería. El curso subsiguiente de los acontecimientos se asemeja más a una subasta que a un concierto diplomático. En principio, Carlos I pedía un millón de ducados por el Maluco y el rey de Portugal ofrecía 200.000, si bien su tesorero, Hernán Alvarez, alimentaba alguna ilusión hablando de una cifra inferior a los 400.000 ducados[100]. El 15 de junio de 1528 escribió el embajador cesáreo Lope de Mendoza:

Dize el rey [de Portugal] que, como sus neçesidades son tantas y el tiempo tan damnoso para su hazienda..., que no puede subir lo que quisiera: que dará dozientos y çincuenta mill ducados. Yo dixe que esto hera cosa para no conçertarse, porque Vuestra Magestad no tenía tan grand neçesidad que hiziese tan mal barato; que su Alteza, si no tenía dineros, tenía créditos para hallarlos; que diese lo que hera razón, pues lo que comprava hera cosa tan provechosa para Su Alteza... Yo no le quise señalar los quinientos mill ducados, porque me paresçió que no está en subir tanto... A lo que yo puedo entender de todos..., trabajosamente llegará a cuatroçientos mill ducados[101].

Tenía toda la razón del mundo el diplomático, aunque Carlos I ya se había avenido a la idea de recibir sólo 500.000 ó 450.000 ducados[102]. Por fin, después de estos chalaneos y raposerías no por lógicas menos sórdidas, las islas del Maluco fueron empeñadas a Portugal en Zaragoza el 27 de abril de 1529 por la suma de 350.000 ducados con un pacto *de retro vendendo*, que suscribieron por parte española el gran canciller Mercurino de Gattinara, el obispo de Osma fray García de Loaysa, D. García de Padilla, presidente del Consejo de Indias y el comendador mayor de Calatrava Lorenzo Galíndez de Carvajal y por parte portuguesa el licenciado Antonio de Azevedo Coutinho[103]. Además, se prohibió la navegación a las

---

[100] A.G.I., Patron. 49, 6 n.º 1 (3), f. 1v.

[101] A.G.I., Patron. 49, 6 n.º 6.

[102] A.G.I., Patron. 49, 6 n.º 8, 9 y 13.

[103] A.G.I., Patron. 49, 9 9, con otra minuta anterior, del 17 de abril del mismo año. El poder del rey de Portugal a Azevedo, dado en Lisboa el 28 de octubre de 1525, se encuentra en A.G.I., Patron. 49, 1. En el mismo legajo se encuentran minutas de negociaciones anteriores. Entre ellas interesa la que estuvo a punto de formalizarse ya en 1526, datada en Granada el 11 de setiembre (A.G.I., Patron. 49, 3 n.º 1 (14)).

naves del rey de Castilla y de sus vasallos con el trazado de una nueva raya de demarcación [104]; como especifica el capítulo segundo, ambos monarcas

han por hechada una línea de polo a polo, conviene a saber, del Norte al Sur, por un semiçírculo que diste de Maluco al Nordeste tomando la cuarta del Este diez e nueve grados, a que corresponden diez e siete grados escasos en la equinoçial, en que montan duzientas e noventa y siete leguas y media más al Oriente de las islas de Maluco, dando diez e siete leguas y media por grado equinoçial, en el cual meridiano y runbo del Nordeste y cuarta del Este están situadas las islas de las Velas y de Santo Tomé, por donde pasa la sobredicha línea y semiçírculo; y siendo caso que las dichas islas estén e disten de Maluco más o menos, todavía han por bien y son concordes que la dicha línea quede lançada a las dichas duzientas y noventa e siete leguas y media más a Oriente, que hazen los dichos diez e nueve grados al Nordeste y cuarta del Este de las sobredichas islas de Maluco.

Previamente a la firma de tan ruinoso tratado y para evitar una clara negativa no fueron consultados los procuradores de Cortes ni de ciudades, ante el pasmo y recelo del monarca portugués, que sospechó que en tal omisión deliberada se ocultaba alguna artimaña jurídica [105]; para obviar su suspicacia y a su instancia, Carlos tuvo que pedir el parecer de los leguleyos de su Consejo Real, y éstos, los probos y dóciles doctores Martín y Fortún de Ercilla y los licenciados Santiago, Polanco, Aguirre, Guevara y Acuña, lo eximieron unánimes de tan fútil obligación [106]. Por su parte, los vecinos de Sevilla, de los veinticuatros a los mercaderes, no podían sino alegrarse de la desaparición de una nonnata Casa de la Contratación, cuya sola idea les producía ya tártagos y pesadillas. De esta suerte, el intento de repartir los negocios de Indias fracasó ruidosamente: Sevilla se alzaba de manera definitiva con el monopolio, el Maluco se perdía para siempre y el fisco imperial, tras un momentáneo desahogo, iba a verse implicado en una serie

---

[104] También en este punto cedió Carlos I, como indica su carta del 28 de febrero de 1529 a Lope Hurtado: «en lo de la línea, que se eche como la piden» (A.G.I., Patron. 49, 10 n.º 2).
[105] En este punto fue tenaz el rey de Portugal. Ya en los primeros capítulos y memoriales entregados por su embajador se pide cautamente: «Iten que los pueblos de los reinos de Castilla consintirán en este concierto y serán para ello llamados los procuradores de Cortes de las cibdades y villas de los dichos reinos» (A.G.I., Patron. 49, 6 n.º 3). Como tornó a solicitar lo mismo (A.G.I., Patron. 49, 6 n.º 3 y 10), respondió Carlos I que no había hecho pragmática alguna con el reino, por lo que sobraba tal requisito (A.G.I., Patron. 49, 6 n.º 4). Al fin otorgó su asentimiento Juan III, según comunica Azevedo: «Cuanto al primero capítulo em que se pidía que los procuradores del reino consintiessen en este concierto, en lo cual Su Magestad no vino, diziendo ser escusado porque el rey mi señor tiene gana que este concierto se effetúe con brevedad, e que insistía en este capítulo por sus letrados se lo aconsegaren, al rey aplaze, pues Su Magestad dize no ser necesario; que porque Su Magestad vea cómo quiere concluir, que Su Magestad mande a los del su Consejo ver esto y que, allando ellos que el consentimiento de los procuradores del reino no es minister y dándomelo firmado, que es contento que se agua el dicho concierto sin el consentimiento de los dichos procuradores» (A.G.I., Patron. 49, 7 n.º 3).
[106] A.G.I., Patron. 49, 10 n.º 6.

de costosos pleitos que le entablaron cuantos habían contribuido a la armada de Loaysa, y que ya no se contentaban con pedir su dinero más el interés (el 14 % en el caso de los Fúcares), sino que reclamaban encima el lucro cesante, el perjuicio y daño sufrido por lo que habían dejado de ganar; como señalaba Jorge Estenquer, el representante de Antonio Fúcar y compañía en 1539, «podría ser el dicho interesse que mis partes perdieron por no se hazerse las dichas armadas más de quinze cuentos de maravedíes» [107], es decir, 10.000 ducados por cada una de las cuatro armadas que se habían hecho a la vela. En último término, y según indicaba también otro abogado de los Fúcares, el doctor Manzanedo,

Su Magestad no solamente vendió el derecho que tenía a la dicha isla pero el derecho de los armadores, y quitándose éste a la dicha compañía y aviendo por él reçebido parte del preçio Su Magestad, contra toda razón es que su Magestad se quedase con la ganançia y augmento de preçio y la compañía con damno de lo que habían puesto sin esperança de lo poder recobrar con otra armada [108].

Siguieron el ejemplo de los Fúcares y llevaron a la Corona ante los tribunales de justicia D. Hernando de Andrada [109], Lope Gallo [110] y los Welser [111], así como la ciudad de la Coruña [112], que reclamó 3.000 ducados por el gasto inútil de haber fabricado hornos de cocer pan y de haber proporcionado bizcocho, bastimentos y otros servicios a las armadas. Ante la desbandada general al menos se intentaba enjugar pérdidas; vano intento, ante el precario estado de la Hacienda real, cada vez más empeñada en aras de ambiciones ilusorias.

---

[107] A.G.I., Patron. 40, 6 (n.º 1), f. 3v (presentación de la demanda).
[108] A.G.I., Patron. 40, 6 (n.º 7).
[109] A.G.I., Patron. 39, 11 (1543).
[110] A.G.I., Patron. 39, 5.
[111] A.G.I., Patron. 39, 9.
[112] A.G.I., Patron. 39, 12 (1544).

II. LA CONQUISTA DE LAS FILIPINAS

1. Nuevos planes de descubrimiento

Los apuros financieros del emperador habían arrebatado a España los supuestos derechos sobre el Maluco; pero ancha es la mar, y más aun la Mar del Sur, que la imaginación seguía poblando de islas fabulosas y de otras que lo eran menos. No por ello la Especiería pasó a un segundo plano. En 1524 Cortés despachó a Cristóbal de Olid al cabo de las Higüeras, porque se rumoreaba desde la época de Ponce de León que por aquella bahía había un estrecho que salía al Pacífico[1]: renacía así el viejo proyecto de Juan Caboto, que, como hemos visto, muy pronto intentó Esteban García convertir en realidad. Los acontecimientos se precipitaban. En 1526 Cortés, obedeciendo órdenes de Carlos I, envió al Maluco dos navíos bajo el mando de Alvaro de Saavedra Cerón, en socorro y apoyo de la flota de Loaysa. Su fantasía ya le hacía soñar con conquistas jamás vistas, reduciendo las islas de la India bajo el poder de la Corona. El fracaso de la expedición distó mucho de desalentar al gran conquistador, cuyo certero instinto, consciente de todas las potencialidades de la Nueva España, presagiaba que en buena parte su porvenir se hallaba en el comercio con Oriente. En tal convencimiento firmaba el 27 de octubre de 1529[2] un asiento para hacer descubrimientos en el Océano y despa-

---

[1] *Cartas de relación*, ed. Sánchez Barba, IV (p. 214, 225, 233-34), V (p. 320). No comprende a Cortés G. Fernández de Oviedo, *Historia*, XXXIII 41 (*BAE* 120, p. 189).

[2] A.G.I., Indif. 415, vol. I, f. 109v ss. Hasta en detalles mínimos se aprecia el finísimo entendimiento de Cortés. Las Casas en 1518 había propuesto sembrar en las Indias pimienta, clavo, jengibre y otras especias (cf. M. Giménez Fernández, *Bartolomé de las Casas*, Sevilla, 1960, II, p. 445); pues bien, el marqués del Valle recogió esta idea, pensando en la posibilidad de plantar especería en la Nueva España (A.G.I., Patron. 43, 5). El mismo proyecto lo había de presentar después con grandes ínfulas, según solía, Juan Bautista Gessio (A.G.I., Patron. 48, 3) y con más modestia Juan Bautista Román el 22 de junio de 1584 (A.G.I., Filip. 27, 3 n.° 70).

chaba sin descanso naves para el descubrimiento de la California. En 1532 seguía el ejemplo de Cortés su capitán, entonces gobernador de Guatemala, Pedro de Alvarado, quien también tenía noticia «de muy ricas islas» en el Pacífico[3]. En 1536 Pedro de Garro, sabedor de que «en cierta parte de la Mar del Sur, fuera de los límites de las provincias e islas, cuya gobernación tenemos al presente encomendada a otras personas, ay una isla muy rica», se comprometía a descubrirla, conquistarla y poblarla[4]. No deja de ser impresionante en verdad la manera en que los grandes capitanes se van repartiendo el mar, como antes se habían repartido la tierra, con vistas a obtener el botín de las riquezas aún poco exploradas de Oriente. Pero todavía impresiona más la visión del futuro de los Fúcares y los Welser, que, en el momento en que todo se cifraba en la Especiería, se resarcieron de sus inversiones en las armadas del Maluco consiguiendo del emperador los primeros la gobernación del Estrecho y los segundos la de Venezuela, por donde se presumía que había un paso a la Mar del Sur: de esta manera la llave del tráfico de las especias quedaba irremisiblemente en sus manos.

Se comprende por esta razón que fueran los grandes banqueros quienes hacían circular inquietantes rumores que luego resultaron verídicos: en 1531 corría en Castilla la noticia, propalada por los Fúcares, de que en el Maluco había todavía supervivientes de las expediciones de Magallanes y de Loaysa. Su existencia quedaba confirmada además por las cartas de los oficiales portugueses en Oriente, que, haciéndose cruces ante la calaña moral de los españoles que poblaban el Maluco, referían que se trataba de 18 ó 20 bellacos que vivían allí como no habían vivido jamás en España, entregados a todos los placeres y rodeados de mujeres y de «muchos hijos que de muchas negras tenían», siendo para mayor inri su factor un judío cordobés[5]; uno de estos mestizos, claro está, debía de ser el hijo del gran Urdaneta, que antes de entrar en religión no brilló precisamente por su austeridad de costumbres. El Consejo, haciéndose eco de esta información, proponía despachar una o dos carabelas con la gente necesaria a las islas del Poniente, pues ésta era la única forma de atender a la salvación de los súbditos del Emperador y de conocer de paso la naturaleza del archipiélago, por si convenía devolver al rey de Portugal los 350.000 ducados del empeño; asimismo sugería que las naos,

porque en ninguna cosa se innovase lo capitulado y contratado con el Serenísimo Rey de Portugal, no fuessen por Cabo de Buena Esperanza ni por el Estrecho de Magalla-

---

[3] A.G.I., Indif. 415, vol. I, f. 133r ss.
[4] A.G.I., Indif. 415, vol. I, f. 194r ss.
[5] Carta de Tristán de Ataíde al conde de Vimioso desde Maluco fechada el 20 de febrero de 1534 (*As gavetas da Torre do Tombo*, Lisboa, 1971, IX, p. 232 ss.).

nes, ni saliesen de las carabelas d'estos reinos de Castilla, sino de uno de los puertos de las Indias de la Mar del Sur, especialmente en Colima, do el Marqués del Valle Don Hernando Cortés tiene aparejo para ello, o en la provincia de Guatimala, do el Adelantado Pedro de Alvarado tiene ya un navío hecho y haze ya otro en aquella mar del Sur, o en Nicaragua, do el Capitán y Governador Pedrarias de Avila y el Alcalde mayor tienen començado otros navíos[6].

La lucha por la posesión del Maluco no había acabado en modo alguno, aunque el objetivo se encubría alegando motivos humanitarios, socorrida excusa para disfrazar un descarado imperialismo. Si el Consejo se mostraba favorable a la jornada, excusado es decir la comezón que sentían los conquistadores españoles, que no acababan de encontrar en el Nuevo Mundo cumplida realización de sus sueños, por lo que en su fuero interno se hallaban no poco decepcionados de su suerte. Por otra parte, poco a poco iban regresando a España aquellos veteranos que sublimaban sus aventuras en la Especiería: en 1534 la Casa de la Contratación enviaba a presencia del rey a Vicente de Nápoles, un marinero de Saavedra, para que le pusiese al corriente de la situación en el Maluco[7], y se apuraba la información con los datos que del Estrecho daba en 1535 el clérigo Juan de Areizaga[8]. Animado por estas relaciones el incansable Cristóbal de Haro volvió a acariciar la idea de despachar una armada para la Mar del Sur. En 1534[9] fue nombrado tesorero de la dicha armada Francisco de Vargas, que debe de ser el sobrino del licenciado Aillón, que ya en 1526 se había encargado de proveer a su tío de artillería, bastimentos y demás cosas para su desastrosa jornada de Chicora[10]. En 1536, por otra parte, comenzaron a retornar los supervivientes de la expedición de Loaysa, al que en 1530 se suponía todavía en Tidori[11]. Sus peripecias increíbles fueron escuchadas por un auditorio suspenso con enorme atención, y sus servicios premiados con una recompensa en metálico: Andrés de Urdaneta y Macías del Poyo recibieron 20 ducados cada uno[12], y después 48 ducados más el primero y 60 el segundo[13], sin duda en pago de su valiosa información; a su vez, en 1537 Hernando de la Torre recibió en cuenta

---

[6] A.G.I., Indif. 1092, 3 n.º 23 (16 de mayo de 1531).

[7] A.G.I., Indif. 1092, 6 n.º 76 (27 de agosto de 1534).

[8] Cf. G. Fernández de Oviedo, *Historia*, XX 5 (*BAE* 118, p. 241 b).

[9] El 11 de diciembre (A.G.I., Indif. 422, vol. XVI, f. 139v).

[10] Cf. A.G.I., Justicia 3, n.º 3 f. 81r.

[11] Así lo afirma la reina en una cédula del 28 de abril de 1530, reponiendo al comendador Loaysa en su oficio de la encomienda de Salamanca (A.G.I., Indif. 422, vol. XIV, f. 79r): «avemos sido çertificada que aportó [Loaysa] a las dichas islas y está en una de ellas, do a hecho en nuestro nonbre una fortaleza».

[12] Por cédula del 21 de agosto de 1531 (A.G.I., Indif. 422, vol. XVII, f. 31v).

[13] Por otras dos cédulas del 21 de setiembre de 1536 (A.G.I., Indif. 422, vol. XVII, f. 49v y 50r respectivamente).

de su sueldo 12 ducados, Francisco Granado, Juan de Perea y Martín de Islares 6 ducados cada uno [14], Juan de Mazuecos, marinero de la «Victoria», 4 ducados [15] y 20.175 mrs. el griego Francisco de París, marinero de la misma nao [16]. En 1538 volvieron a percibir Hernando de la Torre 16.750 mrs. [17], más otros 18.750 de merced, y Francisco Granado 3.750 mrs [18]. Al mismo tiempo que se libraban tímidos pagos llovían pleitos contra la Corona, no ya sólo por parte de los armadores, sino de los propios expedicionarios que se sentían estafados en sus derechos. Así se despacharon receptorias a las justicias de los reinos de la Corona, una [19] a pedimiento de Rodrigo, Gonzalo y Mari Pérez de Carquizano, herederos de Martín Iñiguez Carquizano y Andrés Carquizano, y otra [20] a instancia de Pero Ortiz de Goiri, en los pleitos que trataban con el fiscal real sobre el sueldo por sus servicios en el Maluco.

2.   El viaje equinoccial de Grijalba

Es tiempo de volver nuestra atención a la costa del Pacífico, donde el marqués del Valle acababa de volver fracasado de su expedición a la California. Pero si el Norte se resistía a revelar su secreto, tan tenazmente buscado, era preciso deducir entonces que las islas ricas se encontraban donde siempre se había dicho, es decir, cerca del ecuador, a cuyo calor benéfico crecían las mayores riquezas del mundo. Así fue como Cortés se decidió a despachar una nueva flotilla, esta vez en demanda de la tierra mágica y no ya en socorro de armadas partidas desde España. Como este viaje es poco conocido, si bien abunda en episodios dramáticos, parece conveniente dar de él más cumplida noticia sobre una fuente inédita [21]. En 1536 Cortés ordenó que, al mando de su mayordomo Hernando de Grijalba, se dirigieran de Acapulco al Perú dos naves en socorro de Pizarro, sitiado según se decía en los Reyes y con única escapatoria por mar. En la capitana iba por piloto el fiel Martín de Acosta, por maestre el genovés Esteban de Castilla y por contramaestre el gallego Miguel Nobre; de la almiranta era capitán Alvarado, piloto Juan Martínez y contramaestre un

---

[14] A.G.I., Indif. 423, vol. XVIII, f. 38v (Valladolid, 7 de setiembre).
[15] A.G.I., Indif. 423, vol. XVIII, f. 39r (Valladolid, 13 de setiembre).
[16] A.G.I., Indif. 422, vol. XVII, f. 84v (Valladolid, 11 de diciembre).
[17] A.G.I., Indif. 423, vol. XVIII, f. 89v (Valladolid, 16 de febrero) y 90r (16 de febrero).
[18] A.G.I., Indif. 423, vol. XVIII, f. 146r (Valladolid, 19 de julio de 1538).
[19] A.G.I., Indif. 423, vol. XVIII, f. 166v (Valladolid, 18 de setiembre).
[20] A.G.I., Indif. 423, vol. XX, f. 515v (Madrid, 20 de julio de 1541).
[21] La relación se encuentra en BN Madrid, ms. Res. 18, f. 34v ss. Sobre fuentes portuguesas hacen un breve resumen de la expedición F. Coello, «Conflicto hispano-alemán», *Boletín de la Real Sociedad Geográfica de Madrid*, XIX (1885) 275ss. y A. Landín Carrasco, *Islario español del Pacífico*, Madrid, 1984, p. 23ss

marsellés. La travesía hasta el puerto de Paita se realizó sin incidentes en 40 días. Los contratiempos surgieron después y comenzaron por la pérdida de la almiranta, que partió de regreso a la Nueva España y desapareció sin dejar rastro. Llevaba Grijalba 5 meses en Paita cuando llegaron las esperadas cartas de Pizarro y ricos presentes para el marqués del Valle: «un hombre de oro y una muger de plata y otras muchas cosas». Cumplida la misión en tierra, el capitán decidió largar velas. Su actuación ulterior fue calificada por Gómara[22] como huida; pero por una vez el capellán humanista estaba mal informado.

Una vez enmarada la nave, anunció Grijalba a la tripulación que traía orden de Cortés de descubrir nuevas tierras, noticia que causó no pequeño disgusto a todos los hombres, soldados y marineros. Así y todo, se obedeció a regañadientes. El rumbo tomado no deja lugar a dudas de que la instrucción mandaba efectuar el reconocimiento de las aguas cortadas por el ecuador. Primero se alcanzó los 4° N., para bajar de allí otra vez a 5° S.; después de navegar unos días al S.O. de nuevo subieron a los 7° N. y «bolvieron a arar la mar», hasta que la falta de agua les hizo tornar a la línea en busca de sus aguaceros. Hacía ya seis meses que habían partido de Paita, cuando Grijalba decidió poner proa a la Nueva España. En altura de 27° N. encontraron vientos contrarios, por lo que el piloto aconsejó dirigirse al E. Se siguió su parecer y se llegó a los 4° N. con la gente desfallecida y al borde del motín; mientras Acosta quería alcanzar el Maluco, Grijalba porfiaba en seguir dando bandazos en torno de la equinoccial. El fallecimiento del piloto vino a hacer la situación insostenible; aprovechándose del descontento reinante, Nobre y algunos otros dieron muerte a Grijalba, el único obstáculo que entorpecía sus propósitos, contra la voluntad del maestre, que tuvo que aceptar por fuerza el crimen. Los amotinados dieron vista después a una isla que no pudieron tomar, Verga, la llamada por los portugueses de Don Jorge, a 220 leguas del Maluco; de allí pusieron proa al N. y toparon con Quaroar, la isla Baja, a 1° N., donde hicieron aguada. Desviando su curso hacia el O. arribaron a tierra de papúas, Meocuir, la isla de la Aguada de los portugueses. Tras sufrir penalidades sin cuento, los supervivientes, destrozados y sin fuerzas ya para achicar el agua, decidieron dar al través con la nave en la costa de la isla Minuso, en una bahía llamada Sagain, al Sur del ecuador. Hacía ocho meses que habían salido de Paita y quedaba un puñado de hombres, entre ellos algunos esclavos indios y negros. Abandonando a los enfermos, el resto embarcó en el batel y llegó hasta una población grande, Haz; salieron a recibirlos unos paraos de papúas, y pronto el esperado trueque pacífico se tornó en sangrienta refriega en la

[22] *Conquista de México* (BAE 22, p. 428 b).

que murió la mayoría de los españoles. Por milagro lograron escapar con vida dos de los dejados en la playa, que cayeron en manos de los papúas; uno, el contramaestre Miguel Nobre, fue rescatado por el gobernador portugués del Maluco, Antonio Galvão; otro, el paleño Juan Camacho, estuvo seis años en poder de los indígenas antes de poder llegar a Terrenate junto con un hombre del batel, con el que compartió el cautiverio.

Esta espeluznante historia viene a demostrar el interés que se sentía en la Nueva España por la equinoccial: la obsesión de Grijalba no era «sino andarse alderredor de la línea, dando bueltas de una parte a otra, unas vezes a la vanda del Sur, otras a la del Norte». De esta manera era forzoso dar por fin con el sueño acariciado desde los tiempos de Vasco Núñez de Balboa: el 23 de noviembre de 1515 el tesorero Alonso de la Puente comunicó al rey que Diego Albítez tenía intención de descubrir tierra rica «debaxo de la equinoçial y en partes donde haze operaçión (¿oposición?) con la dicha línea el círculo del sol» [23]. Este mismo propósito es el que alienta a Grijalba en su malograda navegación, en la que por primera vez aparece la tierra de los papúas; y es de advertir que ya habían llegado a ella los portugueses: en Verga había invernado D. Jorge de Meneses, sin duda también en busca de la «ilha d'ouro», y a sus islas llegaron las caracoras enviadas por el capitán Meneses a recoger a los cristianos perdidos en aquellos parajes «tan extraños».

3. Ruy López de Villalobos y la isla de San Bartolomé

El 16 de abril de 1538 Pedro de Alvarado firmó nuevas capitulaciones con el rey [24], dispuesto a no escatimar esfuerzo en la empresa, aprovechando su estancia en España para reclutar a los veteranos del Maluco, entre ellos a Andrés de Urdaneta, cuyo prestigio se trasluce en el respeto con que de él habla Gonzalo Fernández de Oviedo [25]. Hasta vemos a Alvarado ponerse en tratos con Cristóbal de Haro para que le prestara a su criado Tristán de la China, que había servido de intérprete en la armada de Loaysa [26]: con tal minucia y esmero preparaba la expedición.

[23] Publicó el documento A. de Altolaguirre y Duvale, *Vasco Núñez de Balboa*, Madrid, 1914, p. 90.
[24] A.G.I., Indif. 417, f. 3r ss. Todo el cedulario, titulado «Libro de la provinçia del Poniente», es fundamental para el conocimiento de este viaje y de los primeros años de la historia de Filipinas.
[25] *Historia*, VI 14 y 15 (*BAE* 117, pp. 174-75), XX 35 (*BAE* 118, pp. 302-303).
[26] A.G.I., Patron. 38, 9 13. Habían ido también al Maluco Juan Vizcaíno y Antonio del Río (este último esclavo de Francisco de Burgos), pero el único superviviente era Tristán de la China, que aparece como testigo en un pleito de 1538 (A.G.I., Patron. 38, 12) y en el litigio de los Fúcares de 1544 (A.G.I., Patron. 40 6 n.° 2). Al fin la lengua de Villalobos fue el montañés Martín de Islares, vecino de Laredo, «uno de los que escaparon de la armada de Loaisa» (BN

La conquista de las Filipinas

Su celo se acrecentó en Guatemala, hasta el punto de armar una imponente flota de once navíos. Las posibles diferencias con el virrey Mendoza quedaron zanjadas en una entrevista amistosa: Mendoza cedió a Alvarado la tercera parte de la jornada de Cíbola, mientras que Alvarado traspasó al virrey la mitad de los derechos sobre la armada de la Especiería. Todos estos planes quedaron desbaratados por la muerte imprevista del adelantado en la rebelión de los indios de Nueva Galicia (1541).

Un año después del fallecimiento de Alvarado, y ya bajo exclusiva iniciativa del virrey, vinieron a aprestarse seis navíos, cuyo mando se encomendó al malagueño Ruy López de Villalobos, un cuñado de Mendoza: el «Santiago» (la capitana), el «San Jorge», el «San Felipe», el «San Juan de Letrán», la galeota «Santiago» y la fusta «San Cristóbal». A bordo iban hombres de experiencia en el Maluco, entre ellos los pilotos Ginés de Mafra y Antonio Corso, mientras que la evangelización quedaba encomendada muy particularmente a cuatro frailes agustinos, la Orden que abrió brecha en Filipinas. La armada, que zarpó el 1 de noviembre de 1542 del puerto de la Navidad, se dirigía a las islas de Poniente, con prohibición expresa de acercarse al Maluco [27]; en definitiva, lo que se pretendía era «hazer asiento con su armada en la isla de Maçagua, donde rescibieron con amistad a Magallanes» [28]. Pero también tenía otro objetivo más velado, que sólo queda de manifiesto cuando el viento y la corriente les hizo pasar de largo a las naves por la isla de San Bartolomé el 17 de noviembre, en el momento en que iban en altura de 13 grados y medio y habían andado 350 leguas:

Una de las principales cosas que por memoria traía Ruy López de Villalobos encomendado del Visorrey Don Antonio de Mendoça hera esto de esta isla de San Bartolomé, la cual dezían estava entre la costa de la Nueva España de la Mar del Sur y la China, en aquella anconada de catorze grados para el Norte. El Visorrey Don Antonio, como honbre muy leído, tenía gran noticia de esta isla, aunque, como digo, no se sabía cierto en qué parte caía, más de que, por estar todo lo demás de orbe descubierto, se presumía estaba en aquella parte donde está dicho. Dízense de esta isla tan grandes cosas, que no las osaré dezir según son. Basta dezir, para lo que toca a nuestra

Madrid, ms. Res. 18, II 1, f. 41v; la historia que conserva este códice, cuyas ilustraciones han sido bárbaramente mutiladas, se basa en la relación de Ginés de Mafra, piloto de la nave «San Juan de Letrán», que había ido ya como marinero de la «Trinidad» en la armada de Magallanes [cf. f. 22r, 41r]).

La importancia de los preparativos de Alvarado queda patente en la imponente comitiva que llevó de España en 1538 (cf. C. Bermúdez Plata, *Catálogo de pasajeros a Indias*, Sevilla, 1942, II, p. 314 n.º 5236 ss., 5285 ss., 5403 ss.; Martín de Islares es el n.º 5368, Urdaneta el n.º 5504)

[27] Cf. la carta del virrey D. Antonio de Mendoza (A.G.I., Patron. 23, 11) y la relación de García de Escalante Alvarado, hecha el 1 de agosto de 1548 (A.G.I., Patron. 23, 10 f. 14r).

[28] BN Madrid, ms. Res. 18, II 13 (f. 62r), 25 (f. 89r y 89v), Relación de García de Escalante (A.G.I., Patron. 23, 10 f. 1v).

historia, que el general tenía gran cuidado y desseo y mandato de saber de ella y verla, pero como no se toviese cosa cierta <e> iva a ciegas a ello, quiso Dios que se hallase en tiempo tan fortunoso y con tanto peligro que, aunque se hizo todo lo que ser pudo por poder detener las naos hasta la mañana, para ver si hera verdad ser tierra grande y ser verdad todo lo que de ella se escrive, no pudo en ninguna manera ser, porque el muncho viento y mar nos passó de ella... Esta isla de S. Bartolomé dizen que es donde se llevó el tesoro a Salomón para hedificar el templo, y cuenta la historia tanto de ella que no lo oso dezir, porque yo estoy determinado de no hazer caso sino de lo que oviere visto por mis ojos para que d'ello dé fee e yo la pueda dar[29].

Como siempre, de la historia oficial a la historia real media un abismo: el virrey que, como él mismo escribe[30], ha leído lo que de las grandezas de Oriente contaban «así los antiguos autores como los modernos», no se atreve a dar instrucciones por escrito sobre la isla de Salomón, pues teme quedar en ridículo ante los ojos burlones de algún resabiado crítico; pero de viva voz no deja de aleccionar a su cuñado. Estas palabras tan reveladoras son las que, al perderse en la mayoría de los casos, falsean la realidad de manera irreparable, ya que sobre este particular calla la relación de García de Escalante Alvarado. También la armada de Saavedra había divisado a 350 leguas una isla[31]. Pero ahora resulta que esta isla es identificada con aquel atolón de S. Bartolomé en donde no habían podido tomar tierra los hombres de Loaysa: la isla encantada, que sólo muestra sus encantos a lo lejos, acaba por convertirse en la Ofir salomónica. Tal poder de seducción tiene lo inalcanzable.

Por otra parte, la conexión de S. Bartolomé con una isla, que ahora nos puede parecer extraña, no lo era en absoluto en el s. XVI. Según una antigua tradición que no recoge la pasión latina pero sí, en cambio, la más tardía versión griega[32], el rey de la India Astriges habría ordenado que se arrojara al mar el cuerpo del apóstol martirizado, aunque el cadáver llegó milagrosamente a la isla de Lípari, donde se edificó un gran templo para albergar tan preciadas reliquias[33]. Los restos inquietos viajaron todavía a

[29] BN Madrid, ms. Res. 18, II 5, f. 49r-49v.

[30] Cf. A.G.I., Patron. 23, 11.

[31] Relación de Vicente de Nápoles (A.G.I., Patron. 43, 9), publicada por M. Fernández de Navarrete (Colección de los viajes [BAE 77, p. 272 b]). La isla queda situada a 11°. Los Bajos de San Bartolomé los divisó Mendaña en su primer viaje a 8° 1/2 (cf. la relación de Catoira en C. Kelly, Austrialia Franciscana, II, p. 202).

[32] Passio Bartholomaei 9 (Acta apostolorum apocrypha, ed. M. Bonnet, II 1, p. 149). Según la antigua tradición de la Iglesia visigótica, la actividad misional de San Bartolomé no se desarrolló en la India, reservada a Santo Tomás, sino en Licaonia (así en Isid. de ortu 81; Beat. Comm. in Apoc. II prol. 3, 17; Hymn. Goth. 130 4, 4 [sólo en el himno 97 se dice que predicó en la India; obsérvese, no obstante, que este último fue compuesto por un tal León de Amalfi]; en el códice Emilianense 39, f. 238r de la Acad. Hist. Madrid se lee: Bartholomeus in Licaonia passus est sub Astriges regem).

[33] Gregor. Turon. Lib. in glor. mart. 134 (pp. 59-60 Krusch), Pauli continuatio tertia (Script. rer. Lang., I, pp. 215-16 Waitz), Chron. Salernitanum 72.

Salerno, después a Benevento y por último a Roma; pero, entretanto, la memoria de S. Bartolomé se había unido tan estrechamente con la idea de una isla, que el sepulcro fue depositado en la «isola Tiberina», llegando a dar nombre a un título cardenalicio, el de «S. Bartolomeo in isola». Ahora bien, este Bartolomé tan insular[34] había sido el apostol precisamente de la India. No es, pues, un disparate que la isla mollar de la India quedara al punto relacionada en la mentalidad popular con S. Bartolomé; y esta isla, como es fácilmente comprensible, no puede ser otra que la de Salomón, que es al mismo tiempo la de los Reyes Magos. Una nueva connotación viene, en definitiva, a añadirse a Ofir, en cuyo oro santo se va enhebrando de esta suerte un largo rosario de mitos y tradiciones seculares. Bajo la advocación de S. Bartolomé había de quedar también otra tierra ofírica como el Paitite.

Esta no fue la sola peripecia digna de mención que ocurrió en el viaje. Un día con total visibilidad y mar bonancible, ya dejados atrás los bajos de San Bartolomé, se divisó una ballena enfrente del galeón «San Jorge», que pronto se sumergió. A poco se vio que la nao se rezagaba y ladeaba de repente, como si arrastrara la quilla por tierra. Empezó la marinería a gritar misericordia, creyendo haber encallado, cuando sobrevino la calma al cabo de un cuarto de hora; pasado el peligro, a popa se divisó rastro de sangre, por lo que coligió la gente que el «San Jorge» había tropezado con la ballena. Este incidente dramático, que se repitió por cierto en el segundo viaje de Mendaña, es relatado prolijamente por el autor anónimo[35] sin que la zozobra le arranque ninguna palabra de más, como si tamaña porfía entre el navío y el cetáceo fuera algo normal a fin de cuentas. No se adorna el episodio ni con ecos bíblicos ni con reminiscencias clásicas, cuando tan fácil hubiese sido traer a colación el recuerdo de los monstruos que poblaban el Océano antiguo. Sin duda los marineros fueron presa de pánico momentáneo y el choque se convirtió en tema de conversación obligado durante días; pero nada se trasluce de estos comprensibles miedos, como si ya la indiscreción salomónica hubiera hecho enmudecer al cronista, pronto arrepentido de su locuacidad.

Por lo demás, la travesía fue tranquila. La víspera de Navidad, a los 55 días de viaje, se dio vista a las islas de los Reyes, descubiertas por Saavedra, y después a las del Coral y Matalotes. Por fin, el 1 de febrero la armada arribó a Mindanao, llamada en honor del rey Cesarea Caroli, intentándose un primer asiento en la bahía a la que, por su ciudad natal, el capitán general dio el nombre de Málaga. Un único afán guía a los

---

[34] En los AA.SS. al 5 de agosto (p. 49ss.) se cita el pentámetro *India decoriat, tenet insula Bartholomaeum*.

[35] BN Madrid, ms. Res. 18, II 6, f. 50ss. («Del peligro en que se vio el galeón «San Jorge» navegando el armada con una ballena y de lo que más acaeció a la fusta con él»).

hombres de Villalobos, llegados a la lejanas islas del Poniente. Cuando ya
en Sarrangán las estrecheces y el hambre empezaron a acosar a los expedicionarios, anota de manera muy significativa el fraile Jerónimo de Santisteban que a partir de entonces se despacharon navíos únicamente para
traer noticia de dónde había comida, «que ya no se buscava oro» [36]. De
nuevo, pues, tras el oro y no tras la especiería se iban los suspiros de los
españoles, que no tenían palabras sino para hablar del descubrimiento de
China y de los Lequios [37], a donde pensaban que se dirigían.

4. Tras las huellas de los Reyes Magos

La utopía de Tarsis y Ofir volvía a impulsar los ánimos con gigantescos delirios. Incluso depués de empeñado el Maluco a Portugal (1529), a
fray Martín de Valencia le asaltó en 1531 la tentación de abandonar
Nueva España para embarcarse a Oriente [38]. Y todavía en 1554 fray Juan
de Zumárraga y fray Domingo de Betanzos pensaban fletar un navío e ir a
predicar a aquellos pueblos que había querido evangelizar en vano fray
Martín [39]. Todavía en sus mandas testamentarias se acordaba el gran obispo franciscano de «los mill pesos de minas que tenía necesidad para el
viaje de las islas [fray Domingo de Betanzos] e para que llevase consigo si
fuese a la Casa Santa de Jerusalén» [40]. Las islas, esto es, Tarsis, Ofir,
Cipango, dejaban sentir todavía su mágico encanto. No en vano por las
mismas fechas iba a cumplir San Francisco Javier la misión que el destino
había impedido realizar a los religiosos mexicanos. Este proyecto de alcanzar Jerusalén por el Occidente, tan querido de Betanzos, había sido
también uno de los ensueños predilectos de Colón; al costear Cuba en
1494 el Almirante pensó que, «si próspero se hallara, que provara a
bolver a España por oriente, viniendo al Ganges e dende al Sino Arábico
e después por Ethiopía; e después pudiera venir por tierra a Jherusa-
lem» [41]. La utopía pervive, aunque su significado ha cambiado de manera
radical.

Aparte del claro motivo económico, había una poderosa razón para

---

[36] Editado por C. Varela, *El viaje de Don Ruy López de Villalobos a las islas del Poniente
1542-1547,* Roma, 1983.

[37] Así lo dice expresamente en una carta a Juan III del 20 de febrero de 1544 el factor de
Terrenate, Jerónimo Pires Cotão, informado por un desertor portugués de la armada de Villalobos (cf. *As Gavetas da Torre do Tombo,* Lisboa, 1971, IX, p. 401).

[38] Cf. Motolinía, *Historia,* III 5.

[39] Cf. J. García Icazbalceta, *Don fray Juan de Zumárraga, primer obispo y arzobispo de México,*
México, 1881, doc. 34, pp. 155-56.

[40] J. García Icazbalceta, *Don fray Juan de Zumárraga,* doc. 42, p. 173.

[41] Andrés Bernal (=Bernáldez), *Memorias del reinado de los Reyes Católicos,* Madrid, 1962,
cap. CXXIII (p. 309).

que un cristiano se sintiera rebosante de entusiasmo ante la idea de ir a
Tarsis. En efecto, una tradición muy antigua relataba que de Tarsis procedían los tres Reyes Magos. Tan áureo origen había resultado de identificar los Magos con los «reyes de Tarsis y de las islas» de que hablaba el
salmo 67. Así Diego García, en su *Planeta*[42], se explaya sobre los reyes
«dichosísimos que engendró Tarsis, conoció Jerusalén, recibió Belén, acogió Milán y albergó Colonia». Una leyenda del mapa catalán de 1375 se
refiere a la región de Tarsia, «de la qual isqueran los iii reys d'Orient per
anar an Beelem a vaure Jesum Christum»[43]. Asimismo fra Mauro señala
en el centro oriental de Asia un «regno Tharse, del qual vene hi magi»[44].
Juan de Mandevilla[45] habla de Tarsis como de una región sometida a los
Reyes Magos. El índice alfabético a Ptolemeo, *s.u. Tharsos*[46], señala que
de allí había salido la estrella para guiar a los Reyes; bien es verdad que la
referencia es a Tarso de Cilicia, pero entre Tarso y Tarsis la confusión era
tan corriente como lógica desde tiempo inmemorial. Claro es que no
todos aceptaron esta tradición. Marco Polo[47], recogiendo leyendas orientales, había situado en Persia, en la ciudad de Sabba, la tumba de los
Magos. Por esta razón en la *Vita Christi* de Rodolfo el Cartujano se hace
constar que los Reyes «vinieron de las regiones de los persas y los cal-
deos, donde está el río Saba, que da nombre a la región»[48]. Después de la
resurreción del Señor, sigue diciendo el Cartujano, «como uno de los
apóstoles hubiese ido a aquella provincia, se unieron a él y tras recibir el
bautismo se convirtieron en fautores de su predicación». De la misma
manera Pedro d'Ailly[49] anota que la Saba de donde habían venido los
Magos se encontraba en Oriente. Dada esta diversidad de variantes pron-

---

[42] P. 291, 2ss. (ed. Alonso). Tarsis, en vigúrico, designa al Turquestán oriental (cf. en general
T. Fischer, *Sammlung mittelalterlicher Welt- und Seekarten italienischen Ursprungs*, Marburgo,
1885 (reimpr. 1961), pp. 217-18).

[43] Cf. ahora la edición dirigida por G. Grosjean, *Mapamundi del año 1375 de Cresques
Abraham y Jafuda Cresques*, Barcelona, 1983, p. 76.

[44] *Il mappamondo di fra Mauro*, con transcripción de T. Gasparrini Leporace, Roma, 1966,
tab. XXVI, 103.

[45] El anónimo traductor inglés de la Edad Media, por un error ingenuo, convirtió a Tarsis
en uno de los Reyes Magos (cf. P. Hamelius, *Mandeville's Travels*, Oxford, 1919, cap. 28 [p.
169]).

[46] Precede a las ediciones renacentistas del geógrafo.

[47] Así, p.e., en el capítulo XIII de la versión de Santaella, impresa en Sevilla en 1519 (f. 4v).
Lo mismo repite M. Fernández de Enciso, *Suma de Geographía*, Sevilla, 1530, f. 57v. Se trata de
la actual Savah, entre Sultanieh y Cazan.

[48] Cap. *de epiphania Domini* (utilizo el ejemplar incunable de la Biblioteca Colombina de
Sevilla, con la signatura 12-5-1, s.f.).

[49] *Imago mundi*, cap. XVIII, el famoso incunable de la Biblioteca colombina (cf. apostilla C
100 en *Raccolta colombiana*, I 2, p. 383). Según Santo Tomás de Villanueva (*Conciones sacrae*,
Compluti, 1572, f. 52r ss.: sermón de la Epifanía) los magos, procedentes de Seba, esperaban la
aparición de la estrella en el monte Victoriaco; después de adorar al Niño regresaron a su patria
y, con el tiempo, se unieron a Santo Tomás.

to se buscó una solución ecléctica. Ya en el evangelio armenio sobre la infancia de Jesús se lee que los Magos eran tres hermanos: Melkon, rey de los persas; Baltasar, rey de los indios y Gaspar, rey de los árabes[50]. Pareja tradición recoge en su globo Martín Behaim e interpreta mal Ravenstein:[51] uno viene de Tarsis, otro de la India y otro de Saba.

Para colmo, también la Antigüedad clásica conocía un lugar llamado con ese nombre. Ptolemeo[52] situaba la isla de los Magos en el clima de Etiopía, a 68° 1/2 de longitud y 16° de latitud. La mención parece destinada a perderse entre los millares de coordenadas que ofrece el gran geógrafo de Alejandría. Pero no: el profesor salmantino Núñez de la Yerba[53], al enumerar los parajes más importantes del mundo, señala en el primer clima, que corre de los 12° 45' hasta los 20° 30', aquella *magorum insula* de nombre evocador. Y no otra es la razón que mueve a Ariosto[54] a celebrar el golfo etiópico, «golfo que nomàr gli antichi Maghi». Las concomitancias saltaban a la vista, de suerte que era inevitable que la tradición clásica y la leyenda cristiana acabaran por confluir, fundiéndose en una sola.

Pues bien, hay que recordar ahora que, según Coma traducido por Esquilache[55], Colón envió a Hojeda y Corbalán al rey de Saba, que distaba pocos días de camino de la ciudad de Isabela: este rey de Saba no es otro que el cacique Caonabó. Pero esta preciosa noticia nos indica que los españoles creían a la sazón encontrarse en Saba, la isla de los Reyes Magos: resulta así que Cibao es Cipango, pero al mismo tiempo Saba, esto es, Tarsis, en una de las más asombrosas concatenaciones geográficas de la historia. Esquilache tiene muy presente esta identificación cuando

[50] A. de Santos Otero, *Los evangelios apócrifos*, Madrid, 1956, p. 382. «Menchor rey de Tarsi» se lee en una anotación marginal a BN Madrid, ms. 5654, f. 107v (del s. XV), escrita en el s. XVI, repitiendo lo aprendido en los portulanos catalanes.

[51] *Martin Behaim. His Life and His Globe*, p. 95, al traducir «der heiligen drei Konik einer aus Tarsis genannt» por «one of the Three Holy King of Tharsis, called...». En efecto, enfrente de la Tapróbana se lee «der einer der drei konik auf Indie» y también en Etiopía hay otro letrero que reza: «das konikreich der heiligen drei konik, einer von Saba». Es clara la repartición geográfica, por lo que en el primer letrero se ha de suplir «der einer der».

[52] IV 7, 11. Según Mannert (cf. Schwabe *RE* XXVII [1928] c. 519) se trata de Arkiko, al Oeste de Daphnine insula.

[53] En el prefacio a la edición de Pomponio Mela, Salamanca, 1498.

[54] *Orlando furioso*, XV 37, 4; conviene apuntar que ya Ptolemeo (VI 7, 17) habla del golfo de los Magos, identificado con la gran ensenada en el golfo Pérsico que se extiende ante la isla Abu Ali.

[55] Reproducción fotográfica en C. Sanz, *Biliotheca Americana Vetustissima, Ultimas adiciones*, Madrid, I, p. 204 y 206. Traducción en J. Gil-C. Varela, *Cartas de particulares a Colón y relaciones coetáneas*, Madrid, 1982, p. 199. De la misma manera Cambao es Çambao, esto es, Cibao, en la instrucción dada por Colón a mosén Pedro Margarite en 1494; en los ríos de este Cibao se encuentra oro, como había anunciado Ptolemeo al decir de Miguel de Cúneo (*Raccolta colombiana*, III 2, p. 98, 36).

afirma que la Española abunda en oro e incienso, y que sus habitantes son los Sabeos turíferos; así se cumplía el vaticinio del Salmista e Isaías: «Los reyes desde Sabá vendrán para ofrecer oro e incienso». Así se explica también otro alarde imaginativo del almirante que dejó estupefactos a sus compañeros. Antes que llegaran a la isla Gorda, la de Guadalupe, Colón anunció que los quería conducir al lugar de donde había partido uno de los tres Reyes Magos que vinieron a adorar a Cristo, lugar que se llamaba Saba. Efectivamente, cuando saltaron en tierra y preguntaron el nombre del lugar les fue respondido que la tierra se llamaba Sobo, con lo que quedaron todos muy admirados de la ciencia marinera de aquel navegante que no tenía par en el mundo [56]. Pero tal hallazgo era obligado, y sólo podía sorprenderse de tamaña clarividencia un hombre poco ilustrado como Cúneo.

Desde esta perspectiva cobra significado muy especial el hecho de que el mismo día en que la Iglesia celebra la adoración de los Reyes Magos, el 6 de enero, se consagrase con fastuoso rito, tras oír una misa concelebrada por trece sacerdotes, la fundación de la primera ciudad en la Española: la Isabela [57]. El simbolismo es meridiano: la primera ciudad de la isla de los Magos ha de iniciarse precisamente en la fiesta de los Reyes. Esta y no otra es la razón de que en las Indias pululen las ciudades que llevan este nombre. Y no hay que olvidar que el Almirante llegó a otra tierra mágica, la del río Yebra y Veragua, el 6 de enero, por lo que al Yebra se le dio el nombre de Belén [58].

No ha de sorprender, en consecuencia, que los Autos de los Reyes Magos constituyeran el plato fuerte en el repertorio de dramas evangelizadores de los misioneros; «la fiesta de los Reyes también la regocijan mucho, porque les parece fiesta propia suya», apunta Motolinía [59]: la Epifanía, en efecto, venía a aunar los anhelos de indios y conquistadores, cuando una estrella maravillosa, «la estrella Dios-Padre», aparecía como guía de unos y otros, despertando sentimientos diferentes, pero siempre muy vivos, en torno al par divino de Madre y Niño; la estrella, de hecho, no podía faltar en aquella tramoya, por modesta que fuese, y corría largo trecho gracias a un aparato de cuerdas marcando el camino de la comitiva, hasta posarse sobre el portal de Jesús. [60]

[56] *Raccolta colombiana*, III 2, p. 107, 30 ss. y traducción en J. Gil-C. Varela, *Cartas de particulares a Colón y relaciones coetáneas*, Madrid, 1982, pp. 259-60.

[57] Pedro Mártir, *Decades de orbe novo*, Compluti, 1530, I 2, f. 7r.

[58] Cf. Las Casas, *Historia*, II 24 (*BAE* 96, p. 64 b), D. Hernando, *Historie*, XCIV (II, p. 228 Caddeo).

[59] *Historia*, I 13; cf. O. Arróniz, *Teatro de evangelización en Nueva España*, México, 1979, p. 109ss.

[60] Claro es que esta costumbre entronca con rancias tradiciones medievales: no cabe olvidar que el primer texto dramático castellano es precisamente un «Auto de los Reyes Magos» y que

Esta significación de Tarsis nos ayuda a comprender mejor el estado de ánimo de Martín de Valencia y de Zumárraga. En efecto, después del regreso de Elcano y sobre todo de los supervivientes de la expedición de Loaysa se pone de manifiesto que, allá en Occidente, vivía un pueblo civilizado y político, muy distinto y superior a esos indios que los conquistadores —y algunos religiosos— consideraban hombres bestiales y esclavos del demonio. De esta manera, la aureola que rodea a Tarsis se aleja del Nuevo Mundo para tornar al Extremo Oriente [61]. Allí predicó Santo Tomás, de allí partieron los Reyes Magos para adorar al Mesías; allí también habían de encontrarse las «personas viriles» soñadas por Martín de Valencia, deseosas de recibir el Evangelio. Con ello, además se seguía otra vez ese rumbo al Poniente que desde el Medievo conducía a la isla llamada «Tierra de promisión de los santos», isla que iba a revelar el Señor en los últimos tiempos y que, después de visitada por Barfind y Ternoc, había sido descubierta por S. Brandán [62], isla en la que no había árbol sin frutos ni hierba sin flor, en la que hasta las piedras eran piedras preciosas y en la que reinaba tal fragancia, por su cercanía al Paraíso Terrenal, que los vestidos quedaban impregnados del perfume del Edén. Y aun en otra versión de la *Vida* [63] se llega a identificar la isla con el propio Paraíso, cercado por un muro de pedrería y custodiado por dragones.

5. *El asentamiento definitivo en Filipinas: Legazpi*

Todo el bien tramado plan de la expedición de Villalobos se vino abajo al no encontrarse la ruta del tornaviaje. En efecto, la nave enviada a

en la Epifanía se solían hacer representaciones de la Adoración, como las que celebró el condestable D. Miguel Lucas de Iranzo en Jaén en 1461, 1462, 1463 y 1464 (*Crónica*, ed. Carriazo, p. 40, 70ss., 102ss. y 162ss. respectivamente).

[61] Esta idea duró mucho tiempo. S. Martín de la Ascensión escribió a Felipe II que se había trabajado mucho tiempo en Indias, «y no se ha hallado en ellas gente de capacidad para poder encomendar el ministerio de las almas; sólo la gente de China y Japón se ha hecho capaz para ello, donde con el favor divino, pasado algún tiempo y estando arraigada la Cristiandad, pueden ser ellos ministros, henchir las religiones de frailes y proveer todas las Indias de ministros» (cf. A. Abad Pérez, *Missionalia Hispanica*, XXXII [1975] 168). La quimera tomó un tono más realista a finales del s. XVII, cuando juzgaba el marqués de Barinas que «son las islas Filipinas la alaja más preciosa de cuantas componen la monarquía de Vuestra Magestad» y «el paraje más a propósito que ay para sembrar la palabra de Dios» (*Grandezas de Indias*, BN Madrid, ms. 2933, p. 551ss.).

[62] *Vita prima sancti Brandani*, XII (C. Plummer, *Vitae sanctorum Hiberniae*, Oxford, 1968, I, p. 105).

[63] Cap. LIV ss. (Plummer, *Vitae sanctorum Hiberniae*, II, pp. 291-92). En los versos satíricos impresos al final de este segundo volumen (p. 293) se reprocha al autor de la *Vita* el haber querido convertir el Paraíso en sólo tierra y piedras, pobre esperanza en verdad para los irlandeses.

Nueva España llevaba indicaciones precisas respecto a la posición de los españoles y el rumbo que debía seguir Urdaneta, a quien se esperaba en Filipinas en abril de 1544 [64], precaución que, esta vez con éxito, había de tomar también Legazpi. Pero está claro que Urdaneta no podía partir mientras no llegase el navío de Filipinas; de otra suerte, los barcos españoles estaban condenados a perderse sin remedio, dado que por forzosidad habían de caer en manos de los portugueses. A finales de 1547 se enteró la Corte española de la rendición de la armada de Villalobos, gracias a que el embajador en Portugal, D. Lope Hurtado de Mendoza, había enviado la relación de fray Jerónimo de Santisteban al marqués de Mondejar [65]. Así y todo no se perdieron las esperanzas de poblar las islas, como revela el hecho de que se encargara al diplomático averiguar si era verdad cuanto se contenía en aquella historia y si no había sido escrita a compulsión y contentamiento de los portugueses. En años sucesivos fueron recompensados los navegantes, según sus méritos, con preciadas licencias de pasar esclavos a Indias: cuatro piezas tocaron a Iñigo Ortiz de Retes [66], una al piloto Antonio Corso [67] y nada menos que 100 a García de Escalante Alvarado [68].

A pesar de tantos intentos fallidos, el ensueño de Magallanes había calado más hondo de lo que podamos pensar en la imaginación de los españoles. Con D. Luis de Velasco, el segundo virrey de la Nueva España, volvieron a México algunos veteranos del Maluco: con él embarcó García de Escalante Alvarado, el cronista de la expedición de Villalobos, que, prefiriendo antes que descansar en la patria echar raíces en el Nuevo Mundo, llegó a convertirse en alcalde de Veracruz y del puerto de San Juan de Ulúa, aunque, sin olvidarse del Oriente, escribió al rey «suplicando tubiese por bien que el Visorrey de esta Nueva España descubriese la navegación de esta Nueva España a las islas de la Especería» [69]; otro que

[64] Así lo indica una carta del capitán D. Jorge de Castro a Juan III, fechada el 10 de febrero de 1544 (*As Gavetas da Torre do Tombo*, Lisboa, 1971, IX, p. 365).

[65] Cédula de 29 de diciembre de 1547 (A.G.I., Indif. 424, vol. XXI, f. 93r). No se menciona por su nombre a fray Jerónimo, sino a «un religioso que está en los Malucos» que había enviado una relación a D. Antonio de Mendoza. Otras veces parece que se le cita mal, como cuando se habla de fray Jerónimo Jiménez, que «truxo del Maluco a estos reinos dos indios esclavos, el uno que se llama Gaspar, de nación chino, y el otro se llama Francísco, de nación pegú»; los dio por libres el provincial de la Orden, aunque el fraile pidió permiso para llevarlos consigo a la Nueva España, licencia que le otorgó el rey el 30 de marzo de 1549 (A.G.I., Indif. 424, vol XXI, f. 330r).

[66] A.G.I., Indif. 424, vol. XXI, f. 258r (8 de octubre de 1548).

[67] A.G.I., Indif. 424, vol. XXI, f. 263v (28 de noviembre de 1548).

[68] A.G.I., Indif. 424, vol. XXII, f. 13r (9 de octubre de 1549).

[69] A.G.I., México 168 (24 de marzo de 1552). En las cuentas del tesorero D. Fernando de Portugal se pagan a Escalante 150 pesos anuales de oro común de ayuda de costa durante los años que fue corregidor de Guazpatepeque; el tercer año corrió desde el 30 de octubre de 1556 hasta el 30 de octubre de 1557 (A.G.I., Contaduría 664).

pasó también en la misma flota fue Juan Pablo de Carrión, que ya en 1548 se había dirigido «por mandato del virrey Don Luis de Velasco a dar relación a Vuestra Magestad de la horden y modo avía de tener el armada que se empeçava a hazer para el descubrimiento de las islas del Poniente» [70]. Al fin, no sin albergar grandes vacilaciones sobre si las Filipinas caían o no dentro del empeño, Felipe II dio su beneplácito al proyecto, aunque, para gran despecho de Carrión, una real cédula del 24 de setiembre de 1559 ordenó que fray Andrés de Urdaneta, agustino, «buen cosmógrafo» y gran conocedor del Maluco, en el que había vivido ocho años, tomara parte en la travesía para tratar de descubrir el camino de vuelta de las islas a la Nueva España [71]. Ya en 1561 fray Andrés

[70] A.G.I., México 168 (1 de setiembre de 1564).

[71] A.G.I., Patron. 23, 12 f. 6r. Urdaneta llevó en la expedición a su sobrino, el factor Andrés de Mirandaola (cf. p.e. A.G.I., Filip. 34, 1 nº 2). A la figura del agustino se han consagrado numerosos estudios: F. Uncilla, *Urdaneta y la conquista de las Filipinas,* San Sebastián, 1912; M. Cuevas, *Monje y marino. La vida y los tiempos de fray Andrés de Urdaneta,* México, 1943; M. Mitchell, *Friar Andrés de Urdaneta, O.S.A. (1508-1568), Pioneer of Pacific Navegation from West to East,* Londres, 1964; E. Cárdena de la Peña, *Urdaneta. «El tornaviaje»,* México, 1965. Las cuentas del tesorero D. Fernando de Portugal permiten seguir los preparativos y el progreso de la armada. En 1558 se gastaron 4.513 pesos, 2 tomines y 8 granos de oro de minas (de a 450 mrs. el peso) y 3.000 pesos de oro común (de a 272 mrs. el peso) en el apresto de los navíos en el puerto de la Navidad, donde Velasco nombró alcalde mayor a tal efecto a Hernando Botello; para facilitar el transporte desde México se compraron entonces recuas de mulos y diversos negros, entre ellos uno ladino y nahuatato en lengua mexicana y otomí que se adquirió del propio tesorero por precio de 240 pesos de oro de minas, «por ser pieça escojida». En 1559 dedicó el virrey a la armada 250 pesos de oro de minas y 1.540 pesos de oro común y en 1560 fueron pagados 2.033 pesos, 2 tomines y 8 granos de oro de minas y 2.953 pesos de oro común a diversas personas, entre ellas a Martín de Goiti y Andrés Cauchelo para jarcia, a Juan Pablos de Carrión para estoperoles, plomo y otros pertrechos, a varios mercaderes y al barbero y cirujano Damián de Ribas, que fue destacado a la Navidad, de clima enfermo (A.G.I., Contaduría 664). Carrión jugó un muy activo papel en el apresto de las naves durante los primeros años, mientras que a Legazpi sólo lo documento en las partidas del tesorero a partir de 1562. También en 1562 aparece enrolado el famoso piloto Juan Fernández Ladrillero con un salario de 250 pesos anuales; en 1563 se libran cartas de pago a Juan Fernández y a Esteban Rodríguez y en 1564 al piloto Diego (¿Lope?) Martín, Pierres Plin, Rodrigo de Espinosa y Jaimes Fortún. A Urdaneta se le consignaron en 1564 1014 pesos, 6 tomines y 6 granos para hábitos, librería y otras cosas de los frailes, y en 1565 166 pesos, 5 tomines y 4 granos de oro de minas para que fuera a dar cuenta al rey «del subçeso de las islas del Poniente». Los montos totales de lo invertido en los últimos años, según los asientos del tesorero D. Fernando de Portugal corren así (A.G.I., Contaduría 667):

	oro de minas			oro común		
1561	1.221 ps.			19.132 ps.	5 ts.	8 gr.
1562	2.636 ps.		6 gr.	72.416 ps.	4 ts.	6 gr.
1563	17.116 ps.	3 ts.		64.896 ps.		3 gr.
1564	18.048 ps.			154.070 ps.	5 ts.	
1565	2.224 ps.	5 ts.	4 gr.	26.556 ps.	1 t.	

Una partida suelta (A.G.I., Patron. 23, 19) nos informa de que desde el 5 de enero hasta el 27 de mayo de 1564 dio D. Fernando 59.752 pesos y 7 tomines de oro común. Por otra parte, el comenzó a proponer planes de navegación al rey, y en las posibles derrotas estudiadas figura, como es lógico, esa isla de S. Bartolomé. En efecto, decía[72], de zarpar desde el primero de octubre hasta el primero de noviembre, se debe navegar al Oeste seiscientas leguas hasta ponerse en altura de 14° y medio, y de allí poner proa a poniente en busca de S. Bartolomé entre los 14° y 14° y medio:

> Ase de procurar reconosçer esta isla y surgir en ella para saber si es poblada y en qué parte d'ella ay agoada, porque será muy inportante que en esta isla aya agoa dulce aunque no fuese poblada, por estar seisçientas y nobenta légoas pocas más o menos más azia la Nueba España que las islas de Maluco y Filipinas, donde se podrá tomar agoa y leina así a la ida como a la benida, si la nabegación de la buelta no pidiere otra cossa. La cual isla si se poblase, sería cossa açertada y de mucho probecho para hazer escala en ella, aunque se poblase de hombres delincuentes que meresçiesen muerte o destierro perpetuo.

Como era de esperar, Urdaneta, que vio la isla de S. Bartolomé con sus propios ojos, la sitúa no a 350 leguas, sino a 690; y aunque presume ignorar su halo legendario, aconseja tomar tierra en ella, a fin de convertirla en escala para descanso y reparación de las naos a mitad de camino entre los dos puertos terminales. De la isla de S. Bartolomé hablan también las instrucciones de Velasco, como veremos. En cambio, las instrucciones de la real Audiencia, que fueron abiertas el 25 de noviembre de 1564, cuando la armada de López de Legazpi se hallaba a cien leguas de la costa, si bien ordenaban volver a seguir el rumbo de Villalobos, no mencionaban la tal isla, sino sólo la Nublada, la Roca Partida, las islas de los Reyes[73] y de los Corales y, por fin, las Filipinas[74]. La altura de 14° N. en que se encontraba la armada hizo imposible que se recalara en la Nublada y la Roca Partida; y es más, como dice una relación anónima,

> por este rumbo y altura de nueve grados poco más o menos corrimos derechamente en demanda de las islas de los Reyes y Corales, hasta que todos los pilotos por los puntos y figuras que llevaban dixeron hallarse mucho más adelante de las dichas dos islas y averlas pasado, ya que algunos d'ellos se hallavan çerca de las islas de los Arreçifes y Matalotes, que son mucho más adelante[75].

tesorero de Veracruz Pedro de Yebra consignó que había gastado en el aviamiento y despacho de la armada del Poniente desde el 4 de noviembre de 1559 al 31 de agosto de 1563 605 pesos de oro de minas y 18.6l7 pesos, 6 tomines y 7 granos de oro común (A.G.I., Contaduría 877).

[72] A.G.I., Patron. 23, 15 f. 3r.

[73] Es que la armada de Saavedra había llegado a ellas el día de Reyes, también sin poder tomar tierra, según refiere la relación de Vicente de Nápoles (A.G.I., Patron. 43, 9; M. Fernández de Navarrete, *Colección de los viajes* [*BAE* 77, p. 273 a]). El nombre de isla del Coral se debe a Villalobos.

[74] A.G.I., Patron. 23, 12 f. 11v § 25.

[75] A.G.I., Patron. 25, 16 f. 2v.

De esta suerte, los navíos que llevó bajo su mando Miguel López de Legazpi, natural de Guipúzcoa, del señorío de Lezcano, acabaron arribando a las Filipinas sin tocar en ninguna de las islas que les recomendaba la Audencia. Ahora bien, por cuanto llevamos visto y por lo que veremos, parece evidente que uno y otro itinerario tienen los mismos puntos de referencia; de aquí se deduce que la que unos llamaban isla de S. Bartolomé, de donde Salomón sacaba incontables riquezas, otros la denominaban de los Reyes, es decir, de los Reyes Magos. Es que la armada de Saavedra había llegado a ellas en el día de los Reyes, también sin poderlas tomar, pero situándolas a once grados.

Si repasamos ahora los derroteros de los pilotos de la armada, nos sorprende tanto la vaguedad de sus datos como la disparidad de pareceres. Esteban Rodríguez, el piloto mayor, ni se digna mencionarla [76], y eso que en la orden dada por Legazpi sobre la derrota a seguir se decía muy claramente que «antes de llegar a las islas Filipinas se a de buscar la isla de los Reyes, en cuya demanda va la dicha armada» [77]. Sin embargo Pierres Plun, un francés natural de Normandía que había venido de Guatemala para incorporarse a la armada, anota:

Jueves veinte e ocho de diziembre tomé el sol en nueve grados y dos terçios. Pasé esta mañana a las seis oras la isla de los Reyes sin verla. Pasé en baxo d'ella un terçio de grado, porque está ella en nuebe grados. La noche antes tomaron la estrella su paternidad [Urdaneta] y el piloto mayor en nueve grados y un terçio. Mandaron gobernar al Ueste cuarta del Suduste para abaxar un terçio de grado y tomar la isla en los nueve grados. Yo les avisé a la propia ora que no tomarían el sol a mediodía en los nueve grados. No fui admitido.

Viernes a los veinte e nueve de diziembre... mandó el piloto mayor amainar la vela mayor, pensando halláramos la isla de los Reyes [78].

Por su parte, Rodrigo de Espinosa escribe:

Otro día, biernes, que se contaron quinze del dicho mes de dizienbre, tomé el sol en diez grados. Y de allí mandó que governásemos al Hueste cuarta del Suduste hasta ponernos en altura de nueve grados y un tercio. Y de allí mandó la capitana governar al Hoeste, porque se hallava Leste-Oeste de la altura de la isla de los Reyes [79].

Como se ve, el piloto mayor nos escamotea la realidad de la isla, quizá para paliar su fracaso náutico. Espinosa la cita una vez para olvidarse enseguida de ella, y Plun cree presentirla el 28 de diciembre, aniversa-

---

[76] El *Diario del piloto mayor* se encuentra en A.G.I., Patron. 23, 16.
[77] A.G.I., Patron. 23, 19, doc. 1 f. 1r (entregada el 25 de noviembre de 1564).
[78] A.G.I., Patron. 23, 16 f. 27r
[79] A.G.I., Patron. 23, 16 f. 33r.

rio de los Inocentes, día muy relacionado, por tanto, con los Magos. Lo más sorprendente de todo es el eclecticismo con que se procede: la isla de S. Bartolomé se localiza en la longitud que decía Urdaneta, pero en la latitud en que Villalobos había visto las del Coral: *suum cuique*, aun a trueque de no alcanzar nunca esa fantasía salomónica.

La armada, que se componía de dos galeones (el «San Pedro» y «San Pablo») y dos pataches (el «San Juan» y el «San Lucas»), salió de la Navidad el 20 de noviembre de 1564 y llegó el 27 de mayo a la isla de Zebú, donde Legazpi y sus hombres lograron establecer finalmente el anhelado asentamiento, tras sofocar un conato de motín en el que estaba implicado un grupo de extranjeros, en su mayor parte marinos: el piloto francés Pierres Plun, Jorge Griego, maestre Andrea, Juan Griego florentín, el francés Jerónimo de la Fosa, Estefan y otros, que tenían proyectado irse en el patache «San Juan» en busca de mejores tierras, quizá la no hallada isla de Salomón, perseguida también afanosamente por Lope Martín. La ulterior colonización del archipiélago fue posible gracias al hallazgo del camino del tornaviaje, que en 1567 efectuaron de forma independiente, siguiendo sin duda un plan trazado de antemano por Urdaneta, Alonso de Arellano en el patache «San Lucas» y el propio Urdaneta y los pilotos Esteban Rodríguez y Rodrigo de Espinosa en la nao «San Pedro»: la comunicación entre Acapulco y Manila quedaba asegurada por la ruta que había de seguir en el futuro el famoso galeón, con lo que el archipiélago filipino dejó de ser una ratonera para los barcos españoles. El esfuerzo en vidas humanas y dinero había sido ingente. Sin contar lo gastado en los infructuosos viajes anteriores, la armada de las islas del Poniente, como fue llamada en la contaduría de la época, costó a la Corona 580.273 pesos, 1 tomín y 9 granos de oro común y 51.718 pesos, 5 tomines y 8 granos de oro de minas[80].

6. *Rebelión a bordo: el drama de Lope Martín*

Una trágica historia de levantamientos y motines arroja intensa luz sobre las más íntimas ilusiones de los hombres que se habían enrolado en la armada de Legazpi. En diciembre de 1565, aprovechando la oscuridad de la noche, el patache «San Lucas», mandado por el capitán Alonso de Arellano, se alejó del resto de la flota, como había hecho casi un siglo antes Martín Alonso Pinzón para ser el primero en realizar el ansiado

---

[80] Éste es el monto total consignado en A.G.I., Patron. 23, 14; otra cantidad ajusta M.ª Justina Sarabia, *Don Luis de Velasco, virrey de Nueva España. 1550-1564*, Sevilla, 1978, p. 467, (cf. asimismo *C.D.I.U.*, II, p. 461).

descubrimiento del Cipango. Una amarga decepción aguardaba a los desertores, que a su llegada a Filipinas no dieron con lo que buscaban; así se decidió surcar la banda norte, hasta entonces inexplorada, en demanda de la Nueva España. Ahora bien, cuando se les ordenó calafatear el batel, los hombres y marineros se mostraron muy cabizbajos y mohínos y

dezían qu'ellos no avían venido a la China para cortar palos, sino que en llegando abían de cargar de oro. Y ansí dezían que aquél no hera el puerto, que más abajo estaba: que allí hallarían muchos juncos que traían muchas riquezas, que d'esto venían ellos informados, y que por esto fue su intención de benir la jornada[81].

Todo lo que diga Arellano hay que ponerlo en cuarentena: es un presunto traidor que trata de salvar el pellejo en una situación muy comprometida. Pero lo que verdaderamente importa es la verosimilitud de sus alegatos. Todo el mundo en México podía dar crédito a que, como decían los sublevados, los hombres de Legazpi «abían venido engañados del Puerto de la Navidad»[82]. Lo que ellos esperaban encontrar era ni más ni menos que una estampa sacada del libro de Marco Polo: la imagen fantástica del puerto de Zaitón cargado de mil mercancías a cual más valiosa.

Si la isla mágica se había mostrado esquiva a las naos de Legazpi, muy pronto volvió a hacer su fantasmal aparición. El 1 de mayo de 1566 largó velas de Acapulco la nao «San Jerónimo», la primera que se despachó de la Nueva España en apoyo y socorro de Legazpi[83]. El 25 del mismo mes se divisaron grandes bandadas de pájaros y aparecieron unos celajes en el horizonte, que el piloto, Lope Martín, un vecino de Ayamonte, afirmó ser tierra; sin embargo, no dijo ni una palabra de ello al capitán, Juan Pericón, reñido como estaba con él, aunque

después, tratando el piloto con sus familiares y algunos no muy discretos, les hazía entender ser aquélla de las islas de Salomón, y que por no ser causa de tanta ventura el capitán no había querido ir allá; mas que para otra vez él la tenía apuntada en la carta: hera .180. leguas del puerto de Navidad en altura de diez grados[84].

He aquí cómo reaparece la vieja tradición que conocía Ginés de Mafra, si bien situando más cerca de la costa de la Nueva España la minera de oro; pero esta diferencia de 180 en vez de 350 leguas no podía preocupar mucho a unos mareantes que calculaban la longitud por estima. Por lo demás, Lope Martín, descendiente más o menos directo de portugue-

[81] A.G.I., Patron. 23, 19 f. 11v.
[82] A.G.I., Patron. 23, 19 f. 12v.
[83] Cf. A.G.I., Patron. 23, 14.
[84] A.G.I., Patron. 24, 2 f. 2v (editada en C.D.I.U., III, cf. pp. 385-86, colección por la que cito siempre en adelante el documento).

ses, no era ningún novato en la navegación del Pacífico, pues había sido él precisamente quien el año anterior había conducido el patache «San Lucas» en su increíble travesía transoceánica. Ahora, cuando urdía la muerte contra Juan Pericón, lo cegaban ideas desaforadas; en los momentos de máxima exaltación se imaginaba que iba a allegar tanto oro que del solo quinto habría de sacar para el rey tres o cuatro millones de ducados, después de volver a España por el Estrecho de Magallanes[85]. Fuerza es pensar que tamaña riada de oro, en la que a cada marinero le iban a caber 200.000 ducados[86], la intentaba coger en Ofir este Lope de Aguirre del Pacífico, que en un bache depresivo intentó desnaturarse de su patria y del monarca[87], para acabar siendo abandonado con un puñado de fieles en una isla del archipiélago de los Ladrones.

La apasionada búsqueda de la isla de Salomón dejaba de nuevo un triste reguero de sangre. Dentro de su anormalidad, posee cierta grandeza la figura de este Lope Martín, siempre abrasado en el fuego de una idea fija, por la que está dispuesto a sacrificar a su familia, a sus amigos y a su patria. En efecto, sin la decisiva intervención en la sombra de Lope Martín resulta inconcebible la deserción anterior del patache «San Lucas». Y una vez en suelo de la Nueva España, de nuevo arrastra a Lope Martín la obsesión de su vida, que lo compele de manera irresistible a volver a surcar las aguas del Pacífico, en demanda de un imposible que, apenas entrevisto en el horizonte, se disuelve como humo en el aire impalpable.

En una carta al rey del 26 de julio de 1567[88], el factor de Filipinas Andrés de Mirandaola ofreció una versión de los hechos ligeramente retocada: la intención de los «tiranos» habría sido «venir a la parte donde los chinos e jabos [japoneses] contratan e hazer su officio de salteadores si pudieran». No se habla de oro, y la mítica China parece saltar a un primer plano: es que en el Pacífico Norte el Catayo, Cipango y Ofir se engranan en un mismo campo conceptual. Mas ajustado a la realidad se mostró Juan Martínez de Arestizábal en unas probanzas realizadas en marzo y abril de 1568, cuando, respondiendo a la cuarta pregunta, contestó que Lope Martín y los «tiranos» se proponían «robar», sí, pero también «hazer nuevos descubrimientos»[89]. Hay más. Un hijo del propio capitán Juan Pericón, al presentar una instancia al Consejo de Indias, refiere que «el capitán Pero Sánchez Pericón, su padre, y un hijo suyo,

---

[85] *Ibidem*, p. 392.
[86] *Ibidem*, p. 403.
[87] *Ibidem*, p. 406.
[88] A.G.I., Indif. 1093, 12 n° 267. Pastells (*Catálogo*, IV, p. CCVII, nota) recoge la versión dada por el contador Juan de Bustamante en su *Historia de las islas Filipinas* manuscrita, legada en 1606 al colegio de la Compañía de Jesús en Filipinas.
[89] A.G.I., Filip. 59, 1 n.° 2.

fueron muertos a puñaladas de los que con él ivan a la conquista de la China» [90]. Resulta así que el capitán asesinado y los rebeldes tenían el mismo objetivo, deformación producida por una falsa perspectiva, cuando ya se contemplaban los sucesos desde una óptica lejana. Esta obsesión chinesca llegó incluso a prender en el que quizá había sido el principal responsable de la conquista de las Filipinas: el capitán Juan Pablo de Carrión. El veterano, que en 1564 había afirmado que aquéllas eran «islas muy bastecidas de todo género de bastimentos e islas de gran contratación, muy ricas e grandes» [91], ocho años después las reputó por tierra ruin y mísera, así que vino a concluir que, «si luego que se descubrió la buelta a la Nueva España la segunda jornada se hiziera a la China..., no uvieran perecido tantos españoles ni Su Magestad ubiera gastado tanta suma de dineros sin provecho», por lo que, de concedérsele el título de almirante de la Mar del Sur y costa de China, él se ofrecía a armar dos navíos y dos pataches a su costa para acometer la empresa [92]. ¡La conquista del Catayo! El proyecto hubiera entusiasmado a los Reyes Católicos, como provocó los delirios evangélicos primero de agustinos y después de jesuitas. En 1574 el propio gobernador de Filipinas, Guido de Labezaris, envió a tal efecto al monarca dos mapas, para que pudiera hacerse más clara idea de la situación y posibilidades de triunfo. Su sucesor, el doctor Francisco de Sande, volvió a proponer en 1576 una empresa cuya ejecución tenía por sencillísima; pero Felipe II y sus consejeros hicieron oídos sordos ante estos cantos de sirena.

De Lope Martín no se volvió a saber más. Pero cuando las naves de Alvaro de Mendaña pasaron en 1568 por las islas de San Bartolomé, en paraje de los Barbudos, a 6° de latitud Norte, divisaron un barco con vela de gavia que salía huyendo, y luego en tierra hallaron un escoplo hecho de un clavo, señal de presencia de españoles; por donde se vino a colegir después que debían de ser los amotinados que, temerosos del castigo, habían escapado rumbo a Nueva Guinea, como conjeturaron según su fantasía los navegantes peruanos [93].

6. Política y Cosmografía

La incipiente dominación de las islas que Villalobos, en honor del entonces príncipe Felipe, había llamado Filipinas produjo no pocos que-

---

[90] A.G.I., Indif. 1085, f. 98r (vista el 31 de mayo de 1577).
[91] Carta publicada por Pastells, *Catálogo*, I, pp. CCLXV-LXVII.
[92] A.G.I., Patron. 263, 1.
[93] Cf. la *Relación anónima de los viajes de Quirós*, cap. XXXIX (ed. de J. Zaragoza, I, pp. 184-85).

braderos de cabeza, pues trajo consigo desde escrúpulos de conciencia hasta quejas diplomáticas. Carlos I había empeñado en 1529 a Portugal el mar, las islas y la tierra firme aledañas al Maluco en un compás de 297 leguas, por lo que cabía albergar la vehemente sospecha de que las Filipinas entraran también dentro de los términos fijados por el acuerdo; y aunque el monarca no estaba dispuesto en modo alguno a obligar a D. Sebastián a efectuar una retroventa mediante la devolución de los 350.000 ducados recibidos antaño, mucho menos lo estaba a dejar escapar de las manos el nuevo territorio que se añadía a su corona, la puerta en verdad del Asia descrita por Marco Polo. Por si acaso, y procurando cargarse de razón, el rey ordenó que se celebrase en Madrid una junta de cosmógrafos para dar respuesta a dos preguntas muy concretas: si las islas estaban fuera o no del empeño y si caían dentro de la demarcación española en la famosa partición del mundo hecha por Alejandro VI. El 8 de octubre de 1566 fray Andrés de Urdaneta, el cosmógrafo mayor Alonso de Santa Cruz, el maestro Pedro de Medina, Francisco Falero, Jerónimo de Chaves y Sancho Gutiérrez firmaron un solemne documento en presencia del presidente y miembros del Consejo de Indias, declarando que si por un lado las islas del Maluco, Filipinas y Zebú entraban dentro de la demarcación española, por otro las Filipinas y Zebú formaban parte de la zona comprendida en el empeño [94]. Aquella reunión de sabios dio en su contestación una de cal y otra de arena, pues si se reconocía el mejor derecho de España a la posesión de Malasia, no por ello se negaba la validez del contrato anterior, que vedaba de manera expresa a las naves españolas la contratación en aguas filipinas.

Se conservan todavía los pareceres que emitieron los cosmógrafos reunidos con tan fausto motivo, excepción hecha del de Falero. Salvando el de Jerónimo de Chaves, escrito el 10 de octubre de 1566, los demás carecen de fecha, aunque es de suponer que fueran redactados por aquellos días, y quizá el de Medina el 8 de setiembre. Como siempre, todos los cosmógrafos abordaron de manera similar el pleito jurisdiccional: si la bula del Papa dividió el globo entre España y Portugal, concediendo a cada reino medio mundo, es decir, 180 grados, el problema estriba en averiguar la longitud medida en grados terrestres de cada imperio. Una solución pareja propusieron Medina y Jerónimo de Chaves; el primero calculó que había 168° desde la línea de demarcación hasta Zebú (es decir, 59° de la línea de demarcación a México; 9° de México al puerto de la Navidad y 100° de la Navidad a Zebú), mientras que el segundo cifró la misma distancia en 165° (esto es, 65° desde la línea a la Navidad y 100° desde ese puerto a Zebú). Jerónimo de Chaves introdujo más varian-

---

[94] Todos los pareceres se encuentran en A.G.I., Patron. 49, 12.

tes, a la vista de la disparidad de longitudes dadas por los pilotos en diferentes y aun en idénticas travesías del Pacífico; admitiendo de entrada que entre la línea de demarcación y la Navidad existía un arco de 66°, concluyó que en el peor de los casos, aun dando por buena la cuenta de 2.000 leguas (= 115° y medio) que decían haber navegado algunos de los pilotos de Legazpi, caería dentro de los límites portugueses sólo la isla de Zebú, pero no el Maluco ni las Filipinas, situadas por las cartas portuguesas a 4° al E. de Zebú; y aun así le parecía más correcta la medición de Bernardo de la Torre, que había estimado en 1.500 leguas (= 83° y medio) la distancia entre la Navidad y Motil, aceptando la cual desaparecían todos los inconvenientes legales para las pretensiones españolas.

Vinieron a coincidir en sus conclusiones, aun por diferentes caminos, Urdaneta y Santa Cruz. El primero se basaba por un lado en un cálculo realizado en Zebú por fray Martín de Rada en 1565, que arrojaba resultados algo divergentes a causa de las dos tablas utilizadas: de acuerdo con las alfonsíes, Zebú distaba de Toledo 218° 15', y según las de Copérnico, 215° 15'; restando a esta longitud los 43° 8' que separaban Toledo de la raya de demarcación, quedaban 172° 7' en caso de dar prelacía a los resultados obtenidos por el método más moderno, como requería la lógica. Por otro, y de arreglo a unas cartas portuguesas que había comprado en Lisboa, fijaba Urdaneta la longitud del imperio rival, deduciendo tras un análisis exhaustivo de la ruta marítima que la demarcación de Portugal llegaba a alcanzar un extremo de la isla de Borneo. Alonso de Santa Cruz, por su parte, se extendió en largas disquisiciones históricas, conducentes a demostrar que la línea se había trazado para evitar debates, no para realizar un reparto del mundo, como lo venía a demostrar el hecho de que en ella no se hubiese tenido en cuenta el hemisferio austral de la tierra; luego «holgó el Rey de Portugal de que se echase raya más por conservar lo que tenía ganado que por adquirir otras cosas de nuevo, de do se infiere que lo demás del mundo fuera de lo que en aquellos tienpos poseían los Reyes de Castilla y de Portugal quedava para el primero que los descubriese», por lo que el Maluco, las Filipinas y Borneo pertenecían a Castilla por haberlos descubierto Magallanes. Pero también a Castilla le asistía la razón cosmográfica: según Ptolemeo y la cuenta de Santa Cruz, que identificaba el cabo Aromata con Guardafui, el promontorio Cori con Diu, el Aurea Quersoneso con Sumatra y Catígara con la ciudad metropolitana de los chinos, corrían 210° grados desde la raya de demarcación hasta Catígara, de suerte que el medio mundo portugués acabaría en la boca más oriental del Ganges; según el derrotero de Juan de Lisboa la jurisdicción lusa llegaría hasta el principio más occidental de la isla de Borneo, y lo mismo «conforme a unas cartas que yo merqué en Lisbona el año de 1545». También corroboró la certeza de su medición con la contraprueba: desde Sanlúcar de Barrameda al puerto de la Navidad hay 105°, como cabía deducir de la observación de un eclipse que le envió el virrey Mendoza en 1539, cuando Santa Cruz enseñaba Cosmografía a Carlos I, y de la Navidad a Zebú hay 103°, así que, quitando los 39° que median entre Sanlúcar y la raya de la demarcación, queda un total de 169° que vienen a empujar de nuevo el límite portugués a la isla de Borneo.

En definitiva, la enconada partida entre la ciencia cosmográfica y la razón de Estado terminó en tablas. Quizá era esto mismo lo que se pretendía al formular tales preguntas de una manera tan vaga y aun contradictoria, pues las Filipinas, por opinión unánime de todos, quedaban comprendidas en las cláusulas del empeño del Maluco, cuya vigencia venía a anular el derecho a la conquista de las islas ilegitimando, por ende, todas las acciones de Legazpi. Claro está que entonces se podía argüir que todo el archipiélago entraba en la demarcación española, con lo que la devolución de los 350.000 ducados acarrearía de inmediato la cesión del Maluco a la soberanía de Felipe II, con el subsiguiente desmantelamiento de las ricas factorías portuguesas; y tampoco D. Sebastián deseaba en modo alguno la retroventa de unas islas que le proporcionaban pingües beneficios. Con estas bazas se libró entonces la pugna diplomática, que, por el común interés de todos, acabó asimismo sin que hubiera vencedores ni vencidos.

La sutil diplomacia lusa contraatacó sin embargo ante la Santa Sede, consiguiendo que el 23 de enero de 1576 Gregorio XIII, a petición del rey D. Sebastián, creara la diócesis de Macán, sufragánea de la metropolitana de Goa, con jurisdicción sobre China, el Japón e islas aledañas (*ad prouintiam de China necnon insulas de Japon et de Macao nuncupatas aliasque circumiacentes terras et etiam insulas*), en las que no había duda de que se incluían las Filipinas, correspondiendo el derecho de patronato a la Corona portuguesa, que presentó por obispo al clérigo Diego Núñez de Figueroa, corroborado por el Papa en la misma bula[95]. Llegada a la Corte la noticia, las protestas españolas llegaron al cielo, de suerte que D. Juan de Zúñiga tuvo que excusarse en carta del 27 de diciembre de 1578 alegando que, por no saber dónde se encontraba exactamente ese dichoso «Macaun», que hasta escribió reproduciendo la pronunciación portuguesa, no había advertido el perjuicio que a España podía acarrear la erección a catedral de la iglesia de Santa María de Macán. Tan burda e inconcebible evasiva —-prueba de que la diplomacia de Felipe II había veces que dormitaba homéricamente— sacó de sus casillas al nuevo cosmógrafo de moda, el italiano Juan Bautista Gessio, que el 1 de junio de

[95] Copia de la bula pontificia en A.G.I., Patron. 42, 66 (f. 62r).

1579 hizo ver que esa bula pontificia, que se proclamaba perpetua e irrevocable, anulaba de hecho la del Papa Alejandro VI, al tiempo que manifestó su máxima extrañeza porque se hubiese tratado en consistorio cosa tan en deservicio de un rey que daba de comer a tantos cardenales y de tantas mercedes los colmaba. Se intentó reparar el daño alcanzando en contrapartida la creación del obispado de Manila, pero con tal torpeza, que la bula expedida a tal efecto el 13 de febrero de 1578 indicó de manera expresa que se dotaba de iglesia catedral a las Filipinas por razón de estar separadas de la Nueva España «mas de dos mil leguas», dando por ende la razón a los argumentos portugueses, como indicó muy apesadumbrado al Consejo Real el sabihondo Gessio, que consideró la bula la cosa más dañina y nociva a las pretensiones españolas que jamás hubiese visto ni leído, por admitirse en ella una distancia disparatada que hacía perder a España todo el derecho al Oriente, pues no sólo las Filipinas venían a caer más de 25° dentro de la raya portuguesa, sino que también le correspondían a D. Sebastián el Japón y Nueva Guinea por gracioso regalo de la ineptitud de unos y listeza de otros; y así argüía iracundo:

confessamos que las Filippinas son distantes de la costa de Nova España y tierra postrera poblada en ella en más de dos mil leguas, que vendrían a ser quasi ciento y quatorze grados de differencia de longitud, no haviendo más distancia en realidad de verdad del puerto de Navidad y tierra de Nova Galicia a las Filippinas que mil y cien leguas o mil doscientas, que son sesenta y tres grados[96].

La coronación de Felipe II como rey de Portugal zanjó en principio tales debates y diferencias, y el 18 de diciembre de 1582 se juró en Macán obediencia al nuevo soberano gracias en no pequeña parte a los buenos oficios de los miembros portugueses y españoles de la Compañía de Jesús (Valignani y Sánchez). Subsistieron, no obstante, las fronteras políticas, económicas y aun religiosas entre el virreinato de la India y la gobernación de Filipinas para gran mortificación de los españoles, menoscabados en lo que creían ser su legítima competencia: China, Japón y el Maluco.

---

[96] Los dos memoriales de Gessio se encuentran en A.G.I., Patron. 42, 66 f. 65r ss.

III. EL CAMINO A LA CALIFORNIA

1. *La punta de las Mujeres*

A fines de febrero de 1517 zarpó de Cuba Francisco Hernández de Córdoba dispuesto a encontrar, con el piloto Antón de Alaminos, una isla en la que asentarse, según se dijo después, por más que entonces se pregonara que partían a la caza de esclavos, sin duda la versión más ajustada a la realidad. Habían transcurrido ya cuarenta días de infructuosa navegación, cuando una noche de luna, estando la mar en calma —las mágicas señales que marcan el día natal de Abenamar—, Alaminos oyó «chapear unas marecitas en los costados de la caravela». Como al sondar se comprobó que había fondo a veinte brazas, el piloto buscó muy excitado a Francisco Hernández y le dijo: «Señor, albricias, porque estamos en la más rica tierra de las Indias». Y al preguntarle Hernández cómo lo sabía respondió Alaminos:

> Siendo yo pajezillo de la nao en qu'el almirante Colón andava en busca d'esta tierra, yo huve un librito que traía en que dezía que, hallando por este rumbo fondo, en la manera que lo hemos allado aora, hallaríamos grandes tierras muy pobladas y muy ricas, con sumptuosos edificios de piedra en ellos. Y este librito tengo yo en mi caxa[1].

Al día siguiente divisaron los españoles la isla de Cozumel, en la que no pudieron desembarcar, y hubieron de saltar en tierra treinta leguas más abajo el día de San Lázaro, por lo que se puso a aquella región bajo la advocación de ese santo. En este episodio se reflejan de manera muy clara las experiencias colombinas, ya que las semejanzas con las peripecias

---

[1] Da estos detalles Cervantes de Salazar, *Chrónica de la Nueva España,* libro II, cap. 1 (BN Madrid, ms. 2011, f. 52r-52v).

del primer viaje son, si bien se repara, bastante estrechas. Colón, en efecto, navega 33 días, Alaminos 40; al llegar a la isla mágica la nao del almirante vara muy suavemente, sin que nadie sea capaz de percatarse de su encallamiento, y lo mismo parece pensar que ha sucedido Alaminos. Colón dice llevar como guía las cartas y el mapa de Toscanelli, Alaminos un libro que había sido propiedad del genovés. Por fin, en una y otra isla se encuentran las mayores riquezas del mundo, es decir, las minas del rey Salomón. No hay duda de que el Alaminos que nos presenta la historia está transido de las ideas de Colón y que, sin darse quizá cuenta, interpreta su propia realidad con una clave ajena, fenómeno singular que se repite una y otra vez en el curso de los descubrimientos; se da la circunstancia, no obstante, de que Alaminos no participó en ninguno de los viajes del almirante [2], por lo que la anécdota, con sus reminiscencias colombinas, busca un embellecimiento *a posteriori* del primer hallazgo de la costa del Yucatán.

La obsesión ofírica siguió persiguiendo a los que en pos de Hernández reconocieron el Yucatán. Oro, únicamente oro es lo que pedía en 1518 Grijalba a los indígenas de Cozumel [3]. En Potonchan (Tabasco) un cacique «púsole en los molledos de los braços, a su costumbre, dos grandes axorcas de oro» [4]; ahora bien, esta sencilla escena quedó muy grabada en la imaginación de los aventureros, hasta el extremo de que muy pronto fue transformada e idealizada a placer: según otra relación, lo que hicieron en realidad los indios a Grijalba fue vestirlo de oro. Su anónimo autor se complace en describir, con evidente delectación, las diferentes piezas de esta a modo de dorada armadura, que iba cubriendo centelleante el cuerpo del capitán [5]. La jornada estuvo también marcada por otros dos acontecimientos notables: en primer lugar, la aparición de la estrella, que comentaré en otro lugar; en segundo término, el descubrimiento de amazonas. En efecto, en la isla de Cozumel al capitán se le antojó que había encontrado una punta de tierra habitada sólo por mujeres: «se cree que sean de la estirpe de las amazonas» [6]. Los cronistas se mostraron escépticos y trataron de buscar una explicación más racional a una deno-

---

[2] No figura, en efecto, en «El rol del cuarto viaje colombino», publicado por C. Varela en *Anuario de Estudios Americanos*, XLII (1985) 243ss. Da crédito a la fábula J. Varela, al publicar un memorial de la mujer del piloto, Leonor Rodríguez, a Carlos I en *Revista de historia naval*, V (1987) 87.

[3] J. García Icazbalceta, *Colección de documentos para la historia de México*, México, 1858, I, p. 285 («lo capitaneo li disse che non voleano si non oro; quelli dicono in sua lengua taquín»), cf. p. 299. En una cédula del 15 de diciembre de 1529 se usa una curiosa grafía «Youcatán» (A.G.I., SDom. 99, 1 n.º 2).

[4] Cervantes de Salazar, *Chrónica de la Nueva España*, II 7 (BN Madrid, ms. 2011, f. 59r).

[5] García Icazbalceta, *Documentos para la historia de México*, I, p. 294.

[6] García Icazbalceta, *Documentos*, I, p. 288.

minación que les sonaba a absurda[7]; no cabe duda, sin embargo, de que en un principio Grijalba dejó brizar su fantasía con el recuerdo de aquella isla de amazonas que había topado Alejandro en el confín del Oriente, ese extremo del mundo que ahora les tocaba hollar a los españoles. No fue éste el único espejismo. En el Aguayaluco, como el sol reverberase en las rodelas hechas de conchas de tortuga que llevaban los indios, «algunos de nuestros soldados porfiaban que eran de oro bajo»[8]. Evidentemente, no otra cosa cabía esperar de Ofir.

En 1518 reventó de júbilo la población de la Española al recibir la noticia de que se había descubierto por fin una tierra, el Yucatán, donde las casas no eran pajizas y la gente no iba desnuda. Era entonces juez de residencia en Santo Domingo el licenciado Zuazo, que muy ladino pretendió quedarse con los laureles del triunfo, jactándose después de haber ampliado el ámbito del Nuevo Mundo: era él quien había impulsado a descubrir a Velázquez y a Pedrarias Dávila, de suerte que gracias a su feliz iniciativa se habían encontrado, a Dios gracias, «tenplos e casas de piedra e otras cosas e hedifiçios que jamás se han visto en estas partes»[9]. De hecho, cualquier alegría estaba justificada: esa gente vestida era la que en teoría buscaba Colón, y el haber dado con templos de piedra era indicio fortísimo de que se estaba ya muy cerca de una cultura distinta, muy superior a la que habían hallado los españoles en las islas, cuyos naturales sólo se caracterizaban por su bestialidad. Se avizoraba, en consecuencia, un verdadero nuevo mundo, tanto desde el punto de vista económico como misionero, pues no cabía duda de que allí, donde existía otra «policía», no sólo iba a correr el oro a raudales, sino que también iba a prender con más fuerza la semilla evangélica, que ahora caía en vano en las torpes mentes de unos isleños acostumbrados por el demonio a seguir

[7] Así, p.e., dice Cervantes de Salazar (*Chrónica*, II 4 [BN Madrid, ms. 2011, f. 54 bis r]): «No faltó quien dixo que en aquella tierra avía amazonas, aunque los nuestros nunca las vieron, porque dezían algunos indios que con la venida de los españoles se avían retirado la tierra adentro». Racionaliza más Bernal Díaz (*Verdadera historia*, XXX [BAE 26, p. 25 a]), según el cual los indígenas «tenían cuatro cúes..., y en ellos muchas figuras y todas las más de mujeres y eran altas de cuerpo, y se puso nombre a aquella tierra la Punta de las Mujeres». La misma explicación se encuentra en la vida latina de Cortés anónima (¿de Cristóbal Calvete de Estrella? ¿de Gómara?), que perteneció al cosmógrafo Céspedes, conservada en A.G.I., Patron. 171, 1 18 con nota «Embiómela de Osma Francisco Beltrán año de 1572 en septiembre», f. 6v: Córdoba y sus compañeros llegaron «ad mulierum promontorium: sic eo tum primum Hispanis appulsis appelare libuit, quod feminarum dearumue plurima simulacra in sacello quodam fuerint inuenta».

[8] Quinta pregunta de la probanza en A.G.I., Justicia 43, n.º 1, f. 110-11. Pocos respondieron con precisión; pero Marcos Martínez sí sabía que Zuazo había escrito a Garay incitándolo a realizar nuevas jornadas (*ibidem*, f. 154v). También relata Bernal Díaz el eco que tuvo el descubrimiento del Yucatán (*Verdadera historia*, VI [BAE 26, p. 6 b]).

[9] Cédula del 5 de diciembre de 1519 desde Molíns del Rey (A.G.I., Indif. 420, vol. VIII, f. 174r).

y perseverar en su falsa idolatría y vana superstición. Este presumible vuelco de la situación de las Indias sumió a la Corte en un optimismo justificado. Carlos I holgó mucho de saber que la gente del Yucatán tuviera «muestras de abilidad e capaçidad» [10], y no menor júbilo mostró en 1523, al conocer que los naturales de la Nueva España eran «más áviles y capaces y razonables que los otros indios naturales de la Tierra Firme e isla Española, Sant Juan e de las otras que asta aquí se an allado e descubierto e poblado» [11]. Había en verdad motivos para echar las campanas a vuelo.

2. Intermedio bélico: la conquista de la Nueva España

El 6 de julio de 1519 Hernán Cortés, convertido ya en «capitán general e justiçia mayor» por virtud de un magistral golpe de mano, dio un poder a Juan Bautista, el maestre de la «Santa María de la Concepción», la primera nao que iba a hacer el viaje desde Ulúa a España, poder que suscribió, entre otros testigos, el piloto Antón de Alaminos en la «Villa Rica de la Vera Cruz d'esta isla nuevamente descubierta intitulada Qulúa» [12]. Ante la mirada de Cortés se abría en tentador despliegue un vasto panorama repleto de novedades, tras el cual se palpaba la gloria de ganar reinos y riquezas sin cuento. En este momento solemne él, sin embargo, prefirió hablar de las «islas nuevamente descubiertas». El recuerdo de la isla de Salomón, en efecto, no cesaba de martillear en su cabeza, como demuestra otro testimonio irrefutable. En la carta enviada al rey por medio del maestre Juan Bautista, con el pensamiento puesto ya más en la conquista que en el rescate, el capitán y sus hombres acariciaban en su imaginación el disfrute de unas riquezas superiores al oro legendario: «Se debe creer que hay en esta tierra tanto cuanto en aquella donde se dice haber llevado Salomón el oro para el templo» [13]. Más adelante, los metales preciosos siguen produciendo espejismos: de camino hacia México, las casas relucientes y encaladas de Cempoal semejaron a un soldado tener paredes de plata [14]; como anota con gracejo Gómara [15], «creo que con la imaginación que llevaban y buenos deseos, todo se les antojaba plata y oro lo que relucía».

[10] A.G.I., Indif. 425, vol. II, f. 26r.
[11] De este episodio me ocupo en un artículo en prensa.
[12] Bernal Díaz, *Verdadera historia*, XLV (*BAE* 26, p. 39 b).
[13] Carta del 10 de julio de 1519 (p. 23 ed. Sánchez Barba).
[14] Bernal Díaz del Castillo, *Verdadera historia de los sucesos de la conquista de la Nueva España*, XII (*BAE* 26, p. 11 a).
[15] *BAE* 22, p. 317 b.

Un sinfín de maravillas hubieron de contarle a Cortés los tlascaltecas sobre las infinitas riquezas de México, noticias que Cortés interpretó y adobó a su manera. Por eso la primera pregunta que hizo a Moctezuma fue inquirirle por las minas de oro; esta misma razón es la que, en la primera entrevista y siempre según el conquistador, movió al rey azteca a responder, entre otras cosas, lo siguiente: «Sé que también os han dicho que yo tenía las casas con las paredes de oro y que las esteras de mis estrados y otras cosas de mi servicio eran asimismo de oro»[16]. Brota aquí impetuosa la esperanza que abrigaban los conquistadores de encontrar por fin las doradas casas de Cipango-Ofir, tras el chasco que se habían llevado primero con el Cibao de Caonabó y después con tantas otras tierras más. Algún consuelo recibieron al dar con la cámara que encerraba el tesoro de Moctezuma, cámara que Bernal Díaz del Castillo llamó significativamente «la casa... llena de oro»[17], ya que no era un aposento, sino un palacio lo que se confiaba hallar. Durante el festín con que se celebró la conquista de México el 13 de agosto de 1522, el vino soltó la lengua de muchos soldados, haciéndoles confesar sus ambiciones: los jinetes no pensaban sino en sillas de oro para sus caballos, los ballesteros en saetas de oro[18]. Otra vez el «oro bendito» volvía locos a todos, caballeros y peones. En definitiva no les faltaba razón, pues contaban viejas historias[19] que, cuando Alejandro emprendió la campaña de la India, había cubierto de láminas de plata las armas de sus soldados: ¿iban a ser menos los conquistadores españoles que los Argiráspides macedonios? La consciente emulación con Alejandro es visible en buena parte de las actuaciones de Cortés, y sus soldados no le iban a la zaga; y cumplieron sus íntimos anhelos no bien pudieron, como hizo Pedro de Alvarado que, en vista de las grandes riquezas que había en Tutepeque, se mandó labrar unas estriberas de oro en 1522[20].

3. La isla de la reina California

El mito, que brilla por su ausencia en la conquista de México, ajustada adrede a otros cánones clásicos, los de la conquista de la India por

[16] Carta segunda (p. 59 ed. Sánchez Barba). Por eso inmediatamente le preguntó a Moctezuma por las minas de oro (Carta segunda, p. 64ss. ed. Sánchez Barba), cf. Bernal Díaz, Verdadera historia, CII (BAE 26, p. 103 b), G. Fernández de Oviedo, Historia natural de las Indias, XXXIII 7 (BAE 120, p. 36 b).

[17] Verdadera historia, XCIII (BAE 26, p. 93 b). Sobre el tesoro cf. fray Diego Durán, Historia de las Indias, de Nueva España e islas de tierra firme, II 75 (II, p. 542 ed. Garibay Kino).

[18] Cf. Bernal Díaz, Verdadera historia, CLVI (BAE 26, p. 197 b).

[19] Entre ellas la muy a mano de Justino (Epitoma, XII 7, 5 [p. 112 Seel]) o de Quinto Curcio (VIII 5).

[20] Bernal Díaz, Verdadera historia, CLXI (BAE 26, p. 211 b).

Alejandro, fue proyectado por Cortés sobre la Mar del Sur, de manera quizá inconsciente, aunque no era hombre el capitán general que dejara las cosas a las veleidades de un impulso momentáneo. Con celeridad extraordinaria, en 1522 despachó a cuatro hombres a explorar los secretos de aquellas partes, donde se podrían descubrir muy ricas minas llenas de oro y perlas y piedras preciosas[21]. En 1524 ya estaba poblada Zacatula, en cuyos astilleros se preparaban cuatro navíos, los que habían de partir a las islas del Poniente bajo el mando de Alvaro de Saavedra Cerón[22]; y lo que es más, se había enterado Cortés por relación de los caciques de Ciguatán de que, a diez jornadas de esa provincia, había una isla

toda poblada de mujeres sin varón ninguno, y que en ciertos tiempos van de la tierra firme hombres, con los cuales han acceso; y las que quedan preñadas, si paren mujeres, las guardan, y si hombres, los echan de su compañía... Dícenme asimismo que es muy rica de perlas y oro[23].

Claramente se están volcando sobre el Pacífico las vivencias que había sentido Colón en el Atlántico: esta isla femenil no es sino una réplica de la Matininó colombina o la punta de Mujeres de Grijalba. Pues bien, como en un libro de caballerías que entonces estaba muy en boga, las Sergas de Esplandián[24], se afirmaba muy en serio que

a la diestra mano de las Indias hubo una isla, llamada California, muy llegada a la parte del Paraíso Terrenal, la cual fue poblada de mujeres negras, sin que algún varón entre ellas hubiese,

esa California, riquísima en oro y joyas, protegida por los temibles grifos guardianes del tesoro incalculable, vino a convertirse en una de las miras obligadas de los conquistadores. ¿No estaba la Nueva España al Oriente de la India? ¿No se encontraba cercano el Paraíso Terrenal? Era inevitable que al descubrir las costas del Pacífico el nombre de las amazonas resonase una y otra vez, anunciando la jubilosa proximidad de los tesoros sin cuento. En 1529 el presidente de la Audiencia de México, Nuño de Guzmán, que se sentía obligado a emprender una conquista para justificar

[21] *Tercera carta* (p. 191 Sánchez Barba).
[22] *Cuarta carta* (p. 204 Sánchez Barba).
[23] *Cuarta carta* (p. 213 Sánchez Barba); cf. López de Gómara, *Conquista de México* (*BAE* 22, p. 395-96), G. Fernández de Oviedo, *Historia natural de las Indias*, VI 33 (*BAE* 117, p. 172 b), XXXIII, 36 (*BAE* 120, p. 172 b).
[24] Capítulo CLVII (*BAE* 40, p. 539 a); cf. H. R. Wagner, *Spanish Voyages to the Northwest Coast of America in the Sixteenth Century*, San Francisco, 1929, p. 4ss. Sobre el influjo de los libros de caballerías en los conquistadores es ya clásico el excelente estudio de I. A. Leonard, *Los libros del conquistador*, México-Buenos Aires, 1953. Es de observar que en el *Victorial* de Díez de Games (p. 93, 8 Carriazo) la reina Taléstride (la Taléstrida de Alfonso X el Sabio) se transforma en Calestia, que se halla ya más cerca tanto de Calafia como de California.

el relegamiento a que había condenado a Cortés, mandó pregonar la jornada de los chichimecas, internándose hacia lo que llamó Nueva Galicia. En Chiametla les dieron noticias de las amazonas, que los indios llamaban Ciguatán [25] (donde las situaba Cortés), y que eran unas hembras que poseían infinidad de oro, plata y piedras preciosas. Llegados al río de Ciguatán, los españoles dieron con gran muchedumbre de mujeres y un puñado de hombres [26]. El capitán Gonzalo López, ardiendo en deseos de emular a Alejandro, se aprestó en un principio a combatir con las temibles guerreras de la leyenda, mas el pacífico aspecto de las vecinas de Chiametla pronto sosegó los ánimos. A las preguntas de los españoles contestaron las indias lo que éstos quisieron oir; pero aun así, al propio Nuño de Guzmán le pareció que se había desvanecido la esperanza de topar con semejante portento, y en 1547 afirmó ante G. Fernández de Oviedo que era «muy grand mentira decir que son amazonas ni que viven sin hombres» [27]. Grande hubo de ser el desencanto sufrido entonces por el presidente de la Audiencia, pero vino a sacarlo del atolladero de esta decepción otro antiquísimo mito: el de las Siete Ciudades, «de que tenía noticia al principio que de México salió» [28]. Buscando esta quimera un destacamento llegó hasta el río de Yaquimi, pues Guzmán había oído hablar

de un río que salía a la Mar del Sur, e que tenía cuatro o cinco leguas en ancho, e los indios tenían una cadena de hierro que atravesaba el río para detener las canoas e balsas que por él viniesen [29].

Ahora bien, esta visión del río cerrada por una cadena parece sacada de un pasaje de la leyenda de Alejandro que había sido recogido en un libro muy leído en aquel entonces: la *Suma de geographía* del bachiller Enciso [30]. Se decía, en efecto, que el monarca macedonio había enviado a dos capitanes suyos a descubrir Ganges arriba; éstos remontaron el río hasta llegar cerca de un castillo muy hermoso y de maravillosos colores; encima de la puerta se abría una gran ventana, de la que colgaba una cadena muy gruesa que atravesaba todo el Ganges, por lo que no pudieron proseguir su viaje. No parece descabellado pensar que esta escena rondara por la imaginación de los hombres de Nuño de Guzmán, que

[25] García Icazbalceta, *Documentos,* II, p. 449 (tercera relación).
[26] García Icazbalceta, *Documentos,* II, p. 283 (primera relación); p. 451 (tercera relación); p. 475 (cuarta relación).
[27] Cf. G. Fernández de Oviedo, *Historia natural de las Indias,* VI 33 (*BAE* 117, p. 191-93), XXXIV 8 (BAE 120, p. 282 a). La relación extensa que usa el cronista deja entrever la existencia de matriarcado en Tonalá (XXXIV 5 [*BAE* 120, p. 275 b]).
[28] García Icazbalceta, *Documentos,* II, p. 291 (primera relación).
[29] García Icazbalceta, *Documentos,* II, p. 303 (segunda relación).
[30] Sevilla, 1530, f. 35r.

después de andar en busca de las amazonas no se contentaban con menos de llegar a un río como el mítico Ganges.

4. *Las primeras exploraciones de California*

Todas las primeras iniciativas náuticas en la Nueva España corresponden sin excepción a Cortés, ya ennoblecido con el título de marqués del Valle, pero sujeto asimismo a la autoridad de otros y deseoso de buscar nuevos señoríos por mar, tanto por el poniente como al septentrión, pues en algún sitio habría de hallarse la isla del palacio de oro. La conquista de la California se convirtió muy pronto en uno de sus objetivos prioritarios. Su primer capitán fue, en 1532, Diego Hurtado de Mendoza; los dos barcos despachados corrieron distinta suerte: uno, amotinado, regresó a Jalisco; la capitana se perdió sin que se volviera a saber más de ella.

Mas no era Cortés hombre que se achicara ante la adversidad. El 24 de octubre de 1533 salieron del puerto de Santiago otras dos naves suyas, la «Concepción» y el «San Lázaro», a fin de reconocer la banda septentrional de la Nueva España. El «San Lázaro», la almiranta, de que era capitán Hernando de Grijalba, no descubrió al parecer nada extraordinario, salvo unos «hombres marinos» que probablemente serían morsas. La seca relación del viaje[31], que está acompañada de unos toscos dibujos del aparente monstruo[32], anota el 9 de diciembre: «pasó junto a la nave un pexe que nunca supimos dezir qué hera; unos dezían que hera honbre marino, otros que hera lobo: alçó la cabeça contra nosotros a mirarnos tres o cuatro vezes». Otro pez parejo, tan curioso y juguetón como el anterior, se encontró también en medio del golfo en el tornaviaje, «el cual se regoçijaba ni más ni menos que un mono savulléndose e vañándose con las manos en un rato e mirándonos a nosotros, como que tuviese una manera de sentido». Como se recordará, también Colón había divisado el 9 de enero de 1493 tres sirenas, «que en alguna manera tenían

---

[31] La relación, probablemente compuesta por el piloto portugués Martín de Acosta, se encuentra en A.G.I., Patron. 20, 5 7. Procede «de los papeles del arca de Santa Cruz», y al mismo cosmógrafo pertenecieron, a juzgar por las notas marginales, las relaciones de fray Marcos de Niza y Juan Jaramillo.

[32] Junto a las ilustraciones, de trazo poco hábil, se añade: «no devisamos [-nos *ms.*] si tenía escama o no, que parescía la color de tonina; lo demás tenía ni más ni menos, los braços e manos monstruos, porque bimos llebantarse en aire fuera de la mar». Cf. Cervantes de Salazar, *Chrónica de la Nueva España* (BN Madrid, ms. 2011, f. 22r); la noticia era recordada todavía en el s. XVII, cf. A.G.I., Guadal, 134, f. 238r: en California hay «hasta hombres marinos, que vieron los de un navío de Fernando Cortés, donde iva por capitán Fernando de Grixalva». Concuerda con este monstruo risueño la descripción de un lobo marino hecha por D. García de Silva (*Comentarios de D. García de Silva y Figueroa de la embajada que de parte del rey de España Don Felipe III hizo al rey Xa Abas de Persia,* Madrid, 1903, I, p. 60).

forma de hombre en la cara»[33]. Si Grijalba fue incapaz de hacer descubrimientos sensacionales, salvando la divertida aparición de estos peces hombres, no le ocurrió lo mismo a la otra nave. Era su piloto Ortún Jiménez, un «gran cosmógrafo» al decir de Bernal Díaz[34], que antes de largar velas había engolosinado a los tripulantes con el cuento de siempre, prometiendo llevarlos a «tierras bien afortunadas de riquezas». Durante la navegación surgieron fuertes desavenencias entre la marinería y el capitán Diego Becerra, «muy soberbio y mal acondicionado», altercados que, subiendo de tono, desembocaron en un motín. El piloto, tras matar al capitán Diego Becerra, abordó a una isla muy rica, que llamó de Santa Cruz, donde se dijo que había hallado perlas de maravillosa grandeza; Jiménez y los hombres que saltaron con él en tierra recibieron muerte a manos de los indios, mientras que los supervivientes, después de una verdadera odisea, fueron a arribar a la gobernación de Nuño de Guzmán. Tuvo lugar a continuación un tirante forcejeo entre Guzmán y Cortés por ver quién llegaba antes a la tierra fantástica. En los debates para hacer prevalecer su derecho ante una Audiencia renuente, hasta el propio Cortés se dejó seducir por el encanto de la nueva conquista; así fue como con gran aparato de hombres y pertrechos y al frente de tres naves (la «Santa Agueda», el «San Lázaro» y el «Santo Tomás») puso pie en la isla de Santa Cruz en 1535[35], experimentando una fortuna tan adversa como favorable le había sido en principio, hasta el punto de que se rumoreó entonces que su descalabro se debía a las maldiciones que le habían echado sus antiguos soldados. En Santa Cruz quedó por capitán Francisco de Ulloa, que, a pesar de que regresó a poco, hubo de cumplir su cometido a satisfacción del conquistador de México, pues lo puso al frente de su postrer intentona de reconocimiento de la California, una empresa que le costó en su totalidad, según decía, 200 o 300.000 pesos de oro.

5. Ulloa y Cabrillo

Un azar afortunado nos permite conocer las peripecias de la última armada despachada por el marqués del Valle[36], que se hizo a la vela de

---

[33] Cf. pp. 111-12 ed. Varela. En la costa del Cabo de Buena Esperanza a Sofala se encontraban, al decir de los portugueses, grandes peces que tenían rostros y naturas de mujer (A. Galvão, *The Discoveries of the World from their First Original unto the Year of Our Lord...,* Londres, 1862, ed. Bethune, p. 43).

[34] *Verdadera historia,* CC (*BAE* 26, p. 291a).

[35] El 4 de enero de 1535 ya sabía la Casa de la Contratación que Cortés había salido con 350 peones y 50 de a caballo (A.G.I., Indif. 1092, 7 n.° 78).

[36] En efecto, el 29 de mayo de 1540 el mayordomo del marqués del Valle, Francisco

Acapulco el 8 de julio de 1539 con tres naves: la «Santa Agreda», la «Trinidad» y el «Santo Tomás». El relato de Ulloa, muy pormenorizado, nos da infinidad de noticias sobre las dificultades de la navegación, que hacían muy peligrosa los vientos contrarios y los frecuentes y recios temporales; para colmo, le hizo sufrir mucho la falta de pericia o la enemiga o las dos cosas juntas del piloto Castellón [37], que iba en el otro navío, una vez que se perdió el «Santo Tomás». El encuentro no siempre amistoso con los indios es contado con todo lujo de detalles, sin ocultar que a principios de diciembre los españoles fueron acometidos con tanto arrojo y valentía y «con tanta multitud de flechas, varas e piedras que no nos davan lugar a sacar los rostros debaxo de las rodelas» [38]. Ulloa describe así la apariencia de los atacantes:

son jentes desnudas e de mediana dispusición, algunos los cabellos largos e otros (?) e todos los demás tresquilados de dos o tres dedos de largo. Traían muchos d'ellos unas conchas reluzientes de las en que se crían las perlas colgadas del pescuezo; traían orejeras de palo tan gordas como dos dedos; sus arcos que traían heran de los gordos e más altos que ellos, y las flechas <de> caña e palo con sus puntas de pedernal e algunas varas». [39]

Un poco más allá, en la punta de la Trinidad, encontraron indígenas más sociables, con los que, además de plumas, intercambiaron

algunas [con]chuelas de aquellas en que se crían perlas e algunas madejuelas de hilo de las que traen en la cabeça y un pretal o çinto que, segund por él paresçe, se deben de çeñir al cuerpo, hecho de unas contezillas y unos <ca>ñotillos de cañas, a los cabos d'él muchas pezuñas de benados por cascabeles, y una diadema [40].

Sánchez de Toledo, sacó traslado autorizado de la relación del viaje ante el alcalde de México Juan de Burgos, para enviarlo a Cortés (A.G.I., Patron. 20, 5 11). Al final del documento se encuentran copias de las diversas tomas de posesión con la fe del escribano Pedro de Palencia y que son las siguientes: 18 de setiembre] puerto de los Puertos (29° 2/3); 18 (10 el ms.) de setiembre] río de San Pedro y San Pablo (26° 1/2); 28 de setiembre] ancón de San Andrés y Mar Bermeja (33° 1/2); 6 de octubre] bahía de San Marcos (30° 1/2); 15 de octubre] río del Carrizal (27° 1/2); 1 de diciembre] bahía de Santa Catalina (25°); 20 de enero] isla de los Cedros (29° 1/2). La relación, incompleta, termina el 5 de abril, día en que partieron los dos navíos de la isla de Cedros, el de Ulloa para continuar la exploración y el otro de vuelta para dar noticia a Cortés de lo descubierto.
    [37] Las acusaciones son frecuentes: «Castellón, que la governava, procuró sienpre de apartarse de manera que no le pudiese hablar» (A.G.I., Patron. 20, 5 11, f. 2v); «el piloto Castellón herró la entrada y encalló con la nao Sant'Agreda en los baxos que están a la entrada» (f. 3r); cf. asimismo f. 13r.
    [38] A.G.I., Patron. 20, 5 11, f. 16v (cf. f. 24v).
    [39] A.G.I., Patron. 20, 5 11, f. 17v.
    [40] A.G.I., Patron. 20, 5 11, 21r. Otra diadema semejante queda descrita en f. 19v: «hera de hilo texido y muy topido e toda cubierta de pluma colorada menuda e bien atada e asentada, de manera que toda se paresçía de hilo, y por las orillas sus almenitas de otra pluma negra; hera por el medio tan ancha como çinco dedos e más y los cabos puntiagudos» (cf. asimismo f. 20v). La

Tales eran las «contrataçiones y bestialidades» de los indios, anotadas con singular acribía por Ulloa, que, a pesar de esta observación atenta y minuciosa, no disimula su despego y hasta su repugnancia hacia cuanto veían sus ojos. Los tres padres franciscanos apenas pudieron estrenarse en su labor evangélica; sólo al final logró fray Raimundo [41] bautizar a un indio ciego, que ya estaba todo blanco de puritita vejez. Si los naturales eran de ruín condición, tampoco el suelo era de los que hacían descansar la vista: al principio la tierra era baja y de arenales y después se hacía muy alta y de piedra y peña tajada. Ulloa parece haber salido muy escaldado del viaje, que no viene a amenizar más portento que el deseado fuego de Santelmo [42] en una terrible tormenta; es quizá la única manera de disculparse ante Cortés del nulo resultado de su esfuerzo. Aun así, aparece entre tantas amarguras un cebo incalculable: esas perlas no vistas todavía, sin duda por desidia de los indios, que sólo sabían engalanarse con conchas. Cuando menos, cabía esperar que California se convirtiera en la Cubagua del Pacífico; y a este respecto la relación de Ulloa, muerto después a estocadas en el puerto de Jalisco por uno de sus soldados, venía a confirmar cuanto había dicho Jiménez y después fray Marcos de Niza [43] en su alucinado viaje en busca de Cíbola en 1537: «estos indios [de la isla donde estuvo Cortés] traían colgadas de la garganta muchas conchas en las cuales suele aver perlas; e yo les mostré una perla que llevaba para muestra y me dixeron que de aquellas avía en la isla, pero yo no les vi ninguna».

Con Ulloa se cerró una era: a partir de entonces, los viajes de descubrimiento corrieron a cargo del virrey Mendoza, que inauguró la exploración californiana con el despacho en 1540 y en 1541 de Hernando de Alarcón, que había de tomar contacto con la expedición de Vázquez de Coronado, mientras Francisco de Bolaños con el piloto Juan Rodríguez Ladrillero reconocía en 1541 la costa occidental de California.

El fruto de estas expediciones fue escaso. Mayor importancia revistió el viaje de Juan Rodríguez Cabrillo [44], un veterano de Narváez que, tras entrar con Cortés en México, había marchado a Guatemala siguiendo la estrella de Alvarado. La proyectada expedición a la Especiería convirtió

decepción que sufrió Ulloa ante la pobreza de los indios queda patente en la enumeración de sus míseros bienes: sólo tenían «cueros de lobos marinos en que dormían e se abrigaban del frío y buches d'ellos en que tenían su agua e cordeles de pescar e anzuelos d'espinas de unos cerdones e algún pescado de lo que abían muerto por comer» (f. 25r).

[41] A.G.I., Patron. 20, 5 11, f. 27r. Los otros dos religiosos eran fray Antonio de Meno y fray Pedro de Aroche.

[42] Describe Ulloa el fuego de Santelmo en A.G.I., Patron. 20, 5 11, f. 13v.

[43] A.G.I., Patron. 20, 5 10.

[44] Su relación se conserva en A.G.I., Patron. 20, 5 13. De allí proceden las citas siguientes.

en armador al encomendero que, a la muerte de Alvarado, cuando la jornada de las islas del Poniente cupo en suerte a Villalobos, se las arregló para recibir del virrey Mendoza en compensación la exploración de California. La flotilla, compuesta de dos naves y un bergantín, partió de la Navidad el 27 de junio de 1542 «para descubrir la costa de la Nueba España» y regresó el 14 de abril de 1543. La suerte fue aciaga al capitán, que de resultas de una caída en una refriega con los indios se partió un brazo por el hombro el 25 de octubre en la isla de la Posesión (la llamada hoy de San Miguel); el descubrimiento, no obstante, siguió su curso, hasta que se volvió de nuevo a esa isla para invernar el 23 de noviembre; enconándosele la fractura, Cabrillo murió allí mismo el 3 de enero, sucediéndole en el mando el «levantisco» Bartolomé Ferrelo, que logró subir hasta los 43° N. a finales de febrero. Los navegantes advirtieron que la tierra era pelada, seca y fragosa, hasta que el 16 de setiembre empezó a cambiar el panorama, haciendose «de bermejales y de mejor paresçer». Esta mejoría y amenidad continuó conforme iban avanzando. Entre los 41 y 43 grados tuvieron la impresión de que quedaba «un río muy grande de que tubieron mucha notiçia»; tamaño caudal de agua siempre supone posibilidad de hallar amazonas, pero nada se dice de ellas, incluso cuando con su recuerdo se podía haber embellecido la realidad, como ocurrió el 1 de noviembre, al registrarse la existencia de unas aldeas a 35° y 2/3 con la observación de que era «señora d'estos pueblos una india bieja que vino a las naos y dormió dos noches en la capitana», sin más señas ni explicaciones. Sólo en la fauna se aprecia un inevitable tono peruano; el 17 de setiembre, a 33° 1/2, los nautas «vieron unas manadas de animales como ganados que andaban de çiento en çiento e más, que paresçían en el paresçer y en el andar como obejas del Pirú, y la lana luenga; tienen cuernos pequeños de un xeme en luengo y atán grandes como el dedo pulgar, y la cola ancha y redonda e de longor de un palmo». Este fantástico engendro de los antílopes melenudos, del que se extraña con razón H. Kelsey [45], es la única prueba de que se sentía el oro cerca, por lo que los animales tomaban extraño aspecto de llamas o quizá también de aquellos yak lejanos descritos por Marco Polo.

Es probable que tan sorprendente parquedad en pormenores legendarios se deba a la amarguísima decepción que se acababa de sufrir en la Nueva España tras haber alimentado las más encendidas ilusiones. El 2 de setiembre de 1539, en efecto, fray Marcos de Niza había presentado al virrey Mendoza, ante la presencia admirada de una serie de notables, entre ellos el gobernador de Nueva Galicia, Francisco Vázquez de Coro-

---

[45] *Juan Rodríguez Cabrillo*, Huntington Library, San Marino, 1986, p. 140.

nado, una relación de su viaje por recónditos parajes del septentrión [46], en la que afirmaba haber llegado nada menos que a las Siete Ciudades. Hasta entonces las Siete Ciudades habían figurado en las cartas de marear, bien plantadas en una de las míticas islas del Atlántico; ahora el franciscano pretendía haberlas descubierto no sin grave riesgo de su vida y aun a costa de la muerte del famoso negro Estebanico, el del viaje de Alvar Núñez, y hasta había contemplado una de ellas, Cíbola, que describió así:

> Está asentada en un llano a la falda de un çerro redondo; tiene muy hermoso paresçer de pueblo, el mejor que en estas partes yo he visto. Son las casas por la manera que los indios nos dixeron, todas de piedra con sus sobrados y açuteas, a lo que me pareçió desde un çerro donde me puse a vella. La poblaçión es mayor que la çiudad de México.

Al bueno de fray Marcos le habían llegado muy grandes noticias de otros principalísimos emporios: Maratta, Acus y Totonteac, llenos de riquezas inauditas. Y es más: desde un abra «donde se rematan las sierras», poblada al oriente, logró atisbar, aguzando la vista, «siete poblaçiones razonables», sin duda tipo y figura de las Siete Ciudades. En verdad tierra tan maravillosa bien merecía ser el Nuevo Reino de San Francisco, el nombre que le puso el devoto y enfervorecido padre. Sin pérdida de tiempo el virrey despachó a Vázquez de Coronado a descubrir el misterio de Cíbola, si bien la desilusión que se llevaron los españoles a su entrada en el pueblo vislumbrado por fray Marcos fue mayúscula: había, como escribió Juan Jaramillo [47], «casas de açotea y las paredes de piedra y barro», pero nada más. Claro que entonces se dijo que el país mágico se encontraba más allá, en la lejana Quibira: el mito se refugia siempre en la frontera. Y tanto gancho y atractivo tenía este Nuevo Reino seráfico que uno de los franciscos de la expedición, el lego fray Luis de Escalona, se quedó en Ciquique con la sola compañía de un esclavo, Cristobalillo, a fin de «con un escoplo y açuela... alçar cruces para aquellos pueblos y baptizar algunas criaturas que en artículo de muerte hallase para enbiallas al çielo» [48]; y el otro, el padre fray Juan de Padilla, no pudo resistirse a la tentación de volver a Quibira con un portugués, un negro, un mestizo y dos indios para reunirse en amor y comunión con sus moradores cristianos; se daba el caso, en efecto, de que, si la fantasía del s. XV había poblado las Siete Ciudades de visigodos huidos ante la invasión musulmana en el 711, en 1537 se había modernizado la leyenda, convirtiendo a los de Quivira en españoles náufragos; es el mismo Jaramillo quien nos

[46] A.G.I., Patron. 20, 5 10.
[47] A.G.I., Patron. 20, 5 8.
[48] Así dice Jaramillo, de quien era el esclavo.

informa de que Vázquez de Coronado «escribió... una carta para el governador de Harahey y Quibira, teniendo entendido que hera christiano de
las armadas de la Florida perdidas». Esta efímera floración mitológica si
por un lado hizo dura competencia a la jornada de la California, por otro
es de creer que estimulara la continencia verbal de los navegantes que
trabajosamente bordeaban su costa. De ahí su taciturnidad extremada:
nadie quería caer en el ridículo. Y es de advertir que el arrebato místico
de que fueron presa los franciscanos, y que segó la vida de fray Juan,
volvió a repetirse a finales del s. XVI, pero ya en otros lugares: en 1606,
volviendo de Manila con Quirós, Juan Francisco se arrojó al agua atado a
un madero cuando el galeón pasaba por la punta de la California; a juicio
de los del navío, para predicar el evangelio a los indígenas.

Después, durante muchos años se abandonó la conquista de la California, y a la repugnancia del virrey Velasco por los descubrimientos
sucedió una época de turbulencia interna que no permitió mirar más que
a la continuidad del asiento en las Filipinas. Es hora, pues, de volver a las
islas del Pacífico.

IV. LA EXPLORACION AUSTRAL: MENDAÑA Y QUIROS

En 1550 los navíos españoles habían surcado más de una vez el Océano Pacífico, pero siempre para rendir viaje en aguas del hemisferio boreal. No es de extrañar que en la segunda mitad del s. XVI las pesquisas en demanda de Ofir se orientaran también por la banda del Sur. Esta ciega y tenaz persecución de las minas bíblicas se veía avivada por viejas tradiciones peruanas. Contaban los indígenas que, en la mar de poniente, había unas islas con las que traficaban los ingas y de las que se ponderaba su riqueza fabulosa; tampoco faltaba la consabida leyenda del barco que se había perdido en el Océano y que había llegado por fin a una tierra paradisíaca, a nueve días de navegación del puerto de Ilo. Se refería asimismo que un marinero, Juan Montañés, había dado cumplida relación de todo ello al capitán Gonzalo de Illanes y que éste, engolosinado con la idea de apoderarse del tesoro, se había dirigido a España junto con Juan Montañés para pedir al rey la «jornada de las islas», si bien, una vez obtenida la merced para conseguir su propósito, había muerto en el camino. Para terminar, se daban unas indicaciones suficientemente ambiguas sobre su situación:

Ase de ir a estas islas desde el puerto de Arica y llevar por señal el bolcán de la vaía, porque ansí lo tenían por costunbre los indios que ivan y venían a ellas; y en desapareciendo el dicho bolcán se da luego en las islas despobladas... Ase de entrar por entre ellas, y al cavo de dos días verán la isla grande que paresce tierra firme. Ase de ver hazia el poniente, y no se save adónde llega [1].

---

[1] A.G.I., Patron. 18, 10 1 (publicado sobre una copia de Navarrete por J. Zaragoza, *Historia de los descubrimientos de las regiones austriales hecho por el general Pedro Fernández de Quirós*, Madrid, 1888, II, p. 127 n.). Cf. la discusión de las fuentes que hace T. Heyerdahl, *American Indians in the Pacific*, Londres, 1952, p. 556ss.

1. La exploración fallida de Nueva Guinea

Después del viaje de Magallanes se habló mucho de una isla de oro. En 1519 y 1520 el rey de Portugal encargó a Diogo Lopes de Sequeira que descubriera *as ilhas do ouro*, buscadas afanosamente en 1518 y 1519 por Diego Pacheco, y Sequeira a su vez confió esta tarea a Cristóbal de Mendonça, que en 1521 se encontraba en Sumatra con tres navíos dispuesto a llevar a cabo la jornada, de cuyos resultados poco se sabe en realidad[2]. También Fernão Mendes Pinto, según asegura en su *Peregrinación*[3], trató de recabar información al respecto por orden de Pero de Faría; así, enviado como embajador a la corte del rey de los Batas en Sumatra, pudo enterarse de que la famosa isla yacía a cinco grados en el hemisferio Sur, a unas 160 leguas de la punta de Sumatra, y que estaba cercada de muchos bajos y de grandes corrientes. Esta certeza espoleó a Juan III a ordenar su inmediata exploración; así, tras diversos nombramientos fallidos, en 1542 partió de Goa con dos fustas y una carabela Jerónimo de Figueredo, hidalgo del duque de Braganza, cuya avaricia le impidió tener éxito en la empresa. Después, afirma melancólico Mendes Pinto, «no se trató más de este descubrimiento, que tan provechoso parece que será para el bien común de estos reinos, si Nuestro Señor fuese servido de que esta isla se viniese a descubrir».

Mientras cejaban los portugueses en el empeño, lo acometieron los españoles desde otro punto de partida. En efecto, un navío de la armada de Villalobos, al mando de Iñigo Ortiz de Retes, en su intento fracasado de volver a la Nueva España en 1545, había llegado a la costa de una tierra que fue bautizada por los españoles con el nombre de Nueva Guinea, por la piel atezada de sus habitantes; pero Ortiz halló también otras islas, entre ellas las llamadas «islas de honbres blancos», los hombres blancos en cuya cercanía ya se había pretendido hallar Colón, las personas políticas que quería convertir fray Martín de Valencia en el ocaso del mundo. Pero no todo eran islas: la relación de García de Escalante Alvarado habla de que los navegantes dieron con una «tierra tan grande... que no se podía acavar de costear y ver el fin»[4], quizá incluso hasta tierra

[2] Segun una sugestiva hipótesis de J. Cortesão (*Os descobrimentos portugueses,* Lisboa, 1981, V, p. 1282ss.), los portugueses descubrieron Australia antes de 1529: de ahí procedería el interés que mostraron en prolongar en unos grados el meridiano a la hora de ajustar el famoso empeño del Maluco. Duda, pero lo cree posible, D. Peres (*História dos descobrimentos portugueses,* Porto, 1942, p. 482-84).

[3] *Peregrinação,* trascripción de A. Casais Monteiro, Lisboa, 1983, cap. XIII (p. 40), XIV (p. 44) y XX (p. 60ss.). No necesito recordar que todas las noticias de Mendes Pinto han de ser acogidas con la máxima reserva.

[4] A.G.I., Patron. 23, 10 f. 9r y 9v. Según una tradición errónea que recoge A. Galvão (*Tratado de... todos os descobrimentos,* ed. Bethune, Londres [Hakluyt Society], 1862, p. 177; cf.

firme, como afirmaban algunos. La existencia de un nuevo y extensísimo continente, que muchos mapas por pura conjetura hacían continuar con la tierra del Fuego, inducía a su conquista y evangelización, de suerte que no sorprende que muy pronto los hombres de la Nueva España tomaran la iniciativa. La primera instrucción dada a Legazpi nos hace ver que el virrey D. Luis de Velasco acariciaba la idea de poblar no las Filipinas, sino este mundo ignoto que embellecía la lontananza:

Para llegar a las dichas islas [de Poniente] ... correréis al Suduest en busca de la costa de la Nueva Guinea hasta poneros en altura de veinte grados de la otra parte de la equinocial hacia el Sur. Y si en este término de camino que así obiéredes navegado no hallárades la tierra de la Nueva Guinea, desde esta altura y punto haréis vuestra navegación derecho al Poniente en busca de la misma tierra hasta duzientas leguas. Y si dentro de ellas no topáredes con la dicha tierra, correréis al Norueste hasta baxar en altura de cinco grados de la misma parte de la equinocial para el Sur. Y si asta puestos en esta altura y en ella no halláredes todavía la dicha Nueva Guinea, correréis desde este punto al Poniente derechamente hasta tomar la dicha tierra, que por ninguna vía la podéis herrar, porque se presume y ay opiniones que la dicha costa de la Nueva Guinea va prosiguiendo adelante hazia la parte del Sueste y Sur. Y siendo así, sería cosa muy útil y provechosa que se descubriese esta costa... Según el paraje y altura en que está y algunas noticias que ay de azia aquella tierra y de otras islas comarcanas, se tiene gran esperança que será rica especialmente de oro y de otros aprovechamientos, por estar en el clima qu'está... Conviene que ante todas cosas se procure descubrir la dicha costa de la Nueva Guinea y saber de lo qu'en ella ay y tomar lengua y amistad con los naturales d'ellas, demás qu'está en gran comarca aquella tierra, para que, si se poblase d'españoles, pudiesen dilatarse por ella como an hecho por la Nueva España y Perú, y que de allí pudiesen tener curso a lo del Maluco, Filipinas y las demás islas de aquel archipiélago con toda la costa de China[5].

Este capítulo de la instrucción procede todo él de un informe cosmográfico elaborado por Urdaneta en 1561[6], copiando incluso en buena parte las mismas palabras del agustino. Se modifica, no obstante, la latitud a la que debía llegar la armada (20° en vez de los 25 ó 30° que sugería Urdaneta) y

también p. 239), quien descubrió Nueva Guinea fue Saavedra, que la habría costeado a lo largo de más de 500 leguas desde mayo a agosto de 1529.

A partir de Mercator, en algunos mapas aparecen tres islas a 10° al O. del Perú y en latitud del Cuzco, acompañadas del siguiente letrero: *Hic uspiam longius intra mare in parallelo portus Acari dicunt nonnulli Indi et Christiani esse insulas grandes et publica fama divites auro* («Aquí en algún lugar, más adentro del mar, en el paralelo del puerto de Acari, dicen algunos indios y cristianos que hay grandes islas y según pública fama ricas de oro»). C. Jack-Hinton, *The Search for the Islands of Solomon. 1567-1838,* Oxford, 1969, p. 24 sugiere que *uspiam* es una transcripción estragada de un *Ophir* convertido en adjetivo; está claro que se trata del adverbio *uspiam* («en algún lugar») que menciona a la leyenda, tomado despistadamente por un nombre de lugar. Sobre el continente austral ya habla López de Gómara, *Historia,* 12 (*BAE* 22, p. 165 a).

[5] A.G.I., Patron. 23, 12 f. 31v § 25.
[6] A.G.I., Patron. 23, 15 f. 3v.

el rumbo que ésta había de tomar si no alcanzaba la costa de Nueva
Guinea (Noroeste en vez de Oeste-Noroeste y Oeste). En definitiva, pues,
Velasco se limitó a aceptar en términos generales la propuesta de Urdaneta; no es extraño, si se tiene en cuenta el prestigio que aureolaba al fraile,
quien además disponía de «una relación y figura... de la dicha costa [de
Nueva Guinea]»[7], con cuyo cotejo se permitía afirmar: «Tengo para mí
que traen pintada aquella costa en las cartas modernas que an benido a
esta Nueba España más larga de lo que está descubierta más de cient
légoas». De todas maneras, entre el primitivo proyecto del agustino y la
instrucción de Velasco median ciertas menudas diferencias. Urdaneta proponía seguir ese derrotero en caso de no poder partir sino entre el 10 de
noviembre y el 20 de enero, como segunda alternativa, mientras que el
virrey lo convierte en el objetivo primordial de la expedición[8]. Es más:
Velasco ni siquiera contempla la posibilidad de que Legazpi se dirija a las
Filipinas, y pone en segundo lugar el rumbo propuesto en tercer lugar
por Urdaneta: después de la isla de Roca Partida subir hasta los 35 ó 37°
y virar entonces a poniente hasta alcanzar China y Japón; asimismo condena al olvido la tercera posibilidad planteada por el agustino: el rumbo
de la Roca Partida a los bajos de Villalobos e isla de San Bartolomé y de
ahí hacia al Sur declinando algo a la cuarta del Sueste en busca de Nueva
Guinea.

En principio, pues, la exploración de la costa de Nueva Guinea es lo
fundamental para el virrey y aun para Urdaneta, el inspirador del plan,
por su íntimo convencimiento de que las Filipinas caían dentro del compás incluido en el empeño del Maluco. Sólo la muerte de Velasco a fin de
junio de 1565 y la resuelta actitud de la Audiencia de México, convencida
por el capitán Juan Pablos de Carrión, impidió que Legazpi emprendiera
una jornada condenada previsiblemente al fracaso. Como explicaban los
oidores al rey el 12 de septiembre de 1564, no procedía llevar a cabo la
navegación proyectada tanto por el peligro que entrañaba su novedad y la
demora que suponía para realizar el tornaviaje como «por abenturar mucho nabegando por derrota incierta», y ello a pesar de que «el descubrimiento de la Nueba Guinea sería inportante, mayormente si en ella se
hallasen las riquezas que se significan»[9]. A su vez, Juan Pablos de Carrión

────────

[7] A este mapa de Urdaneta hace relación el piloto Rodrigo de Espinosa (A.G.I., Patron. 23,
16 f. 16).

[8] A.G.I., Patron. 23, 12 ff. 35v-36v §§ 36-45.

[9] Merece que se transcriban íntegras estas memorables palabras: «Paresció a esta Real Audiencia, platicado en ella y communicado con personas de ispiriencia que an estado en aquellas
partes, que aunque sea verdad que el descubrimiento de la Nueba Guinea sería inportante,
mayormente si en ella se hallasen las riquezas que se significan, no conbiene que por agora se
haga aquella nabegación, así por ser nueba, que no se a nabegado hasta aquí, y que haziéndola se
rodearía mucho para ir a las islas del Poniente y abría dilación en la buelta, como por abenturar

alardeó ocho años después del asentamiento español en Filipinas de que se había seguido el camino que él había indicado al visitador Valderrama, derrota que se había entregado en sobre cerrado a Legazpi con orden de abrirlo a los ocho días de travesía [10]. Así se comprende el enfado y disgusto de Urdaneta y sus compañeros cuado, conocida la instrucción de la Audiencia en pleno Océano, se enteraron de que, lejos de ir a Nueva Guinea, se encaminaban a Filipinas.

2. Las islas del Perú. Los primeros tanteos

Mientras, tampoco se descansaba en Lima. Ya en 1550 Gómez de Solís pidió licencia al rey para ir a descubrir ciertas islas de que se tenía noticia, islas que, según informaba la Audiencia limeña el 6 de julio de ese año [11], se hallaban entre los paralelos de Hacari y Arica. El marqués de Cañete tenía permiso para enviar cada año por lo menos seis carabelas o naos pequeñas a descubrir tierras, pero su capitulación con Pero Pacheco y después con Francisco de Cáceres no dio resultados positivos. Tampoco logró ningún éxito el virrey conde de Nieva al encargar a Antonio de Valdeolivos que tomara a su costa la empresa [12]. En cambio, poco a poco se fue perfilando la meta de unos y otros. En 1565 el licenciado Castro comunicó al monarca que Pedro de Haedo estaba dispuesto a zarpar «al descubrimiento de unas islas que llaman de Salomón, que caen frontero de Chile hazia la espeçería, de que se tiene ansimismo gran noticia» [13], y en 1567 podía ya precisar que tales islas caían entre

mucho nabegando por derrota incierta, dexando la otra que se sabe ya, por la que llebó el armada que despachó el virrey don Antonio de Mendoza... Lo que al virrey [Velasco] mobió a que se hiziese la nabegación por la Nueba Guinea fue la opinión que tiene fray Andrés de Urdaneta, religioso de la Horden de Sant Agustín, que ba en la armada, que dize que las islas Felipinas se incluyen dentro del enpeño tan bien como las de los Malucos» (A.G.I., Patron. 23, 20).

[10] A.G.I., Patron. 263, 1. El despecho de Carrión, que por fin pasó a Filipinas en 1577, tuvo sus consecuencias inmediatas en 1564, pues de los veteranos de Villalobos sólo se embarcó con Legazpi el factor Guido de Labezaris, según se glorió éste último el 25 de julio de 1567 (A.G.I., Filip. 29, 1 n.º 1). Por esta última carta (y A.G.I., Filip. 34, 1 n.º 3 y 5) nos enteramos de que fue Labezaris, un sevillano de origen genovés casado con Inés Alvarez, quien, con gran riesgo de su persona, llevó la planta del jengibre que había entonces en la Nueva España. El virrey Velasco, poco antes de la expedición a Filipinas, lo nombró para descubrir y sondar los ríos, puertos y bahías de la Florida, con vistas a la futura jornada de Tristán de Arellano; por este motivo recibió 300 pesos de oro común el 3 de agosto de 1558 (A.G.I., Contaduría 664); otros pagos de 1559 en las cuentas del tesorero de Veracruz Pedro de Yebra (A.G.I., Contaduría 877). Fue alcalde mayor de los pueblos de Tamazula, Tuspa y Zapotlan, antes de ser proveído por tesorero de la armada.

[11] A.G.I., Lima 118 (16 de agosto de 1550). La carta de los oidores en A.G.I., Lima 92.

[12] A.G.I., Lima 28-A, n.º 38 (carta del 16 de julio de 1563 del conde de Nieva).

[13] Carta del 23 de setiembre en A.G.I., Lima 92 (C. Kelly, *Austrialia Franciscana*, IV, Madrid, 1969, p. 509).

Nueva Guinea y la costa peruana [14]; no obstante, para entonces Castro había confiado la dirección de la empresa a su sobrino Alvaro de Mendaña, ya que a Haedo lo habían acusado unos religiosos de urdir una rebelión, y no era cosa de convertir en capitán general a un peligroso agitador [15].

Tan reiterados intentos hacen dudar de que el impulso para la primera expedición austral partiera de manera exclusiva de la insistencia de un personaje polifacético, el cosmógrafo, piloto y según la vena nigromante Pedro Sarmiento de Gamboa [16], que presumía de conocer la localización exacta de las islas y tierra firme, que habían de estar a 23 ó 25°. Por otra parte, además de los precedentes arriba enunciados, no era el oro lo único que se buscaba, sino que la navegación tenía también una motivación política: librar el Perú, tan azotado por la discordia civil, de todo elemento levantisco y «evacuar gente bulliciosa» [17]. Todo, pues, se conjugaba para llevar a cabo la jornada, por muy joven e inexperto que fuera su capitán Mendaña.

3. La armada de Alvaro de Mendaña

La menguada flota, compuesta de dos naves («Los Tres Reyes» y el «Todos Santos»), partió del Callao a descubrir «las islas occidentales de la

---

[14] Carta del 2 de abril de 1567 en A.G.I., Lima 92 (C. Kelly, *Austrialia Franciscana*, IV, p. 511).

[15] Cf. la carta de Castro del 5 de junio de 1566 en A.G.I., Lima 92; mandó Castro apresar a Haedo, que logró escapar por ser hombre rico e influyente (cf. la carta del licenciado Serrano del 19 de abril de 1567 en Levillier, *D. Francisco de Toledo,* Madrid, 1935, I, p. 420).

[16] Sobre este personaje cf. A. Landín Carrasco, *Vida y viajes de Pedro Sarmiento de Gamboa,* Madrid, 1945. Es notable que Bernardino de Sarmiento, al enumerar los méritos del general Pedro de Sarmiento, su tío, no se acuerde para nada de la jornada a las islas del Poniente: sólo enumera entre sus servicios que «fue el que prendió por su persona al Inga y su general, que fue causa que se asegurase el reino, y hizo tres (!) viajes al Estrecho de Magallanes y otros muchos a diferentes partes y conquistas, y redujo a práctica la navegación del Mar del Sur». El general dejó como únicos herederos a este D. Bernardino, que estaba casado con doña Berenguela de Novoa, camarera de la reina y sobrina de doña Catalina Enríquez, y a su hermano D. Francisco Sarmiento. Renunció D. Bernardino a ser tesorero del Perú, lo que aceptó el Consejo el 27 de julio de 1606 por presión de la reina, dándole a cambio 10.000 ducados en repartimientos de indios (A.G.I., Lima 2, n.° 430; el 26 de abril de 1608, ante nueva instancia de Sarmiento, replicó el Consejo: «que se le dé equivalencia en indios en el Pirú con la calidad de los que se le dieron que no está complido» [A.G.I., Indif. 1430]); era D. Bernardino heredero también de D. Estacio de Barrasa.

[17] Así dice el virrey D. Francisco de Toledo (A.G.I., Lima 28-A y C. Kelly, *Austrialia Franciscana*, IV, p. 474) y antes que él el licenciado Castro (C. Kelly, *Austrialia Franciscana*, IV, p. 512 y 513). Otro tanto repite Mendaña (en su relación [*Austrialia Franciscana*, IV, p. 333]; en su petición al Consejo de Indias [V, p. 55, 87]; en carta al rey [V, p. 175]) y remacha después D. García Hurtado de Mendoza (*Austrialia Franciscana*, V, pp. 161-64).

Mar del Sur» el 19 de noviembre de 1567. En el transcurso del viaje chocaron dos concepciones geográficas antagónicas: la de quien, como Sarmiento, pretendía bajar lo más posible rumbo al Sudoeste, y la de quien, como el piloto mayor, Hernán Gallego [18], procuraba no alejarse en exceso de la latitud conocida de Nueva Guinea (5° S.). Por fortuna, prevaleció este último parecer, y el 28 de noviembre, cuando las naos se hallaban a 15° y 3/4 de latitud, se «tomó la vía del Oeste cuarta al Sudueste», para gran indignación de Sarmiento y de sus secuaces [19], que elevaron sus protestas hasta el cielo. No había, sin embargo, tanto motivo para sulfurarse, ya que el objetivo del viaje, que no aparece transparente en ninguna de las relaciones, queda de manifiesto donde menos cabía esperar: en las cuentas que el tesorero Pedro Bonconte hizo en 1567 de los gastos de la flota [20]. Allí se expresa de manera bien clara que aquellos

[18] Este Hernán Gallego, natural de la Coruña, piloto «el más famoso del reino» al decir de Mariño de Lobera (Crónica del reino de Chile, II 2 [BAE 131, p. 369 b]), fue quien llevó a D. García de Mendoza a Chile en 1557. Según afirmó en un memorial visto en Consejo el 2 de diciembre de 1575, había sido soldado en la toma de Túnez y en Italia y hacía 35 años que había pasado a la Nueva España, sirviendo de piloto de Culiacán en el puerto de la Navidad 6 años. Después de conducir a D. García, se halló en la pacificación de la revuelta de Francisco Hernández Girón. Pedía entonces ser piloto mayor y la alcaldía de la mar de la ciudad de los Reyes, obteniendo por respuesta: «no se proveen acá estos officios» (A.G.I., Indif. 1085).

En A.G.I., Lima 122 se encuentra una información de Francisco Muñoz Rico, capitán de la almiranta de Mendaña en 1571. El maestre de campo, D. Pedro de Ortega Valencia, se asentó después en Panamá, donde desempeñó el cargo de alguacil mayor hasta 1575 (A.G.I., Indif. 1084, f. 104r, 107r, 187v, 537r, 541r, 544r) y a continuación fue contador y después factor de la Hacienda real en la provincia de Tierra Firme (A.G.I., Indif. 1085, consulta del 7 de octubre de 1575; Indif. 1086, consultas del 16 y 18 de abril y 12 de junio de 1578). De su nieto hablaré en el volumen tercero.

El 7 de diciembre de 1567 se quejó el oidor de Lima Monzón de que los hombres de Mendaña hubiesen sacado de la cárcel a un condenado a muerte, llevándoselo consigo (A.G.I., Lima 92): he aquí la previsible calaña de algunos miembros de su tripulación.

Escribió páginas magistrales sobre Mendaña y los descubrimientos australes, como solía, M. Jiménez de la Espada en el Boletín de la Real Sociedad Geográfica de Madrid, X (1881) 369-98. Sobre la expedición (y las ulteriores) cf. F. Morales Padrón, «Los descubrimientos de Mendaña, Fernández Quirós y Váez de Torres y sus relaciones de viajes», Anuario de Estudios Americanos, XXIV (1967) 985-1044 y sobre todo C. Kelly, Austrialia Franciscana, V, p. 3ss (la contradicción que encuentra Kelly en pp. 33-34 se resuelve, a mi juicio, de la siguiente manera: Sarmiento esperaba encontrar las famosas islas a 14° S., la tierra firme a 23° ó 25° S.).

[19] Cf. A.G.I., Patron. 18, 10 5 (relación breve muy favorable a Sarmiento) y 18, 10 8 (n.° 2) f. 2v (relación de Sarmiento).

[20] A.G.I., Contaduría 1784, n.° 6. Las partidas están muy incompletas y tampoco está claro el monto a veces. Se refieren a las siguientes compras:

—22 banderas, 2 estandartes, 4 moldes para la artillería y 50 escaupiles (en una partida de 1.277 pesos y 5 tomines).

—un quintal de mecha para arcabuces, una cureña, 6 candados y 12 libras de hilo de vela para ballesta (en una partida de 1.277 pesos y 5 tomines ¿la anterior?).

—cinco negros que se compraron para que sirviesen por marineros (1.665 pesos).

—dos cepos y dos grillos (66 pesos).

—ocho quintales de plomo (100 pesos).

dos navíos, que se compraron por 10.500 pesos a Juan Rodríguez Paniagua y Antonio de Petrucho y Carlos Corzo, se aviaron «para el descubrimiento de las islas de la Mar del Sur e archipiélago de la costa de la
Nueva Guinea»; también se hace referencia en estos papeles al «nuevo
descubrimiento que Pedro de la Cruz avía de hazer en aquella Mar del
Sur por mandato del dicho governador conforme la capitulación que
tenía hecha en 1565», sin duda ese Pedro de Haedo que también pretendía encontrar la isla de Salomón. Por tanto, Mendaña iba encaminado a
Nueva Guinea, aquel supuesto nuevo continente con cuya conquista se
soñaba tanto en México como en Lima, cerca del cual se encontraría la
Cipango-Ofir austral con su fabulosa mina de oro, plata y piedras preciosas. El altercado entre Gallego y Sarmiento obedece, en consecuencia,
más a una cuestión de forma que de fondo: Sarmiento quiere seguir el
rumbo que había propuesto a Velasco el gran Urdaneta, cuyas observaciones conocía de fijo; y si en algo se parece Sarmiento a Colón es en el
empecinamiento con que uno y otro defienden sus ideas; por algo son
ellos los únicos que saben fijar su situación en el mapa, frente a la supina
ignorancia de los demás pilotos, cuyos cálculos nunca salen certeros. Gallego, por el contrario, se fía sólo de la voz de la experiencia y no de
abstrusas teorías; y en el Perú vivían veteranos de Villalobos, como el
manco Alonso de Paz[21], que debieron de insistir en la cercanía de Nueva
Guinea a la equinoccial, proximidad nada de extrañar dado que en el
ecuador producía la tierra los metales y los frutos más preciosos, según
creencias antiquísimas.

4. *La estrella de los Reyes Magos*

Mas no nos interesan tanto las descomunales trifulcas entre Sarmiento
y Gallego cuanto las milagrosísimas luces que iluminan la jornada. El 1
de enero de 1568 cayó por la noche un hombre al agua, que fue rescatado
tras una hora de angustiosa zozobra; pues bien, según afirma Mendaña,
«uvo algunos que dixeron que veían una luz adonde el moço respondía,
como una candela»[22]. Este es el primer resplandor portentoso. Llegamos
ahora al momento cumbre de la navegación, cuando se toma por fin
tierra después de larguísima travesía, de más de 1.450 millas desde Lima,

—una fragua y un negro herrero (1.200 pesos).
—tres bolsas de cuero (12 pesos).
—bastimentos (32.159 pesos, 7 tomines y 7 granos).
[21] Cf. su información de servicios del 18 de febrero de 1559 en A.G.I., Lima 120.
[22] A.G.I., Patron. 18, 10 5 f. 1v. Catoira, muy basado en Mendaña, escribe: «dixo [el mozo]
abía visto una luz sobre sí» (Kelly, *Austrialia Franciscana*, II, p. 34).

según decía Hernán Gallego. Una breve relación de Iturbe nos es en este punto de capital importancia:

Descubrieron —dice— una tierra alta a ocho de febrero del año siguiente de 1568, y antes de surgir vieron una estrella por la proa de la capitana que su nombre era «Los Tres Reyes», y tenía escripto en la popa este letrero: «Los Reyes es nombre mío, / porque sea guía mía / la estrella que fue su guía». Y assí lo tubieron a buen pronóstico y tomaron puerto allí [23].

Estas precisiones, en efecto, son fundamentales, pues Mendaña [24], Sarmiento [25], Hernán Gallego [26], Catoira [27] y las relaciones anónimas [28] hablan todos a una de la estrella, pero sin ponerla en relación con el lema de la capitana. Sí sabíamos que ésta se llamaba «Los Reyes», pero ahora este nombre cobra relevancia especialísima, pues los Reyes evidentemente son los Reyes Magos, «los cuales siempre truximos por abogados», como remacha Mendaña. Bien pensado, nada podía ser más natural: ¿no era la isla de Salomón la isla de los Reyes Magos, según la tradición antañona que conocía el primer almirante de las Indias? Es la estrella de los Reyes la que guía a los expedicionarios, y de ahí proviene la certeza de hallarse ya en el objetivo cuando la propia luminaria, Venus, según precisa Juan López de Velasco, brillando por medio de la gavia mayor, conduce milagrosamente la capitana a través de la peligrosa restringa. Pero no hay dos sin tres, ya que, siguiendo la relación del bergantín, anota Mendaña:

Otro día de mañana, día de Pascua de Resurrección, dimos vela para ir a otra isla frontero, que le pusimos por nombre San Dimas, que está apartada de la de Buena Vista media legua. Y en el puerto que hallamos la vela para salir de donde estávamos

[23] BN Madrid, ms. 3099, f. 109v. Este Iturbe había empezado a servir al rey hacia 1590 en la armada de la carrera de Indias con los generales D. Francisco Coloma y D. Luis Fernández de Córdoba y Sotomayor, teniendo a su cargo los papeles del despacho. Después desempeñó el puesto de veedor y contador del descubrimiento que iba a hacer Quirós en la parte austral e incógnita de la Mar del Sur, cargo que ostentó también en la armada que fue en 1608 del Callao a Panamá con la hacienda del rey y de los particulares. En 1618 solicitó merced de un entretenimiento para Flandes o Italia y, como se le dio un billete para que fuese ocupado en algún oficio de pluma que vacare, insistió de nuevo en su petición, sin gran éxito por el momento (A.G.I., Indif. 1446).

Obsérvese que el letrero se compone por lo general de un trístico, pero también aparecen otras combinaciones: la capitana de Magallanes, la «Trinidad», es llamada por el anónimo de Leyden «Boa ventura» (ed. de P. Valière, París, 1976, p. 39), porque en Baquián le pusieron nuevas velas en las que se veía una cruz con el lema: «Esta es la figura / de nuestra buena ventura» (cf. Pigafetta en *Raccolta colombiana*, V 2, p. 98, 44).

[24] A.G.I., Patron. 18, 10 5 f. 5r (lunes 5 de febrero); relación breve en J. Zaragoza, *Historia del descubrimiento*, II, p. 20).

[25] A.G.I., Patron. 18, 10 8 (n.º 2) f. 12r.

[26] A.G.I., Patron. 18, 10 4 f. 9r y 9v.

[27] En C. Kelly, *Austrialia Franciscana*, II, pp. 41-42.

[28] A.G.I., Patron. 18, 10 5 y Kelly, *Austrialia Franciscana*, IV, p. 313.

vimos una estrella tan clara como el luzero, que nos dio mucho contento por ser día tan principal[29].

Tanto parpadear de estrellas en momentos tan trascendentales no podía sino afianzar la creencia de que las islas a las que se había arribado no eran otras que las de los Reyes Magos, esto es, las islas de Salomón. Conviene recordar que también la llegada de Colón a la Española estuvo acompañada de señales luminosas[30]: el cabo más meridional recibe precisamente el nombre de Cabo de la Estrella, y el puerto segurísimo en que se guarece el almirante es llamado de San Nicolás. Sin duda tiene razón Las Casas cuando apostilla que esta denominación se debe a que el día de la arribada cayó en la festividad de San Nicolás, 6 de setiembre; pero San Nicolás es uno de los Cuerpos Santos protectores de los marineros con su luz milagrosa, de modo que cabe sospechar que relampagueó en los mástiles el fuego de Santelmo y que algún astro brilló de extraña manera en aquel día en que se inició el descubrimiento de la soñada Ofir. Algunos años después tuvo lugar otro prodigio semejante, cuando Grijalba atisbó en 1518 el litoral de Yucatán; al ponerse el sol apareció una estrella encima de la nave y, lanzando siempre rayos resplandecientes, se separó de la arboladura hasta posarse sobre un gran pueblo de aquella costa aurífera; «y todavía vimos otras señales muy claras por las que comprendimos que Dios quería que en su servicio pobláramos la dicha tierra»[31]. Al paso de la armada de Villalobos por la isla de San Bartolomé, la supuesta isla de Salomón, un soldado «vio por la proa hazia adonde la armada encaminava <a> modo de fuego y resplandor grande», señal de reventazón de la mar, pero indicio inequívoco asimismo de la isla aúrea de los Reyes Magos[32]. Cuando Nuflo de Chaves creyó encontrar el mítico país del Candire, los chiriguanáes le contaron que había pisado su suelo «en el tiempo que pareció una estrella en el cielo con un rasgo»[33]; de nuevo el cometa marca el comienzo de una entrada decisiva. Tales luminarias expresan los designios de la providencia divina, y más cuando se va en demanda del tesoro de los Magos siguiendo, como ellos, la ruta del poniente. Por otra parte, la estrella de los Reyes, como discurría muy puesto en razón el padre Rivadeneyra[34], se distin-

---

[29] A.G.I., Patron. 18, 10 5 f. 14v. Cf. asimismo Catoira (en C. Kelly, *Austrialia Franciscana,* II, p. 86) y la relación anónima parisina editada por C. Kelly, *Austrialia Franciscana,* IV, p. 317.

[30] *Diario,* p. 74.

[31] *Itinerario de Grijalba* en J. García Icazbalceta, *Documentos,* I, p. 302.

[32] Relación anónima en BN Madrid, ms. Res. 18, II 3, f. 46r.

[33] Relación tomada... de Bartolomé González en A.G.I., Lima 119.

[34] *Flos sanctorum,* Barcelona, 1688, I, pp. 101-102, siguiendo la *communis opinio* de los jesuitas, recogida también en el monumental comentario a la *Biblia* de Cornelius a Lapide (*In Matth. II,* vol. XV, ed. París, 1889, pp. 75-76). Que era una estrella nueva lo asegura San

guía de las demás del firmamento en que no había sido creada juntamente con ellas, sino en el tiempo fijado del nacimiento de Cristo, y
en que no se encontraba en el octavo cielo, sino en medio del aire o muy
cerca de la Tierra. Esta doctrina, que venía a ser la enseñanza oficial
de los jesuitas, podía muy bien ser recordada incluso por los rudos
marineros que creían pisar la tierra de los Magos y se sentían voceros
de Cristo en los últimos confines del mundo habitado: también a ellos
había de prestarles socorro una estrella distinta de todas las del resto
del firmamento[35]. Por otra parte, el cometa, señal en ocasiones de mal
agüero, venía también a realzar la complacencia de Dios en los españoles, su pueblo elegido. Cuenta Pedro de Valdivia que, cuando los
indios estaban atravesando el río de Biobío para atacarlos, «cayó un
cometa entr'ellos un sábado a mediodía; y d'este fuerte donde estamos
la vieron muchos christianos ir para allí con muy mayor resplandor que
otros cometas salir, e que caída salió d'ella una señora muy hermosa
vestida también de blanco y que les dixo: 'Serví a los christianos y no vais
contra ellos'»[36]. Por otra parte, las luces que acompañan siempre a lo
sagrado y divino hacía tiempo que conformaban también el fabuloso
paisaje insular. Cuando se arriba a la «isla de Promisión de los Santos»,
una inmensa luz rodea la navecilla de los monjes irlandeses que viajan por
el Océano encomendados a la protección de Dios, ya que en esa tierra no
existe noche, sino solo día, pues el propio Jesucristo es su luz; pero a ella
sólo llega San Brandán y compañía[37].

Ambrosio (*In Lucam* II 48); era *uerbum Dei*, «la palabra de Dios», según el Libro de la infancia
del Salvador, 94 (p. 292 Santos Otero). No la hace figurar entre los cometas Gundel, *RE* s.u.
'Kometen' c. 1187, 52ss. Según el evangelio del Pseudo-Mateo (13, 2 [p. 221 Santos Otero]), en
la cueva de Belén reinaba la oscuridad y las tinieblas hasta que entró en ella la Virgen María;
resplandeció entonces toda la gruta con la luz divina, como si brillara el sol. Hasta su boca
precisamente había guiado a los Reyes la estrella, como indica el protoevangelio de Santiuago
(21, 3 [p. 182 Santos Otero]). Estrellas mágicas que descienden del cielo aparecen con cierta
frecuencia en el s. XVI: un ejemplo típico es el suceso acaecido en el lugar de Peñas de San
Pedro, el domingo 24 de mayo de 1517, con gran aparato de cruces y luminarias (cf. R. Alba,
*Acerca de algunas particularidades de las Comunidades de Castilla tal vez relacionadas con el supues-
to acaecimiento terreno del Milenio Igualitario*, Madrid, 1975, p. 96).

[35] Ya una simple hoguera es comparada a la estrella de los Magos (G. Fernández de Oviedo,
Historia, XX [*BAE* 121, p. 359 b]).

[36] En carta fechada en la Concepción del Nuevo Extremo el 15 de octubre de 1550, § 72
(A.G.I., Chile 18).

[37] *Vita prima sancti Brandani*, XIII (C. Plummer, *Vitae Sanctorum Hiberniae*, I, p. 106),
LXIV (p. 133) y LXV (p. 134). Es de notar que la claridad de la isla no proviene de ninguna
causa material: es el propio Cristo su luz. De la misma manera cuenta el Pseudo-Calístenes (II 40
Müller) que en la región de los bienaventurados Alejandro vio un resplandor sin sol ni luna ni
estrellas. Las coincidencias que existen entre las islas afortunadas de los distintos siglos no paran
ahí: hay que observar asimismo que la isla de la Promisión de los Santos estaba dividida en dos
por un río, al igual que la Tapróbana de Solino: en la primera una parte era inaccesible a los
mortales, pues estaba reservada para los justos en el fin de los tiempos; en la segunda la mitad de

Ni al más lerdo se le escapa que el país bienaventurado está fuera del alcance del común de los mortales. Bien sabe Píndaro [38] que ni por mar ni por tierra se puede hallar el camino que conduce al lugar encantado de los Hiperbóreos, a los que sólo llegó Perseo utilizando las sandalias aladas. Esta exclusión parece razonable y lógica, dado que muy pocos son los llamados a entrar en la tierra de promisión. Sin embargo, este mismo encubrimiento natural hace que, de manera obligada, la indicación luminosa resulte imprescindible, como ocurre con todas las islas misteriosas. La isla deshabitada del Brasil, situada según se decía en el paralelo de Lisboa, raras veces podía ser vislumbrada por los navegantes [39]. Se trata de una antiquísima tradición marinera: a la isla frontera a la tierra de los Ciclopes llegaron las naves de Ulises sin que fuera perceptible el quebrar de las olas en la playa; tampoco brillaba la luna y cubría el firmamento un aire espeso e impenetrable [40]. Por otro azar venturoso se llega a una isla pródiga en tesoros: Plinio [41] cuenta que unos piratas trogóditas, al arrancar impulsados por el hambre unas hierbas en una isla de Arabia, descubrieron topacios; mas a la isla, llamada precisamente Topacio, muy rara vez podían llegar los navegantes a causa de estar oculta por la niebla. De la misma manera se habló después de una isla del Ambar, descubierta a la ventura y que más tarde volvieron a rastrear en vano los marineros portugueses, bien «por los castillos de vanidad que hicieron cuando la hallaron», bien por el secreto designio de Dios que les impidió enriquecerse por el bien de sus almas, como filosofaba García de Orta [42].

Durante la Edad Media estuvo muy de moda la isla llamada precisamente «Perdida» [43], la más fértil tierra del mundo sin comparación, que fue encontrada por casualidad y después, a pesar de ser perseguida con afanoso ahínco, no volvió a ser vista jamás [44]; a esta isla se decía que había

la isla, deshabitada por los hombres, estaba poblada de monstruos (de esta división hablé en el volumen primero).

[38] *Píticas*, X 29ss.

[39] Así lo afirma Alfonso de Santa María en sus alegaciones para defender el derecho de la Corona de Castilla a la conquista de las Canarias en 1437 (L. Suárez Fernández, *Relaciones entre Portugal y Castilla en la época del Infante Don Enrique (1393-1460)*, Madrid, 1960, p. 266).

[40] *Odisea*, IX 146ss. Obsérvese que las naves de los feacios no necesitan de timoneles, pues ellas mismas saben su ruta, envueltas en densa niebla (*Odisea*, VIII 557ss.), como al azar navega asimismo la barquichuela de San Brandán. Una isla flotante es la de Eolo y también Delo, antes de dar a luz Leto a Apolo; y es de suponer que las islas Plotas de que habla Hesíodo (frg. 155-56 Merkelbach-West) debían su nombre a la misma característica (cf. F. Gisinger, *RE* XX 1, s.u. 'Plotai' c. 463 ss. y sobre todo A. B. Cook, *Zeus*, III 2, Cambridge, 1940, apéndice P, pp. 975-1016 [«Floatings Islands»]).

[41] *Historia Natural*, XXXVII 107-108, en el que se basa San Isidoro, *Etimologías*, XVI 7, 9.

[42] *Colóquios dos simples e drogas da India*, Lisboa, 1981 (edición del conde de Ficalho), I, p. 49.

[43] Pseudo-Honorio de Autun, *De imagine mundi*, I 36 (*PL* 172, c. 132-33).

[44] Habla de la «Perdida» Ganilón de Marmoutiers en su *Liber pro insipiente adversus Ansel-*

llegado San Brandán en su famoso viaje. El ocultamiento se debía a que una enorme negrura abrazaba la tierra durante siete años, el plazo mágico pasado el cual cabía quizá la esperanza de dar con ella. No es de extrañar, en consecuencia, que en la primera mitad del s. XIV las navegaciones a Canarias estuviesen envueltas en la bruma y el encanto del misterio; para los mallorquines que habían estado en ellas después del viaje de descubrimiento y conquista de Francesc Desvalers (1342), se trataba nada menos que de las «insulas vocatas perdudes uel de Canaria»[45], de aquellas «islas perdidas» que constituían el sueño dorado de todo nauta; y no otra denominación reciben en el *Libro del conoscimiento de todos los reynos e tierras e señoríos*[46]: «las islas perdidas, que llama Tolomeo las islas de la Caridat». Bajo esta luz se aclara un pasaje de Boccaccio que hasta ahora ha sido mal interpretado: al historiar el viaje realizado en 1341 a las Canarias por el genovés Niculoso de Recco y el florentino Angelino del Tegghia de Corbizzis, hace mención de las islas «que llamamos en romance "Encontradas" *(quas uulgo repertas dicimus)*, denominación que ha sorprendido a todos, incluido Ch. Verlinden[47]; mas es natural que tomaran tal nombre unas islas que hasta entonces habían sido conocidas como «Perdidas». En cualquier caso, las Canarias recibían entre el pueblo el nombre de islas Afortunadas, recogiendo la tradición clásica y aunándola con la mágica riqueza de las Perdidas.

5. *Saba y Santa Isabel de la Estrella*

Pero volvamos al Pacífico. Otro detalle muy significativo confirma que los españoles creyeron haber dado con la isla de los Reyes: Mendaña señala que esa bahía, que denominó de la Estrella (nombre que después se extendió a toda la isla: Santa Isabel de la Estrella), se llamaba en lengua indígena Samba[48]. Por ley fatal había de imponerse la analogía,

---

mum in Prologo ratiocinantem (PL 157, c. 246ss.; cf. L. Olschki, *Storia letteraria delle scoperte geografiche,* Florencia, 1937, p. 47). Para el plazo de siete años, cf. *Vita prima sancti Brandari,* LXIV [p. 133 Plummer]); Las Casas, *Historia* I 7 *(BAE* 75, p. 35b).

[45] No entiende esta denominación F. Sevillano, «Los viajes medievales desde Mallorca a Canarias», *Anuario de Estudios Atlánticos,* XVIII (1972) 37 (el texto en p. 49). En cualquier caso, las Canarias recibían el nombre más clásico de «islas de la Fortuna» o «Afortunadas» entre el pueblo (ibidem p. 20: *ad partes insularum nouiter repertarum et uulgariter nominatarum insulas Fortunarum* [mejor en p. 47 *Fortunatarum*]).

[46] Editado por M. Jiménez de la Espada, Madrid, 1877, p. 49, 58.

[47] *Monumenta Henricina,* I, p. 202 n. 3, donde se reproduce el desafortunado comentario de Ch. Verlinden («les Canaries ne se sont jamais appelées *Repertae*»).

[48] «Sabo» dice Hernán Gallego (A.G.I., Patron. 18, 10 4); de «provincia de Samba» habla Sarmiento (A.G.I., Patron. 18, 10 8 (n.º 2) f. 12v, 15v, 17r); «Sonba» escribe la relación breve (A.G.I., Patron. 18, 10 5), «Canba», i.e. «Çanba» Catoira (C. Kelly, *Austrialia Franciscana,* II, p. 42).

pues se trataba de un nombre demasiado sonoro y sugestivo para que no sufriera una pronta deformación. Cuando en 1569 el maese de campo de Mendaña, Pedro Ortega, pidió por sus servicios merced de 10.000 pesos de renta en un repartimiento de indios vaco o que vacare, en las probanzas vemos decir una y otra vez, como al alférez Andrés Morales, que «la primera tierra que la dicha armada vino en que saltó la gente d'ella fue la isla de Saba, a quien pusieron de Santa Ysabel, y es más de mill e seiscientas leguas de esta ciudad de los Reyes»[49]. Con esta denominación se cierra el círculo: la flota va en busca de las minas bíblicas bajo la advocación de los Reyes Magos, y éstos con su estrella por guía los conducen a Saba, su isla. Por ello fue inútil que Mendaña evitara cuidadosamente dar un nombre al archipiélago: el vulgo hubo de llamarlas de inmediato «islas de Salomón»[50], que es como las conoce la posteridad. En 1580 Sarmiento prefirió hablar de «islas de Nombre de Jesús del Poniente, vulgarmente llamadas islas de Salomón», pero fue el pueblo indocto quien tuvo en esta como en otras ocasiones la última palabra; el nombre de «islas de Salomón» aparece ya en un despacho del licenciado Juan de Horozco, dado en Guadalajara el 20 de marzo de 1569[51]. Además, Santa Isabel cumplía con los requisitos, en verdad no muy difíciles de hallar en el Pacífico, que la leyenda exigía a la isla fabulosa. En primer lugar, como San Bartolomé, se hallaba ceñida de arrecifes en los que rompían las olas; después, según requería la tradición peruana, un volcán se alzaba cerca de ella en la isla Sesarga, levantando espesas humaredas hasta el cielo. Por esta razón se comprende la alegría con que los navegantes, en el segundo viaje de Mendaña, divisaron el volcán grandísimo de Santa Cruz, así como los hombres de Quirós, exhaustos, celebraron con júbilo el haber encontrado en el mar restos de piedra pómez[52]. De esta suerte, por segunda vez en un siglo, una Isabela pasa a la cartografía aureolada con un halo de misterio.

A su vez, la leyenda de la isla de Salomón se enlaza en el Pacífico austral con otros mitos, en los que ya apenas cabe discernir entre el ingrediente clásico y cristiano y la tradición indígena. En efecto, aquellos

---

[49] A.G.I., Patron. 18, 10 4 (se trata de la octava pregunta de la probanza). De «Saba» hablan también Diego de Aguilar (f. 28v), Pedro Rodríguez (f. 31v), Gaspar Luis (f. 45r), Alonso Gutiérrez (f. 49v), Francisco Hernández (f. 59r), Hernando Lamero (f. 62v) y Diego de Santo Domingo (f. 67v). Sólo Andrés de Morales se refiere a «Sabax» (f. 12v).

[50] A.G.I., Patron. 18, 10 6, en el expediente de maestre Agustín Felipe.

[51] A.G.I., Guadal. 51, n.º 145 (C. Kelly, *Austrialia Franciscana*, IV, p. 430). No aventura ninguna hipótesis sobre el origen del nombre C. Jack-Hinton, *The Search for the Islands of Solomon 1567-1838*, Oxford, 1969, p. 79ss., aunque anota a mi juicio sin razón: «none of the principal expedicionarios could have imagined that they have discovered the Ophir of King Solomon».

[52] Cf. la relación de fray Martín de Munilla en C. Kelly, *Austrialia Franciscana*, I, p. 51 (3 de abril).

ingas que, según algunos cronistas, navegaban a las islas del Océano, eran
identificados por otros nada menos que con los gigantes, cuyos restos,
confundidos con los descomunales huesos prehistóricos, movían a extrema curiosidad y asombro a los españoles en Indias. El virrey Mendoza
pudo averiguar en Lima que los gigantes habían llegado al Perú en alma-
días de juncos, por lo que se dio por cierto que residían en islas más o
menos cercanas al continente; de estos seres desaforados, que habían
arribado a Puerto Viejo «en unas canoas de juncos», habla también Juan
López de Velasco[53], que enlaza esta leyenda con tradiciones bíblicas.
Pues bien, un nebuloso conquistador, Pero López, que pasó con Mendaña a la Península en 1572, atestigua en la relación de su viaje que éste era
precisamente el objetivo que perseguía la expedición enviada por Castro,
de suerte que, al no haber dado la armada con ellos, «no se ha podido
saber ni descubrir en qué parte o tierra habitan estos gigantes»[54]. En
consecuencia, otra vez el ciclo vuelve a repetirse, pues también los navegantes de época colombina habían topado en las Antillas con islas de
Gigantes, trasladadas ahora al Pacífico. Es de suponer, por tanto, que de
la misma manera se exportaron a la Mar del Sur todos los demás esquemas míticos que, sin embargo, no llegaron entonces a ponerse por escrito,
como sucedió en cambio en el hemisferio boreal con las amazonas de
California o con la Giganta, reina de una isla fabulosa.

6. *Competencia internacional y rivalidades indianas*

El redoblado interés de los españoles por el Pacífico no pasó desaper-
cibido a la atención alerta de los mercaderes extranjeros, así como el
apresto de la flota de J. Cartier en 1540 llegaba puntualmente a conocimiento de Cristóbal de Haro por medio de sus agentes comerciales[55]. En
este caso, la quimera austral sedujo a un comerciante asentado en Lisboa,
Francisco Albaigne. No es un azar que el 4 de enero de 1567 el embajador francés en España, Fourquevaux, instara a Catalina de Médicis a ocupar «certaine nouvelle terre très riche» que no habían descubierto todavía los reyes de España y Portugal y que no era otra que la *terra incognita*
de los mapas de la época: quien había de marcar el rumbo de las naves
era un piloto portugués, Bartolomé Velho, que, por desgracia para todos,

---

[53] *Descripción universal de las Indias* (*BAE* 248, p. 225 b).
[54] Pero López, *Rutas de Cartagena de Indias a Buenos Aires*, ed. de J. Friede, Madrid, 1970, p.
38ss.
[55] Se le encargó a Haro de la tarea de recabar información por real cédula dada en Madrid a
9 de octubre de 1540 (A.G.I., Indif. 423, vol. XIX, f. 398r). Fue despachado Juan de Guernica
con una carabela a espiar los movimientos de los franceses (A.G.I., Indif. 423, vol. XX, f. 504v
[Madrid, 8 de julio de 1541]; la orden de finiquito a Guernica *ibidem*, vol. XX, f. 539r).

murió a poco de pasar a Francia. La idea de colonizar esa «tercera parte del mundo», que se encontraba a 30° S., fue sostenida después por el benjamín de la familia, Andrés Albaigne, y despertó un vivo interés en el gran Coligny[56]. La matanza de la noche de San Bartolomé (1572) puso fin a estos proyectos, que demuestran hasta qué punto las potencias europeas estaban al tanto de los planes de sus rivales y cómo, en cualquier momento, se podía desatar entre ellas una competencia encarnizada por el imperio ultramarino. Incluso después del asesinato de Coligny la posibilidad de que se realizara una expedición francesa al Pacífico trajo en ascuas a la Corte española. El 14 de abril de 1578 Juan Bautista Gessio anunció que se estaban armando en Bretaña 20 navíos de alto bordo, con destino desconocido; pero era de temer que esta gran flota llevase «la derotta del Estrecho para el discoprimiento de la China y islas de aquella mar». Convenía abrir mucho los ojos: «lo esemple de la Florida deve haçernos avisados», concluía sentencioso el cosmógrafo[57].

No podía ser de otro modo, si bien se mira, pues el incesante e indiscreto trajín portuario impedía que las noticias de los descubrimientos se mantuvieran en secreto. Uno de los hombres que habían financiado la expedición de Mendaña —según él, con 4.000 ducados y encima constreñido a ello por el licenciado Castro—, el piloto Gonzalo de Mesa, transportaba buena parte de su hacienda en un bajel de su propiedad cuando fue capturado en las islas de Barlovento por un corsario francés[58]. Este, sabedor de que el español conocía la navegación de las islas de Salomón y de la Mar del Sur, le rogó e importunó mucho a que se uniera a su banda; la firme negativa de Mesa estuvo a punto de costarle la horca, de la que lograron salvarlo las súplicas del piloto del corsario, un portugués conocido suyo que estaba casado con una vecina de Moguer; y aun así Mesa fue arrojado desnudo a una isla desierta vecina a la Margarita[59]. En los años setenta era ya pública y notoria, en consecuencia, no ya la existencia de la jornada, sino hasta la identidad de los participantes en ella, y la idea de entrar en la Mar del Sur comenzaba a tentar a los corsarios. En 1576,

[56] Cf. Ch.-A. Jullien, *Les voyages de découverte et les premiers établissements, XVe-XVIe siècles*, París, 1948, p. 266 ss.

[57] A.G.I., Patron. 24, 43.

[58] A.G.I., Indif. 1095, 16 n.° 189.

[59] En A.G.I., Patron. 18, 10 7 se encuentran las probanzas realizadas por Mesa en Sevilla en junio de 1592. La quinta pregunta se refiere a su captura por el corsario francés que lo «quiso llevar a Francia y me prometió quinientos ducados... porque lo llebase al Pirú a robar y hurtar». El testigo que parece estar más enterado del intríngulis del asunto, el piloto mayor Antón Pablo, declara que «supo por cosa muy cierta que el dicho Gonçalo Mesa abía pasado a la Mar del Norte [después de la jornada a las islas de Salomón] y en ella le cautibaron françeses». De todas maneras, la captura hubo de ocurrir en 1570-75, antes de la expedición de Valdés y Sarmiento al Estrecho de Magallanes, en la que participaron tanto Mesa como Antón Pablos.

siguiendo la lógica de los acontecimientos, embocó el Estrecho de Magallanes la nave de Drake.

El viaje de Mendaña provocó por otra parte un natural nerviosismo en los pobladores de Filipinas. El hijo de Legazpi, Miguel, enterado del descubrimiento de las islas de Salomón, reclamó en 1569 para su padre no ya la colonización de las islas de los Ladrones, como éste había pedido, sino también la conquista de Nueva Guinea, «porque de la Nueba Guinea se tienen grandes esperanças y en la conquista d'ella podría Vuestra Alteza ser más servido, por ser como es cosa muy importante, demás del servicio que Nuestro Señor reçebirá en la conversión de aquellos ánimos» [60]. Ante las alarmantes nuevas que corrían sobre los éxitos de Mendaña y estimando lesionados sus derechos, el propio Miguel López de Legazpi se creyó en el deber de manifestar al rey sus quejas el 25 de junio de 1570:

Acá se ha tenido por nueva, que lo escriven de México, que cierta armada, que en nonbre de Vuestra Magestad salió del Pirú a descubrir la Nueva Guinea y otras tierras a estas partes del Poniente, trae por instrucción que pueblen todas las tierras que se incluyen desde diez grados de la equinocial a la parte del Norte hasta sesenta grados de la otra parte del Sur corriendo al Poniente. Lo cual no se deve creer, porque, como Vuestra Magestad save, de la Nueva España y armadas que d'ella an salido en nonbre de Vuestra Magestad an descubierto muchas islas y tierras hasta la equinocial y a la parte del Sur [61].

Hasta cierto punto, los recelos de Legazpi eran justificados. Por esta razón, durante mucho tiempo se miró con suspicacia desde Manila la posible competencia peruana; para atajar de raíz esa posibilidad se puso cuidado exquisito en señalar siempre, viniera o no al caso, la proximidad de Filipinas a los nuevos objetivos, proximidad que parecía otorgarle derecho de conquista. Entre los títulos de que se enorgullecía la ciudad de Manila ante el rey en 1588 figuraba el de estar cerca de «otras muchas tierras qu'están vistas y por pacificar, como son las islas de Salomón y la Nueva Guinea» [62], y lo mismo vino a repetir el incansable jesuita Alonso Sánchez en un memorial dirigido a Felipe II [63].

Tampoco le faltaron en el ínterin otros émulos a Mendaña. En 1573 el emprendedor prohombre de Chile Juan Jufré, inasequible al desaliento incluso después de recibir un desaire en sus pretensiones descubridoras, comunicó al virrey del Perú que una nao mercante procedente de Lima, tras treinta días de navegación, había llegado a tres leguas de una isla a la

[60] A.G.I., Patron. 23, 26.
[61] A.G.I., Filip. 6, 1 n.º 14.
[62] A.G.I., Filip. 27, 1 n.º 22.
[63] A.G.I., Patron. 24, 66 f. 57r (cf. Pastells, Catálogo, III, p. XV).

que no había podido arribar por falta de medios. Tan excitante nueva había encandilado al presidente y oidores de la Audiencia chilena, que les habían hecho merced de descubrirla y poblarla a él y a su yerno, D. Diego de Guzmán. Ya se anunciaba la partida de dos barcos, para ver lo que era y capturar algún indígena que les sirviera en el futuro de intérprete; pero no se descartaban otros proyectos de mayor envergadura. Jufré escribía que se encontraba a punto de terminar dos nuevas naves: la primera, de porte de 6.000 arrobas, estaría acabada en la primavera; a la segunda, de 3.000, sólo le quedaban tres meses para estar presta. Y aun se cebaba al virrey Toledo pidiéndole que enviara a Pedro Sarmiento de Gamboa: «sé a mucho tienpo que desea haçer la jornada», remachaba Juan Jufré[64]. Sólo faltaba la referencia a las islas de Avachumbi y Niñachumbi para que el cosmógrafo saltara de gozo. Pero no hay que preocuparse: muy pronto esa isla de Juan Jufré había de desdoblarse para cumplir mejor con el ritual mítico y también —¿por qué no?— con la realidad, ya que ha de ser identificada con las islas de Juan Fernández, como se desprende de la carta que el presidente Bravo de Saravia envió al virrey Toledo[65]; pero Toledo, ya a disgusto con las pretensiones de Mendaña, no debió de quedar satisfecho con el nombramiento de ese nuevo gobernador y capitán general de las islas del mar, por más que la noticia

---

[64] Carta dada en la Concepción a 23 de noviembre de 1573 (A.G.I., Chile 30). Dice Juan Jufré en palabras plagadas de errores: «Aquí se descubrieron unas islas viniendo de Lima. Aví\ni\éndose metido (tardado *Medina*) treinta días no llegaron a ellas con tres leguas por ser nabío de mercaderes y desaperçibido». Al respecto es fundamental el libro de J. T. Medina, *El piloto Juan Fernández, descubridor de las islas que llevan su nombre, y Juan Jufré, armador de la expedición que hizo en busca de otras en el Mar del Sur,* Santiago de Chile, 1918. El piloto nació hacia 1530, pasando a Chile, probablemente con Pastene, en 1550. Acompañó a Villagrá en su viaje a Chiloé en 1562 y estuvo presente en 1567 en la partida de las naves de Mendaña. El viaje en que descubrió las islas que llevan su nombre lo emprendió según Medina desde el Callao en octubre de 1574 con dos naves. Tras alcanzar el cargo de piloto mayor hacia 1589 murió en 1599. En esta biografía, que extracto de Medina, sólo discrepo de un punto fundamental, la datación del descubrimiento. No le falta razón a Medina (*o.c.,* p. 80-81 y nota 49) cuando afirma que la carta de Jufré carece de fecha, pero también es verdad que, como otros memoriales del mismo legajo dirigidos al virrey, lleva escrito en el reverso con letra del s. XVI y con tinta más oscura el año (1573); con esta data más temprana concuerda mejor el desencanto expresado por Jufré ante el hecho de que en Lima se le hubiera negado una jornada, sin duda la de Conlara, pedida con Picado en 1571. Por otra parte, en el original se lee de manera muy clara «nabío... desaperçibido» y no «nabíos... desaperçibidos» (*o. c.,* p. 199-200), error que induce a Medina a suponer que fueron dos las naves que realizaron el descubrimiento.
    En cuanto a Juan Jufré, emparentado con Francisco de Villagrá, nació en Medina de Rioseco en 1518 y pasó al Perú en 1536, donde participó en la jornada de Pedro de Candía y después en la de Diego de Rojas. Se unió después a Valdivia, luchando en Jaquijaguana contra Gonzalo Pizarro. Se casó con la hija de Francisco de Aguirre. Fue nombrado capitán general de Cuyo el 27 de setiembre de 1561; a principios de 1562 buscó la mítica Conlara (cf. p. 270) y el 28 de marzo del mismo año fundó en Cuyo la ciudad de la Resurrección, en sustitución volandera de Mendoza. En marzo de 1572 fue condenado por la Inquisición de Lima. Murió en 1578.
    [65] Publicada por J. T. Medina, *DIHChile*, XV, p. 93 y *El piloto Juan Fernández,* p. 127ss.

del descubrimiento llegó muy pronto a la Corte. Reina a continuación una nebulosa absoluta sobre el resultado de los preparativos de Jufré. De una larga navegación del piloto Juan Fernández queda constancia tan sólo en un memorial del cosmógrafo Juan Arias de Loyola [66], que para incitar a Felipe III a la conquista de la Austrialia le recordó que Juan Fernández salió de Chile con una nave pequeña y

aportó en tiempo de un mes a una costa... de tierra firme muy fértil y agradable, poblada de gente blanca muy bien afaicionada, de nuestra estatura, vestida de muy buenas telas.

Desgraciadamente, la prisa que llevaba el piloto lo obligó a regresar a puerto después de haber hallado una tierra que para unos es Nueva Zelanda y Tahití para J. T. Medina, que supone que la muerte de Juan Jufré en 1578 frustró el descubrimiento. La noticia, única, no puede descartarse sin más como falsa; pero mueve a sospecha que se inserte en los intentos cortesanos de dorar la píldora austral en las postrimerías del reinado de Felipe·III. Entre los informantes de Loyola se encontraba Pedro Cortés, a cuyo testimonio con razón otorga gran crédito Medina. En efecto, Cortés, maestre general de campo del reino de Chile, había servido 60 años en el remoto Nuevo Extremo, de suerte que sabía como nadie la historia de la conquista; él mismo, que se hallaba en Madrid en 1615, fue quien pidió que se le diera copia de todos los memoriales tocantes a su tierra de adopción, para dar claridad sobre cualquier particular «como persona qu'está en la Corte para este efeto» [67]. La verde ancianidad del soldado, cargado de tantos hijos y nietos como de deudas [68], y sus floridos relatos bélicos impresionaron vivamente hasta a un hombre de la categoría de Pedro de Valencia, que entre sus muchas ocupaciones también vacó para la crónica indiana; de 1615 data precisamente un memorial de Valencia indicando que se «occupa de muchos días a esta parte tomando relación del maese de campo Pedro Cortés de las guerras de Chile de tiempo de sesenta años y más, por ser esta parte de historia la más principal entre las cosas de Indias» y, por otra parte, la

[66] Lo dio a conocer J. T. Medina, *El piloto Juan Fernández*, p. 247.
[67] A.G.I., Indif. 1440 (vista en el Consejo del 9 de enero de 1615).
[68] En efecto, en Consejo del 22 de setiembre de 1615 se vio una petición de Cortés de recibir seis meses adelantados a cuenta de su sueldo; se le concedieron entonces 500 ducados, ni que decir tiene que de adelanto, que le fueron pagados del dinero consignado a la armada de Filipinas. Emprendió el viaje de vuelta en 1618. Se le concedieron entonces mercedes extraordinarias: paga (8 de enero de 1618, transmitiendo al monarca un «recuerdo muy apretado» [A.G.I., Indif. 1445]), licencia de pasar 6 criados y 4 esclavos (otorgada el 26 de enero de 1618 [A.G.I., Indif. 1445]) y recomendación al general de los galeones para su acomodo (A.G.I., Indif. 1446).

más descuidada por los anales[69]. En consecuencia, una afirmación del maestre merece todo respeto; mas no sabemos si lo que dice Loyola lo dijo también Cortés e ignoramos, además, hasta qué punto estaba al tanto este Néstor chileno de los descubrimientos marítimos de unos y de otros. En resumen, y con múltiples reservas, me sentiría tentado a aceptar la realidad de este viaje de Juan Fernández, fechándolo en 1574, como réplica inmediata de ese hallazgo insular de 1573 que parece fortuito; precisar más es imposible.

7. *Vieja y nueva Cosmografía*

En 1574 terminó el cosmógrafo y cronista real Juan López de Velasco su utilísima *Geografía y descripción general de las Indias*. En ella, como es lógico, no podía faltar la debida mención a las islas recién descubiertas por Mendaña, que entonces se hallaba precisamente en la Corte tratando de conseguir capitulaciones para una nueva jornada. Por tanto, el testimonio de Velasco se basa y recoge información de primerísima mano: Mendaña

llamólas de Salomón, porque en el Pirú había noticia de unas islas que estaban al Poniente, que decían deben ser de donde Salomón trajo el oro y riquezas que había en su Templo; aunque después acá, por el año de 70 ó 74, se descubrieron otras dos islas en el paraje y poniente de Chile que es más verosímil ser las de la sobredicha noticia, que también podrían ser las que llaman de Magallanes, unas islas que descubrió yendo navegando del Estrecho para las islas del Maluco año de 20[70].

Aunque López de Velasco tuviese por un despropósito la identificación de tales islas con Ofir y Tarsis, porque en tiempo de Salomón no podía emprenderse una navegación tan larga, resulta curioso su eclecticismo al enumerar con cautela suma las otras posibilidades, entre ellas la famosa isla del oro de Magallanes[71] y las islas a las que se refería Juan Jufré.

---

[69] A.G.I., Indif. 1440 (visto en Consejo del 12 de enero de 1615). Muy interesante es otro memorial de Valencia visto en Consejo el 13 de enero de 1616, y en el que expone cómo desde el año de 1614 tomaba notas y apuntes de Cortés; «pero es la parte que se a tomado el de 1615 más de tres tanto mayor que lo que se tomó aquel año...; demás de lo cual este año próximo se me an entregado por vuestro mandado muchos papeles, relaciones y cartas de los virreyes del Perú y de los governadores de Chile, de que e copiado y sacado en relación todo lo perteneciente a la parte de historia que me está encargada, particularmente desde el año de 1598 y desde la muerte de Martín García de Loyola» (A.G.I., Indif. 1443).

[70] *BAE* 248, p. 306.

[71] Identificada por Velasco (*ibidem*, p. 308 a), de manera improbable, con las islas descubiertas por Magallanes a 10 ó 20° de latitud S. El mismo pensamiento expresó Pedro Sarmiento de Gamboa, al evocar las islas de San Félix y San Ambor vueltas a encontrar, tras Magallanes, por Juan Fernández.

También en 1574 entró al servicio del rey de España un cosmógrafo italiano, Juan Bautista Gessio, a quien se encomendó precisamente la crítica de la obra de López de Velasco[72]. Es obligado lucirse en todo estreno, y Gessio, cumpliendo la norma, procuró por todos los medios a su alcance demostrar su sapiencia redactando un prolijo informe. De los múltiples errores que señaló en el manuscrito de Velasco este nuevo Aristarco nos interesa una rectificación tan sólo: la de que las islas de Salomón no se encontraban donde Velasco decía, sino a 24 ó 30° de latitud Sur. Es claro que esta suposición gratuita, que se acuesta más a las ideas de Sarmiento de Gamboa y de Urdaneta, enlaza con un memorial sin fecha en el que Gessio apremiaba a navegar por la mar del Sur al Maluco «al descubrimiento de la tierra de treinta hasta cuarenta y cinco grados en altura del Sur frontero de la costa del Perú y Chile, la cual se congettura sea la mejor hasta oy que se aya descubierto», y supone que «va continuada con el Estrecho hazia la Nueva Guinea frontero de Chile»[73]. Entre el pueblo, no obstante, siguió pensándose que las islas de Salomón se hallaban allá donde las había descubierto Mendaña. El jesuita Alonso de Sandoval, pergeñando en el otoño de su vida, en Cartagena de Indias, su obra magna sobre la redención de los negros esclavos, la hizo preceder de un extenso tratado geográfico, en el que mencionó de manera vaga la existencia de una «tierra no bien conocida», el imperio de Bongay o Nueva Guinea, «passadas las islas que... llaman de Salomón, situadas... unas debaxo del trópico de Capricornio y otras en nueve grados»[74].

Los nuevos y sensacionales descubrimientos habían dejado totalmente anticuado el padrón de la Casa de la Contratación, sobre todo en lo que atañía al Pacífico; sin embargo, la desidia, la rutina y la inercia hacía tiempo que carcomían el gigantesco y admirable aparato administrativo. En 1578 el discreto cosmógrafo Rodrigo Zamorano se sumaba a la propuesta hecha por Alonso Alvarez de Toledo para enmendar el padrón, en

[72] Editada por M. Jiménez de la Espada, *Relaciones geográficas de Indias*, Madrid, 1897, III, p. XXXIII. El mismo hipercrítico Gessio emitió el 18 de febrero de 1578 un informe contrario a la publicación de la Geografía de Francisco Hernández (cf. G. Somolinos, *Francisco Hernández, Obras completas*, México, 1960, I, p. 268). Empezó a trabajar el cosmógrafo el 19 de enero de 1574, con una paga de 10 ducados mensuales dados por el Consejo. Al morir el 14 de setiembre de 1580 dejó «una esfera de cobre, un ánulo, una red y un reloxe en forma llana también de cobre, dos globos celestes y terrestres de cartón y otro pequeño también terrestre y de cartón, los cuales han sido tasados y estimados en muy poco por ser casi todos mal tractados y rotos y faltos, y por esta razón no se han vendido hasta agora». En sus mandas declaró que debía al italiano Pompeo León, escultor de Su Majestad, cien reales sobre una sortija de siete diamantes; también tenía en su alojamiento tres o cuatro libros propiedad de Juan de Herrera (cf. A.G.I., Patron. 261, 2).

[73] A.G.I., Patron. 33, 9.

[74] *De instauranda Aethiopum salute*, Sevilla, 1627, libr. I, cap. 1.

el que, además de estar mal delineadas la Florida y la costa septentrional del golfo de Nueva España, las islas de Barlovento aparecían con un error de medio grado de longitud. Asimismo, añadía,

conviene que se pongan en él las islas y tierras que en aquella mar [del Sur] se han descubierto desde el año 1549, en que el patrón se hizo, asta aora, cuales son las de Salomón, las Philipinas y costa de la China, para lo cual es necessario que las relaciones que a Su Magestad se enbían de aquellas tierras se enbíe copia d'ellas a la Contratación[75].

Este razonable proyecto tropezó con la más intransigente oposición por parte de Alonso de Chaves, que sólo supo esgrimir un argumento de autoridad: en el padrón de 1535 habían trabajado más de ochenta cosmógrafos, pilotos y maestres experimentados en la navegación de Indias: ¿se había de modificar tamaño monumento de erudición por el parecer de uno solo, Alvarez de Toledo? Los pilotos, a su vez, algunos de ellos analfabetos, argumentaron por la cuenta que les traía que los que gobernaban las naves eran tan diestros que tomaban su rumbo sin hacer uso de las cartas de marear. De esta suerte los intereses personales y corporativos primaban sobre el interés común y el más feroz conservadurismo cortaba las alas a toda empresa innovadora.

8. *Los nuevos preparativos de Mendaña*

Mientras tanto, a su regreso al Perú no encontró Mendaña la calurosa acogida que esperaba tras su asombroso descubrimiento. El puntilloso virrey Toledo, poco amigo de conceder licencias para entradas, mucho menos lo era de aventurar en el mar una costosa flotilla que a la postre, como la de Mendaña, no había tenido efecto, y a la que, incluso en caso de tener éxito, sería muy difícil de socorrer[76]. Aun así no dejó de reconocer Toledo que el adelantado había trabajado «bien y con más cordura de la que llevaban sus años»[77], por más que esperaba ser blanco de sus

---

[75] A.G.I., Indif. 1095, 1 n.º 20 b/1.

[76] Así dijo en carta del 8 de febrero de 1570 § 3 (A.G.I., Lima 28-A, f. 42ss.). El inglés H. Hawkes, vecino de México largos años, dio otra versión del fracaso: a pocos grados de latitud Sur los españoles encontraron una gran isla, poblada de una muchedumbre de negros, razón por la que no se atrevieron a desembarcar, desconfiando de la flaqueza de sus fuerzas; de ahí la mala acogida que se les dispensó a la vuelta (en R. Hakluyt, *The Principall Navigations, Voyages and Discoveries of the English Nation*, Londres, 1589, p. 550; Hawkes parece confundir los viajes de Ortiz de Retes y Mendaña).

[77] A.G.I., Lima 28-A, ff. 46-47.

críticas[78], cuyo contenido a cualquiera se le alcanzan, ya que en realidad el virrey del Perú se negaba a poner en práctica lo que había realizado con fortuna el virrey de México. Mendaña[79] achacó después esta oposición a la enemiga que tanto Toledo como el licenciado Loarte, presidente de la Audiencia panameña, profesaban a su tío, el licenciado Castro; pero tampoco cabe olvidar el personal antagonismo que enfrentaba a Mendaña con Sarmiento de Gamboa, personaje que con su encanto particular había logrado ganarse tan por completo el ánimo de Toledo, que éste llegó a escribir que las famosas islas se habían descubierto «por industria de Pedro Sarmiento»[80], su gran cosmógrafo e historiador. En estas circunstancias adversas no le quedó más remedio a Mendaña que pasar a la Península a tramitar sus asuntos, donde invirtió tiempo y dinero hasta lograr del rey el 27 de abril de 1574 la ansiada capitulación para volver en demanda de sus islas[81]. En Madrid se dio también buen arte para convencer a sus futuros oficiales, entre ellos a Francisco de Vargas, que, como capitán de infantería, reunió en Andalucía más de 300 hombres y que, cuando creyó deshecha la empresa, pasó a Potosí[82]. Así y todo, no le faltaron a Mendaña trabas e impedimentos, causados por las críticas que le llovían de todos los confines del mundo. En 1575 la misión franciscana que se disponía a embarcar en Sanlúcar de Barrameda con destino a las islas de Salomón recibió orden de Felipe II para encaminarse no ya a las tierras ofíricas, sino al más prosaico suelo de Filipinas, que necesitaba urgente socorro espiritual; así fue como la desconfianza y el recelo frustró la futura evangelización austral, haciendo posible a cambio la llegada de los primeros franciscanos a Manila, después de que los frailes, desengañados, vencieran a su vez grandes dudas y escrúpulos de conciencia: que no era lo mismo dirigirse a Tarsis que a Luzón.

En 1576, de nuevo en el Perú, Mendaña tocó tambores y enarboló bandera para pregonar la jornada, con sumo disgusto del virrey Toledo, que no obstante volvió a insistir en que Mendaña le parecía «buen mo-

---

[78] A.G.I., Lima 28-B, ff. 405-406, sin data (ha de ser 1572), § 75.

[79] En carta del 2 de junio de 1595 (A.G.I., Lima 132).

[80] En carta del 1 de marzo de 1572 (A.G.I., Lima 28-B, f. 24r). Según se expresaba el fiscal Carvajal el 3 de noviembre de 1579, Pedro Sarmiento era «hombre de no buena opinión en su cristiandad y virtud, aunque diligente y ábil» (A.G.I., Lima 93).

[81] Un resumen de las peticiones de Mendaña ante el Consejo se encuentra en A.G.I., Indif. 1084: se ofrecía a llevar 500 hombres sin paga ninguna, corriendo a cargo de la Hacienda real el coste de los cuatro navíos y de la munición (21 y 31 de mayo de 1572 [vol. I, f. 74r y 76r; cf. asimismo f. 94v, 191r, 315r, 315v, 385v, 469r, 469v, 495r; vol. II, f. 62r, 83r, 113r, 117v, 123r, 286v]). Se le pidió una fianza de 10.000 ducados, que se declaró dispuesto a satisfacer el 9 de marzo de 1574 (ibidem, vol. II, f. 62r). El 8 de enero de 1575 se quejó de que no se le permitiera enarbolar bandera (A.G.I., Indif. 1085).

[82] Información de servicios de Vargas en Potosí en 1610 (A.G.I., Charcas 87).

ço»[83], disculpándose así de posibles censuras. Cuando todo parecía en vías de solución, la aparición de Drake en aguas del Pacífico desbarató los aprestos, pues los hombres del adelantado fueron empleados en la defensa de la costa y persecución del inglés. No obstante, esta inesperada y muy preocupante correría justificó también la proyectada navegación, ya que, como observó el licenciado Cepeda, presidente de la Audiencia de La Plata[84], el único sitio donde podía asentarse un corsario era en las islas del Poniente, que había que ocupar cuanto antes avivando a toda prisa el despacho de Mendaña. Así se explica el apremio con que el conde de Villar instó al adelantado a que se hiciese a la vela[85]. Sin embargo, no fue hasta la llegada del segundo marqués de Cañete cuando Mendaña comenzó a gozar de gran prestigio y predicamento: entonces lo vemos asistir a las juntas de guerra convocadas por el virrey, juntamente con su antiguo maestre de campo Pedro de Ortega Valencia[86], o bien visitar las galeras y navíos de la Mar del Sur, haciendo los cargos correspondientes al corso Miguel Angel Felipón, que durante muchos años había sido almirante y teniente general de la armada[87]. Es que Cañete tenía a Mendaña por hombre «muy cuerdo y honrado» y de él esperaba «que arranque un buen golpe de gente d'esta tierra», una de las obsesiones de todos los gobernantes del Perú. El 20 de enero de 1595 ya se había rematado el galeón «San Jerónimo», la futura capitana, en 8.000 pesos, y había algunos extranjeros que contribuían a la empresa con su dinero y aun estaban dispuestos a participar en la jornada[88]. Por fin, el 2 de junio de 1595[89] Mendaña comunicó al rey que tenía aprestados dos navíos (el «San Jerónimo» y la «Santa Isabel»), una fragata (la «Santa Catalina») y una galeota (el «San Felipe») para el viaje, además de 354 personas, de las que l07 eran mujeres, niños y criados. El 17 de junio la armada largó velas del puerto de Paita.

[83] Despacho sin fecha, «recibido en el navío de aviso de 77», en A.G.I., Lima 30, vol. I, f. 7r § 10.

[84] En carta escrita el 21 de marzo de 1582 (A.G.I., Charcas 16, n.° 109).

[85] Carta del 25 de mayo de 1586 (A.G.I., Lima 31, vol. I, f. 62v § 4). Exigió antes Mendaña una renta, indios para hacer una sementera y bizcocho y harina para su sustento y el de la gente que llevaba (cf. la carta del virrey del 12 de abril de 1587 (A.G.I., Lima 31, vol. II, f. 32).

[86] Carta del virrey del 26 de febrero de 1590 (A.G.I., Lima 32, vol. I, f. 25).

[87] A.G.I., Lima 133. Figuró entre sus cargos el no haber perseguido a Cavendish. Un hijo de Miguel Angel Filipón y de doña Catalina Vello de Acuña abrazó el hábito mercedario en Lima (A.G.I., Indif. 1443).

[88] Cf. A.G.I., Lima 33, vol. IV, f. 3ss. y 29ss.=51ss.

[89] A.G.I., Lima 132.

9. Un proyecto contemporáneo: la isla Fontasia

No era Mendaña el único en forjar en Lima planes de navegaciones grandiosas. En la primavera (esto es, en setiembre) de 1594 pensaban salir para otro gran descubrimiento Alonso de Fuentes y Juan Roldán Dávila, a quien el primero había convencido de sus teorías después de catorce años de machacona insistencia. Como explica el propio Fuentes al rey el 9 de abril de 1594

he escrito tres libros que dediqué al Marqués de Cañete, vuestro Visorrey, con que le he incitado al descubrimiento de la gran isla que está debaxo del Antártico polo, a quien yo he puesto por nombre Fontasia de Mendoça, que tiene cinco mill leguas de circunferencia. Ase de entrar por la parte que se circunvezina a las islas de Moluco en el meridiano de la China y clima del Olimpo Potosí, que por aquella parte lleva mill leguas de costa debaxo de zona templada. Son verdaderas antípodas de España, Francia, Ytalia y Alemania. Es tierra frutífera, poblada de gente blanca que adoran ídolos. Abundan en oro y piedras preciosas y broçelana fina, y su rey d'ellos les tiene mandado con gravísimas penas que no admitan estrangeros, que deve ser ilusión del demonio para que no les alcance la boz evangélica. Ansimismo doy en ellos verdadera relación de unas islas que están en este mar al Oes-Sudueste d'esta ciudad [Lima] en distancia de cuatrocientas leguas, que los naturales solían vender a los valles de Chincha y Nasca, Hacari y Arica d'esta costa: a contratar traían oro con que conpravan mugeres y sal; y con la venida de los españoles se retiraron, y a cessado esta contratación [90].

Se trata, como se ve, de dos empresas en principio diferentes: el descubrimiento de unas islas cuyo nombre —Fontáurea, Monchilco y las islas de las Mujeres— se especifica en otro memorial, islas que estarían «pobladas de gente idólatra desde altura de doze grados treinta grados por el Sur» [91], y por otro de esa gran isla, la Fontasia, Fuente (o Fuentes, por su nombre) del Asia, que correspondería a la tierra firme buscada por Sarmiento, si bien, como ocurre en la primera expedición de Mendaña, ambos objetivos se funden en la práctica en uno solo. Antes, en la expedición de Mendaña, se había hablado de gigantes; ahora hacen su aparición las amazonas, en tardía réplica austral de la California. Este Fuentes tan parlero y quimerista podría ser el Alonso de Fuentes que en 1547, cuando rondaba los 32 años, publicó en Sevilla la *Summa de Philosophía natural dedicada al príncipe Felipe*, en realidad un ameno diálogo entre Vandalio (el andaluz, o séase el autor) y Ethrusco [92], y que en 1587 logró

---

[90] A.G.I., Patron. 18, 14.

[91] A.G.I., Patron. 18, 14 (petición elevada al rey el 25 de enero de 1595 para confirmación de esos títulos).

[92] Se queja en este muy curioso libro del «infelix hado d'esta mísera e insigne ciudad» que era y es Sevilla (f. CXIV-CXV) así como del desprecio que sentían los españoles hacia la ciencia:

imprimir en Alcalá de Henares su *Libro de los cuarenta cantos... dirigido a Don Pero Affán de Ribera, Duque de Alcalá, Adelantado del Andaluzía y Virrey de Nápoles,* obra notable por la particularidad de estar toda ella escrita en romances.

La base teórica de la expedición se reduce a cuatro ideas archisabidas, como son la existencia de islas ya buscadas por Sarmiento o la convicción de que la presunta tierra austral había de encontrarse en el mismo paralelo que las minas de Potosí, hipótesis verosímil que había de ser compartida por Sebastián Clemente en 1622 y en la que todavía había de creer J. Surville dos siglos después. Pero, además, ¿cómo iba a perderse una leyenda que había llegado en versión un tanto deformada a oídos de los navegantes extranjeros? En efecto, el 25 de noviembre de 1577 fondeó la nave de Drake en la isla de Mucho o Moucho, como escribe Fletcher con vacilante ortografía entre el castellano y el portugués. Los indígenas le prepararon una emboscada al intrépido corsario, cuya sorpresa y dolor ante tamaña perfidia quedó mitigado cuando cayó en la cuenta de que tan aviesa traición no estaba tramada contra esos benditos de Dios que eran los ingleses, sino contra los malandrines de los castellanos. Estaba claro —anota Fletcher— que los indios, que poblaban antes el continente, fueron obligados por la crueldad de los españoles a refugiarse en esta isla, «que es muy rica en oro y plata [93]». Ahora bien, ¿cómo es posible que en tan poco tiempo y con una sangrienta escaramuza de por medio pudiera Drake recabar tanta y tan preciosa información? Más bien parece que el gran marino está trasponiendo el plano de la imaginación al de la realidad: los indios de Mucho (esto es, la actual Mocha) recuerdan a los habitantes de Monchilco que, según Fuentes, contrataban con oro en los puertos peruanos hasta que se retrajeron del comercio a la llegada de los españoles.

Drake, al seguir su derrota, capturó en Valparaíso la capitana de Mendaña [94], de la que era entonces piloto Hernando Lamero, un veterano

---

«Usase tan poco entre ellos la sciencia y son tan poco aficionados a seguir cualquier género d'ella, que no solamente la quieren aprender, pero tienen en poco a cualquier d'ellos que la sigue, como a hombre que comete un caso de menos valer» (f. IIIr). Antes había escrito una *Summa de los hechos notables de las mugeres* (cf. CXVIr).

[93] *The World Encompassed By Sir Francis Drake, Beeing His Next Voyage to That to Nombre de Dios, Collated With an Unpublished Manuscript of Francis Fletcher,* Londres, 1854 (Hakluyt Society), p. 93ss. La isla se convirtió en un enclave estratégico de capital importancia para los corsarios, que aprendieron muy pronto el ejemplo de Drake: ya el 3 de diciembre de 1623 afirmó Pedro Páez Castillejo: «es muy conveniente y nezessario despoblar la isla de la Mocha y quitar de allí novezientos indios enemigos con más de dos mill almas de familias, porque dan bastimentos a los piratas y astería de picos y arcos a los rebeldes de tierra firme» (A.G.I., Chile 34).

[94] Efectivamente, allí se topó Drake con un barco llamado «the Captaine of Moriall (¿Mendaña?), or the Great Captaine of the South, Admirall to the Islands of Salomon» (*The World*

del adelantado. Por una curiosa coincidencia, la aparición de otro barco inglés dio también al traste con los planes de Roldán, a quien D. García Hurtado de Mendoza había nombrado ya gobernador, justicia mayor y capitán general del dorado hontanar de la Fontáurea y de las garridas y aguerridas amazonas. En efecto, cuando tenía aparejados dos navíos para ir al descubrimiento de las «Fontacias», vino nueva de que había entrado en la mar del Sur el corsario Richarte, es decir, Richard Hawkins. Cundió la alarma en Lima, y para hacer frente al intruso el virrey le pidió a Roldán uno de sus barcos, y éste «se lo dio aparejado y pertrechado, que le avía costado más de 30.000 pesos» [95]. Ahí parece que terminó la aventura marina, que al menos sirvió para que al nieto del aspirante a descubridor, llamado también Juan Roldán Dávila, se le concedieran el 30 de julio de 1613 1.500 ducados de renta anual por los servicios pretéritos de su antepasado, que contribuyeron a la captura de Hawkins.

10. *La herencia de Mendaña: Pedro Fernández de Quirós*

Como era de esperar, Mendaña en su segundo viaje no trató de descubrir nada, sino de arribar cuanto antes a las islas salomónicas, a las que llevó a su propia mujer, doña Isabel de Barreto [96], acompañada de tres de sus hermanos, así como a un grupo de colonos, alistados unos de grado y otros por la fuerza. En consecuencia, procuró mantener un rumbo constante entre los diez y los once grados de latitud, que le hizo toparse con

Encompassed by Sir Francis Drake..., Londres, 1854, p. 102). Sobre esta parte de su viaje cf. H. R. Wagner, *Sir Francis' Drake Voyage Around the World,* San Francisco, 1926, p. 99ss.

[95] A.G.I., Indif. 1485 (relación de servicios impresa en 1655 por Francisco de Haro, casado con la nieta de Juan Roldán Dávila, nieto a su vez según parece del famoso Francisco Roldán, el que se le amotinó a Colón). Otro memorial anterior del hijo, llamado también Juan de Roldán Dávila, se vio en Consejo de Indias el 30 de julio de 1613, que le concedió 1.500 ducados de renta (A.G.I., Lima 3, n.° 261; había pedido Roldán 6.000 pesos de renta por los más de 96.000 gastados por su padre [cf. asimismo A.G.I., Indif. 1436 con la remisión del Consejo de Gracia al acuerdo de julio de 1613; en Indif. 1437 se encuentra el parecer de la Audiencia de los Reyes, dado el 2 de mayo de 1612, a favor de que se le otorgara a Roldán 2.000 pesos de renta y un corregimiento]; otra solicitud del mismo personaje a una encomienda se vio en Consejo del 4 del 12 de marzo de 1624 [A.G.I., Lima 151]). El pirata no es otro que Richard Hawkins, el hijo del famoso Sir John; sobre su incursión, derrota y cautiverio a manos de D. Beltrán de Castro cf. la amena narración de Christóval Suárez de Figueroa, *Hechos de Don García Hurtado de Mendoça, Marqués de Cañete,* Madrid, 1616, p. 212, que no menciona -claro es- a Roldán. Hawkins -el Aquines de los españoles- escribió una especie de memorias, publicadas por C. R. D. Bethune, *The Observations of Sir Richard Hawkins Knight in His Voyage into the South Sea in the Year 1593,* Londres [Hakluyt Society], 1847. Y aun, para emular a Drake, el Richarte quemó uno de los navíos que pensaba llevar Mendaña (cf. C. Kelly, *Austrialia Franciscana,* V, p. 166).

[96] No arroja gran luz sobre la figura esta mujer aventurera y déspota el folleto de M. Bosch Barret, *Doña Isabel Barreto, Adelantada de las islas Salomón,* Barcelona, 1943.

las islas Marquesas de Mendoza primero y después con la isla de Santa Cruz, en la que el sin ventura adelantado, enfermo y deprimido, rindió su alma a Dios a los 54 años de edad el 18 de octubre de 1595. Salvando el descubrimiento, la expedición arrojó un triste saldo de muertes. La almiranta se perdió antes de tocar tierra; después, en Santa Cruz, hizo presa en los hombres una comprensible angustia ante la idea de morir en suelo extraño y desabrido, faltos de todo auxilio y muy lejos de Lima y de las riquezas prometidas. Un conato de motín fue sofocado con la muerte alevosa del maestre de campo y algunos soldados. A las rencillas internas vinieron a sumarse las bajas causadas por las enfermedades tropicales. Para remate, los belicosos indígenas, hartos de sufrir ultrajes y desmanes, comenzaron ellos a su vez a apretar a los españoles. Fallecido el 2 de noviembre D. Lorenzo Barreto, el mismo día 7 se abandonó el pueblo fundado en hora mala y el 18 se puso proa a Manila[97]. Sólo más tarde se cayó en la cuenta de que, si no se había llegado a Santa Isabel, la causa era que el piloto Hernán Gallego la había situado a menos longitud de la debida.

La viuda de Mendaña, una mujer de corazón de hierro, logró arribar tras viaje azarosísimo al puerto de Cavite el 11 de febrero de 1596. Para consuelo de su dolor, en la capital filipina trocó el traje de luto por el vestido de novia, casándose en segundas nupcias con un principal de Manila, D. Fernando de Castro, sobrino del gobernador de Filipinas Gómez Pérez Dasmariñas. El mozo era un buen partido, pues los favores que a D. Fernando le había dispensado su tío no habían sido en verdad insignificantes: en 1590, p.e., nada más llegado el nuevo gobernador a Cavite el 1 de junio, a Castro, almirante a la ida, lo nombró de inmediato capitán del tornaviaje a Acapulco, no sin que esta designación caprichosa levantara cierta enojada protesta por parte del virrey Velasco[98], contrario por otra parte a dejar en manos de los particulares el tráfico marítimo con las islas. En 1593 una sangrienta tragedia embarazó su brillante carre-

[97] Un hermano del descendiente de alemanes Pedro de Lespergue, el capitán Bartolomé Flores, «se perdió con el Adelantado Hernando de Avendaño [sic] en el descubrimiento de las islas de Salomón»; Lespergue era vecino de Santiago de Chile, donde hizo esta información en 1612 (A.G.I., Chile 33). La mujer de Pedro Lisperguer y madre del D. Juan Rodulfo Lisperguer pidió en atención a los muchos servicios de su familia una renta por su vida (A.G.I., Indif. 1436). Otra solicitud de Pedro Lisperguer en A.G.I., Indif. 1439.

De la nao derrotada dio cuenta Luis Pérez Dasmariñas, gobernador en funciones de Filipinas, el 6 de agosto de 1596 (A.G.I., Filip. 18-B, 6 n.° 214). Parte de los tripulantes de la capitana se estableció en Filipinas: así el armero Juan Alvarez de Escobar, Martín Ruiz de Sologuren, Francisco de las Osas y Pedro de Silva (A.G.I., Filip. 36, 2, n.° 42 y 42, f. 40v, 47r, 53r). Una lista de los que partieron en el Callao presenta C. Kelly, Calendar of Documents. Spanish Voyages in the South Pacific and Franciscan Missionary Plans for its Islanders, Madrid, 1965, pp. 399-409.

[98] Cf. A.G.I., México 22, 2 n.° 32 (22 de diciembre de 1590). A la ida había sido almirante en aquel mismo año de 1590 (cf. Pastells, Catálogo, III, p. CVI).

ra: mientras se dirigía al frente de una armada a la reconquista del Maluco, el hombre de armas que era ante todo Gómez Pérez recibió muerte traidora a manos de los remeros chinos al cuarto del alba del día 26 de octubre; pasado el primer desconcierto, que dio al traste con la jornada, su hijo Luis Pérez Dasmariñas, convertido en gobernador interino, volvió a recurrir a su brazo derecho, Castro, enviándolo sin fruto en 1594 a la China a dar alcance a la galera amotinada, con cartas y despachos para el emperador[99]. En cualquier caso, el previsible nombramiento de un gobernador propietario hacía esperar un cambio del juego de influencias en Filipinas, por lo que D. Fernando, presintiendo que su futuro se encontraba no en Manila, sino en el Nuevo Mundo, acogió con júbilo la llegada de una dama de postín como Isabel. El 16 de junio de 1596 el factor Juan Bautista Román se quejaba amargamente de que la tan intrépida como poco escrupulosa pareja se hubiese hecho a la mar en un «navío cargado de ropa y maravedíes adonde ellos quisieren aportar»[100]. Durante algunos años el matrimonio vivió en México, donde el conde de Monterrey, que lo hizo alcalde mayor de Tlascala, solía pedir el parecer de Castro en todos los asuntos tocantes a Filipinas[101]; después, al ser trasladado Monterrey al otro virreinato, Castro lo acompañó en su séquito al Perú, donde recibió el nombramiento de teniente de capitán general y después de corregidor de Quito. El marqués de Montesclaros lo tuvo ocupado mucho tiempo en las minas de Castrovirreina, y el marqués de Guadalcázar lo distinguió con el puesto de teniente de capitán general del puerto del Callao, cargo en el que tuvo ocasión de lucirse en las distintas correrías

---

[99] Cf. A.G.I., Filip. 18-B, 6 n.º 190 (20 de junio de 1595); Pastells, *Catálogo,* III, p. CCCXII y CCCXIV.

[100] A.G.I., Filip. 27, 5 n.º 99 § 11.

[101] Cf. A.G.I., Filip. 1, 1 n.º 41. El l2 de enero de 1607 el marqués de Montesclaros, vacante el puesto de gobernador de Filipinas, propuso en cuarto lugar a D. Fernando de Castro (A.G.I., México 27, 1 n.º 1). D. Fernando, siendo corregidor en Quito, cometió la imprudencia de poner al fiscal D. Blas Altamirano algunos capítulos de tratos y contratos y otras cosas más graves. En la causa subsiguiente perdió el pleito, siendo sentenciado al pago de muchas penas pecuniarias y al destierro, por haberse dado por nulas sus probanzas. Además, fue condenado a volver en persona a Quito a dar la residencia, a pesar de que ya la había dado y había sido declarado quito. Pidió entonces, cuando era ya gobernador de las minas de Castrovirreina, que se le permitiera darla por procuradores, solicitud que fue vista en Consejo el 22 de enero de 1611 (A.G.I., Indif. 1433). La verdad es que Castro no parece haber sido hombre que tuviera pelos en la lengua: el 14 de marzo de 1627 redactó una serie de consejos de gobierno, criticando el excesivo número de religiosos y quejándose de «ir las religiones chupando las mejores tierras» (A.G.I., Lima 158). Una relación de sus servicios se encuentra en A.G.I., Lima 40, vol. IV, f. 166r, cf. vol. II, f. 3r. Le repartió indios Montesclaros (A.G.I., Lima 38, vol. VII f. 146 [carta del virrey del 27 de marzo de 1619]). Una carta sobre el ataque holandés, con grandes alabanzas para el virrey, fechada el 4 de setiembre de 1624, se guarda en A.G.I., Lima 155. Fue propuesto para el corregimiento del Cuzco el 30 de junio de 1627 (A.G.I., Lima 3). Otras noticias en A.G.I., Lima 41, vol. IV (1628), f. 120; Lima 42, f. 102r. Sobre un pleito de Castro con Jerónimo López de Saavedra cf. A.G.I., Lima 160.

de los corsarios. Pues bien, el 28 de enero de 1598 Castro pidió al rey la
merced de poblar las islas occidentales de la Mar del Sur del Perú y de
heredar las concesiones dadas a Mendaña, por estar él casado con la
mujer que había sucedido legítimamente en los derechos del adelantado;
la única novedad de Castro estriba en la propuesta de hacer la jornada
desde la Nueva España[102]. Pero esta solicitud venía motivada por la
intromisión inopinada de un tercero que intentaba también él llevar a
feliz término el descubrimiento iniciado por D. Alvaro.

En efecto, no había de ser Castro el verdadero sucesor de Mendaña,
sino su piloto mayor en el segundo viaje, Pedro Fernández de Quirós.
Este hecho no deja de ser significativo. Ya Mendaña se había lamentado
en 1574 de la falta de pilotos experimentados en la navegación del Pacífico[103]; poco después, en 1577, el virrey de Nueva España se expresó al
respecto en términos muy tajantes: «todos [los pilotos] se an acabado,
que no queda uno diestro, que es Rodrigo de Espinosa»[104], el que había
tomado parte en el hazañoso tornaviaje de Urdaneta. La gran era de la
Marina española apunta a su ocaso, conforme el ideal de vida peninsular
magnifica cada vez más la figura del hidalgo aventurero y desecha el
cultivo de la ciencia y la mecánica por inútil y sospechoso de herejía. Así,
la época de los grandes descubrimientos españoles en el Pacífico se abre
con Magallanes y se cierra con Quirós, todo un símbolo del declive del
arte de navegar entre los castellanos. Pero ya antes se había reconocido la
valía y la superioridad de los extranjeros; en 1575, al escribir su *Itinerario
de navegación,* Juan de Escalante de Mendoza[105], aun reconociendo la
excelencia de los vizcaínos en ir «por costa y derrota», se había hecho
lenguas de los portugueses, «gente rara y particular» que a todas llevaba
ventaja «en navegar con destreza y diligencia por altura, cuenta y razón
por golfos largos y por mar muy alta y pasar y sufrir trabajos y hambres...
como suelen pasarse en los golfos y mares largos».

Mendaña había sido un soñador caballeresco, amable y tenaz, pero
carente de nervio y desprovisto de dotes de mando. A Quirós también le
faltaban cualidades para ser un buen capitán, pero le sobraba buena labia,
habilidad cortesana y alardes de Astronomía, pues pretendía haber mejo-

---

[102] A.G.I., Patron. 18, 10 8 f. 25-26.
[103] A.G.I., Indif. 1084, f. 286v (visto el lunes 19 de diciembre de 1574).
[104] En carta de 13 de abril (A.G.I., México 20, 1 n.º 2).
[105] *Itinerario de navegación de los mares y tierras occidentales,* Madrid, 1985, p. 47. De Gaspar
González de Leza, el piloto de Quirós, una mano anónima emitió un juicio muy duro, escríbien-
do al margen de BN Madrid, ms. 3212, f. 43r, con toda razón: «poco saber de piloto» (Leza
acababa de escribir: «según nos parecía, empesava el invierno de mayo en adelante, cuando el sol
está de la parte del Norte de la línea»). Sobre el portugués Sebastián Rodríguez (Cermeño),
piloto en la carrera de Filipinas y en el viaje de Quirós, cf. A.G.I., Indif. 1084 (16 de mayo de
1573) y p. 132.

rado los dos instrumentos de siempre: uno para conocer la diferencia hecha por la brújula al noroestear y otro para tomar las alturas del sol con más facilidad y certeza [106]. El 5 de junio de 1597 ya estaba de vuelta Quirós en Lima. Muy imbuido de su sapiencia, conocía también el portugués todas las triquiñuelas conducentes a realzar su valía. Al virrey del Perú le enseñó un mapa que, según afirmaba, había hecho durante el viaje, donde había marcado unas islas [las Marquesas] a diez grados de latitud Sur y a mil leguas de longitud de Lima, islas pobladas de «gente casi blanca, diferente de la que el Adelantado descubrió» en su primer viaje. Quirós en apariencia se mostraba muy modesto en sus aspiraciones: con una nave pequeña y 40 hombres estaba dispuesto a realizar, cual nuevo Colón, el descubrimiento de «muchas islas y tierra firme» [107]. Velasco no parece que acabara de enterarse bien de las peroratas y conferencias de Quirós; por otra parte, D. Fernando de Castro contradecía su derecho y no con débiles argumentos. Así, sumido en un mar de perplejidades, el virrey decidió aliviarse de preocupaciones y remitirlo a España. Se había embarcado ya el piloto en la armada de Tierra Firme, cuando un temporal obligó a la capitana de D. Luis Fajardo, en la que viajaba Quirós, a refugiarse de nuevo en el puerto de Cartagena de Indias. Desde allí el cosmógrafo dirigió una carta al rey, ya sin intermediarios, encareciendo el riesgo que suponía la travesía para su persona y la salvaguarda de sus papeles, esas preciosas cartas de marear que constituían la única clave para arribar a las islas de Salomón [108]. Esta angustiada misiva pone al descubierto el carácter de Quirós, hombre agonioso y muy amigo de misterios y de personalismos exclusivos, confundiendo en extraña mezcla ciencia y religión, todo ello dentro del barroquismo propio de la época, adobado con una vehemencia persuasiva que había de cautivar hasta al propio Papa Clemente VIII.

Las ideas de Quirós gozaron de gran predicamento entre los hombres cultos de Lima. El clérigo Sebastián Clemente, hermano del capitán de la almiranta de Mendaña [109], aseguró no sin exageración que se había descubierto «la tercera parte del mundo intermedia de una parte el Mar del Sur y de otra el Mar Bermejo», que se extendía nada menos que «cinco mil leguas continuas desde el Estrecho de Magallanes» [110]. Es de suponer que

[106] BN Madrid, ms. 3099, f. 9ss.

[107] A.G.I., Lima 33, vol. II, f. 26r (carta del 16 de abril § 15, en la que se anotó: «que se junte con las pretensiones de D. Fernando de Castro» y «éste [Quirós] venía en la nao de D. Luis Faxardo que arribó a Cartaxena»).

[108] El 15 de marzo de 1599 (A.G.I., SFe 94, 3 n.° 17).

[109] Debe de ser el capitán Lope de Vega, a quien Mendaña casó con su cuñada Doña Mariana de Castro.

[110] Una información de sus servicios hecha en Lima en abril de 1598 se encuentra en A.G.I., Lima 322.

Clemente considerara como las otras dos partes el gran bloque euro-asiático-africano y el Nuevo Mundo. De esta suerte el globo, como en tiempos de San Isidoro [111], volvía a desgranarse en tres grandes continentes: no era imaginable que un Padre de la Iglesia hubiese podido cometer tan grosera pifia geográfica como equivocarse en la división tripartita de la Tierra, avalada por el evidente simbolismo del número tres: sólo había errado al identificar esas tres partes con Europa, Asia y África, error que ahora implícitamente corregía el buen clérigo, a quien veremos todavía en 1622 con el seso sorbido por la utopía austral.

Llegado a Sanlúcar de Barrameda el 25 de febrero de 1600, Quirós tuvo la genial ocurrencia de acudir directamente a presencia del Pontífice y no del monarca, aprovechando que en aquel año se ganaba precisamente el gran jubileo. En la Ciudad Eterna fue atendido por el embajador español, el duque de Sessa, y hasta el Papa le concedió audiencia el 28 de agosto del mismo año, prestando oído atento a sus teorías cosmográficas, interesado como estaba en zafarse de alguna manera de la losa que suponía para la Santa Sede el Patronato regio. Aun así, casi dos años se perdieron en la tramitación de breves y jubileos, de suerte que sólo el 17 de junio de 1602 lo recibió Felipe III en El Escorial. Una vez en la Corte, Quirós comenzó a inundar todos los despachos de memoriales. La armada de Mendaña, argüía, «encontró juntas cuatro islas pequeñas [las Marquesas de Mendoza] pobladas de tan buena gente [la raza polinesia] que no se sabe haberse descubierto otra que con aquélla corra parejas». Como se ve, el argumento que se blande es siempre el mismo: en un principio había provocado entusiasmo la conversión de los naturales del Nuevo Mundo, después la evangelización de los habitantes del Maluco o de las Filipinas; pero todos ellos, apostilla Quirós, son «por la mayor parte unos indios de malos gestos, de medianos talles y de color morenos». En cambio, hay otra tierra mejor, con habitantes más inteligentes, más apta por tanto para recibir la semilla cristiana y la cultura europea. Pero además en las Marquesas se vieron algunos hombres amulatados: ello es prueba de que aquellas islas están en relación con otras tierras, y como sus habitantes no conocen la brújula, parece obligado colegir que esta comunicación se produce a consecuencia de una navegación costera.

Por tanto, se puede creer aya por el Sueste, Sur, Sudueste hasta más del Oeste otras islas que se van eslavonando o tierra firme que se va continuando hasta trabarse con la Nueva Guinea o avezindarse con Filipinas o con la tierra del Sur del Estrecho de Magallanes, pues aquí no se conozen otras partes por donde en aquéllas pudiesen entrar las gentes que las havitan sino de milagro. Si va para una o para otra parte o para ambas, promete ser o muchas islas o tierra firme, antípodas de lo mejor de Europa, de África

---

[111] *Etimologías*, XIV 2.

y Assia, donde de veinte a sesenta grados crió Dios los hombres tan provechosos para letras y armas y tan mañosos en todo lo que es policía, dándoles el temperamento tan acomodado como se sabe. Síguese que se deve esperar esto mismo de aquellas partes, a lo menos que aya buena disposición en tierra y hombres para todo lo que se puede pretender, advirtiendo que vale la parte oculta más de cinco mil leguas de longitud y en partes setenta, ochenta o más grados de latitud: en suma, que es cuarta del globo lo que allí está por descubrir [112].

No cabía sino rendirse ante tan aplastante lógica. Así, tras vencer encubiertos recelos y abiertas resistencias, el 31 de marzo de 1603 el monarca ordenó al virrey del Perú que sin dilación alguna procediese a facilitar el despacho de la armada. El 11 de marzo de 1605, después de un ajetreado viaje, Quirós fue recibido por el conde de Montesclaros, y allanadas todas las dificultades [113] —incluso la oposición de D. Fernando de Castro, que por el momento renunció magnánimo a sus derechos— el 21 de diciembre de 1605 partió del Callao al descubrimiento de las tierras e islas australes hasta la Nueva Guinea y Java Mayor, al mando de dos navíos (el «San Pedro y San Pablo» y el «San Pedrico») y una zabra de aviso, por fuerza llamada ésta con el nombre de buen agüero «Los Tres Reyes», que mostraron pronto su beneplácito a la expedición. En efecto, no habían navegado quince días cuando en la claridad de la noche serena, a 16° S., los españoles divisaron tres grandes nubes llenas de estrellas, «las dos blancas y la otra negra como humo de pez» (p. 92 Stevens), que, aunque no lo diga de manera expresa el capitán Diego de Prado [114], es evidente que a su juicio y al de los marinos figuraban a los tres Magos —dos blancos y uno negro—, patronos de la jornada, alentándola con señales bien ostensibles, pues milagrosamente «se bieron dende los navíos por espaçio de dos meses».

La navegación se inauguró llevando a la práctica la vieja idea de Urdaneta, pues la flotilla bajó hasta los 27° de latitud Sur en búsqueda de la tierra austral incógnita. Al encontrar vientos contrarios, y contra el

---

[112] BN Madrid, ms. 10267, s.f. = ms. 10645, f. 159ss., relaciones hechas sobre papeles del piloto mayor, es decir, de Quirós, y que coincide al pie de la letra con la narración de C. Suárez de Figueroa, *Hechos de D. García de Mendoça*, p. 287ss. Es de notar que los dos ms. matritenses proceden de la Biblioteca de Osuna; el mismo origen tiene también el ejemplar de Suárez de Figueroa de la BU Sevilla, 85/145.

[113] El 20 de mayo de 1606 anunció la Audiencia de Lima que enviaba menos dinero de lo usual por haber despachado a Quirós «para el descubrimiento de las nuevas tierras que Vuestra Magestad le mandó hacer en la parte austral» (A.G.I., Lima 94).

[114] Cito el Diario de Prado por la edición príncipe de H. N. Stevens, acompañada de una traducción de G. F. Barwick (*New Light on the Discovery of Australia as Revealed By the Journal of Captain Don Diego de Prado y Tovar*, Londres, 1930 [The Hakluyt Society, Second Series vol. LXIV]). Ninguno de los dos editores tenía conocimientos suficientes para emprender tal tarea, y así abundan los malentendidos. Donde p.e. Prado dice «todas las partes altas a la redonda heran muy coloradas como el barro de estremos (= Estremoz) de Portugal» (p. 168), vierte Barwick «like the clay at the extremities of Portugal».

parecer de Prado y de otros, que milagrosamente olían ya tierra y muy grande, se enderezó el rumbo al Oes-Noroeste: a los 25° se vio la primera isla (la Media Luna) y corriendo de allí al Oeste se dio en 24° con la de San Juan Bautista y después, al Oes-Noroeste, con la de Santelmo, a 20° y medio, las Cuatro Coronadas, a 20°, y la de San Miguel, a 18° y medio, todas ellas desiertas, y llamadas de otra manera por Prado, salvo la primera, a la que no da nombre («Sin provecho», «San Blas», «Cuatro hermanas» y «Santa Apolonia», respectivamente). El 10 de febrero, a 18°, se avistó la primera tierra poblada, la Conversión de San Pablo (=San Guillermo), para gran contento de Quirós, que vio en sus moradores confirmación de las millonadas de almas por redimir que habitaban su Austrialia, sin que por ello apareciera la madre de aquellas islas, la tan cacareada como nunca vista cuarta parte del globo. Como no faltaban suspicaces que suponían que la costa de la incógnita corría paralela al rumbo que llevaban y, por otra parte, se acercaba el invierno, Quirós, a fin de evitar un motín, según su versión de los hechos, mandó poner proa hacia al Noroeste, hasta encontrar a 10° y 2/3 de latitud la isla de San Bernardo. De allí se siguió al Oeste hasta topar con otras dos islas pobladas: la Peregrina (=isla de Palmas) a 10° 1/3 y el 7 de abril y a la misma latitud la de Nuestra Señora del Socorro, donde el cacique Tumai (según Prado, el nombre de la tierra) les dio noticia de que al Sureste se extendía un vasto y anchuroso territorio. Grande fue el alborozo del capitán al oír las señas de tal tierra, por lo que, en vez de dirigirse a Santa Cruz, se encaminó a lo que tenía trazas de ser la ansiada meta. El 24 de abril ya Quirós confiesa sin ambages que dejó en manos del Señor el rumbo que habían de tomar sus naves[115]: a partir de ahora es la providencia divina la que había de guiar a los españoles a través de islas y accidentes de nombres cada vez más poéticos y exaltados: la de San Marcos, la Margaritana, el Vergel, las Lágrimas de San Pedro, los Portales de Belén, la de la Virgen María y, en honor de sus valedores, la Cardona y la Clementina. Pero oigamos lo que el piloto acompañado y después mayor Gaspar González de Leza anotó en su diario el 30 de abril de 1606, al llegar a vista de la actual isla del Espíritu Santo (Nuevas Hébridas):

Tomé el sol en 15 grados 1/6. Estávamos Leste Oeste con la punta a la cual se le dio el nombre de Cabo de San Matheo, qu'era en la tierra que veníamos en demanda [por información de los indígenas de Nuestra Señora de Loreto], el cual cabo está Les-Nordeste con la isla de la Virgen María 20 leguas. Y toda esta tierra que se dexa ver es muy grande y muy alta, porque no prometía menos que ser tierra firme, como querrá Dios que sea[116].

[115] Cf. *Viajes de Quirós*, cap. LVII (ed. J. Zaragoza, I, p. 293).
[116] BN Madrid, ms. 3212, f. 42v.

Un terremoto acaecido el 19 de mayo, y que se sintió a bordo de los navíos, vino a confirmar a los navegantes en esta idea: «donde tan grandes temblores ay, no puede dexar de ser gran tierra firme, como ella por su se < r > ranía lo muestra» (f. 58v). Y esta tierra firme es descrita en tonos paradisíacos. La Bahía de San Felipe y Santiago, así llamada por haber sido descubierta el 1 de mayo, «es muy grande y hermosa», escribe Leza, «que en ella pueden entrar todas las armadas del mundo sin tener cosa de qué reselarse» (1 de mayo, f. 43v). A su vez, «apenas ay árbol en toda esta tierra que no sea de mucho provecho, adonde se puede vivir con gran regalo» (17 de mayo, f. 56v). En suma, «todo lo que en raçón d'esta tierra dixieren es mucho más en bondad, segund lo que demuestra a la vista» (4 de mayo, f. 45r), ya que «es tan buena toda la tierra y cualquiera parte d'ella que no ay cosa que desechar» (19 de mayo, f. 59r).

Hasta aquí no se aprecia sino la reacción típica del descubridor encariñado con la tierra por él hallada, a la que encarece sobre todas las demás: Colón había sentado la pauta. Pero no paran aquí las exageraciones y enormidades. El 14 de mayo, Pascua de Pentecostés, Quirós tomó posesión en nombre de la Santísima Trinidad, de la Iglesia Católica, de las Ordenes de San Francisco, de San Juan de Dios y del Espíritu Santo y por último de Su Majestad de todas las islas descubiertas y por descubrir hasta el polo Sur; entonces nos enteramos de que en esa Bahía de San Felipe, en el puerto de la Vera Cruz, el mejor de cuantos se tenía noticia, «se ha de fundar la çiudad que se a de llamar la Nueva Jerusalem» (f. 53v), ciudad «cuyas puertas avían de ser de mármol», o mejor, todo de mármol: iglesias, casas, murallas, según refiere Prado. Y este nombre que nos deja boquiabiertos no está aislado en sus resonancias bíblicas; en mitad de la ensenada, a dos leguas de donde estaban fondeadas las naves, desembocaba un río grande, de anchura como el Guadalquivir en Sevilla, al cual «se le puso por nombre el Jordán; el río [situado a una legua de distancia] donde hizimos la aguada se le dio el nombre del Salvador» (19 de mayo, ff. 58-59). Es decir, Quirós pretende haber descubierto la cuarta parte del globo cuya existencia intuía por lógica; pero esa inteligencia en apariencia tan clara, nada más poner pie en tierra firme, desbarra y aspira ni más ni menos que a crear una Nueva Palestina, un Nuevo Israel, intento poco menos que inédito en los anales de la colonización española, pues si se fundan ciudades que, como México o Lima, se comparan con Roma, no por ello se atreven a emparejase con la Ciudad Santa[117]. A tantos cientos de leguas del Callao, perdido en el Océano Pacífico, Quirós construye por unos días su utopía, una utopía tomada de «mi padre

---

[117] Sólo en mentes muy exaltadas se encuentran ideas parecidas: Motolinía (*Historia,* III 6, p. 143) dice lo mismo hablando de México.

San Francisco» (14 de mayo, f. 52v). Todo se halla bajo la advocación del Espíritu Santo, desde lo más sublime a lo más prosaico. El viernes 12 de mayo, vísperas de Pascua del Espíritu Santo, Quirós anuncia la creación de la Orden del Espíritu Santo, de la que da a todos una cruz de color azul, así que sus oficiales de mar y guerra llevan «un ábito azul con las insignias del Espíritu Santo» (13 de mayo, f. 50v); los futuros encomenderos son «los cavalleros que en esta parte an de militar debaxo de la Orden del Espíritu Santo» (14 de mayo, f. 53r) y la tierra «se ha de llamar la Parte Austral del Espíritu Santo» (14 de mayo, f. 53v), denominación que después, a mayor gloria de la monarquía española, fue retocada por el propio capitán en el más eufónico Austrialia. Para redondear el idílico panorama, no faltó el día del Corpus una solemnísima procesión en la que, por primera y última vez en la Polinesia, se celebró una danza de espadas y los niños hicieron cantos y bailes a la manera de los seises de Sevilla o «al uso portugués», a juicio de Prado:

Salimos por la calle con el Santíssimo Sacramento, donde ivan cantando nuestros padres. Llevavan las baras del palio los oficiales y justicias de la nueva ciudad. Los regidores llevavan las achas y el estandarte real y las demás banderas delante el Santíssimo Sacramento. Iva la Cruz que nuestro general avía mandado hazer en manos del secretario Juan de Arano; luego iva una dansa de espadas todos vestidos de seda que les avía dado el general. Uvo otra dansa de niños cantando en loor del Santíssimo Sacramento, también vestidos de seda (ff. 60-61).

Pocas veces se había estado tan cerca de inaugurar en la tierra el tercer y definitivo período de la historia, la era del Espíritu Santo, culminación de los períodos del Padre y del Hijo, según la conocida concepción trinitaria del visionario abad calabrés Joaquín de Fiore, esa edad de oro en la que todos los hombres serían hermanos y la esclavitud abolida después del triunfo absoluto de la pobreza franciscana: no por otro motivo se dio la libertad a dos esclavos la Pascua de Pentecostés. Era lógico que estas fantasías y alharacas de Quirós las reputara un seglar como el contador Juan de Iturbe por «uno de sus disparates y locuras» [118], mientras que Prado le plantaba cara y se reía de él en sus barbas el resto de la gente. Pero incluso los más espirituales franciscanos estaban escandalizados; como apunta no sin sorna el padre Munilla,

no se a visto cuanto a qu'el mundo es mundo cossa semejante, porque aquí avía caballeros marineros y caballeros grumetes y caballeros pajes de nao y caballeros mulatos y negros y indios y caballeros caballeros [119].

---

[118] BN Madrid, ms. 3099, f. 147r.
[119] *Austrialia Franciscana*, I, p. 73.

Tanta caballería, en efecto, resulta extremosa. A nadie se le oculta que dar títulos de hidalguía a los futuros pobladores era uno más de los señuelos que blandía el capitán de una expedición para enrolar gente; sin ir más lejos, el propio Mendaña pretendía que iba a hacer a los suyos «hijosdalgo de solar conoscido a ellos y a sus descendientes legítimos» [120]. Ahora, no obstante, el aparato de vanidad resulta cuando menos absurdo por lo ilusorio. Mas este vistoso despliegue de boato y prosopopeya nos trae a la mente la pomposa Orden de los caballeros de la espuela de oro con hábito blanco que fundó Las Casas o la creación de los cien caballeros de Santiago en Ultramar que pedía a Carlos I Gonzalo Fernández de Oviedo, y ello sin olvidar que el propio Colón había solicitado al rey de Portugal que lo armara «caballero de espuelas doradas» [121], el sueño de todo caballero andante. En los tres casos la megalomanía exorbitada trata de paliar el baldón de tener una ascendencia humilde, quién sabe si un origen judío. No era pequeña, en verdad, la ambición de Quirós, que en su estandarte hizo figurar a San Pedro a la derecha del Crucificado con el globo del mundo a sus pies, como indicando que él también, como el santo cuyo nombre llevaba, era el predilecto de Cristo, el dueño y señor de la tierra.

La embriaguez mística duró poco tiempo. Un buen día la capitana, por culpa de la marinería amotinada, de Quirós o de quien fuese, se separó de la almiranta y de la zabra, y ya engolfada en alta mar, el 18 de junio puso proa por decisión unánime a Acapulco, fondeando en el puerto de la Navidad el 21 de octubre y en el de Acapulco el 23 de noviembre de 1606. Desgarrada la armada, más lo quedó la gente por la disensión y la discordia. Mientras que Quirós se jactaba altanero de que ningún hombre desde Adán había llevado a cabo tan grandes hazañas como él y hablaba a boca llena de Nuevos Mundos y Paraísos —«se le ha puesto en la cabeza ser otro Colón», comentaba no sin ironía el 25 de setiembre de 1608 el Consejo de Indias [122]—, Diego de Prado afirmaba con desprecio que por fin al descubridor «le trataron como quien es, que basta ser de la Rua Nova de Lisboa [es decir, la calle de los mercaderes], *in cuius hore* no hay sino embuste, mentira y deslealtad» [123]. A decir verdad, la mayoría de sus hombres volvió echando pestes de su proceder, y se le criticó

---

[120] A.G.I., Patron. 256, 2-L 1 (n.º 4), f. 14r.

[121] Las Casas, *Historia*, I 28 (*BAE*, p. 106 a). Después de la victoriosa batalla de Ravena, Ariosto (*Orlando furioso*, XIV 3, 8) imagina a Alfonso de Este galardonando a los suyos con «else indorate e gl'indorati sproni» (cf. XV 98, 5). Espuelas doradas supone que tenían los caballeros del Gran Turco el romancero (n.º 1149 Durán [*BAE* 16, p. 147 a]). Se trata de un privilegio que sólo podía conceder el emperador o el papa, según A. Rumeu de Armas (*Alonso de Lugo*, Madrid, s. f., p. 139 n. 3).

[122] BN Madrid, ms. 3099, f. 25v (25 de setiembre de 1608 cf. f. 44r y 75v]).

[123] BN Madrid, ms, 3099, f. 211r.

mucho que, en el tornaviaje, estuviera tres meses encerrado en la popa, refugio o prisión de la que no salió, aquejado de una presunta enfermedad, ni siquiera cuando una terrible tormenta zarandeó implacable su navío. Según informó al rey el marqués de Montesclaros el 12 de enero de 1607, «la gente que con él vino condenan mucho sus actiones; y a él le paresce que tiene bastantemente merecido muy grandes mercedes por su trabajo» [124]. Mas tampoco le faltaron enardecidos defensores, entre ellos el sevillano Luis de Belmonte, quien más tarde lo ensalzó en su poema «La Hispálica» como «estrella de bizarros portugueses». A la pluma de Belmonte atribuyó J. Zaragoza [125] y modernamente P. Piñero [126] la relación de los viajes australes que corre anónima en dos manuscritos; a esta hipótesis, no carente de cierta verosimilitud, se opone el uso de la primera persona en toda la narración, que indica de manera decidida la autoría del propio capitán, hombre de pluma fácil y ameno ingenio que no semeja necesitara de incensadores a sueldo.

Pero volvamos a la almiranta y a la zabra, que habíamos dejado en la isla Ireney o Austrialia. En vista de que Quirós no aparecía, los navegantes, al mando de Diego de Prado como capitán general y de Luis Váez de Torres como capitán de la almiranta, siguieron su derrota al Sudoeste, como mandaba la instrucción del virrey, hasta que en altura de 20° 1/5 la falta de mantenimientos aconsejó poner proa al N. El 14 de julio se vio tierra: la isla de Tagula, avanzada de Nueva Guinea. El viento impidió pasar al lado oriental, así que la armadilla bordeó la costa meridional de Nueva Guinea. Tras cruzar el estrecho de Torres (así bautizado por Dalrymple), llegaron el 3 de octubre a vista de la actual Australia, cuya península del Cabo York confundieron con una gran isla. Los nautas, que todavía encontraron tiempo para participar en la pacificación de Cayoa, rindieron viaje en Cavite el 22 de mayo de 1608, cumpliendo al pie de la letra las órdenes recibidas. Por desgracia, pocas son las noticias que nos han llegado de esta asombrosa navegación. La conocida carta de Váez de Torres es demasiado concisa para nuestra historia, y tampoco la relación de Diego de Prado, en esta última parte del viaje, abunda en detalles que incumban al propósito aquí perseguido. Sí sabemos que a los marinos se les habló de negros antropófagos en la isla de San Bartolomé (p. 150

---

[124] A.G.I., México 27, 1 n.° 6.
[125] *Historia del descubrimiento de las regiones australes hecho por el general Pedro Fernández de Quirós*, Madrid, 1876, I, p. LIXss.
[126] *Luis de Belmonte Bermúdez. Estudio de La Hispálica*, Sevilla, 1976, p. 17ss. Del viaje se acordó Belmonte en su poema épico (IX 154-160), en versos muy favorables a Quirós:

> un capitán seguí de quien temieron,
> midiendo estrellas, afijando imanes,
> las no domadas ondas de Anfitrite,
> que ya no tiene el orbe quien le imite.

Stevens), mas luego resultó que eran «caríbes» tiznados de negro, si bien agigantados, de altura de 12 palmos y medio (p. 160 Stevens); la esperanza de hallar monstruos quedaba así desvanecida, pero alentada al mismo tiempo por el tamaño desaforado de los nativos, pues la imaginación podía jugar con analogías. La Magna Margarita, pomposo nombre que se dio a Nueva Guinea a mayor gloria de la reina de España, era obligado que fuera tierra rica en oro, perlas y piedras coloradas (p. 176 Stevens), piedras que en otro lugar (p. 170 Stevens) se especifica que debían de ser granates o rubíes; también presume Prado que, por estar situada la isla en el mismo paralelo que las grandes minas del Perú, los montes altísimos que se ofrecían a su vista habían de ocultar en sus entrañas iguales o aún mayores riquezas en minerales nobles (p. 148 y 202 Stevens), un incentivo más para emprender de inmediato la conquista de aquel inmenso territorio poblado de gente «dócil y mal armada». Extraña y hasta inquieta esta sobriedad informativa, cuando lo que se pretendía era deslumbrar al rey y a su consejo, y más en un hombre como Prado que no se recata en dar crédito a noticias fabulosas. Así, en Ireney parece ser que, después de una sangrienta refriega con los indios, a algún español le entró el singular capricho de probar el filo de su acero acuchillando el cadáver de uno de los enemigos muertos; vano empeño, porque la espada se embotaba al golpear la carne inerte, hasta que se advirtió que de nada servían las estocadas a causa de un amuleto —«una faxa ancha cuatro dedos bordada de caracolitos»— que el indígena llevaba en su brazo (p. 130 Stevens). Tamaña invulnerabilidad es uno de los rasgos más típicos del folk-lore eterno: un hechizo muy semejante había atribuido ya Marco Polo a los habitantes del nebuloso Cipango, y en el s. XVI se decían cosas parecidas de los naturales de la también fabulosa Java [127]. Lo que asombra es que Prado se dejara sorprender en su buena fe por la fantasía parlanchina de uno de sus propios hombres, que le gastó una broma pesada cuidándose muy mucho de dejar la faja de marras en tierra. Por ello desconcierta no poco este silencio del gárrulo capitán, que si no enmudece, al menos evita el pregón vocinglero de las virtudes y milagros de aquella Nueva Guinea que había costeado de punta a punta. No habían faltado ocasiones en el curso de este periplo para tratar de engolosinar al más escéptico lector, empezando por la isla que, a causa del santo del día, fue llamada de San Bartolomé, Ratiles en lengua vernácula. Pues bien, ni siquiera tan mágico nombre tienta la pluma de Prado, que se cierra ahora en un mutismo absoluto acerca de lo sobrenatural cuando había comenzado su narración

---

[127] Cf. Marco Polo, III 3 (versión latina), Odorico de Pordenone 14, 4 (van Wyngaert, *Sinica Franciscana,* I, p. 449), Nicolò de Conti (en Poggio, *De varietate fortunae,* París, 1723, p. 147) y el rotero portugués atribuido a Duarte Barbosa (p. 147 Blázquez).

con el relato pormenorizado de un prodigio. Pero no nos engañemos: no ha tenido lugar un brusco cambio de carácter y sin duda ocurre que se confía a la fuerza de la palabra, mil veces más persuasiva, la revelación de unos misterios que entregados por escrito podían parecer desmedidos o ridículos.

Tanto el Consejo de Indias como el de Estado mostraron suma cautela a la hora de emitir dictamen sobre la viabilidad de los diversos proyectos. Dado que el erario real no se podía permitir alegrías descubridoras y que los reinos de España sufrían una alarmante despoblación, recomendaron al monarca dejar sin ejecución una empresa más peligrosa que rentable, al tiempo que aconsejaron entretener a Quirós para evitar que se pasase al enemigo revelando incómodos secretos. No por ello se desanimaba el terco memorialista. Sus pretensiones en 1609 no eran lo que se dice modestas: además del título de gobernador y capitán general pedía 500.000 ducados, que se habían de emplear en aviar 1.000 hombres, 12 frailes capuchinos, 6 clérigos, entre los que se hallaba D. Mancio de Ureña, canónigo y tesorero de la Iglesia de Astorga, 2 hermanos de San Juan de Dios, algunos dominicos, como un tal fray Bernardino y otro fray Andrés de Almeida, que semeja portugués, amén de 200 hombres de gobierno, de milicia y de letras que se habían ofrecido a acompañarlo, por lo que no faltaban en sus filas seis capitanes de guerra, seis alféreces, doce personas bien entendidas de negocios y maestros de todos oficios, hasta un pintor, un escultor y un matemático; a ello se sumaban pertrechos infinitos, con «cuatro instrumentos de cobre con sus fogones y hornos de hierro para sacar agua dulce de la salada en la mar y en la tierra para sacar vino de palmas y para hazerse otros provechos», cuya eficacia ya se había probado en la pasada navegación a la Austrialia: la verdad es que no se necesitaba menos «para dar principio a un nuevo mundo», y aun el precio era de ganga, pues en el viaje anterior se había gastado una suma de 184.000 ducados en el despacho de sólo 130 personas. La única obsesión era el tiempo: «La brevedad, que se acaba la vida», apostilló dramáticamente al pie de un escrito. El duque de Lerma, que el 14 de agosto de 1609 se había mostrado partidario de enviar a Quirós al Perú dándole largas, comenzó a interesarse por el proyecto: el 24 de julio de 1610, aun negándose a que Quirós sacara gente de España, indicó que fuera el virrey Montesclaros quien se encargase de llevar a la práctica la jornada, y a este tenor llegó a redactarse una cédula real, carente de fecha en la copia que he manejado [128].

El descubrimiento de Quirós desazonó a D. Fernando de Castro, a la

[128] Todos estos papeles se encuentran en A.G.I., Indif. 750. Estaba muy contento Quirós del invento del alambique para destilar agua dulce, pero la cantidad obtenida por tal sistema era mínima. Poco después se presentó un italiano, Alexandro Quintilio, pretendiendo haber encon-

sazón corregidor de Quito, que pidió licencia de seis años para venir a España en compañía de su mujer para dar cuenta al monarca de negocios de importancia, merced que, rebajada a tres años, le fue concedida el 10 de mayo de 1607 [129]. Los avances de su rival en la Corte lo acabaron de sacar de sus casillas; así, enterado de que su émulo pedía en especial «la población y pacificación de las islas que llaman de Salomón», envió el 29 de diciembre de 1608 un breve aviso, ya desde Lima, suplicando a Felipe III que no accediese a tal instancia, puesto que el portugués en el viaje anterior no sólo no había cumplido la instrucción recibida, como testificaban los frailes franciscanos, sino que no había descubierto nada nuevo, desembarcando en la Nueva Guinea, tierra por demás conocida; además, la empresa le correspondía a él, como marido de Isabel Barreto, y como legítimo heredero de Mendaña estaba ya presto a encaminarse a España para defender su causa ante la Corte: sólo le faltaba año y medio para juntar toda su hacienda con vistas a dar fin a lo que había empezado Mendaña. El 28 de setiembre de 1609 el Consejo de Indias entregó una copia de esta carta al secretario real Andrés de Prada, para ponerle en autos de su contenido [130]. No hizo falta que Castro realizase el larguísimo viaje que prometía. El tiempo lo desembarazó de su adversario, que, ya lleno de días, obtuvo licencia el 11 de febrero de 1615 para pasar al Perú con su mujer, doña Ana Chacón y sus dos hijos pequeños, con un séquito de cuatro criados y una criada [131]; con él marchó asimismo su sobrino, Lucas de Quirós, vecino y natural del Tocuyo, nombrado alférez real para el descubrimiento de la parte austral incógnita, en compañía de su esposa, doña María de Cuevas, nacida en Braganza [132]. Un año después tuvo lugar el fatal desenlace que tanto temía el portugués y con razón: con él se cierra la era de las grandes navegaciones emprendidas desde el Perú. En

trado un secreto mágico para convertir en dulce el agua del mar; el Consejo, reunido el 6 de mayo de 1614, remitió al arbitrista al presidente de la Casa de la Contratación Francisco de Tejada (A.G.I., Indif. 1438).

   [129] A.G.I., Indif. 1428. A Doña Isabel Barreto se le había dado en recompensa por sus servicios la encomienda de Guanato. Solicitaba también D. Fernando en su memorial que, si su mujer fallecía en el viaje, no proveyese el virrey dicha encomienda, recordando que la misma merced se le había hecho a Doña María Carrillo, vecina de Cartagena.

   Tiró Castro de su familia: en 1618 pidió licencia para pasar al Perú su sobrino D. Pedro de Castro, solicitando también permiso para tres criados; el Consejo sólo le concedió uno el 7 de marzo de 1618 (A.G.I., Indif. 1445).

   [130] A.G.I., Indif. 750 (*Catálogo de las consultas del Consejo de Indias. 1605-1609*, Sevilla, 1984, n.° 2391 y 2435). Cf. la carta del 10 de abril de 1608, también llena de críticas contra Quirós (A.G.I., Lima 139).

   [131] A.G.I., Indif. 1441.

   [132] A.G.I., Indif. 1441. Se le concedió al fin que pasara con un criado y una criada, dejando para más adelante las probanzas de su mujer en Braganza; en un principio, el 1 de enero de 1615, se le contestó: «muestre lo que dize». No gozaba en verdad de mucho crédito ni Quirós ni su familia.

cuanto a Prado, tras dar algunos tumbos por el Mediterráneo y recalar en Malta, decidió también él decir adiós al mundo y a sus pompas metiéndose monje basilio en Madrid; allí, en la capilla de Nuestra Señora de la Buena Ventura, depositó su bandera con la leyenda austral. En 1621 fray Diego, rememorando marchitas hazañas, entregó al Consejo de Indias «la discripçión y mappa de la tierra nueba que descubrió en la Mar del Sur, que es la contracosta de la Nueba Guínea, con la relaçión de todo el descubrimiento y biage y el mappa de la isla de Ternatte»; en pago a sus servicios le fue hecha merced de 400 ducados en efectos de cámara que, dada la nula liquidez de la tesorería de los Austrias, es de temer no llegara a cobrar en vida [133].

Para apoyar su pretensión de volver a la Austrialia de su alma, Quirós, además de dibujar un mapa universal con «su cuarta parte oculta» para mayor ilustración regia [134], tuvo la ocurrencia disparatada de presentar al monarca una relación impresa de su descubrimiento, folleto que Felipe III intentó en vano retirar de la circulación por motivos obvios, pues en él se afirmaba que Terrenate, poblada de holandeses, se hallaba a cincuenta leguas del remate de su gran descubrimiento, y aunque algo de verdad había en tal aserto, no era cuestión de ir pregonando a voces tan incómoda vecindad; a una consulta del Consejo de Indias del 31 de octubre de 1610 se respondió de manera tajante: «dígasele al mismo Quirós que él recoja estos papeles y los dé con secreto a los del Consejo de Indias, porque no anden por muchas manos essas cossas» [135]. Todas las diligencias, como se puede sospechar, fueron vanas. Allende las fronteras este memorial de Quirós tuvo un éxito verdaderamente insospechado para lo poco que de veras revelaba, y muy pronto fue traducido a todas las lenguas cultas [136]. En 1612 lo podían leer los holandeses en latín. Pues

[133] A.G.I., Indif. 1451 (memorial visto en Consejo del 26 de mayo de 1621). Ignoro el paradero de los mapas, que son quizá los que se guardan en Simancas.

[134] Así se indica en el ejemplar conservado en A.G.I., Indif. 1451, al parecer descabalado, a no ser que algún miembro del Consejo quisiera cotejar la relación de Prado con la de Quirós.

[135] A.G.I., Indif. 750.

[136] El memorial impreso de Quirós (Madrid, 1609 § 7), para halagar a Felipe III, convierte la llamada antes Parte Austral en «Austrialia» (facsímiles en C. Sanz, *Australia. Su descubrimiento y denominación*, Madrid, 1973, p. 26; cf. la *Copia de unos avisos muy notables...* [Barcelona, 1609] en Sanz, *ibidem*, p. 29 y 32), que a su vez el traductor italiano Protasio Guida alteró en «Austria» (Sanz, *ibidem*, p. 53) y la traducción latina holandesa de 1612 en «Australia» (Sanz, *ibidem*, p. 84; pero «Austrialia» en p. 93), la alemana de 1613 en «Australische Landschaften» (Sanz, *ibidem*, p. 104) y la latina de Francfurt (1613) en «Australia» (Sanz, *ibidem*, p. 110 y 115); «Australia» también en la edición de Hakluyt de 1625 (Sanz, *ibidem*, p. 177).

Hay que señalar que en 1615 se publicó la segunda parte del *Quijote*, en la que el amigo Sancho va a obtener el colmo de los colmos: ser gobernador de una isla en tierra firme (II 50 y 54 [Clás. Cast., VII, p. 265 y 335]). Parece como si los monumentales planes de Quirós levantaran la sonrisa entre escéptica e irónica de Cervantes. A su vez el nombre de la famosa ínsula, Barataria, se parece sospechosamente en su fonética a la isla Plataria de S. Francisco Javier.

bien, en 1615 zarpó de Amsterdam el «Concordia» a las órdenes de Jacobo le Maire y Guillermo Schouten, muy deseosos ambos de descubrir esa tierra incógnita austral tan aireada por el escrito del portugués. Tras bordear el cabo meridional del Nuevo Mundo por el estrecho que los españoles del s. XVII llamaron de Mayre, la nave, en abril de 1616, se había engolfado en el Pacífico. «Dexando esta isla, que llamamos isla de los Perros [a 15° 12' y a unas 925 millas del Perú], navegamos con viento Norte al Occidente en demanda de las islas de Salomón», escriben en el diario que tenía traducido al español el dominico fray Ignacio Muñoz [137], si bien este pasaje no aparece en el texto holandés traducido por Villiers [138]. En cualquier caso, es evidente que le Maire y Schouten navegan tras la estela de Quirós [139] y muy convencidos de la bondad de sus teorías. No deja de sorprender, no obstante, esa búsqueda de las islas de Salomón, a las que en principio no parece que se dirigiera Quirós. El eco holandés de su empresa, indica, sin embargo, que el descubrimiento de la tierra austral estaba íntimamente ligado con las islas de los Magos; en realidad, no cabía esperar otra cosa.

[137] BN Madrid, ms. 7119, f. 88v («copiado en 23 de mayo de 1669 de un manuscrito que me prestó el Señor General de la Flota Don Enrique Enríquez de Guzmán»).

[138] *The East and West Indian Mirror... and the Australian Navigations of Jacob le Maire*, Londres [Hakluyt Society], 1906, p. 195ss).

[139] Hay que señalar que, contemporáneamente a Quirós, un mestizo portugués y malayo, Heredia, se ofreció a Felipe III y a Felipe IV para descubrir la India meridional o la isla del Oro. A falta de una investigación más profunda, creo conveniente traducir las noticias que el gran J. Cortesão da sobre este personaje. «Sus esfuerzos datan, por lo menos, del 1594, pero sólo en 1600 consiguió ser despachado por el virrey de la India, D. Francisco da Gama, haabiéndose embarcado para Malaca para comenzar su empresa, que no pudo llevar a cabo por causa de la guerra con los holandeses. No por eso Heredia desistió del empeño que prosiguió durante cerca de veinte años, enviando infatigablemente memorial tras memorial a Felipe y a su sucesor, a los que requería protección y apoyo. De ese esfuerzo, tan persistente como privado de gloria, quedan dos memoriales o tratados, una de las cuales es la "Declaraçao de Malaca e India meridional"...; otra existe inédita y poco menos que desconocida en la Biblioteca Nacional de París. Intitúlase el manuscrito *Tratado Ophirico* y fue enviado en 1616 al monarca español» (*Os descobrimentos portugueses,* Lisboa, 1981, V, pp. 1302-03).

V. LAS ISLAS RICA DE ORO Y RICA DE PLATA

1. Crise y Argire

Aunque las esperanzas depositadas en Filipinas habían quedado en cierto modo defraudadas, no por ello murió el mito de las islas repletas de tesoros, sino que, como suele suceder, se desplazó de lugar, refugiándose en los últimos confines del Océano. Ya el propio Urdaneta, de atender al testimonio de su compañero de Orden fray Andrés de Aguirre, pretendía que, entre el Japón y el Nuevo Mundo existían islas muy ricas y muy pobladas de «gente muy blanca y bien dispuesta, bien tratada y bestida de sedas y ropa fina de algodón, gente amorossa y muy afable, la lengua diferente de los chinos y japones y fácil de tomar»; para hacer tan fantásticos asertos se basaba en la relación de un capitán portugués, cuyo barco, arrastrado por una terrible tempestad, habría sido conducido por mágico azar al sin par descubrimiento de unas islas de Armenio, así llamadas por uno de los tripulantes, un comerciante armenio «que entre la gente de la nao era muy respetado». En lo demás, según es norma en estos casos, reinaba la imprecisión más absoluta: «están aquellas islas de treinta y cinco grados a cuarenta de latitud; no se pudo entender la longitud del Japón a ellas, por haver corrido con tormenta y el tiempo muy cerrado y escuro»[1].

Creo poder trazar la historia del origen del nombre «islas de Armenio» o «Armenico», que no puede ser más curiosa. En 1522 se imprimió en Amberes un libro sobre los nuevos descubrimientos; en el reverso de

---

[1] A.G.I., México 128, 5. Hay traducción al inglés en H. R. Wagner, *Spanish Voyages to the Northwest Coast of America in the Sixteenth Century,* San Francisco, 1929, pp. 136-37. Un buen resumen sobre la ajetreada historia de las islas Ricas ofrece W. L. Schurz, *The Manila Galleon,* Nueva York, 1939, p. 231ss. La misma leyenda la conocían los holandeses, de creer a la relación de Vizcaíno (*C.D.I.A.,* VIII, 1867, p. 179).

la primera hoja se relata cómo en el año de gracia de 1496 zarparon unas naves de Lisboa que, con la ayuda de Dios, llegaron después de navegar más de 900 leguas más allá de Zelandia a un país incógnito, llamado «Armenica», donde se dio vista a muchas bestias admirables y a gente desconocida, que andaba desnuda y vivía bestialmente, pero que alcanzaba por lo general una edad de 300 años o más, gracias a que recobraba la salud mediante las ricas especias y raíces de la tierra[2]. Como es lógico, Armenica no es más que una errata del impresor, Jan van Doesborch, por América; esta errata, no obstante, alcanzó tanta fortuna, sin duda por su propia eufonía. que Arménica vino a llamarse esa tierra riquísima que, a finales del s. XVI, se buscaba no ya en el Atlántico, sino en el Pacífico.

Bien es verdad que los geógrafos antiguos hacen alusión a una isla de la Plata (*Argyre*) y a una isla del Oro (*Chryse*), mostrando también extrema vaguedad e imprecisión a la hora de localizarlas: Plinio[3] se limita a indicar que Crise y Argire se hallan fuera de la desembocadura del Indo (el Sind); Pomponio Mela[4] sitúa a Argire junto al Ganges, a Crise junto al promontorio Tamo, que Estrabón[5] llama Támiro. San Isidoro[6] anota tan sólo que las dos islas se encuentran en el mar Indico, y esto es lo que vienen a repetir Vicente de Beauvais[7], Bartolomé Anglico[8] o Juan Boccaccio[9]. En esta relación de geógrafos no puede faltar el nombre del falsario Juan de Mandevilla[10], que se acuerda —faltaría más de que Argire y Crise se hallan al E. de la Tapróbana. Ahora bien, precisamente la magia del nombre hizo de estas islas unas de las más famosas y representadas en toda la cartografía medieval. En la rudimentaria mapamundi que acompaña en el *Comentario al Apocalipsis* de Beato de Liébana el texto referente a la dispersión por el mundo de los apóstoles se dibujan estas dos islas en Oriente, justo enfrente del Paraíso Terrenal: así, p.e., en el manuscrito de Gerona (s. X) o en el de Burgo de Osma (s. XI)[11]. Martín

[2] Da el texto inglés H. Harrisse, *Bibliotheca Americana Vetustissima*, I, n.° 116, pp. 197-98.
[3] *Historia Natural*, VI 80.
[4] *Corografía*, III 70. Aunque hoy se identifica a Támiro con el cabo Negrais, los datos de Mela desplazan a Támiro después de Colis (= Malaca; se trata de una corrección del jesuita Schott a principios del s. XVII, que por tanto no pudieron conocer ni Colón ni los navegantes del s. XVI), cuando la costa flexiona hacia el N. Sin embargo, «das Vorgebirge Tamus nach der Südspitze Malakkas hinauszuschieben wäre methodish verfehlt», advierte Herrmann (*RE*, IV A 2, c. 2093, 46ss.).
[5] *Geografía*, XI 519 D.
[6] *Etimologías*, XIV 3, 5; 6, 11.
[7] *Speculum historiale*, I 64, f. 8v.
[8] *Proprietates rerum*, XV 73.
[9] *Genealogiae Ioannis Boccatii... necnon et de maribus seu diuersis maris nominibus*, Venecia, 1494 (*de maribus*), f. 159v.
[10] P. Hamelius, *Mandeville's Travels*, cap. 34, Oxford, 1919, I, p. 200.
[11] Cf. *Los Beatos*, Madrid, 1986, p. 38 y lámina enfrentada.

Behaim, en su famoso globo [12], sitúa a Argire en pleno mar de China, a Crise (llamada ahora Crisis) muy cercana a Cipango. S. Francisco Javier [13], escribiendo desde Goa el 8 de abril de 1552 en recomendación de los «japones» Mateo y Bernardo al padre Simón Rodrigues, identificó el Japón con las llamadas por los castellanos «islas Platareas», en cuya cercanía —afirmaba— pasaban las naves que iban de la Nueva España al Maluco; pero era imposible tomar tierra en ellas, ya que su costa occidental estaba plagada de arrecifes, de suerte que se perdían las naves que llevaban aquel rumbo, razón que movía al santo a recomendar que se diese aviso al emperador de que no enviara más naos «por vía de la Nueva España, porque tantos cuantos fueren, todos se han de perder». A su noticia, sin duda, había llegado de manera nebulosa la existencia de la isla de San Bartolomé, también cercada de restingas, que venía a confundirse con el mito no menos fantástico de la Platarea, por más que la latitud de una y de otra no pudiese ser más diferente. Se comprende, pues, que A. Ortelius [14] en sus sucesivas ediciones del *Theatrum orbis terrarum* volviera a localizar Crise en el Japón, con lo que cobraban curiosa actualidad las antiguas ideas de Colón. Fueron muchos, en efecto, los que conservaron la esperanza de realizar algún día ese hallazgo maravilloso: el único problema consistía en buscar donde correspondía.

De una *ilha do ouro* situada hacia la equinoccial corrieron persistentes rumores entre los navegantes portugueses en los primeros decenios del s. XVI. Los marineros de Magallanes, como se recordará, habían oído hablar de la isla de oro. Después su situación se deslizó hacia el N.: a ella se había dirigido Villalobos. Más tarde, en 1544, los portugueses que venían de las islas de los lequios aseguraban que eran «muy ricas de oro y de plata» [15]. Todavía en 1576 el doctor Francisco de Sande, al hacer una somera descripción de Filipinas y las tierras adyacentes, escribía: «Al Norte está Japón y para allá es menester más gente; ay muncha plata y están los lequios» [16]. Ahora bien, el pueblo castellano dio a estas islas fabulosas una denominación eufónica. Las Indias se esperaba que fueran pródigas en riquezas, por lo que abundan las villas, las costas o los puertos Ricos. En consecuencia, las islas fueron conocidas también como la Rica de Oro y la Rica de Plata. No en vano Vasco Núñez había bautizado

---

[12] Reproduce la leyenda Ravenstein, *Martin Behaim. His Life and his Globe,* Londres, 1908, p. 89.

[13] *Cartas y escritos de San Francisco Javier,* ed. de F. Zubillaga, Madrid, 1979, doc. 108, 1-3 (p. 441).

[14] *Tartariae siue Magni Chami regni typus,* con una leyenda que indujo a error a J. López de Velasco, como señalé en la introducción a *El libro de Marco Polo,* Madrid, 1987, p. LXVI.

[15] Relación de García de Escalante Alvarado (A.G.I., Patrón. 23, 10 f. 18v), basado en este caso en un informe de Pero Díaz.

[16] A.G.I., Filip. 6, 1 n.° 1.

ya a una isla del Pacífico con el nombre de buen agüero de isla Rica [17]. Nadie, al principio, se acordó de tales fábulas. Bastante trabajo había con consolidar el asentamiento en las islas del Poniente. Pero conforme la contratación con Filipinas iba adquiriendo envergadura y las ganancias subían, hasta el punto de que la plata mexicana afluía con mayor prontitud a los mercados de Oriente que a la subvención de las empresas europeas de la Corona, el asunto del tornaviaje cobró cada vez mayor actualidad, pues el problema era peliagudo. Además del riesgo inherente a toda travesía, no había puerto donde bastecer ni reparar los navíos, que se lanzaban a 2.000 leguas de navegación de golfo lanzado para rendir viaje con una tripulación diezmada y maltrecha. El arzobispo de México D. Pedro de Moya y Contreras, en su breve actuación como virrey, trató de hallar remedio a los riesgos del viaje buscando un puerto intermedio y, de paso, el famoso Estrecho de Anián. Entre los hombres que por aquel entonces sonaban en México, como el ingeniero Antonelli, se encontraba Francisco Galí, «que allende de ser escojido piloto y cosmógrafo es soldado y hombre prudente», a juicio del no menos discreto factor de Filipinas Juan Bautista Román [18]. Carezco de datos suficientes acerca de su vida anterior, pero el hecho es que en 1584 se hallaba ya en China con comisión del arzobispo. Después de mil avatares [19], Galí zarpó de Macán el 29 de julio de ese año, siguiendo al parecer las indicaciones de un piloto chino de Chincheo, que aseguraba que a 700 leguas de aquel puerto había unas islas cuyos habitantes vendían oro en polvo, trajes de algodón y salazones, una de las cuales se llamaba «Armeniçao», extraño y monstruoso híbrido producto, según parece, del cruce de Arménico y Arménica. «Y yo las encontré no lejos del lugar que había indicado el piloto chino», aseguró muy ufano mosén Francisco [20]. Si quizá es justificable el aparente espejismo de Galí, que, so color de haber realizado un descubrimiento imaginario, había conseguido meter en Acapulco mercancía de contrabando, más comprensible resulta la alegría con que el buen arzobispo Moya saludó las buenas nuevas que le traía su piloto. En vez de enviarlo ya en demanda del Estrecho de Anián, muy presuroso

le tornó a despachar en un navío que llaman «Sant Juan», que es de V. M. y en el que él avía navegado, y le dio officiales de la nao y maríneros y diez mill pesos para que si, por ser viejo el navío en que iba, no pudiese seguir la derrota que le avía mandado, en

[17] Cf. G. Fernández de Oviedo, *Historia*, XXIX 4 (*BAE* 119, p. 217 a).

[18] A.G.I., Filip. 6, 2 n.° 17 (carta de 22 de junio de 1584).

[19] Relatados por J. B. Román (A.G.I., Filip. 27, 3 n.° 69 [carta de 5 de junio de 1584]).

[20] Cf. Wagner, *Spanish Voyages*, pp. 134-35. Bajo el pintoresco nombre de Francis Gaule aparece citado nuestro piloto en *Purchas His Pilgrimes*, Londres, 1625, III, p. 853. Hace una breve alusión a Galí Stafford Poole, *Pedro Moya de Contreras. Catholic Reform and Royal Power in New Spain, 1571-1591*, University of California Press, 1987, pp. 124-25.

las islas Filipinas hiziese otro y comprase lo nescesario y demarcase la tierra firme del
Xapón, islas del Armenico y todas las demás de que tubiese razón y noticia en aquel
Mar del Sur, y que de allí subiese en la mayor altura qu'el tiempo le diese lugar hasta
tomar la costa d'esta Nueva España y que, tomada, viniese por ella viendo la tierra y
puertos y demarcándolo todo[21].

Así es como en 1585 Galí volvió a pisar suelo de Filipinas, pero sólo
para hallar allí la muerte[22]. Le sucedió en el mando Pedro de Unamuno
que, en vez de cumplir sin tardanza la misión que se le había encomendado, se desvió al puerto prohibido de Macán para cargar él también su
barco de contrabando. Apresado allí el capitán y requisada su nave, logró
escapar de la cárcel en lance digno de la mejor picaresca[23], y haciéndose
con una fragata se engolfó por fin en 1587 rumbo a las islas fabulosas
avistadas por Galí. En este momento conviene cederle la palabra al propio Unamuno, que presentó una seca relación al virrey describiendo su
viaje y su búsqueda infructuosa:

Desde estas islas [las Sin Provecho] se tomó la derrota esta propia noche para la
isla Rica de Oro, que en el capítulo antes d'ésta se ha dado razón que está trezientas y
treinta leguas d'estas islas en derrota de Leste-Ueste coarta de Nordeste-Sudueste,
y está en altura de las partes del Sur en veinte y nueve grados, y de la parte del Norte
en treinta y un grados y medio escasos, según está pintada en algunas cartas; en cuya
altura nos hallamos miércoles diez y nueve de agosto. Y estando en la dicha su altura
se buscó la dicha isla de Leste-Ueste y por los demás rumbos que fueron nescesarios, y
se hizo todo lo pusible, y no se pudo hallar la dicha isla, por donde se entiende no la
aver.
D'esta altura de los treinta y un grados se tomó la derrota a Les-Nordeste en busca
de otra isla que en algunas cartas está pintada, que le llaman Rica de Plata, que ay de
la que dizen Rica de Oro y su altura sesenta leguas al Es-Nordeste governando esta
según <está> su pintura y arrumbada en las cartas, y está según su pintura en altura
de treinta y tres grados hasta treinta y cuatro desde la parte del Sur a la del Norte; en
cuya altura nos hallamos sábado veinte y dos de agosto. Y se buscó a Leste-Hueste, y
hechas las diligençias pusibles, y no se pudo hallar. A cuya causa no la debe de aver,
sino que alguno por oídas le mandaría pintar en su carta.
Domingo veinte y tres de agosto a la noche se tomó la derrota para en busca de
las islas que dicen de Armenio, que según están pintadas en algunas cartas está <n>

---

[21] Son palabras del virrey Villamanrique al monarca el 10 de mayo de 1586 (A.G.I., México
20, 3 n.° 122).
[22] Así lo anunció el gobernador, Santiago de Vera, al impaciente arzobispo el 20 de junio de
1585 (A.G.I., Filip. 6, 2 n.° 62). Tampoco fue de provecho el navío «San Juan», «porque viene
abromado», razón por la que se compró una nao de 300 toneladas al capitán Esteban Rodríguez
de Figueroa, «para cierto descubrimiento que por mandato del arçobispo de México se hazía a
costa de Vuestra Magestad» (A.G.I., Filip. 27, 4 n.° 78 [carta de J. B. Román del 2 de julio de
1588]). Figueroa había llegado a Filipinas como capitán y maestre de la nao «San Martín» el 19
de junio de 1585 (este detalle lo precisa el testamento de un marinero de esa nave, Francisco
Bautista, muerto el 10 de febrero de 1586 [A.G.I., Contrat. 487, 10 n.° 1]).
[23] Sobre estos incidentes cf. A.G.I., Filip. 18-A, 3 n.° 54; 4 n.° 68.

veinte leguas de la isla que arriva dixe Rica de Plata, que están en derrota una con otra Nordeste-Sudueste en altura de treinta y cuatro grados y treinta y cinco y un terçio; y en su altura nos hallamos miércoles veinte y seis del dicho mes de agosto y se procuró su vista con mucho cuidado con las diligençias pusibles, y no se pudo hallar. Se entiende no le de < ve > aver [24].

Los oficiales reales, con muy buen acuerdo, embargaron la nave y su carga apenas tocó en tierra de la Nueva España [25]. A su llegada a México pidió Unamuno justicia, aprovechando la ocasión para querellarse asimismo contra el alcalde de Manila, Juan de Argumedo. Intercedió ante el virrey para que se levantase el secuestro de las mercancías un franciscano, el padre Martín de Loyola, pasajero inesperado de la fragata; el fraile, que era nada menos que el primer «comisario de los reinos de China», custodia efímera que se pretendió hacer independiente de Manila, había tenido que salir disparado de Cantón y después de Macán por las suspicacias de los mandarines y quizá también por los celos misionales de los jesuitas: al menos el padre Valignani, en vista de los clamores que se levantaban rumorosos, juzgó oportuno escribir una apología para atajar las calumnias que se habían vertido sobre la actuación de los padres de la Compañía. Gracias al testimonio de Loyola, que trinaba contra los portugueses por todas las trabas y dificultades que habían puesto a su labor de catequesis en el Celeste Imperio, malquista por el único pecado de ser él castellano, nos enteramos para gran sorpresa nuestra de que «la miseria» cargada en el barco pertenecía en su mayor parte a dos portugueses: uno «que allá en Macán es único remedio de castellanos» y otro que, tras haber andado mucho por China, venía también en la nave, sin contar con unos 60 pesos de un mozo japonés a quien Loyola había rogado que le acompañase para ir a dar relación al rey [26]. Había, pues, un claro comercio de contrabando entre Macán y Filipinas, que ahora se quería ampliar también a Nueva España; y sospecho que el «único remedio de castellanos» en Macán fuera el propio gobernador de la plaza, D. Juan de Gama, que en 1590 se refugió en Acapulco con el capitán Lope de Palacio no sin traer de paso mercaderías que valían una bonita suma de dinero [27]. Dejando estos nego-

---

[24] *Relaçión del viaje y descubrimiento que hizo el capitán Pedro de Unamuno desde los puertos de Macán y Cantín hasta el puerto de Acapulco d'esta Nueva España,* copia aneja a la carta del 20 de diciembre, capítulo 3 del virrey, según reza en la sobrecarta (descabalada ahora en A.G.I., Patron. 25, 22 ff. 1v-2v. Ofrece facsímil Wagner, *Spanish Voyages,* pp. 482-83). Editó el viaje según la copia de Muñoz S. Montero Díaz, *Revista de Archivos, Bibliotecas y Museos,* LI (1930) 416-40.

[25] Cf. la carta de Villamanrique al rey del 10 de diciembre de 1587 (A.G.I., México 21, 3 n.° 30).

[26] En carta del 24 de noviembre de 1587 (A.G.I., México 21, 3 30-A). Sobre la figura del franciscano cf. Pastells, *Catálogo,* II, p. CCVIIIss., CCXVIIss. y CCCXIV.

[27] Carta de D. Luis de Velasco al rey del 5 de junio de 1590 (A.I., México 22, § 22). El rey

cios poco santos y volviendo a la exploración, no cabe duda de que la tajante negativa dada por Unamuno a la existencia de las Ricas enfrió no poco los ánimos; se podía quizá poner en entredicho otras cosas, pero no la experiencia náutica del capitán[28].

Siguieron, eso sí, los viajes de descubrimiento, pues gracias a ellos se financiaban negocios particulares con dinero de la Hacienda real, pero durante algún tiempo se trató de buscar el puerto de refresco en la costa de California. A este proyecto consagró mucho tiempo y energías el virrey Luis de Velasco, muy deseoso de explorar y demarcar los puertos de la tierra firme pero sin gasto del erario[29]. Conseguida la aprobación del monarca el 17 de enero de 1593, le notificó Velasco[30] que se había ofrecido una persona a poner por obra el descubrimiento bajo algunas condiciones, entre ellas la de tener permiso para llevar dinero para comerciar en los puertos que hallare, punto éste con el que el virrey no se mostraba muy conforme. No obstante esta discrepancia inicial, un año después se había comprado el navío «San Pedro» para realizar la exploración en el tornaviaje de Filipinas. El mando quedaba confiado a Sebastián Rodríguez Cermeño, «hombre plático en la carrera, seguro y que tiene posible, aunque portugués, porque no los hay d'este oficio castellanos» y, para fomentar su celo, se dio orden al gobernador de Filipinas de que le permitiese cargar en el navío algunas toneladas de mercancía para aprovecharse del flete[31]. Cuando la flota llegó a Manila empezó a intervenir la inevitable picaresca. Uno de los caciques de allá, el capitán Pedro Sarmiento, juzgando que era ésta una ocasión pintiparada para hacer un negocio redondo a costa de las Californias, logró que el gobernador quitara a Cermeño el «San Pedro» y le entregase un barco de su propiedad[32]. Como observaba con acritud el factor Juan Bautista Román,

el capitán Pedro Sarmiento salió con lo que pretendía de que fuese un navío suyo, en que lleva más de 1.500 quintales de cera, suya y de sus deudos, y mucha ropa, y que todo viene a ser más de 120 toneladas; y estaba a medio hazer [la nave] cuando se començó a tratar, y con madera y officiales de Vuestra Magestad tomada por fuerza lo acavó. Y so color que va hazer el descubrimiento, a mandado el gobernador que le

mandó prender a D. Juan de Gama (cf. A.G.I., México 22, 2 n.º 56, §§ 1-3 [28 de julio de 1591]; *ibidem*, n.º 57 § 4 [28 de setiembre de 1591]; *ibidem*, 3 n.º 98 § 2 [2 de junio de 1592], cartas las tres de D. Luis de Velasco).

[28] Cf. A.G.I., México 21, 3 n.º 49 § 18 (carta de Villamanrique al rey de 29 de noviembre de 1588, anunciándole que ya le había mandado la relación de Unamuno: «y agora la torno a inviar por duplicado con éstas»).

[29] Así escribía en carta del 25 de mayo de 1591 (A.G.I., México 22, 2 n.º 46 § 7).

[30] El 8 de octubre de 1593 (A.G.I., México 22, 3 n.º 118 § 3).

[31] A.G.I., México 22, 4 n.º 130 §6 (carta del virrey de 6 de abril de 1594).

[32] Carta de Tomás de Alzola al conde de Monterrey del 19 de noviembre de 1595 (A.G.I., México 23, 1 n.º 23-A).

den marineros con salario a costa de Vuestra Magestad y 25 pipas, que valen aquí 240 pesos. Y el descubrimiento se ará de la manera que de Nueva España se avisará. Plegue a Dios que no sea como lo tengo profetizado [33].

El «San Agustín» de Sarmiento, junto con el «San Pedro» y «San Pablo», se hizo a la vela de la isla de Capul el 26 de junio de 1595, si bien, «por traer mucha ropa y ser el navío pequeño y ruín», tuvo ya que alijar en Mindoro sesenta piezas [34]. El «navichuelo», cargado hasta los bordes de mercancía y poco apto para efectuar un reconocimiento de la costa, acabó por naufragar en el litorial californiano [35], como había profetizado Román. Si el afán de lucro había puesto trágico fin a la expedición, también con el cambio de virrey se le hicieron al proyecto reparos técnicos; como decía el sucesor de Velasco, el conde de Monterrey [36], todos los entendidos estaban de acuerdo en juzgar que hubiese sido preferible haber despachado el navío no desde Filipinas, sino desde la Nueva España. Bien supo aprovechar este estado de opinión un mercader, Sebastián Vizcaíno, que ya en 1595 había conseguido de D. Luis de Velasco una concesión para pescar perlas por asiento en las Californias, aunque entonces el viaje se desbarató por desavenencia entre los socios [37]. Ahora un hombre espabilado podía conseguir muy pingües beneficios, si hablaba de la utilidad de encontrar puertos para los galeones y no de pesquería de perlas [38]. Así fue despachado Vizcaíno a su primer descubrimiento de California (Acapulco, 15 de junio de 1596-Zalagua, 7 de diciembre de 1596), del que regresó «con subçeso siniestro y desacreditado» [39], aunque tenía que reconocer el virrey que Vizcaíno «mostró mediano talento y brío más que de un mercader tan ordinario se podía esperar en semejante

---

[33] Carta del 31 de mayo de 1595 (A.G.I., Filip. 27, 4 n.º 95 § 7; cf. 5 n.º 99 § 2 [16 de junio de 1596]).

[34] Carta de Alzola citada arriba en n. 32.

[35] Carta del virrey Velasco de 23 de diciembre de 1595 (A.G.I., México 23, 1 n.º 30) y del conde de Monterrey de 29 de febrero de 1596 (A.G.I., México 23, 2, n.º 42-13; cf. México 23, 2 n.º 50 y 50-A). El derrotero se encuentra en A.G.I., México 23, 2 n.º 50-C.

[36] En carta del 26 de noviembre de 1597 (A.G.I., México 23, 4 n.º 91).

[37] Así informó el virrey conde de Monterrey el 20 de octubre de 1595 (A.G.I., México 23, 1 n.º 27). Sobre las disensiones en el seno de la compañía cf. A.G.I., México 23, 2 n.º 31 § 8 (23 de diciembre de 1595). Sobre este descubridor existe una excelente biografía escrita por el gran especialista en cuestiones californianas W. Michael Mathes (*Sebastián Vizcaíno y la expansión española en el Océano Pacífico. 1580-1630*, México, U.N.A.M., 1973.

[38] La buena disposición de Monterrey aparece ya en cartas de 1596 (A.G.I., México 23, 2 n.º 36-A; cf. 2 n.º 41; 3 n.º 63). No obstante, también hizo capitulaciones con Gabriel Maldonado para las pesquerías de perlas y la pacificación de tierra firme en noviembre de 1597 (A.G.I., México 23, 4 n.º 91-A).

[39] Así escribió Monterrey al rey en carta del 28 de julio de 1597 (A.G.I., México 23, 3 n.º 32).

jornada» [40]; lo extraño es que Monterrey hubiese encomendado una misión de importancia a un hombre a quien tenía en tan poca estima.

No obstante, preciso es reconocer que a Vizcaíno no le faltaba tesón ni experiencia. Nacido hacia 1548, soldado en la anexión de Portugal (1580), había pasado a Nueva España en 1583 y desde allí se había dirigido a las Filipinas, donde residió hasta 1589. Sus méritos presuntos y reales se veían realzados por una fuerte capacidad de convicción, que en defecto de comunicación oral se volcaba torrencialmente en un sinfín de cartas y memoriales, escritos en letra clara y bien formada. El primer convencido fue el propio Monterrey, que el 11 de noviembre de 1597 hizo un nuevo asiento con Vizcaíno para la exploración y posesión del golfo de California. La expedición, retrasada por la muerte de Felipe II y otras circunstancias adversas, tuvo lugar por fin mucho más tarde (Acapulco, 5 de mayo de 1602-Acapulco, 21 de marzo de 1603), componiéndose de los navíos «San Diego» y «Santo Tomás» y de la lancha «Los Tres Reyes», nombre entonces punto menos que ineludible en los barcos de descubrimiento [41]. Con grandes fatigas y superando las penalidades y las bajas producidas por el escorbuto, Vizcaíno logró subir hasta el cabo Mendocino, a 43°, habiendo descubierto a a 33° 1/2 el «muy buen puerto» de San Diego y a 37° el que en honor de su patrono llamó de Monterrey, del que todos los marinos se hicieron lenguas al unísono: «capaz para cualquiera género de naos, abrigado de todos vientos», con «muncha agua dulce y muncha madera para hazer y arbolar cualquier navío». Lo más notable de este viaje fue el cuidado exquisito que se puso en la demarcación y reconocimiento de la costa californiana: a tal efecto se asignó a la armadilla un cosmógrafo, Jerónimo Martínez Palacios, cuyos dibujos pasó después a limpio el impresor Enrico Martínez, cosmógrafo que contó con la ayuda inestimable de un sabio fraile, el mayor cantor de las excelencias de la tierra descubierta, el padre Antonio de la Ascensión, uno de los tres carmelitas que fueron a bordo de la capitana. El segundo viaje de Vizcaíno se asemejó mucho en su ejecución a las expediciones científicas que se iban a poner de moda en el s. XVIII. Por ello, quizá, brillan por su ausencia las efusiones míticas: todas las relaciones son más bien secas, salvo las del religioso, que muy poco después demostró tener buena copia de imaginación. El reino de la California, en efecto, era anteco de Salamanca, la ciudad donde fray Antonio había cursado sus estudios, razón que invitaba a creer que una y otra tierra gozaría del mismo temple y cualidades. Las riquezas del mar eran

---

[40] Carta de Monterrey del 26 de noviembre de 1597 (A.G.I., México 23, 4 n.° 91).
[41] Publicó el derrotero del primero y segundo viaje así como otros documentos A. de Portillo, *Descubrimientos y exploraciones en las costas de California*, Madrid, 1947, p. 301ss.

infinitas, sin contar con las perlas, y de su grandeza daban fe monstruos ingentes como innumerables ballenas o mantas enormes, algunas de veintiséis varas de longitud; la fertilidad de la tierra corría parejas con la del océano, y podía criarse en ella todo tipo de ganado y animales. Se encontró incienso, ámbar, indicios indubitables de oro y plata en abundancia y muy buenas salinas. El puerto de Monterrey estaba en el mismo paralelo que Sevilla, y como los galeones de Manila arribaban allí al cabo de cuatro meses de travesía, sería bueno, a juicio del carmelita, hacer en él una población para reparo de los navegantes y conversión de los naturales, que a lo largo de toda la costa les dieron muestras de amor y mansedumbre.

2. *El galeón de Manila y Hernando de los Ríos Coronel*

Por ley de vida, en Manila, tan privada de rápido socorro como cercada de potenciales enemigos, se había impuesto en muy poco tiempo un espíritu muy realista y ganoso sobre todo de favorecer la iniciativa privada, como demuestra su calurosa defensa de la libre contratación con Acapulco frente a las rígidas ordenanzas reales [42]. La mentalidad que reinaba en las islas era diametralmente opuesta a la manera tradicional de ver las cosas. Un capitán como Pedro Sarmiento no tenía empacho en hacer sus granjerías con el «San Agustín» pilotado por Cermeño, y hasta el propio factor Juan Bautista Román se quejaba de que no se hubiera animado y ayudado el esfuerzo del capitán Esteban Rodríguez de Figueroa [43] para fletar su navío a la Nueva España en 1585; pero el emprendedor Rodríguez, sin amilanarse, armaba otra nao de 450 toneladas, la «Santa Margarita», con Tomás de Alzola [44]. En este ambiente propicio al

[42] El monopolio estatal fue propugnado por los sucesivos virreyes: Luis de Velasco (cf. A.G.I., México 22, 1 n.º 11 § 8 [2 de marzo de 1590]; n.º 24 § 23 [8 de octubre de 1590]; 2 n.º 33 [22 de diciembre de 1590]; n.º 35 [23 de febrero de 1591]) y el conde de Monterrey (A.G.I., México 23, 3 n.º 69 § 4 [y cf. 69-A]). Desde 1586 aparecen cédulas regias poniendo coto a la contratación con Manila (A.G.I., Patron. 24, 66). Véase también Schurz, *The Manila Galleon*, p. 199.

[43] Sobre este capitán de origen portugués cf. Pastells, *Catálogo*, III, p. CCXVIIss.

[44] A.G.I., México 23, 1 n.º 23-A; cf. la relación de las mercaderías en México 23, 1 n.º 30-A y 30-B y cf. México 23, 2, n.º 32-A. En la «Santa Margarita», según escribía el 30 de junio de 1598 fray Miguel, obispo de la Nueva Segovia, el gobernador de Filipinas Francisco Tello no había repartido más que 160 toneladas de ropa, cuando en realidad cabían de 250 a 300 (A.G.I., Filip. 76, 1 n.º 6). El navío, de 450 toneladas, fue comprado por el virrey (A.G.I., México 23 2, n.º 40), si bien se quejaba después Monterrey de que por el precio pagado se podían haber fabricado dos naves nuevas (A.G.I., México 23, 2 n.º 50). En el año 1595 llegaron a Acapulco, pues, al menos cuatro navíos procedentes de Filipinas: el «Santa Margarita», el «San Agustín», el «San Pedro» y el «San Pablo». Hasta D. Fernando de Castro era propietario de un navío, el

trato y a los descubrimientos era lógico que no se perdiese fácilmente el recuerdo de unas islas que con tanta docilidad se acomodaban a los intereses financieros.

Además, en Filipinas se mantenía muy viva la tradición cosmográfica iniciada por Urdaneta y su compañero Martín de Rada, «grandíssimo arisméthico, geométrico y astrólogo, tanto que quieren dezir que es de los mayores del mundo», a juicio de Juan de Isla[45], fraile andariego e inquieto que murió en la expedición a Borneo en 1578, no sin antes haberse opuesto, con pasmosa libertad parangonable a la de Las Casas, a los «justos» títulos de conquista esgrimidos por los españoles. Más tarde, el cosmógrafo de Galí, Jaime Juan, astrónomo experto que había observado en México el eclipse de luna del 10 de noviembre de 1584, había vivido algún tiempo en Manila, donde murió a consecuencia de unas calenturas en 1586[46]. Con ellos no se acaba la lista de cosmógrafos de nota: el 27 de junio de 1597 el gobernador Luis Pérez Dasmariñas recomendó al rey a Hernando de los Ríos Coronel, hombre «de mucha noticia de cosas importantes y de muy particular inteligencia de Mathemática y Astrología», que había pasado a las islas en 1588, desempeñando algunos servicios a la ciudad de Manila y participando como capitán de infantería en la expedición a Camboya del mismo Dasmariñas[47]; por su parte, el cosmógrafo,

«San Jerónimo», después de haber sido general de la carrera de Filipinas (A.G.I., México 23, 3 n.º 82 [carta de Monterrey del 28 de julio de 1597; sobre Castro *ibidem*, § 3]).

[45] A.G.I., Patron. 23, 7 ff. 3v-4r. Al decir de Urdaneta (A.G.I., Patron. 49, 12 n.º 1), era Rada «buen matemático y astrologuo». Sobre su muerte y sus ideas sobre la conquista cf. A.G.I., Filip. 34, 1 n.º 32 y n.º 15 respectivamente. En el *Derrotero* de Isidro de la Puebla (BN Madrid, ms. 4541, f. 75v) se lee: «Ay dende Sevilla a la poblaçión de Çibó dozientos y doze grados y treinta minutos azia el poniente, y está este pueblo çinco grados más azia el poniente que no el Maluco, y estas islas de Çibú y las demás que están con ella, adonde declara esta longitud, son las islas de la China que agora se an descubierto. Y esta cuenta es sacada por fray Martín de Rada, fraile de la Horden de San Agustín». Menciona también estas medidas, sin dar más detalles, Juan Bautista Gessio (M. Jiménez de la Espada, *Relaciones geográficas de Indias*, Madrid, 1897, III, pp XXIX-XXX). Cf. asimismo E. Fernández de Navarrete, *Colección de documentos inéditos para la Historia de España*, XXI (1852) 109ss.

[46] Jaime Juan pretendía también haber inventado un instrumento para observar las variaciones de la aguja (M. de la Puente y Olea, *Los trabajos geográficos de la Casa de Contratación*, Sevilla, 1900, p. 358). Sobre su figura cf. sobre todo E. Schaefer, *Investigación y Progreso*, X (1936) 10ss.

[47] A.G.I., Filip. 18-B, 6 n.º 242. Sobre Ríos Coronel dio algunas noticias M. Fernández de Navarrete, *Disertación sobre la Historia de la Náutica* (*BAE* 77, p. 373-75). En 1599 se escribió de él lo siguiente: «Passó a estas partes [Filipinas] el año de ochenta y ocho. A hecho asistencia en esta çiudad y servido en ella lo que se le a mandado y en algunos offiçios de justiçia con buena aprovación. Fue por capitán de infantería con Don Luis Pérez Dasmariñas a la jornada de Camboja. Es hombre virtuoso y de talento para cualquier cossa que Vuestra Magestad le mande Tiene hedad de cuarenta años y algún caudal» («Lista y memorial de los vezinos d'estas islas Philippinas» en A.G.I., Patron. 25, 55). En 1594 era administrador del hospital real de Manila que albergaba a la sazón de ordinario de 50 a 60 enfermos (A.G.I., Filip. 59, 5 n.º 53). Cf además otro memorial suyo en A.G.I., Filip. 27, 3 n.º 118.

calificado en 1599 como «honbre virtuoso y de talento», en ese mismo día de 1597 le dirigió un memorial al monarca para proponerle la conquista del puerto de Keilang en Formosa[48], proyecto muy mimado de D. Luis con objeto de contener la tan temida por entonces invasión japonesa —amenaza que, recelada desde 1592, acabó por descargar sobre Corea en ese mismo año—, y al mismo tiempo para interesarle en el descubrimiento de dos estrechos[49]: el de Anián, que conocía Ríos Coronel por relación de fray Martín de Rada, y el de Nuevo México, del que había hablado un prior que no puede ser sino Urdaneta; en efecto, fray Andrés se mostraba preocupado ya en 1561 por la noticia de que los franceses habían encontrado un paso por el Norte[50], y en 1566 la suerte lo había vuelto a reunir, esta vez en La Habana, con su informante, que no era otro que Pedro Menéndez de Avilés[51], defensor a ultranza de la existencia del Estrecho de Florida[52].

Ríos Coronel que, como todo astrólogo que se preciara, se jactaba asimismo de estar fabricando un astrolabio para tomar la altura del polo a todas horas, tuvo la mala fortuna de que la llegada de su propuesta a España coincidiera con la muerte de Felipe II en 1598. Así, sólo a finales de 1602 comenzó la Corte a mostrar interés no tanto por el descubrimiento de los estrechos, como por la idea de «tomar la isla de Armino para hazer escala allí las naos que salen d'essas islas para la Nueva España»[53]. De nuevo, pues, volvía a ponerse de actualidad la isla objeto de polémica, aunque al menos sobre un punto reinaba unanimidad: la necesidad de buscar una escala para el galeón de Manila. Pero mientras los cosmógrafos Galí y Ríos Coronel buscaban esa escala yendo a descubrir islas misteriosas, Sebastián Vizcaíno, entusiasmado con el emplazamiento de Monterrey, que había explorado en 1602-1603, proponía una y otra vez la población de dicho puerto, que estaba, a su juicio, a mitad de camino entre Manila y Acapulco. Había triunfado ya su idea[54],

[48] A.G.I., Filip. 18-B, 5 n.º 210 y 211. Acerca de los proyectos sobre isla Hermosa cf. Schurz, *The Manila Galleon*, p. 353ss.

[49] Cf. A.G.I., Filip. 18-B, 6 n.º 243 y H. R. Wagner, *Spanish Voyages*, p. 177.

[50] Cf. A.G.I., Patron. 23, 15 f. 5r. Cf. infra p.000.

[51] Cf. *Colección de diarios y relaciones para la Historia de los viajes y descubrimientos*, Madrid, 1943, II, pp. 88-89 y asimismo M. Fernández de Navarrete, *Colección de documentos inéditos para la Historia de España*, XV (1848) 38-39.

[52] *Colección de diarios y relaciones*, II, p. 61 y 80.

[53] A.G.I., Filip. 329, vol. I, f. 37 (16 de febrero de 1602).

[54] En efecto, la Junta de Guerra había propuesto el 4 de marzo de 1606 que se ordenase a Montesclaros la puebla de Monterrey, con gasto de hasta 20.000 pesos de la Hacienda real (A.G.I., Indif. 1867, n.º 68). La misma Junta poco después, en 17 de julio, dispuso que en 1607 Montesclaros nombrase a Vizcaíno general de la flota de Filipinas y que éste, en el tornaviaje, poblara Monterrey (*ibidem*). A tal efecto se expidieron el 19 de agosto de 1606 dos cédulas, una dirigida a Montesclaros y otra al gobernador de Filipinas (A.G.I., Filip. 329, vol. II, f. 9r-14r y 14r-18v respectivamente).

cuando de manera inesperada el marqués de Montesclaros, virrey de Nueva España, sometió a la consideración del monarca otro proyecto el 27 de mayo de 1607:

Para el intento dicho se adbierte que de treinta y cuatro a treinta y cinco grados ay dos islas que llaman Rica de Oro y Rica de Plata, Oeste al Este del puerto de Monterrey, casi en un mismo paralelo aunque en gran distancia de longitud. Estas islas son o cualquiera d'ellas las que todos los que han tratado d'esta navegación y la han hecho dizen que conviene reconocer y poblar, para que en ellas hagan las naos escala[55].

En el cambio de opinión del virrey concurrieron factores muy diversos. En primer lugar, acababa de pasar por México el propio Ríos Coronel que, en su *Diario de viaje,* encontrándose a unos 37° grados de latitud, había registrado el 17 de setiembre de 1605 una gran descarga de lluvia, añadiendo:

Estávamos el día del aguacero sobre isla Rica de Plata, porque, aunque no la vimos, vinieron a la nao unos çánganos como langosta muchos y otras señas, que nos pareció estar sobre ella[56].

A mayor abundamiento, también otro hombre de prestigio como Antonio de Morga daba crédito a la fábula de las Ricas, que situaba a unos 38°[57]; y Antonio de Morga no sólo había vivido algunos años en Filipinas, islas sobre las que escribió un libro fundamental, sino que, antes de ir a ellas, había estado ocupado, «por horden del Virrey Don Luis de Velasco... particularmente en comiciones y negocios de justicia, como fueron contra Sebastián Bizcaíno y sus consortes sobre la jornada de California»[58]. Tales pesquisas, aunque aparentemente queden zanjadas, dejan siempre resquemores y enemistades, por lo que es de suponer que Morga,

[55] A.G.I., México 27, 1 n.° 18.

[56] BN Madrid, ms. 3212, f. 76r. Ríos Coronel, siempre preocupado por la variación de la aguja, había salido de Cavite el 7 de julio de 1605 y prosiguió su viaje a España desde San Juan de Ulúa el 17 de junio de 1606. Sobre las Ricas aclaró en otra ocasión (A.G.I., Filip. 36, 3 documentos finales sin numerar): «No están en el altura que dizen, sino en 36 grados la Rica de Plata y la otra Rica de Oro en 29, y esto selo cierto por aver echo muchas cartas de navegar con que se governaron en aquella carrera; y a la venida aora, cuando por nuestro punto nos allávamos con la Rica de Plata, vinieron unos moscones como langostas que se hinchó el navío, y éstos se crían en tierra, y otras señales tubimos evidentes d'ello; el no verla fue causa por ser sobre tarde y el cielo nubiloso y con viento largo de Sueste, que aquella noche la devimos dexar atrás; ívamos por altura de 36 grados».

[57] *Sucesos de las islas Filipinas,* publicados por J. Rizal, Manila, 1961, p. 371: «Pásase por entre otras islas que pocas veces se ven a treinta y ocho grados, con los mismos riesgos y temporales, a temple frío, en paraje de islas Rica de Oro y Rica de Plata, que pocas veces se reconocen».

[58] A.G.I., Filip. 18-B, 7 n.° 300 (1 de julio de 1598).

de buena o de mala fe, respaldara con su autoridad las ideas de Ríos Coronel, que en definitiva le merecían más crédito que la propuesta de Vizcaíno. ¿Qué mucho que el Virrey, a la disimulada, hiciera suya tales ideas y las elevara a proyecto? Bien es verdad que Montesclaros no parecía mermar la nombradía de Vizcaíno, a quien seguía proponiendo como general de la exploración; el objetivo a alcanzar, no obstante, no podía ser más diferente. Da la impresión de que los tesoros de las Ricas se palpaban ya con la mano. Tampoco en Madrid se le antojó la cuestión baladí a la Junta de Guerra, que mostró su aprobación al proyecto tanto en la sesión del 18 de setiembre [59] como en la del 6 de octubre de 1607 [60]

[59] A.G.I., México 27, 1 n.º 18-C.

[60] A.G.I., Indif. 1867, n.º 144. Creo util presentar aquí una de las propuestas de Ríos Coronel relativas a las Ricas. Se trata de un memorial sin fecha, escrito a principios de 1607 (A.G.I., Filip. 27, 1 n.º 56 § 33; el *Catálogo* de Torres Lanzas, n.º 5803, propone el año 1600, erroneamente: la fecha *ante quem* de este documento viene dada por el billete del 5 de setiembre de 1607 ([A.G.I., Filip. 27, 2 n.º 114], en el que se acusa recibo del encargo de buscar un cosmógrafo, que Ríos Coronel había pedido precisamente en este memorial, anotándose al margen de su petición que fuera él asimismo quien se interesara en el asunto): «Y porque esta nabegación es tan larga y, de no tomarse en el camino refresco, enferman todos, para remedio d'esto a puesto Dios en mitad del golfo y viaje una isla que les sirva de venta en medio del camino, como en la navegación de los portugueses tienen a la isla de Sancta Elena, donde toman refresco. Esta isla que digo, Rica de Plata, es grande, que tiene más de cien leguas, y aun pasan algunas naos a vista de ella; como no saben los puertos que tiene no se atreven a tomar refresco en ella. Entiéndese que está poblada, porque se an visto algunas señas d'ello; es muy necessario que desde Manila se baya a descubrir con un navío pequeño y se busque allí un buen puerto para las naos que hagan agua y leña y se refresquen; y podría ser de más importancia el descubrilla y también es necessario porque allí cerca es donde se suelen desaparejar las naos con tormentas, y podrán allí aderezarse y rehacerse y proseguir su viaje sin aver de arrivar a Manila. D'esto e avisado a Vuestra Alteza algunos años a por ser de importancia para esta navegación, y creo que se envió el año pasado cédula al gobernador para descubrilla, pero es necessario que se torne a mandar» (al margen se escribió: «que se despache cédula para que el gobernador haga este descubrimiento a la menor costa de S. M. que sea possible»).

Del procurador de Filipinas se conserva una serie de memoriales dirigidos al Consejo por esos meses, que se escalonan desde el 2 de marzo de 1607 (A.G.I., Filip. 1, 2 n.º 110 y 111: solicitud de licencia para que los castellanos de Filipinas puedan contratar con Macán) al 9 de abril de 1609, día en que pidió permiso para contratar en la nao de Manila (A.G.I., Filip. 1, 3 n.º 166), petición nada de extrañar en este clérigo que, cuando tuvo lugar el temible alzamiento de los sangleyes en 1603, fue «el primero que tocó alarma y peleó con sus armas dentro y fuera de Manila, con gran riesgo de su vida, haviéndosele quemada su casa y robado toda su hazienda los chinos» (A.G.I., Filip. 27, 2 n.º 109) y que el 27 de junio de 1608 (A.G.I., Filip. 1 3, n.º 150) solicitó del Consejo llevar lebreles de Irlanda para combatir a los indios.

Algunos de estos memoriales nos interesan especialmente: así, además de señalar el 13 de enero de 1608 que faltaban relojeros en las islas (A.G.I., Filip. 1 3, n.º 142), el 7 de enero de 1608 reclamó un cosmógrafo para Filipinas «así para hazer las cartas de marear y exsaminar los pilotos que andan en aquella nabegación como para que haga y corrija los instrumentos para nabegar» (A.G.I., Filip. 1 3, n.º 139; de él se trata arriba). A instancia suya fue examinado el 11 de noviembre de 1607 ante el catedrático de Cosmografía Andrés García de Céspedes un candidato, Juan de Segura Manrique (A.G.I., Filip. 27, 2 n.º 116; cf. n.º 115 y 117), que en 1613 estaba ya en Filipinas (A.G.I., Filip. 1, 4 n.º 219). El 17 de marzo de 1620 Segura presentó un memorial sobre la navegación a las islas (A.G.I., Filip. 17, 3 n.º 177). Otras peticiones se guardan en A.G.I., Indif. 1427-1429.

que ratificó Felipe III el 27 de setiembre de 1608[61]. Claro es que el propio Vizcaíno no había perdido el tiempo y se había trasladado a la Corte a fin de sacar el mejor provecho posible de tamaña disparidad de propuestas; el 12 de julio de 1607, a petición propia, se le concedió permiso a él, junto con su hijo, criados y demás casa para regresar a la Nueva España en los navíos donde fueren las bulas y los azogues, en compañía del gobernador de Filipinas[62].

Esta resolución causó una mezcla de estupor, abatimiento y hasta es posible que de indignación en Filipinas. La razón era meridiana: si por un azar del destino el navío despachado desde la Nueva España descubría las Ricas, automáticamente las Filipinas quedarían relegadas a un ultimísimo plano; en cualquier caso, subsistía el temor de que se estableciesen relaciones comerciales directas entre el Japón y la Nueva España tras la muerte del belicoso Shogun Taicosama (=Hide-Yoshi) en 1598, todo ello en grave perjuicio de Manila. Mayor si cabe hubo de ser la cólera del procurador de las islas, Ríos Coronel, que se hallaba a la sazón en España, sin duda disfrutando de lo lindo en discutir fantasías cosmográficas de sus Ricas y del Pacífico con otro gran amigo de utopías, Pedro Fernández de Quirós, cuando descubrió que se le había arrebatado la primacía de su propio proyecto. Sin pérdida de tiempo, pues, presentó el 2 de marzo de 1609 al Consejo de Guerra un muy extenso memorial

diziendo que en todo caso conviene que el dicho descubrimiento se haga desde aquellas islas y no desde la Nueva España, así por escusar la costa grande que se siguiría a la Real Hazienda haziéndose con navíos fabricados en ella, por ser allí todas las cosas de la navegación muy caras y dificultosas de hallarse, como por ser fuerza que vayan muy aventurados y con gran riesgo de no allar las islas y perder el viaje y la costa hecha, respeto de estar en mucha altura y muy apartados de la Nueva España, y tanvién porque todos los que fueren a este descubrimiento an de ir cargados de dineros para emplear en Philipinas, porque como an de bolber los navíos bacíos, tendrán ocasión de cargarlos de mercadurías; y por no perderlas yendo al descubrimiento, podría ser que en la nao hiziesen información como otras vezes, diziendo que por tormenta o por otra ocasión alguna no pudieron tomar las islas; y que haziéndose el dicho descubrimiento por Philipinas cesarán todos estos inconvenientes, pues es evidente que la costa y riesgo será mucho menos, por estar las dos islas que se an de descubrir tan a la mano, que casi se podrá ir hasta tomarlas con las naos de la contratación[63].

Los verdaderos motivos de la protesta quedaban silenciados y en su lugar se esgrimían verdades a medias. El dúctil y maleable Consejo se

[61] A.G.I., Filip. 329, vol. II, ff. 72r-73v y 73r-75r: cédulas dirigidas a Montesclaros y a D. Juan de Silva respectivamente.

[62] A.G.I., Indif. 1429.

[63] Visto en 9 de abril de 1609, cf. A.G.I., Filip. 36, 3 documentos finales sin numerar, y A.G.I., México 1, 5 n.º 350.

dejó influir por tales argumentos y la veteranía de Ríos Coronel, y el 13 de mayo de 1609 el rey dio orden de emprender el descubrimiento desde las Filipinas [64]. Mientras tanto, el virrey Velasco, más favorable a Vizcaíno que su antecesor y muy ajeno al sesgo que estaban tomando los acontecimientos, enviaba un despacho al soberano manifestándole sus dudas y recelos sobre la viabilidad y el resultado de la expedición, sin saber que estaba a punto de escapársele de las manos:

al presente no hay aquí hombres pláticos de aquella navegación: irélos juntando, cuando los aya, y daré aviso a Vuestra Magestad de lo que entendiere. Y veo la Hazienda Real tan corta y cargada de gastos, que demás del cuidado que me da, hago escrúpulo de que se gaste en cossas dudossas y no necessarias [65].

Cuando llegó a Velasco la nueva orden del monarca, se esfumaron sus dudas para dejar paso a la más enérgica y fulminante reacción. En primer lugar, el virrey manifestó a Felipe III su firme convencimiento de que los gastos, en vez de menguar, aumentarían de emprender el viaje desde las Filipinas. Antes a su juicio no había en México navegantes expertos en el Pacífico; ahora, tras una junta reunida a toda prisa el 15 de octubre, «las personas más pláticas que aquí hay de aquella navegación dizen ser más importante hazerse desde aquí por muchas razones», proponiendo hasta la derrota de la nave, que, partiendo de Acapulco, a 15°, había de poner proa derechamente a las islas [66]. Después de esa importante finta crematística se recurría al mito. Velasco, que hacía poco había tachado punto menos que de fabulosa la existencia de las Ricas, exhumaba sin el menor rubor la famosa carta del venerable agustino Andrés de Aguirre, que había sido encontrada entre los papeles del no menos reverendo arzobispo D. Pedro de Moya y Contreras. El antaño escéptico virrey hacía oportuno acto de sabia contrición y añadía:

Y no sé qué dezir en esta razón más de que conocí al fray Andrés de Aguirre desde el año de 64, que mi padre lo despachó con Miguel López de Legazpi al descubrimiento de las Philippinas, y en aquel tiempo hasta que murió siempre tubo opinión de buen religioso y cuerdo y acertado cosmógrafo y bersado en las cosas de la mar, particularmente en la de las islas Philippina y a ellas adyacentes. Y si la noticia que da fuera suya y no por relación de tercero ya muerto [Urdaneta], me atreviera a intentar el descubrimento [67].

[64] A.G.I., Filip. 329, vol. II, ff. 80v-81v y 81v-82v (cédulas a Velasco y a Silva respectivamente).

[65] A.G.I., México 27, 3 n.º 67.

[66] A.G.I., México 27, 3 n.º 74 (21 de octubre de 1609). La junta, reunida por Velasco el 15 de octubre, había propuesto que la nao partiera de Acapulco, a 16° N., hasta llegar derechamente a las Ricas, en 31° N. (A.G.I., Filip. 36, 3 documentos finales sin numerar).

[67] A.G.I., México 128, 5 (copia de carta de 21 de octubre de 1609 del marqués de Salinas).

Entre las polvorientas escrituras aparecidas por arte de brujería y estas apresuradas profesiones de fe en las Ricas, lo único que queda claro es que se había establecido una dura pugna entre México y Manila por emprender el descubrimiento, y de paso por el monopolio del comercio con el Japón e islas comarcanas. Tantos dimes y diretes acabaron mareando al monarca, que el 5 de junio de 1610 ordenó a Velasco que convocara un junta de las personas más entendidas en la navegación de Filipinas, junta en la que estaba prevista la asistencia del incansable Hernando de los Ríos Coronel, entonces ya en el camino de vuelta a Manila; así, llegando todos a un acuerdo, se podría proceder ya sobre seguro a la exploración [68].

3. *Sebastián Vizcaíno en el Japón*

Un acontecimiento inesperado torció el curso del descubrimiento. El navío en que regresaba a Nueva España el gobernador saliente de Filipinas, Rodrigo de Vivero, naufragó en las costas del Japón el 30 de setiembre de 1609. El Shogun Ye-Yasu (el Daifusama de los españoles) vio la ocasión propicia para establecer trato con Nueva España, trato que había intentado conseguir en vano desde 1602 [69], pues el Japón, en un momento crucial de su historia, tras sufrir el revés de la guerra de Corea en 1597, no sólo se mostraba receptivo, sino que trataba de intervenir en la diplomacia y en el comercio internacional de un modo pacífico. Se aprestó, pues, una nave a costa del Shogun, se prestó dinero a Vivero y de esta suerte ocurrió el caso insólito de que un grupo de españoles y una embajada japonesa aportara en el mismo barco a Acapulco el 7 de octubre de 1610. Mientras tanto, en Sevilla, a punto de embarcarse para Nueva España, Ríos Coronel se seguía mostrando muy contrario a la partida por Acapulco [70]; como no podía menos, su oposición subió de punto cuando, una vez en México, se enteró de lo acontecido y de la imprevista situación. Sólo entonces abrió al rey el fondo de su corazón: de establecerse la relación comercial que pretendían los japoneses, «se perderá el trato de

---

[68] A.G.I., Filip. 329, vol. II, f. 116r-117v. A Juan de Silva le anunció el 16 de noviembre de 1611: «en cuanto al descubrimiento de las islas Rica de Oro y Rica de Plata ya está proveído lo que conviene, como allí lo habréis entendido» (A.G.I., Filip. 329, vol. II, f. 135v).

[69] El 1 de junio de 1602, en efecto, el Shogun había escrito una carta al gobernador de Filipinas, que vertida al castellano de la época venía a decir así: «El Señor Dayfu siempre que ha escripto a Vuestra Señoría ha enbiado a pedir e[l] trato de la Nueva España, y nunca le han respondido, de que está muy se[***]. Vuestra Señoría le acuse si puede ser o no, porque se holgará mucho de sav[erlo]» (A.G.I., Filip. 35, 6 n.º 80).

[70] A.G.I., Filip. 36, 3 documentos finales sin numerar (27 de enero de 1610).

Manila»[71]. Una razón desconocida logró calmar su fogosidad, pues el hecho es que el 13 de diciembre de 1610 se retractó de su postura adversa:

Después que acá llegó el embaxador y me dio cuenta del intento del emperador [japonés], no me parece que trae inconviniente, pues no quiere que naveguen japones, sino españoles, y andando un navío pequeño de 100 toneladas en este trato no es cosa considerable tan pequeño navío y no faltará carga para llevar d'esta tierra [México], y de allí traerá plata a trueque de conservar su amistad y aviendo él de echar los holandeses[72].

Con el pretexto de devolver los japoneses a su patria y sin oposición aparente, Velasco despachó el 22 de marzo de 1611 una nave, que bautizó con el nombre de buen agüero de «San Francisco»[73], para que, una vez realizadas las gestiones diplomáticas durante el invierno, saliese el verano siguiente al descubrimiento. Como informaba al rey,

todo esto va a cargo del general Sebastián Vizcaíno, con orden de que, sin tocar en Philippinas, pues no tiene necessidad d'ello, buelva a dar cuenta de lo que hiziere con la brevedad que las cosas dieren lugar. Lleva un navío de buen porte y 50 personas con officiales, marineros y grumetes, 40 arcabuzes y moxquetes, algunas armas enastadas, dos pieças de artillería y el matalotaje necessario con alguna ropa d'esta tierra en poca cantidad, para comprar allí con ella lo que más hubiere menester. La costa que a havido en despacharle a entrambos effectos no llega a los 20.000 ducados que Vuestra Magestad permite para el descubrimiento de que, por no estar bien ajustada la cuenta, no la enbío aora. Déles Dios el buen viaje que puede y es menester[74].

Vizcaíno, trazando un largo rodeo para seguir derrotas conocidas, desembarcó con Jozuquendono y su séquito de «japones», exhaustos y atemorizados, en el puerto de Urangava el 10 de junio de 1611. El viejo y taimado Shogun, el gran Ye-Yasu, a pesar de la obstrucción de holandeses e ingleses, accedió a que Vizcaíno demarcase y sondase los puertos, bahías y ensenadas desde Nangasaqui hasta el cabo de Cestos, la cabeza del Japón, con vistas a la contratación futura; también le permitió construir un nuevo barco para volver en él a la Nueva España, y por último consintió que no se pusiese tasa ni pancada a la mercancía que viniese de Filipinas o de Nueva España; se negó, no obstante, a prohibir la entrada en su reino a los holandeses. Bien se ve en el pliego de solicitudes de Vizcaíno la mano del gobernador de Manila D. Juan de Silva, que el 16

---

[71] A.G.I., Filip. 36, 3 documentos finales sin numerar (16 de octubre de 1610).
[72] A.G.I., Filip. 36, 3 documentos finales sin numerar.
[73] A.G.I., México 28, 2 n.º 13.
[74] A.G.I., México 28, 2 n.º 15 (7 de abril de 1611). El 21 de marzo de 1611 Vizcaíno había pedido al rey el nombramiento de general de la carrera de Filipinas por seis años (A.G.I., Filip. 193, 1).

de julio de 1610 había aconsejado al rey que su embajador presentara al Shogun tres exigencias: expulsión de los holandeses, venta de mercadería en Japón sin pancada y prohibición de llevar plata japonesa a Filipinas[75]. Tras una larga estancia, en la que se prodigaron escenas pintorescas, el «San Francisco» se hizo a la vela de nuevo en Urangava el 16 de setiembre de 1612 en demanda de las famosas Ricas[76]. Primeramente fueron buscadas a 200 leguas del Japón, a 35°, donde estaban señaladas en las cartas de marear, y después más abajo, a 34°. Las islas no aparecían por ninguna parte, el navío hacía agua y parecía desencajarse y el piloto mayor declaraba «que no había tales islas en el mundo», a pesar de que algunos creyeron apreciar indicios de tierra. El 18 de octubre, al ver el barco desbaratado y a su gente desmayada y al borde del motín, Vizcaíno, desesperando de poder llegar a Acapulco, puso proa a Urangava, en la que fondeó el 7 de noviembre. Más de un año le costó al capitán armar otro navío, ante la creciente reticencia de Ye-Yasu. Por otra parte, el franciscano Luis Sotelo había forjado grandes planes para la cristianización del Japón basados en la amistad del príncipe de Sendai Date Masamune, a quien le halagaba la idea de enviar una embajada al rey de España y al Papa. Esta era la única salida posible y Vizcaíno tuvo que aceptarla a regañadientes. Así, el 27 de octubre de 1613 el «San Juan Bautista», construido en Japón, largó velas para la Nueva España llevando a bordo una nutrida delegación de japoneses de Sendai, encabezada por Jasekura.

El Shogun y su hijo habían dado a Vizcaíno cada uno una carta dirigida al virrey de Nueva España, en la que solicitaban la contratación anual entre los navíos de ambos reinos[77]. En este punto semeja que el capitán, espoleado en parte por los mercaderes de México y obligado en parte por las circunstancias, se excedió en sus atribuciones haciendo promesas excesivas. El gobernador de Filipinas presentó de inmediato una reclamación por la licencia dada por Vizcaíno en el Japón para que desde allí fuese un navío a Acapulco, manifestando los inconvenientes que podrían resultar de abrirse esta nueva vía comercial[78]. Asimismo la Audiencia de Manila puso el grito en el cielo, indicando los gravísimos daños que se derivarían de hacerse los «japones capaces d'estas navegaciones que, como gente belicosa y que tiene trato y comunicación con los olandeses y hecha factoría, se pueden aunar y causar grandes inquietudes así

[75] A.G.I., Filip. 20, 2 n.° 83 (16 de julio de 1610).
[76] BN Madrid, ms. 3046, f. 114r (publicado en C.D.I.A., VIII, 1867, p. 189ss.).
[77] Hay traducción del documento en A.G.I., Filip. 1, 4 n.° 211 y 212. Cf. asimismo la Relación de Vizcaíno (C.D.I.A., VIII, p. 154-55).
[78] El 2 de diciembre de 1613 (A.G.I., Filip. 329, vol. II, f. 174r).

en las costas de Nueva España como en estas islas»[79]. Ante este alud de protestas no carentes de razón, el monarca ordenó al virrey marqués de Guadalcázar que depurase la responsabilidad de Vizcaíno y proveyese del remedio conveniente[80]. De estos viajes, en definitivas cuentas, no resultó más fruto que un curioso cruce de embajadas entre el Japón y la Nueva España, de la que al final ninguna de las partes sacó provecho. De nuevo se había arado la mar en vano en demanda de las Ricas, mientras que la anuencia del Shogun a establecer relaciones comerciales y políticas hacía concebir a las Ordenes religiosas, en especial a los franciscanos, hueras esperanzas evangélicas que muy pronto y no sin cierto motivo iban a ser interpretadas como una ingerencia política. Contra todo pronóstico, tampoco iba a estallar en el Japón a la muerte de Daifusama la guerra civil que vaticinaba la diplomacia española, acostumbrada a ver desórdenes y alborotos a la subida al trono de un nuevo soberano[81]; antes bien, el fortalecimiento del poder central estaba a pique de acabar con la existencia de minorías, fomentando de paso la xenofobia a ultranza[82]. Como concluía el propio Vizcaíno, «el demonio trabajó en mudar la intención [de poblar Monterrey] porque no se llevara la luz del evangelio, tomando por instrumento descubrir estas islas Ricas de Oro y de Plata, que ni las ay en el mundo ni tal se an de hallar eternamente»[83].

En Filipinas, por su parte, se acusó al talludo capitán, que rondaba los 66 años, de haber ido no al descubrimiento, sino a ocuparse en el Japón

[79] El 21 de julio de 1611 (A.G.I., Filip. 20, 2 n.º 94). Otro tanto ocurrió en 1619, cuando los franciscanos intentaron asentarse por todos los medios en las islas niponas; entonces volvió a insistir en las mismas ideas ante el Consejo Ríos Coronel, quejándose de que Luis Sotelo había «abierto camino desde el Japón a la Nueva España, cosa muy perniciosa a vuestro real servicio y vasallos» (A.G.I., Filip. 27, 3 n.º 162).

[80] A.G.I., México 28, 3 n.º 17 (22 de mayo de 1614).

[81] En principio, tenían razón sobrada los que auguraban una guerra civil: se trataba de un fenómeno político conocido y esperado después del fallecimiento de todo Shogun. El 10 de febrero de 1584 escribía Jerónimo de Jesús: «muerto él, començarán como suelen a dividirse los reinos y aver guerras unos con otros» (A.G.I., Filip. 27, 4 n.º 92). El 30 de abril de 1597 repetía el gobernador Francisco Tello: «muerto el japón [Taicosama], que está ya muy acabado, abrá revoluciones y novedades, que aquella gente es inquieta: tienen ánimo y aliento» (A.G.I., Filip. 18-A, 6 n.º 223). Sobre las revoluciones que tuvieron lugar tras la desaparición de Taicosama cf. A.G.I., Filip. 27, 1 n.º 58. También Vizcaíno auguró: «en muriendo el emperador habrá muy grandes guerras» (Relación en C.D.I.A., VIII, p. 186).

[82] Se habían alimentado exageradas ilusiones sobre la cristianización del Japón, en efecto, y de ellas se hace eco Vizcaíno: «se murmura que muriendo el emperador, su padre, que amparará la Cristiandad» (Relación, p. 154, y asimismo p. 129, 158 y 160). Pero el príncipe, que residía en Yeddo (= Tokio), no era otro que Hide-Tada, el que había de iniciar la persecución contra los cristianos. Vizcaíno fue a visitar a su padre, el Shogun Ye-Yasu, en su castillo de Shizu-Oka, (la Corunga de la Relación). Como observa el propio capitán, «mientras no se llevare el diablo al dicho emperador, que tan camino está para el infierno y no ampara la Cristiandad, no se hará fruto en el reino» (Relación, p. 180).

[83] A.G.I., Filip. 1, 4 n.º 220 (20 de mayo de 1614).

de sus granjerías. Mientras tanto, Ríos Coronel había vuelto a Manila, haciendo un derrotero de su viaje de Acapulco a Cavite [84] conocido y citado por Diego Ramírez de Arellano [85], en el que realizó observaciones con el nuevo invento de Luis de Fonseca, según había solicitado en 1608 del Consejo de Indias, dado que a la orden regia de experimentar las «aguxas de marear fixas tocadas por Fonseca» no podía obedecer nadie mejor que él ni que lo supiera hacer con la puntualidad que el caso requería y en una travesía tan larga [86]. Cuando todavía era incierto el resultado de la navegación de Vizcaíno, el cosmógrafo, que tenía en sus propias teorías una fe de carbonero, volvió a comprometerse el 29 de octubre de 1612 a buscar a su costa otro derrotero de tornaviaje, proponiendo subir desde Manila mediado junio y llegando al Japón mediado julio, para hacer la travesía en la misma estación, así como salir por el cabo de Bojeador en vez de doblar el cabo del Espíritu Santo [87]. Para apoyar su proyecto añadía que el viaje se haría también menos duro por una razón principal: «mayormente que en la costa del Japón o en la isla Rica de Plata, que agora se ba a buscar, pueden hacer escala con que se rehazen y refrescan para no sentir el viaje» [88]. Un hombre tan terco y entero como Ríos Coronel no podía dar su brazo a torcer incluso después de la experiencia adversa de Unamuno y Vizcaíno. Claro está que a su celo se unía también el interés comercial, pues en ese patache de 150 toneladas pedía permiso no sólo para nombrar a los oficiales del mismo, sino para introducir en él algunas toneladas de carga. A pesar de la triste lección de Cermeño, el Consejo de Indias emitió un dictamen favorable el 27 de febrero de 1613 [89], pero no tengo constancia de que se llegara a realizar tanteo alguno; en cuanto a Ríos Coronel, estaba de vuelta en España en 1619 [90], después de haber presentado al monarca el 13 de julio de 1617 un informe sobre la situación de las Filipinas [91]. Es de presumir que amenizara sus horas libres durante la travesía enzarzándose en eruditas discusiones con el cosmógrafo de Filipinas, Juan de Segura Manrique, que también regresó a España el 3 de noviembre de 1619 con el corazón

[84] El 24 de marzo de 1611 salió de Acapulco y el 10 de junio avistó el cabo del Espíritu Santo. El rotero se encuentra en BN Madrid, ms. 3176, f. 214ss. (cf. asimismo BN Madrid, ms. 3212).

[85] BN Madrid, ms. 3190, f. 76r y 76v, 81r y 81v.

[86] A.G.I., Indif. 1429.

[87] A.G.I., Filip. 27, 2 n.º 133. La ruta, según veremos, volvió a ser propuesta en 1730 (cf. p. 350ss. y Schurz, *The Manila Galleon*, p. 224).

[88] Tomó buena nota el rey en 20 de junio de 1613 (A.G.I., Filip. 329, vol. II, f. 170r-171v).

[89] A.G.I., México 2487.

[90] Cf. A.G.I., Filip. 329, vol. II, f. 305v.

[91] A.G.I., Filip. 20, 3 n.º 182. También hay unos consejos de gobierno suyos relativos a las islas en A.G.I., Indif. 1448.

amargado por haber tenido que sostener un larguísimo pleito con los
oficiales reales de Acapulco[92].

Con el correr de los años, el viaje de Vizcaíno tuvo un resultado
imprevisto, que fue el de provocar gran expectación en la Compañía de
las Indias holandesa, que comenzó también ella a soñar con los tesoros de
las Ricas de Oro y de Plata gracias a los informes de un tal Guillermo
Verstegen, que en 1635 habló a las autoridades de Batavia de aquellas
islas, situadas a 37° 1/5. Y tanto interés despertaron sus noticias, que el 2
de junio de 1639 zarparon en su demanda dos naves, el «Engel» y el
«Gracht», que realizaron una tan pertinaz como infructuosa búsqueda de
las mismas en los meses de julio y agosto. Y más llama nuestra atención
que el capitán del «Gracht» fuera nada menos que el gran marino Abel
Janszoon Tasman, el que después había de costear Australia, surcando
aguas en las que volvieron a ser nombradas repetidamente otras islas
mágicas, las del rey Salomón, como p. e. en las notas que le dio en 1642
el piloto mayor F. Jacobsz[93].

[92] En efecto, el rey le había dado licencia de pasar esclavos desde Filipinas, «para que en la
mar acudiessen al fogón y demás menesteres que un hombre criado de Vuestra Magestad acompañado de muger y hijos tenía forçosa necessidad», pero los oficiales de Acapulco al desembarcar
los embargaron y los dieron por perdidos. Apeló el cosmógrafo, pero no fue posible citar a los
oficiales en más de trece meses, aunque les envió tres citatorias, «porque como gente poderosa
resistieron este trance». Así se consumió la hacienda de Segura, que tuvo que dejar a su familia
en México. Al llegar a la Corte pidió que le fueran devueltos sus esclavos y el Consejo anotó:
«cédula para que acuda al presidente de la Audiencia de Filipinas para que le agan justizia». Por
otra parte, su sueldo corría sólo por ocho años, y Segura había pasado el 7 de mayo de 1608, por
lo que se le había pagado hasta el 30 de abril de 1620 (A.G.I., Indif. 1448).
[93] Cf. A. Sharp, *The Voyages of Abel Janszoon Tasman*, Oxford, 1968, p. 5ss. y 82-83.

VI. LOS SECRETOS DE LA CALIFORNIA

1. *Quimeras, franciscanos y perlas*

Con las expectativas levantadas por Mendaña y Quirós, el ensueño
austral nunca dejó de existir, alentado sobre todo por la Orden franciscana. Un veterano de mil guerras, que había abrazado como tantos otros
conquistadores el hábito religioso al final de su vida, Juan de Silva, sin-
tiendo la llamada del Señor proponía en 1618 a Felipe III una colonización de la región austral en la que —utopía de utopías— sólo habían de
intervenir franciscanos, dirigidos en lo material por el capitán y ministro
de la Orden tercera Tomás de Cardona, «piadoso varón y celosísimo»
que ofrecía su persona y las de sus dos hijos y cuatro sobrinos para la
ejecución de dicho propósito. A fin de lograr el real beneplácito a esta
cruzada de pobres se recurría unas veces al halago —el apellido de Austria sonaría una y mil veces en esa Austrialia incógnita—, otras a la
coacción, pues el rey de España, patrono de las Indias, habría de dar
cuenta a Dios de las millonadas de almas que se estaban condenando por
su culposa dejación de las tareas evangélicas que el Pontífice le había
encomendado. Pero además, entre una catarata de argumentos varios, se
exhumaba el viejo motivo de los tesoros ocultos en ese continente desconocido, la «quinta parte del mundo», que ya se veía sujeta al yugo de los
Austrias a costa de sólo 50.000 ducados, desembolso ridículo en comparación de los 500.000 que había pedido antaño el ya difunto Quirós para
realizar su conquista:

las flotas que a Salomón le ivan cargadas de oro y plata y de otras grandes riquezas
eran d'estas provincias australes, y la Reina de Austria, que fue a ver a Salomón desde

los confines de la tierra, d'estas provincias y d'estos reinos era... y la isla llamada Ofir... d'estas provincias también era[1].

Animado por el fervor evangélico, un reputado cosmógrafo como el doctor Juan Arias de Loyola llegaba a decir que en «las ciudades del Austro» mencionadas por el profeta Abdías (1,20) se escondía una clara alusión a la Austrialia[2], cuya conquista espiritual correspondía a Sefarad, esto es, a España, pues no otra cosa significaba, según una exegesis antiquísima, el circunloquio bíblico referente a «la emigración de Jerusalén que está en el Bósforo [Sefarad]». A su vez, otro soñador, el clérigo Sebastián Clemente, sometía a la consideración de Gregorio XV en 1622 la creación de una nueva Orden, cuya insignia se había encargado incluso de dibujar él mismo, para la predicación del catolicismo en el hemisferio austral. De tal modo habían sorbido el seso a algunos hombres bien intencionados, pero de flaca inteligencia, las utopías y vanidades de Quirós, y lo que había sido motivo de escándalo para los franciscanos en 1606, en una remota bahía de la Polinesia, recibía ahora el refrendo de un presbítero en una ciudad que se decía civilizada.

Claro está que no todo eran puras llamaradas de impoluta espiritualidad. Este seráfico capitán Tomás de Cardona, tan dispuesto a hacer a golpes de pecho la conquista de la tierra austral, había formado una compañía con Sancho de Merás y María López de la Paraja, viuda de Francisco de la Paraja, para el descubrimiento de pesquerías de perlas en la Mar del Sur, esto es, en California, el 7 de marzo de 1613, ante el escribano hispalense Francisco de Vera[3]. Los asentistas otorgaron pode-

---

[1] Publicado por el P. Celsus Kelly, *Austrialia Franciscana*, Madrid, 1963, I, pp. 170-71. La más reciente edición de P. Castañeda (*Los Memoriales del Padre Silva sobre la predicación pacífica y los repartimientos*, Madrid, 1983; el pasaje en cuestión en p. 305-06), que discute muy eruditamente la doctrina y las fuentes del opúsculo (esto último cosa rara en obras americanistas), no se para apenas a considerar la figura del autor, que se presenta sucintamente a sí mismo al principio del tercer memorial: estuvo en el cerco de Malta en 1565, en la armada contra el turco con D. García de Toledo, después en Flandes y, ya de predicador, hasta en la capitana de la Gran Armada, pasando después más de veinte años en Nueva España y Florida. Conviene destacar de sus sermones su vena profética, bien patente en la elocuente peroración del tercer memorial; entre otros doctores, Silva fue lector de Joaquín de Fiore, del que cita una profecía apocalíptica sobre la protección de la reina del Austro a la Orden franciscana en los últimos tiempos (p. 177 Kelly = p. 314 Castañeda). Hay que estar sobre aviso con las homonimias, pues un Juan de Silva, veterano del Perú, vuelto a España con su mujer y sus hijos pidió licencia para pasar a Indias para su hijo Antonio Luis de Urculaegui, licencia vista en Consejo del 14 de agosto de 1612 (A.G.I., Lima 3). Del impresor, Fernando Correa, hay un memorial en A.G.I., Indif. 1450.

[2] El texto, de 1631-1633, en Celsus Kelly, *Austrialia Franciscana*, I, p. 227ss.

[3] A.G.I., Guadal. 133; el memorial de Nicolás de Cardona de 9 de octubre de 1634 en A. Portillo, *Descubrimientos y exploraciones en las costas de California*, Madrid, 1947, p. 464.

No era la empresa californiana la única actividad de D. Tomás de Cardona en Indias. El 10 de junio de 1620 firmaron en Madrid una carta de obligación D. Francisco de Maldonado, descubridor, como principal, y D. Melchor Maldonado, su hermano, tesorero oficial de la Casa

res en México a Juan de la Paraja y a Juan de Betancor así como a los capitanes Nicolás de Cardona y Juan de Iturbe. La flamante sociedad, un verdadero monopolio de los ostiales californianos, dio muestras de envidiable desahogo económico: unos 200.000 ducados se invirtieron en total en los seis bajeles que zarparon para las Indias en 1613, de los que iba como almirante Nicolás de Cardona, sobrino de Tomás; en los cuatro que se aprestaron en Acapulco en 1614 para realizar el descubrimiento de California y sus pesquerías, y por último, en los tres navíos que se fabricaron en Panamá para el mismo fin en 1619. Estas considerables sumas de dinero, quizá infladas aposta para vistoso alarde y consecuente petición de alguna merced al monarca, no dieron al parecer ningún resultado positivo. Las dos expediciones, mandadas por Juan de Iturbe, fracasaron. De la primera[4] tenemos una curiosa narración debida a la pluma del capellán, franciscano por más señas, fray Francisco de los Ríos[5], que salió de su celda provisto de cédula real para embarcarse en los navíos de la pesquería de perlas de Tomás de Cardona; sus peripecias mueven a admiración:

Entramos en un braço de mar que llaman las Californias, donde andubimos 7 meses, y en ellos llegamos a un paraje que llamamos el puerto de la Paz por ser los indios paçíficos; aquí no hallamos cosa de las que buscávamos. Levámosnos de este puerto, que está en 24 grados y medio, y fuímosnos a una isla doze leguas a la vanda de el Norte que llaman de Mugeres. Entramos en el puerto de ella, que es muy lindo y limpio y muy lleno de ostiales de perlas. Sacamos muchas, y no contento el capitán sin trabajar dentro de 24 horas se salió de el puerto, y dexando la riqueza que en él avía salió en busca de más abundancia; y en llegando hasta 27 grados y medio perdimos los

de la Contratación, el capitán Tomás Cardona, síndico general de la Orden de San Francisco (y también de los Santos Lugares, como precisa Silva), D. Diego Pinelo y D. Juan Guiral Belón, caballero de la Orden de San Juan, como fiadores y principales pagadores, a fin de que se le prestasen a Francisco Maldonado, para la pacificación y población del Darién, 15.600 ducados de la Caja Real de Panamá, que había de devolver en un plazo de ocho años. De los fiadores Melchor Maldonado se comprometía a pagar 4.600 pesos; Tomás de Cardona y Diego Pinelo 4.000 ducados cada uno y Juan Guiral 3.000 pesos (A.G.I., SFe 542, 1); la fianza a Maldonado le salió mal (cf. *Catálogo de las consultas del Consejo de Indias. 1626-1630*, Sevilla, 1987, p. 68, n.º 282 [5 de octubre de 1626]). En 1613 formaba parte Tomás de Cardona de la Universidad del mar de Sevilla, y como tal firma en diversos documentos (cf. p.e. A.G.I., Indif. 1436).

[4] Este es el viaje en el que pretendió haber estado personalmente Nicolás de Cardona (cf. sus *Descripciones geográphicas e hydrográphicas de muchas tierras y mares del Norte y Sur en las Yndias, en especial del descubrimiento del Reino de la California... dirigidas al Excmo. Sr. D. Gaspar de Guzmán, conde de Olivares, duque de San Lúcar la Mayor* en BN Madrid, ms. 2468, p. 116, 132, 170). En el dibujo de p. 112 se ve «la tartana del primer descubrimiento de mill seiscientos y quinze». Después, como se recordará, ayudó a Vizcaíno a la defensa de Zalagua. En el mapa (p. 161) aparecen frente al Perú las *insulae Salomonis;* California, contra sus propias afirmaciones, forma una península.

[5] A.G.I., Indif. 1447. Pidió el franciscano que el Consejo favoreciera a sus padres. El 1 de febrero de 1619 se contestó: « sépase quién es este religiosso, dónde residen sus padres y lo que pretenden».

ostiales, y hasta llegar a los 33 navegamos sin ver ni descubrir ni ostía, por la falta de el agua, que no la ay en toda aquella tierra, sino en el puerto de la Paz, porque toda la tierra es estéril sin yerva ni árbol y las sierras peladas, señal de mucha plata y oro.

Al regreso de tan extenuante como poco fructífera navegación ocurrió un percance inesperado: el 26 de octubre de 1615 la flotilla tropezó en Zacatula con las naves de Speilbergen, que rondaban el paso del galeón de Manila, y la capitana, inerme, se rindió sin disparar un tiro a las seis lanchas del corsario. El franciscano cayó prisionero del holandés —«aquellas eran las perlas que yo avía salido a buscar», comenta sardónico—, que no le infirió daño alguno; antes bien, tras aguardar en vano hasta el 1 de diciembre la llegada del galeón, Speilbergen lo llevó consigo en su dramática travesía hasta Filipinas, en la que los marineros, exhaustos, «se ivan muriendo muy apriessa»; en Terrenate el fraile fue liberado no se sabe muy bien cómo, tras la intervención de un general inglés, y el 1 de enero de 1619 se encontraba ya en el monasterio de San Francisco de Sevilla, escribiendo una prolija carta al monarca para relatarle las incidencias de su vida y los grandes servicios que había prestado en Manila al dar aviso de la llegada del holandés. En 1619 también se hallaba en España Nicolás de Cardona; muy probablemente volvieron juntos y bien amigados.

Tampoco la segunda expedición fue de provecho, en este caso porque el bandolero se hallaba en casa. Resultó, en efecto, que no llegaron a manos de Tomás de Cardona más de 14 marcos que se registraron en la ciudad de México, mientras que las riquezas obtenidas, por benevolente descuido de los administradores, pasaron al bolsillo de diferentes personas. Esteban Carbonel había visto siete granos considerables guarnecidos de oro en poder de Simón Vasilini, más de 24 granos del tamaño de balas de arcabuz en manos del milanés Lorenzo Petruche y un grano en poder del capitán Andrés de Acosta. [6]

En cualquier caso, esta abundancia de perlas excitó la codicia de los españoles. En 1627 probaba fortuna el contador Martín de Lezama, yerno de Sebastián Vizcaíno, pero su empeño no se vio coronado por el éxito a causa de haber tratado de construir la fragata en la desembocadura del río Toluca, a 22°, tierra muy incómoda e infestada de mosquitos. En 1632 Francisco de Ortega y su piloto Esteban Carbonel emprendieron otro viaje que tampoco arrojó resultados positivos, si bien a su vuelta Carbonel se hacía lenguas de los tesoros californianos: «si cuantos hombres ay en este reino [de la Nueva España] fuesen buços, para todos

---

[6] A.G.I., Guadal. 133: Autos de Juan de Iturbe f. 65r, Autos de Francisco de Ortega, I (1633) f. 62r.

había en qué ocuparse en tan solamente <ciento y> [7] sesenta leguas de costa con entradas y salidas que andubimos» [8]. El rescate obtenido se redujo a 277 perlas ahumadas, y por ende de poco valor, el suficiente, sin embargo, para animar a Ortega a tentar suerte de nuevo en 1633 desde el puerto de Mazatlán, llevando como piloto a Bartolomé de Terrazas. Otra vez el objetivo, las perlas, hizo su ansiada aparición: en el puerto de San Ignacio se encontró una de diez quilates y en otros comederos se sacaron granos de buen oriente, con lo que se consiguó un total de 36 onzas y media de perlas, amén de 17 marcos de ámbar [9]. Fácilmente podía colegirse que un asentamiento estable o bien una expedición en toda regla podría dar frutos óptimos.

Al pasar de nuevo California a un primer plano, se explica sin gran esfuerzo que el 6 de noviembre de 1634 Nicolás de Cardona, soliviantado ante tamaña competencia, volviera a insistir en sus derechos, ofreciéndose a poblar California si se le permitía llevar 50 hombres de España sin que los oficiales de Sevilla le pidieran información de sus personas, y si, una vez en Indias, podía reclutar gente sin impedimento de ninguna autoridad civil, condiciones ambas que por sí solas podían despertar desconfianza en el hombre más ingenuo del mundo [10]. Al mismo tiempo, al pedir el título de adelantado, gobernador y capitán general de la California, pretendía Cardona que en sus propósitos entraba el descubrir no sólo el Estrecho de Anián, sino también «la cuarta parte del globo que es la Tierra Austral, de que tiene mucha noticia y deseo de ver y descubrir» [11]. He aquí una antológica salida que une a Nicolás con su tío. No cabe olvidar, por lo demás, que Juan de Iturbe había sido veedor en la expedición de Quirós, por quien sentía Iturbe una cordial antipatía; pero alguna huella hubo de dejar en el ánimo del veedor, por poco sensible que fuera, el viaje increíble por los mares de la Polinesia. Y lo que es más: para hacerse propaganda, Cardona dio por impreso sus propuestas al monarca, insensata acción que provocó una más que justificada crítica del coronel Semple en 1618:

Las proposiciones del capitán Cardona andan por aí impresas; y serán de mucho daño si llegan a manos de los enemigos, como hicieron las del capitán Quirós, porque con las fuerzas superiores que tienen los enemigos en la mar se aprovecharán d'ellas [12].

[7] Corrijo según la relación del licenciado Diego de la Nava, que fue como clérigo de la expedición (cf. Autos de Juan de Iturbe, f. 77v), pero debo confesar que el mismo número se lee en los Autos de Francisco de Ortega, I (1633) f. 82r.

[8] Autos de Juan de Iturbe, f. 73v.

[9] Relación en Autos de Francisco de Ortega, II (1636), también en A.G.I., Guadal. 133.

[10] A.G.I., Guadal. 133, BN Madrid, ms. 2468. Cf. la edición de Portillo, *Descubrimientos y exploraciones en las costas de California,* Madrid, 1947, p. 470-71 §§ 8, 10 y 14.

[11] Edición de Portillo, *Descubrimientos,* p. 471 § 13.

[12] BN Madrid, ms. 2349, f. 233r § 20 al margen.

2. Mitos de la California

Las ideas que espoleaban a Cardona las expresó él mismo en una descripción de California acompañada de hermosos diseños explicativos en acuarela que, para conseguir mayor efecto, dedicó el 24 de junio de 1632 al propio conde-duque:

Muchas noticias me dieron los indios de la California y los de la tierra firme de la Florida: que ay una laguna grande con muchos pueblos alrededor que tienen rey que ussa corona, y que d'esta laguna sacan mucha cantidad de oro; formaban con arena unos hornillos para darnos a entender cómo lo refinaban... Y que ay gente barbada vestida que tiene caballos y arcabuçes; que ay muchas ciudades torreadas y una que llaman Quibira, que tiene rey, que es muy grande y populosa [13].

La lectura de esta simple nota exegética revela sin lugar a dudas que se seguían transponiendo a la California y tierras aledañas las mismas ideas que habían dado origen a la leyenda del Dorado: la gran laguna (el mar en principio), las ciudades torreadas, los hombres blancos, las arenas de las que se depura oro en fogones, todo ello son rasgos característicos del mito salomónico. Tampoco pueden faltar las amazonas, orla inevitable de la quimera del oro. El buen fraile Antonio de la Ascensión no se hartaba de mencionar la isla de la Giganta, y también Cardona sabía que

en una isla que está en medio de aquel mar ay una población famosa, y que es reina y gobernadora d'ella una muy alta muger, que, según señalaron su altura, es como de un jigante; y que ésta tray colgadas de la garganta y que le cubren los pechos muchas sartas trabadas unas con otras a modo de gargantillas d'estas perlas gordas; y que la Reina suele hacer polvo d'ellas y mezclar en las bevídas. Dixéronles también estos indios que esta Reina o Giganta tiene mucha plata, y que se la trahen sus vasallos de la tierra de la California, que las sacan de unas tierras altas, que trepando por peñas las sacan y cortan a pedaços y se la llevan [14].

La descripción amazónica concuerda en un detalle importante con la que había hecho fray Gaspar de Carvajal en el descenso del río de Orellana: la elevada estatura de tales mujeres. Por lo demás, conserva más ingredientes tradicionales la versión que recoge Cardona, ya que sus amazonas viven en una isla en el mar, y este mar no es un mar cualquiera, sino el mar del río del Fisón, como parece que quiso escribir el amanuense, esto es, uno de los cuatro ríos del Paraíso; huelga decir que este Fisón apócrifo no es otro que el Tizón de que hablaba fray Antonio de la

[13] BN Madrid, ms. 2468, p. 170.
[14] BN Madrid, ms. 2468, p. 167, apoyado según dice en relaciones de Jerónimo Márquez y Francisco Vaca. Cf. el memorial impreso de Cardona (BN Madrid, ms. 8553, f. 128v), que presenta algunas variantes en la leyenda.

Ascensión: pero la pronunciación seseante lograba estas maravillas, si no es que se había cometido la falta a propósito [15]. De nuevo, pues, vuelven a engranarse unos con otros los mismos mitos que habían animado a Colón: Ofir, amazonas, Paraíso son ideas que arrastran la una a la otra, que siempre aparecen encuadradas en un mismo sistema mítico. Pero, además, en la descripción de Cardona hay una adición muy curiosa, que permite ver cómo se van incorporando al acervo popular y tradicional nuevas creencias que provienen en su origen de una lectura culta. En efecto, la chocante historia de que la reina de las amazonas usara un brebaje de perlas desleídas hunde sus raíces en la más pura tradición clásica: se contaba, en efecto, que Cleopatra, habiéndose apostado con Marco Antonio que ella sola gastaría en un banquete diez millones de sestercios, disolvió en vinagre una perla singular que llevaba como pendiente y se la bebió [16]. Ya tenemos, pues, dos reinas famosas, ambas poseedoras de riquezas incalculables, ambas nimbadas de cierto halo maligno, la reina de Egipto y la reina de las amazonas; nada tiene de extraño que se las midiera por un mismo rasero y acabara por ingresar en el mito amazónico una de las mayores exorbitancias de Cleopatra, que contribuyó a forjar en torno de la egipcia un halo de perniciosa excentricidad. Pudo quizá contribuir a la confusión de las dos leyendas el hecho de que los indios californianos «traían perlas colgadas al cuello quemadas, como los dichos naturales queman las dichas ostias para comerse la carne d'ellas» [17]; la ostra y la perla podían acabar por fundirse vagamente en el crisol de las creencias populares.

Quien más aguijoneaba la imaginación de los españoles era fray Antonio de la Ascensión, a quien se le llenaba la boca cada vez que hablaba del Rey Coronado, de la enorme ciudad de Quivira y del reino de Anián. En un mapa de la California trazado por él mismo dibujó cuidadosamente la laguna de oro, variante de la leyenda del Dorado que despertó al punto la incredulidad del cosmógrafo Enrico Martínez, pues, de existir tal laguna, argüía cargado de razón Martínez, habría un comercio de oro del que carecía por completo California [18]. El 22 de mayo de 1632 el carmelita daba rienda suelta a su fantasía para escribir que, una vez pasado el reino de Anián, podría entrarse en la Gran Tartaria y en la Gran China; entonces, auguraba en un rapto profético, Felipe IV «será señor unibersal de todo el mundo, cosa que hasta oy no ha

[15] Preciso es consignar que un más claro *Tiçon* se lee en p. 160 del mismo manuscrito.

[16] Plinio, *Historia Natural*, IX 58, 119 ss., Horacio, *Sátiras*, II 3, 239ss.

[17] Declaración de Miguel de Mercado, vecino de Sevilla, en los Autos de Fernando Lainez, en nombre de Tomás de Cardona y compañeros, el 24 de enero de 1617 (A.G.I., Guadal. 133).

[18] Autos citados, f. 44v (26 de julio de 1629).

podido goçar ningún rey terreno desde que Dios crió el mundo»[19]. He aquí cómo gracias a estos vaticinios desmesurados el Austria se convertía en el emperador de los últimos días, el señor del universo que había anunciado el Pseudo-Metodio; pero como paso previo era indispensable convertir a la fe a la gentilidad californiana, para que en las postrimerías del mundo todas las ovejas acudieran a un solo redil bajo el robusto cayado de un solo pastor. Las mismas ideas escatológicas que habían impulsado a Motolinía hacían vibrar ahora el corazón del enfervorecido fraile carmelita.

Tales historias proyectaban sobre California un atractivo muy especial. «De cualquiera suerte, es un Nuebo Mundo muy digno de agregarse a la Real Corona de Vuestra Magestad»[20]: con estas palabras tan colombinas concluía su información sobre California un mercader de México, Sebastián Gutiérrez, que había acompañado a Vizcaíno. Desbaratados los primeros intentos de apoderarse de los comederos de perlas, la expectación subió de punto en 1636, pues en ese año el virrey Cadereita concedió licencias para descubrir a Francisco de Vergara asociado con Francisco Esteban Carbonel (16 de enero), y a los capitanes Alonso Botello, que había sido alcalde mayor de Acaponeta, y Pedro Porter Casanate (23 de setiembre). También había quien no esperaba papel oficial alguno: el 11 de enero de 1636 salió del puerto de Santa Catalina la fragata «Madre Luisa de la Ascensión», de Francisco de Ortega, en su tercero y último viaje. Un fuerte temporal la arrojó a la costa californiana, pero Ortega superó la adversidad construyendo un nuevo batel, con el que llegó a alcanzar, según la medición del piloto Cosme Lorenzo, los 36° y medio de latitud. Tras regresar a Santa Catalina el 15 de mayo, Ortega elevó al virrey un extenso memorial con el registro de los catorce ostiales encontrados e hizo presente al rey de 30 perlas blancas y de otras tantas ahumadas. Parecía que el descubrimiento marchaba por buen camino: sucesos muy ruidosos, sin embargo, iban a dejarlo en una vía muerta.

3. Un descubridor en la picota: el pleito de Carbonel

La loca carrera por explotar los ostiales californianos provocó una pugna despiadada entre los diversos contendientes. Para desembarazarse de un contrincante peligroso, se llegó a acusar a Francisco Esteban Carbonel de ser en realidad oriundo de Marsella y de fraguar alguna alevosía contra la Corona de España. Gracias al voluminoso pleito subsiguiente conocemos

[19] Autos citados, f. 61v.
[20] Autos citados, f. 47r.

algunos pormenores sobre las andanzas y propósitos del valenciano Carbonel, y al hilo de sus propias declaraciones se puede trazar a grandes rasgos su vida[21]. Cuando tenía 10 ó 11 años, lo enviaron sus padres a casa de un mercader catalán a Motril, pero al llegar a Cartagena el díscolo retoño se enzarzó en una riña con otro muchacho, probablemente sangrienta, pues de resultas de la gresca se embarcó en la nao capitana de la Orden de Malta, fondeada a la sazón en el puerto cartagenero. En Malta vivió seis años poco más o menos; de la isla se trasladó después a Sicilia y a Nápoles, donde sirvió en las galeras y galeones del duque de Osuna. A continuación se dedicó al comercio mediterráneo saltando de un lugar a otro, de suerte que tan pronto lo vemos residir en Valencia como en Marsella. Hacia 1631 marchó a las islas Canarias en una saetía de la que tenía la cuarta parte (el resto pertenecía al regidor manito y a su hermano, vecino de Cádiz, así como a otros vecinos de Nápoles y Génova), y la cargó de orchilla y azúcar para Cádiz; pero se le cruzó en el camino un corsario holandés, Simón Dans, que, tras apoderarse de la nave y de su mercancía, lo abandonó en Puerto Santo, en la isla de Madera. Vuelto a Garachico, en Tenerife, se embarcó por ayudante de piloto en un navío que iba cargado de vino con destino a Veracruz, cuyo capitán era portugués y el piloto, Antonio Franco, natural de La Palma; la falta de bastimentos, en apariencia, los forzó a arribar a La Habana, cuyo gobernador, D. Juan Vitrián, obligó al dueño del navío a hacer la descarga en la isla, escudándose en la necesidad que en ella había de vino. En La Habana Carbonel permaneció más de seis meses, y como hubiera ganado con la venta de algunas mercancías 2.000 pesos, compró un tercio de la nave «Nuestra Señora de la Concepción», propiedad de Gonzalo Benítez. Con el barco fue a Campeche, lo cargó de palo y regresó a La Habana, donde se encontró con que la flota de Oquendo partía para España. Unido a ella, acabó de pagar en la Península la parte del navío que le faltaba por liquidar, y volvió, de nuevo en conserva de los galeones de Oquendo, con Gonzalo Benítez al puerto de Garachico, donde llenó de pipas de vino su barco para venderlas en Veracruz. Otra vez el temporal, que descargó en la Canal Vieja, le hizo arribar a La Habana, ciudad fatal en la que se tornó a repetir la historia de la descarga forzosa del vino. Harto quizá de

---

[21] Autos de Carbonel, I, f. 189ss. Para historiar todos estos episodios utilizo los Autos de Francisco Esteban Carbonel, que forman dos gruesos volúmenes y que cito por la copia conservada en A.G.I., Guadal. 133, aunque existe otro ejemplar en A.G.I., Patron. 31, 2 y 31, 3 (en realidad el orden es inverso). En A.G.I., Patron. 31, 1 se conserva un Testimonio de los autos importante para conocer la prisión y confesión de Francisco Vergara, en la que cabe destacar la tajante negativa de Vergara a haber traspasado la licencia de descubrimiento a Carbonel (f. 25v), como éste pretendía. También gracias a estos autos nos enteramos de que Carbonel había ido a la Nueva España a buscar a un tío suyo, sin duda Esteban (f. 41v). Es notable el alegato del abogado de Carbonel (f. 47v ss.).

:anto andar por los mismos rumbos, vendió el navío por 6.000 pesos a un sobrino del teniente de gobernador de La Habana, y así, una vez empleado ese caudal en comprar hierro y otras cosas, arribó a Veracruz pasada Pascua de 1635. Cuando poco después llegó a México, Carbonel, que era «hombre de mediana estatura, flaco de rostro, ojos negros y grandes y la nariz algo dilatada y un poco lampiño de barba»[22], rondaba los 38 años; un rasgo simpático del asendereado aventurero, a quien había enseñado a escribir un artillero alemán cuando servía en las galeras del duque de Osuna[23], es que llevaba en su petate dos libros italianos, uno de ellos los versos (probablemente *I trionfi*) del Petrarca[24].

Muchas acusaciones necias, religiosas y políticas, se vertieron sobre Carbonel en 1636 y 1637: desde que abriendo una paloma o una gallina en cruz y arrojándola a la mar con un conjuro lograba abonanzar las olas[25], a que, paseando un día de almoneda por la plaza de México, al ver un retrato del Cardenal Infante, había exclamado: «¡Bien aya el alma que assí te sacó a vender!»[26]; tampoco parecen convincentes las pruebas de su origen francés. Según su propio relato, que en ocasiones también suena a falso, pensaba pasar a Filipinas cuando encontró en Puebla en 1635 a Francisco de Vergara, natural de Garachico y viejo conocido suyo. Este y un religioso, el mismísimo fray Antonio de la Ascensión, fueron quienes indujeron a Carbonel a emprender la jornada de las Californias. De esta suerte se formó una compañía a la que aportó Francisco de Vergara 1.000 pesos, Juan Manso, sobrino de Carbonel, 900, y Diego Alonso, un maltés amigo, 500. Mientras Vergara se comprometía a obtener licencia para el descubrimiento, que solicitó el 29 de diciembre del mismo año, Carbonel volvió a Veracruz a vender el resto de sus mercaderías y comprar clavazón, herramientas, jarcia y velas para armar una fragata en un puerto de la Mar del Sur. Se había gastado seis o siete mil pesos en poner todos los aparejos en la fábrica de Centicpac y se había comenzado ya la construcción del navío, cuando un muchacho, un tal Falcón, con quien Carbonel tenía cuentas pendientes, pues le había robado 125 pesos, comenzó a pregonar en Guadalajara que Carbonel era francés: y aun hubo un alma angelical, Francisco de Guzmán Ponce de León[27], que llegó a reconocer en él a un contramaestre de un pirata holandés que lo había apresado en 1626 en la Tortuga y llevado al Jacal. Ante el revuelo y conmoción suscitados, se dictó auto de procesamiento contra Carbonel en Guadalaja-

[22] *Autos de Carbonel*, II, f. 133r.
[23] *Autos de Carbonel*, I, f. 178r.
[24] *Autos de Carbonel*, II, f. 34r.
[25] *Autos de Carbonel*, I, f. 7r, cf. 204ss.
[26] *Autos de Carbonel*, II, f. 7r.
[27] *Autos de Carbonel*, II, f. 13v.

ra el 30 de abril de 1636 y se dio orden de prisión el 5 de mayo, embargándosele la fragata a medio construir y los útiles de trabajo. Trasladado a México y estando la causa pendiente, Carbonel, gracias a la conivencia del alcaide de la prisión, Sebastián Rayo, entró en contacto con Juan de Peñafiel, alcalde de Corte en Lima, que pretendía que lo llevara en su bajel a servir su plaza en el Perú. Accedió Carbonel a ello, si salía bien parado en el pleito, y envió al piloto Gaspar Ruiz a Centicpac para que prosiguiese la fabricación del navío, ya que Peñafiel se había comprometido a conseguir el desembargo; por otra parte, para poder hacer el viaje al Perú se contaba con el permiso y licencia de Julián de Salazar, albacea de Simón Cascos. Para su avío, tomó Carbonel dinero prestado por medio de Juan Pedro del Castillo, para que lo negociase con Francisco Alberto Valderraín. En este momento, una nueva denuncia, presentada por uno de los carpinteros, el sevillano Juan López de la Cruz Rendón, provocó otra orden de detención contra Carbonel, pues porfiaba Rendón que la idea de Carbonel no era dirigirse a Lima, sino navegar al descubrimiento una vez salido a mar abierta. El 21 de agosto, como a las once de la noche, se presentó Luis de Berrío, alcalde de Corte, en la vivienda de Carbonel, una casa caída sin puerta sita junto a la fuente del rastro, y tras subir una escalera medio destruida llegó a un aposento que se encontraba en lo alto de un corredor destechado. Entrando en dicho cuarto prendió a Carbonel y junto con él a un camarada suyo llamado Jusepe Martín.

Aunque haya que absolver a Carbonel de la mayor parte de las acusaciones formuladas, forzoso es reconocer que el grupo de personas de que se había rodeado no inspiraba precisamente confianza. Tal ocurre, p. e., con este Jusepe Martín, marinero, que había venido en el último galeón de Manila y que, cuando se casó su huesped anterior, el pastelero Gregorio de Torres, había pasado a vivir con Carbonel, a quien conocía de chico en Valencia; aseguraba Martín que había nacido en Barcelona, pero parecía decir lo contrario una carta encontrada en su faltriquera y que, dirigida a «Monsieur Joseph Martin» por Madelene Gamelle el 20 de abril de 1635, comenzaba «Mon fils Joseph» [28]. Otro francés que ronda las proximidades de Carbonel es Carlos Ximénez, natural de Rouen, de donde había salido a los ocho años de edad. Llegado a México en 1620 con el gobernador Mateo de Verga, tras sentar plaza en Filipinas de soldado y escribano de la armada, se ganó la vida en México como cajero en la tienda de Jaime de Acevedo y en la de Francisco Medina Reinoso; en 1637 administraba una tienda de mercaderías de China propiedad de Pablo de Carrrascosa, en el Empedradillo; pues bien, en esta tienda es donde Carbonel se reunía con Julián de Salazar, el que le podía facilitar

---

[28] Autos de Carbonel, II, f. 38ss.; la excusa de Martín en II, f. 333ss. no es válida.

la licencia de navegación al Perú. Por su parte, Juan Pedro del Castillo, casado con la tía de la mujer de Carlos Ximénez, era un viejo amigo de Carbonel: hacía unos 16 años que se habían conocido en Argel, estando Castillo cautivo de los moros y siendo Carbonel marinero en una saetía de los mercedarios, y después el trato había continuado en Canarias. Se van tendiendo, pues, estrechos lazos entre los diversos encausados que dejan ver parte de la trama que apoyaba la expedición de Carbonel; no existe conspiración alguna contra la Corona, sino intereses económicos por parte de un círculo de personas a las que aglutina su propia singularidad.

Más nos llama la atención el hecho de que la empresa de Carbonel estuviese apadrinada por fray Antonio de la Ascensión, que había sido su confesor, y que le había hablado en Puebla de las grandezas de la California, suministrándole derroteros y una carta de marear[29]. Lo primero que viene a la mente es que cualquier proyecto de explorar la península habría de recibir al punto la entusiasta colaboración de algún fraile, deseoso de cristianar un mundo cuyas maravillas apenas se vislumbraban. Pero resulta que también contaba Carbonel con las bendiciones de todos los franciscanos: había sido el propio provincial de la Orden quien le había sugerido la idea de comenzar la fábrica del navío en el puerto de Santiago, jurisdicción de Centicpac, mientras que un fraile «gachupín mozo» marchaba de Centicpac a México para traerle los despachos del virrey que le habían de permitir zarpar sin trabas[30]. El padre guardián, fray Juan Sánchez, escribía a Carbonel desde Centicpac el 28 de julio de 1637:

Sea Dios loado que a sacado a V. Md. de los embustes de su tío Carbonel, el cual está que se come las manos de enbidia; y lo bueno es que ni haze nada ni lo a de hazer ni salir jamás con su mal intento, a más de que cuanto tiene echo no vale un pito[31].

Gracias a tan preciosa información nos enteramos de que Francisco Esteban Carbonel era sobrino de Esteban Carbonel, el cual «fabricaba en el mismo puerto otra fragata para el mismo viaje de Californias»[32]; el viejo lobo de mar no veía con buenos ojos los planes de su sobrino y

---

[29] Autos de Carbonel, I (1636), f. 24r, 64-65, 172r, 172v, II (1637), f. 149r y 149v.
[30] Autos de Carbonel, I, 26r.
[31] Autos de Carbonel, II, f. 49v.
[32] Autos de Carbonel, II, f. 159r. Este tío tan amigo de enredos y artimañas resulta que encima le debía a su sobrino 200 pesos (Autos, I, f. 179r y 179v). Los Autos (II, f. 4r) nos informan también de los nombres de las personas que servían a Esteban Carbonel en la fragata: se trataba de un hermano suyo, Miguel Sánchez de Betancor, Gabriel Sánchez, Juan de Arévalo, Juan Falcón y tres buzos: Francisco y los dos negros Pedro y Felipillo. Es de advertir que Juan Manso en 1647 subió 80 leguas más arriba de Cocuzpe, donde impidió su avance la fuerte corriente; por entonces estaba asociado con Porter Casanate (A.G.I., Patron. 31, 8 f. 1044v).

trataba de impedirlos por todos los medios. En efecto, el denunciante Juan Falcón había sido criado de Francisco, pero pertenecía a la tripulación que pensaba llevar consigo Esteban; otro acusador, el carpintero Juan de la Cruz, servía a Esteban, pero había trabajado para Francisco. Existió, pues, una lucha sorda entre tío y sobrino por ver quien botaba antes su fragata, con o sin licencia. Por otra parte, la carta del franciscano viene a indicar que este Esteban Carbonel de Valenzuela, que se decía natural de Sevilla en los autos de Francisco Ortega [33], era en realidad Esteban Carbonel de Valencia: de esta manera magnificaban en Indias su ascendencia los que carecían en España de cualquier ejecutoria de nobleza. Y choca en el juicio que Francisco no mencione que Esteban es su tío, y que como a regañadientes reconozca que Juan Manso, de Orihuela —sobre este punto todas las partes están de acuerdo—, era sobrino suyo. Pero hay más. Entre los primeros denunciantes de Francisco se encontraba un menorquín, Domingo de Cardona, residente en las minas de Jora, que también es quien testifica que Carbonel no hablaba valenciano; alguna relación parece que debía de existir entre este Domingo y Nicolás de Cardona. Por último, el propio Porter Casanate se jactó más tarde de haber puesto al descubierto las trapacerías y artimañas de Carbonel. He aquí que la exploración de California parece haberse convertido en los primeros decenios del s. XVII en casi un monopolio del reino de Aragón, pues por lo general son sus súbditos quienes se disputan las riquezas de la península y quienes se zancadillean sin piedad para conseguirlo. No es extraño: en las lejanas Indias pronto los castellanos, los vizcaínos, los gallegos y en menor medida —claro está— los catalanes hicieron sus taifas y banderías, formando grupos de presión que controlaban determinados aspectos del comercio y que explican las asonadas periódicas que estallaban entre castellanos y vizcaínos en Potosí.

El propósito de Francisco Esteban Carbonel, que necesitaba para llevarlo a cabo treinta hombres con bastimentos suficientes para un año [34], estribaba en

descubrir asta cuarenta y tres grados... y llebar a los religiosos de San Francisco a la California... y allí pescar y resgatar algunas perlas o ámbar... Y aviendo dejado allí los religiosos, que pasase uno en su compañía, que era el Padre Juan, el que llevó su información a México, a ver si podían descubrir el Estrecho que dicen ay del Mar del Sur al Mar del Norte... Y si allí... se allase el dicho Estrecho..., desembocarían y vendrían por el Mar del Norte a la Veracruz [35].

[33] Autos de Francisco de Ortega, I (1633), f. 55r.
[34] Autos de Carbonel, I f. 173r y 173v.
[35] Autos de Carbonel, I, f. 171r y 171v.

Como mandan los cánones, con la dura lucha mercantil corre parejas la competencia religiosa. Francisco de Ortega había llevado consigo en su último viaje al jesuita Roque de Vega, que había pretendido quedarse entre los indios californianos y sólo se había embarcado a la fuerza, no sin hacer antes muchos requerimientos al capitán por su violencia. Les tocaba ahora a los franciscanos intentar el establecimiento de una misión, al acompañar fray Juan Sánchez a Carbonel en su larguísimo periplo[36].

Ya el 15 de agosto de 1636 pretendía fray Pedro Gutiérrez que, dada la paz que reinaba en la Nueva Galicia, convenía que la guarnición de Acaponeta se trasladase al puerto de la Paz, en California, para proceder a su ulterior evangelización. El 30 del mismo mes escribía al virrey el provincial de Guadalajara, fray Juan de Igueríbar:

están tres religiosos d'esta provincia prevenidos con las limosnas que he podido recoger de bienhechores para su avío; y áse dexado de poner en efecto por esperar un bajel que a querido hacer el capitán Esteban Carbonel, a quien V.E. dio licencia para hacer estos descubrimientos, siendo la verdad que es un pobre hombre que ni tiene para esto caudal ni para comer[37].

Como se ve, las simpatías de los franciscanos se repartieron en principio entre los dos Carbonel, los dos marinos cuyas fragatas veían construir en Santiago. Las ilusiones que podía despertar su fabricación se desvanecieron pronto, al quedar preso Francisco Esteban y caer en el descrédito su tío. Además, el 30 de mayo había regresado Ortega a la Nueva Galicia, y en él habían volcado sus esperanzas los frailes. Fray Pedro Gutiérrez confiaba mucho en que la intercesión del secretario Luis de Tovar Godínez había de surtir gran efecto ante el virrey Cadereita, de suerte que muy en breve Ortega lograría una nueva licencia y él podría morir contento, tras haber bautizado el primer indio de California. Pero Ortega, no contento con elevar la debida instancia para efectuar su descubrimiento, pidió asimismo la revocación de las licencias concedidas a los demás[38], intentando sacar provecho de la crispación existente. Esta guerra declarada acabó por perjudicar a todos y cada uno de los competidores, anulando sus esfuerzos.

[36] Autos de Carbonel, I, f. 26r, 198r y 198v, 352r, II, f. 294r.
[37] Autos de Francisco de Ortega, II. Lo que nadie parece haber puesto nunca en duda es la capacidad de Carbonel como marino. El 9 de julio de 1620 Nicolás Cardona se obligó a pagarle 500 pesos para que le sacara a flote la fragata «San Francisco», embarrancada en el río de Tehuantepec, y la llevara a Acapulco (A.G.I., Guadal. 133). Todavía en 1648 el maestre de campo Antonio Urrutia declaró que «en México no hay más piloto que el capitán Esteban Carbonel, y éste es muy plático de la Mar del Sur; y aunque se a retirado de navegar, se le podrá obligar a que baya por piloto mayor de este navío» (A.G.I., México 36, 4 n.º 35-C, f. 32r.).
[38] Informe de Andrés Gómez de Mora (Autos de Francisco de Ortega, II).

Por otra parte, existían grandes dudas sobre la oportunidad de alcanzar el objetivo último de la expedición de Carbonel. La búsqueda del estrecho del Norte era antiquísima, y su existencia se había convertido en una especie de artículo de fe desde los tiempos de Urdaneta. Fray Antonio de la Ascensión le había asegurado a Carbonel que desde luego había ese desembocadero y que venía a salir delante de la Bermuda[39]; ahora bien, sólo se podía cruzar en un mes del año, porque el resto del tiempo estaba helado[40]. Sobre la conveniencia de explorar este Estrecho, que Carbonel vio dibujado en un mapa que tenía en su poder Francisco Alberto Valderraín en Puebla[41], estaban muy divididas las opiniones en México. Pensaba el fantasioso fray Antonio que por él se podría encaminar la plata indiana a Sevilla[42]; insistía Porter, el estratega, en que era preciso fortificarlo antes de que se internasen por él franceses e ingleses, lo que supondría la quiebra del comercio del Nuevo Mundo; otros, en cambio, partidarios de la táctica del avestruz, eran de la opinión de que no convenía en absoluto hacer un descubrimiento que sólo podría aprovechar al enemigo, si bien Rodrigo de Vivero, el veterano gobernador de Filipinas, tenía noticia de que ya había entrado por él un barquichuelo holandés[43]. Este último parecer, sostenido tercamente por el oidor más antiguo de México, el licenciado Juan de Alvarez Serrano, fue el que ganó la partida, de suerte que, para gran despecho de Porter y los demás, el virrey Cadereita expidió una cédula el 11 de noviembre de 1636 revocando las licencias concedidas para descubrir en la California, una vez «considerada la materia y los daños que sin ningún provecho el Estrecho de Magallanes ha causado a la Corona de Castilla»[44].

4. Venturas y desventuras de D. Pedro Porter Casanate

Volvió Porter a España para defender sus derechos ante la Corte, con tan esquiva fortuna que cayó prisionero del pirata Pie de Palo y sufrió durante algunos meses cautiverio en Curação (1637). Después siguió persiguiéndolo la mala estrella, pues, al servir al rey en Fuenterrabía, se halló presente en el terrible desastre naval de Guetaria (1638), donde tuvo la desgracia de perder a su hijo. Por fin, el 6 de agosto de 1640 le fue

[39] Autos de Carbonel, I, f. 24r.
[40] Autos de Carbonel, II, f. 6v.
[41] Autos de Carbonel, I, f. 205r.
[42] Autos de Alvarez Serrano, f. 14v (A.G.I., Guadal. 133).
[43] Autos de Alvarez Serrano, f. 51r.
[44] Son palabras del virrey Cadereita al monarca en 12 de julio de 1638 (A.G.I., Guadal. 134, f. 1).

concedida la deseada licencia para realizar en exclusiva la exploración de California, si bien no recibió permiso para dejar la armada y embarcarse a la Nueva España hasta 1643. Presentados los despachos al virrey conde de Salvatierra, recibió Porter el apoyo de Luis de Bonifaz, provincial de los jesuitas. Llegó entonces aviso de que habían pasado corsarios holandeses a la Mar del Sur; Porter despachó la fragata «Nuestra Señora del Rosario» del puerto del río de San Pedro, jurisdicción de Centicpac, el 3 de enero de 1644, para dar aviso al galeón de Manila y reconocer de paso la costa californiana. El navío, cuyo capitán era Alonso González Barriga, regresó el 25 de febrero al río de Santiago, donde Porter había plantado el astillero. El 24 de abril un incendio provocado redujo a cenizas el astillero y el bajel grande que en él se construía. Porter hizo responsable de este desafuero a un portugués que, según él, pensó que el almirante volvería a España a dar queja al rey, con lo que se desembarazaría de un incómodo competidor. Es difícil, sin embargo, no ver en este fuego destructor una secuela de los odios furibundos que se desataron a raíz de las denuncias a Carbonel. En cualquier caso, Porter retornó a México, donde residió los años 1645 y 1646 buscando medios para proseguir su jornada. Logrado el puesto de gobernador de Sinaloa, que había pedido en vano en 1644 y que ejerció desde el 11 de marzo de 1647 hasta el 8 de noviembre de 1651, realizó otra vez exploraciones en la costa de California en 1648 y 1649, sin lograr resultados de relevancia [45].

5. El viaje de Lucenilla

El mes de setiembre de 1665 vio llegar a México al capitán Francisco de Lucenilla, natural de Paradas, para arreglar papeleos de sus mercaderías [46]. Los lentos y consabidos trámites burocráticos lo retuvieron en la

---

[45] Sobre la actuación en California de Porter, después gobernador de Chile, es fundamental su *Carta relación de Don Pedro Porter Casanate... desde que salió de España el año 1643 para el descubrimiento del golfo de la California hasta 24 de enero de 1649, escrita a un amigo suyo* (BN Madrid, ms. 6438 f. 5r ss.; la misma carta, puesta en tercera persona, se encuentra duplicada en la colección Mascarenhas: BN Madrid, ms. 2376, f. 267ss., y en redacción más libre en ms. 2375 f. 200ss.) y su *Relación de servicios* (BN Madrid, ms. 6438 f. 14ss.). Cf. asimismo su *Relación de servicios* impresa, conservada con otros papeles en BN Madrid, ms. 2336 ff. 70r-75r. Es importante para conocer sus presuntos fines otro memorial impreso (BN Madrid, ms. 8553, f. 118ss.). Dio noticia de ellos J. T. Medina, *Biblioteca hispano-chilena (1523-1817)*, Santiago de Chile, 1898, II, p. 289ss. Se basan en estos memoriales las *Noticias sacras y reales de los imperios de las Indias Occidentales*, redactadas en 1653 por Juan Díez de la Calle, que terminan en 1645 (BN Madrid, ms. 3026, f. 224v) y después se remiten a las relaciones de Porter, «persona de tanta satisfacción, inteligencia y buenas partes» (f. 228v).

[46] Todas las citas de este apartado proceden de la *Relación* escrita por fray Juan Caballero Carranco, comisario del viaje por el Tribunal de la Inquisición, escrita en San Miguel, provincia

capital más de lo esperado, por lo que tuvo ocasión de oír hablar de los mágicos encantos de la California, que un embaucador le insinuó podría descubrir en menos de un año y con un gasto inferior a 4.000 pesos. Viéndose con posibles, en edad moza y ansioso de ganar honra y dineros, se ofreció al virrey Mancera, juntamente con el capitán Alonso Mateos, a dejar pobladas las Californias en el plazo de un año. Entablóse a continuación un acalorado pleito entre Lucenilla y Bernardo Bernal de Pinadero, que deseaba hacer su tercera jornada a la península, pleito que Mancera resolvió a favor del primero, así como disputaron encarnizadamene jesuitas y franciscanos por llevar a cabo la labor misionera, contienda que se resolvió a la postre —no podía ser de otra manera— a satisfacción de los jesuitas. El 1 de mayo de 1678 salió de Compostela (puerto de Chacala) Lucenilla con dos embarcaciones y 54 hombres, y anduvo más de 200 leguas desde el cabo de San Lucas hasta llegar a una gran bahía, que denominó de San Pedro y San Pablo, enfrente de Sonora. Pero «luego que se descubrieron los cerros de California, como si fueran de oro, de perlas o de ámbar, se comenzó la cuestión de la partición, para ver lo que a cada uno le avía de tocar», con gran disgusto de los religiosos, que cayeron apesadumbrados en la cuenta de que Lucenilla y sus hombres perseguían ganar tesoros y no almas. En efecto, apenas si se efectuaba un reconocimiento del terreno con vistas a una posible población: «sin duda llevaban creído que avían de hallar algunos montes de plata refinada que se pudieran ver desde los navíos», según el inevitable delirio ofírico. Como era de prever, a las primeras dificultades desmayaron los ánimos, desengañados ya de encontrar las riquezas prometidas, y dos meses fueron suficientes para desbaratar una empresa en cuya preparación se habían empleado dos años. En el comienzo del deshonroso retorno fue parte muy principal el piloto de la capitana, Esteban de Silva, hijo de portugués y natural de Canarias, pues

era poco piloto y muy quimerista, ombre que siempre ocupa sus discursos en ganar nuevos mundos y nunca tiene camisa. Obró aquí muy mal, pues fue la mayor causa del desconsuelo de la gente, diciendo mal de las Californias y asegurando el riesgo de la vida si no dávamos vuelta presto. Era su intención que algunos camaradas suyos le comprasen la nao, para ir con ella a descubrir nuevos mundos y otros disparates.

Como en tantas otras ocasiones (recuérdese a Lope Martín, Ortuño Ximénez, el propio Quirós), es el piloto quien abriga desmesuradas ambiciones y no se contenta ya con el descubrimiento de los ostiales california-

de Sonora, a 20 de setiembre de 1678 (BN Madrid, ms. 18758/14). Caballero echa la culpa del fracaso de la expedición al hecho de que «avía munchos de la ciudad de Xerez, y por munchos aunados querían subpeditar a los demás y aun al capitán». Entre ellos se encontraba un barbero, Martín Calderón, que ya se le había amotinado a Pinadero.

nos. Esteban de Silva sueña con encontrar nuevos mundos en la mar del Sur precisamente por los años en que San Vítores perseguía idéntica quimera en las Marianas, enlazando el archipiélago con las islas de Salomón. En verdad, no había sido baldía la estancia en México de Medina Dávila, personaje al que hemos de consagrar atención más adelante.

6. El primer asentamiento: D. Isidro Atondo

La frustrada expedición de Lucenilla sirvió al menos de acicate para azuzar la ambición evangélica de los jesuitas. Así fue como una serie de reales cédulas (la última del 18 de junio de 1678) fue instando a los diversos virreyes a llevar a cabo lo que se llamó en término muy ignaciano «reducción», es decir, conversión de los gentiles de California. Se ofreció en México a realizarla el maestre de campo D. Manuel Sousa y Castro, poniendo condiciones tan desorbitadas que el arzobispo virrey D. fray Payo de Ribera, según comunicó al monarca el 12 de febrero de 1679, se inclinó a hacerla a costa de la real Hacienda aceptando las condiciones propuestas por el capitán y ayudante general D. Isidro Atondo y Antillón, que había sido gobernador de Sinaloa por espacio de tres años desempeñando el cargo a satisfacción de todos[47]. El 28 de noviembre de 1678, a los 20 días de la oferta, las dos partes llegaron a un pronto concierto, señal de unánime y sobre todo previo acuerdo: se le daba al capitán una flotilla de dos fragatas y un barco luengo, una tropa de 30 soldados y un cabo, 6.000 pesos para efectuar los preparativos de la jornada y como remate la gobernación de Sinaloa, mientras que Atondo se obligaba a navegar a la California, buscar aguaje y fortificarse en el puerto, penetrando después tierra adentro 15 leguas y volviendo a plantar un fuerte y, de no ser ello posible, haciendo la entrada por otro lado hasta encontrar lugar conveniente para otro establecimiento, todo ello una vez ganada la voluntad de los indios por vías pacíficas; además, durante un año Atondo no podría salir del suelo de California, dando una fianza de 8.000 pesos en señal de que no obraría de otro modo. La predicación quedaba reservada, como es lógico, a la Compañía de Jesús. El asiento fue sancionado por el monarca el 29 de diciembre de 1679 y el virrey conde de Paredes expresó en 1681 su confianza de que la armadilla partiera a finales de año de 1681. Como siempre, los retrasos entorpecieron el despacho de los dos barcos, de suerte que sólo el 1 de abril de

---

[47] Sobre la expedición de Atondo son fundamentales los Autos y diligencias que se guardan en A.G.I., Patron. 31, 7 y 8, que dan amplia información al respecto. El asiento se halla en A.G.I., Patron. 31, 4.

1683 los españoles pudieron saltar en tierra en el puerto de La Paz y el 15 de julio en el de San Lucas. A los 20 meses, en las postrimerías de 1684, cuando Atondo había poblado el Real de San Bruno, comenzó a estallar el descontento general. El contador y veedor D. Jacinto Muñoz de Morara hizo amago de desistir de su puesto, ya que, al parecer, todo andaba mal: los soldados eran algunos muchachos y todos bisoños, así que no sabían disparar, cargar ni adargarse. A su vez, la tropa manifestó que se había mantenido durante más de un año con víveres para cuatro meses, por lo que desfallecía de hambre. No había naves; en tierra, los caballos perdían las herraduras y se despeaban en las agrestes rozas, sin que hubiera herraje. Los indios, antes afables, habían mostrado ademanes de guerra, y entre fieros y miedos se había dado muerte a un edu, provocando la cólera de los capitanejos Dionisio, de los edu, y Leopoldo, de los didiu. Aunque Atondo se aprestaba a realizar la entrada de rigor con 29 soldados, un padre, un cirujano y 9 indios cristianos, dejando en San Bruno los inútiles, temía una sublevación, y en sus cartas no se recataba de recordar los motines que habían acabado con la vida de Mendoza y Becerra. En la tierra, estéril y sometida a extrema sequía, no se encontraba apenas reparo, y arreciaba el invierno. La única esperanza estribaba en el socorro que se les podía enviar desde el puerto de San Lucas, mientras que los españoles se consolaban por el momento con el espiritual alivio del padre Juan Bautista Copart y sobre todo del superior Eusebio Francisco Kino, varones en verdad evangélicos a juicio de tirios y troyanos.

Las circunstancias no habían cambiado mucho un año después. Seguía Atondo en California y el virrey, el 3 de octubre de 1685, comunicó que había decidido, tras consultar a los peritos, mantener los puertos del río Grande y el Real de San Bruno con los religiosos misioneros y una guarnición de 20 hombres. Por otro lado, se esperaba que la balandra resarciera parte de lo gastado buscando perlas en los placeres de la costa; para ello se habían contratado los servicios de cuatro buzos, cuyo número pronto se aumentó a seis. Hasta el 19 de junio de 1685 se habían invertido en levantar aquel fuerte malsano 116.446 pesos, 4 tomines y 2 granos sin contrapartida aparente; el negocio era ruinoso y a poco la empresa fue abandonada. La expedición, sin embargo, marcó un nuevo rumbo en la política de expansión española; por primera vez, en California se intentaba llevar a cabo una colonización duradera sin pensar en Gigantas ni Quiviras, aun a sabiendas de que tierra adentro había un río muy caudaloso y tierras pingües. Ni siquiera la nebulosa del estrecho de Anián atraía la atención de Atondo y sus hombres: el contador Muñoz manifestó el 9 de abril de 1685 que, cuando hubiera cuajado el establecimiento, «sería bien no sólo reconosçer, pero penetrar esta ensenada, canal o estrecho, y ver qué es»; antes, no obstante, toda exploración parecía prematura. Este nuevo espíritu más apegado a la realidad semeja inspirado por los jesuitas; y de hecho, entre los religiosos que acompañaron a Atondo se encontraba el padre alemán Eusebio Francisco Kino, el más grande misionero de las Californias, que ahora, por la adulación normal, fueron llamadas con nombre efímero Carolinas; pero su actividad fue posible gracias al sacrificio de Atondo y en especial de aquellos pobres diablos, jóvenes e inexpertos, que marcharon con él a lo desconocido, soldados y colonos a la fuerza.

7. *Los jesuitas en California: el padre Kino*

A finales del s. XVII la lucha por la evangelización de California se decidió transitoriamente a favor de los jesuitas, cuya labor misionera en Sonora, irradiando desde la misión de Dolores, comenzó a desvelar algunos secretos de su geografía. En 1701 los padres Eusebio Francisco Kino y Juan María de Salvatierra establecieron de manera definitiva su forma peninsular, no sin que su confirmación provocara una primera reacción incrédula en otro benemérito explorador, el capitán Juan Mateo Mangel [48]. De resultas de sus viajes se volvió a discutir la posibilidad de hacer un asentamiento en la desembocadura del río Colorado, que sirviera de escala al galeón de Manila [49], como en los viejos tiempos, pero poco a poco se fueron arrumbando los antiguos mitos. Mangel conocía todavía la leyenda de la isla Gigántea y de su reina Sinachacota [50], pero sólo por haberla leído en Betancur y sin que se atreviera a declararse en pro o en contra de su veracidad, aun cuando podía haberle incitado a ello alguna narración similar de los indios. Así, el 12 de febrero de 1699 los pimas contaron a Kino, Gil y Mangel que, en época de sus antepasados, una giganta de tres varas de altura, hocico a modo de puerco y uñas como de águila, venía del Norte matando y comiendo los hombres; la tribu, un día, logró emborracharla, la condujo a una cueva, tapó su boca con leña y le prendió fuego, con lo que murió el monstruo. Se trataba, como se ve, de una ocasión óptima para sacado a colación la vieja cantinela de la Giganta; pero Mangel se limitó a transcribir la leyenda india, sin permitirse el más mínimo desahogo erudito salvo escribir un resignado: «la verdad Dios la sabe» [51].

---

[48] BN Madrid, ms. 3165 (el único extenso, que yo sepa, referente a Kino que se conserva en sus fondos), f. 204v ss., 211r, 216ss.
[49] *Ibidem*, f. 193r.
[50] *Ibidem*, f. 188v.
[51] *Ibidem*, f. 183v.

VII. LA DEFENSA DE LAS FILIPINAS

1. Una nueva junta cosmográfica hispano-portuguesa

Los primeros años del s. XVII marcan quizá el punto culminante de la historia de Filipinas bajo el reinado de los Austrias. En 1606 un gobernador enérgico, D. Pedro de Acuña, logró recuperar la plaza de Terrenate [1], que habían perdido los portugueses en 1579 a raíz de una sublevación del reyezuelo indígena. Ahora bien, la celebrada conquista de Terrenate, que ponía coto en apariencia a la inquietante expansión holandesa en el Maluco, trajo consigo no pocos conflictos y quebraderos de cabeza en la Península. Aunque la conducción del clavo se siguió realizando por la vía de la India, como se había hecho hasta entonces, el Consejo de la India elevó al punto desde Lisboa una consulta a la Corte señalando la conveniencia de que se restituyese a Portugal la fortaleza de Terrenate y las demás islas del Maluco [2]. Informó en contra el Consejo de Indias, alegan-

[1] Llegó la noticia a la Nueva España a los pocos días de arribar Quirós a Acapulco. Cuenta el capitán las alegrías y fiestas que con motivo de la victoria se hicieron en México (*Viajes de Quirós*, cap. LXXVII, pp. 384-85 Zaragoza). Trajo a España «la felize nueva de la expugnación de Terrenate» el capitán Juan de la Parra (A.G.I., Indif. 1427). La gobernación de la isla recayó en D. Jerónimo de Silva, primo hermano del antiguo gobernador de Filipinas D. Juan de Silva (cf. A.G.I., Indif. 1431).

A la muerte de D. Pedro de Acuña (24 de junio de 1606) apreciaron los cirujanos en su cadáver señales de ponzoña; como indicó el 14 de julio de 1606 en una carta un tanto malévola el licenciado Cristóbal Téllez de Almazán, se habían producido antes del fallecimiento ciertas riñas y disputas: «el dicho Don Antonio [de Ribera Maldonado, oidor] dio una querella en el Audiencia por la cual pedía se le reciviese información de que el dicho Don Pedro [de Acuña] avía dado de bofetones a su hermano [D. Bernardino del Castillo] y llamado a los dos de judíos moros» (A.G.I.; Patron. 47, 6).

[2] El 4 de noviembre de 1608 (A.G.I., Filipinas 1, 3 n.° 160; traducción castellana *ibidem*, n.° 186). Secundó la petición el Consejo de Portugal el 3 de mayo de 1609 (*ibidem*, n.° 172 = 173) y el 27 de mayo de 1610 (*ibidem*, n.° 189). Presentó el memorial al rey el duque de Lerma el 9 de junio de 1610 (*ibidem*, n.° 190) y asimismo contestó al informe del Consejo de Indias en un extenso escrito sin fecha, que debió de escrivirse en 1610 (*ibidem*, n.° 203).

do no sólo los derechos de los castellanos a la posesión del archipiélago, sino también la mayor capacidad de defensa desde las Filipinas, y considerando favor más que suficiente dejar en manos de los portugueses el comercio de las especias[3]. Al parecer del Consejo se conformó la Junta de Guerra[4]. Los intereses encontrados de ambos reinos propiciaron, a propuesta del virrey de Portugal[5], una nueva junta de cosmógrafos a fin de zanjar, por tercera y definitiva vez, la batallona cuestión de la pertenencia o no del Maluco a la demarcación de Castilla.

Ya el 14 de julio de 1611 barajaba la Junta a tal efecto nombres de cosmógrafos ilustres como los de Rodrigo Zamorano, Juan Arias de Loyola, Juan Cedillo Díez por una parte y Juan Bautista Lavaña, Antonio Moreno de Vilches y Juan Bautista Monegro por otra; pero al fin fueron sólo Juan Arias de Loyola, por Castilla, y Juan Bautista Lavanha, por Portugal, quienes se reunieron el 11 de noviembre de 1611 en casa de Juan Ruiz de Contreras, secretario del Consejo de Indias, para tratar de dirimir la cuestión[6]. Los argumentos de Arias fueron tan variados como hueros: tan pronto se remitía a la autoridad de los cosmógrafos españoles de la junta de Elvas y Badajoz (1524) o alegaba los nuevos descubrimientos de Legazpi, Mendaña y Quirós, como hacía valer el eclipse lunar observado el 12 de marzo de 1566 por Juan Bautista Becheti junto al cabo de Corrientes, con cuyo cálculo concluía que entre el meridiano de Lisboa y el meridiano del cabo de Corrientes había 65 grados de longitud. Para la mayoría de las cuestiones tuvo cumplida y fácil contestación Lavanha, mucho mejor cosmógrafo que su oponente: a la autoridad de los cosmógrafos españoles en Badajoz oponía la de los cosmógrafos portugueses que asistieron a la misma reunión; confesando no conocer los derroteros de Legazpi, se escudaba hábilmente arguyendo que no sabía si del puerto de la Navidad a Cavite habría 2.000 leguas, punto éste que es de suponer que desconocía asimismo su rival; por fin, replicaba que la observación de Becheti se había tomado no junto al cabo de Corrientes, sino 200 leguas más adelante, al Este. Pero hay un punto, el primero, que indica el abismo que mediaba entre la mentalidad de Arias y de Lavanha. En efecto, aducía Arias como prueba irrefutable el texto de Ptolemeo, diciendo que había situado la Aurea Quersoneso (Malaca según él; Suma-

[3] El 26 de julio de 1610 (*ibidem*, n.° 179).
[4] El 25 de no sé que mes de 1610 (*ibidem*, n.° 182) y el 2 de diciembre de 1610 (*ibidem*, n.° 192), con el voto negativo del conde de Salazar.
[5] Del 4 de setiembre de 1610 (*ibidem*, n.° 191).
[6] *Ibidem*, n.° 200. El parecer pormenorizado de Lavanha, firmado el 8 y el 14 de noviembre (*ibidem*, n.° 199 y 202), fue entregado por el duque de Lerma a la Junta el 25 de noviembre de 1611 (*ibidem*, n.° 201). Ya el 28 de setiembre de 1611 Arias de Loyola había exhortado al monarca a que se trazara de una manera definitiva la raya de demarcación (*ibidem*, n.° 197 y 198).

tra según Lavanha) «a 192 grados del meridiano (*escrito* meriano) de la demarcación hacia el oriente; y como el meridiano (*escrito* medio) de las Malucas dista del de Malaca a lo menos 23 grados, se sigue estar el meridiano (*escrito* medio) de las Malucas 215 (*escrito* 115) grados del meridiano de la demarcación por el Oriente». A este razonamiento increíble por trasnochado y rancio respondió Lavanha entre amostazado e irónico afirmando que «no hazía caso de la autoridad de Ptolomeo, y que todo lo que había asentado en su *Geographía* era disparate». Resulta, pues, que para Arias y los hombres de su cuerda la Geografía de Ptolomeo se había convertido en una especie de *Suma* de Santo Tomás, con la que no cabía discrepancia alguna; Ptolomeo, como Aristóteles, acaban por alcanzar autoridad de «cristianos viejos», y disentir de su opinión huele a herejía o judaismo. Y efectivamente el tratado del geógrafo de Alejandría parece que era uno de los libros de cabecera del doctor Arias, que al redactar el primer capítulo («que abla del altura del Este Hueste») de su ambicioso e inconcluso libro sobre el cálculo de las longitudes, lo remató con un recuerdo un tanto vago de la India allende el Ganges:

Yten allarás una isla en çiento e cuarenta e tres grados de longitud y en treinta e cuatro de latitud, que es muy grande isla; llámase Java minor; ay muchas droguerías e arómata. Y d'esta isla a seis o siete grados de latitud por toda ella va a dar a la Auerea Creonesse, según que está en las cartas mías, la cual Aurea Cresonesse dize Tolomeo ser una de las cossas más ricas del mundo[7].

Bien se echa de ver que Arias era incapaz de escribir a derechas *Chersonesus;* pero ello no le impedía fabular sobre la *Java minor* de Marco Polo uniéndola a la península Dorada, todo ello colocado a una latitud que más bien parece concordar con la Austrialia de Quirós que con la Aurea de Ptolomeo. Pero Arias tenía la escusa de que así estaba en sus mapas, con los que estaba en su derecho de hacer lo que quisiese.

2. *Pacifismo y belicismo. Los arbitrios de Guillermo Semple*

En las primera décadas del s. XVII era evidente para cualquier mente despejada que la hegemonía mundial dependía del dominio del mar, única vía de acceso a las riquezas de las Indias orientales y occidentales. Muchos —entre ellos el conde de Gondomar— pronunciaron entonces la trillada frase de que «quien es señor de la mar, lo será de la tierra»; pero quizá nadie la repitió con más insistencia que el coronel Guillermo

---

[7] A.G.I., Patron. 262, 3.

Semple[8], un escocés cuya vida aventurera estuvo siempre marcada por el
odio visceral a Inglaterra y su lealtad a María Estuardo, que le había
confiado la defensa de su causa en 1575[9]. Gracias a su deserción primero
y a su intervención después se debió en parte la rendición de las plazas de
Lieja, Brujas y Gueldres a los tercios de Felipe II[10]; estuvo presente en el
asedio de Harlem y Cerquezca[11], y si se logró la toma de Dunquerque,
Niuporte, la Enclusa y el Sasso fue gracias a sus consejos[12], siempre de

---

[8] BN Madrid, ms. 2349 (febrero de 1618), f. 234r § 23; ms. 2350 (febrero de 1619), f. 258v;
ms. 2351 (27 de setiembre de 1620), f. 522v.

Es mencionado el coronel Guillermo Semple, no sin algunos errores, por el jesuita Famiano
Estrada en su *Segunda década de las guerras de Flandes,* traducidas por el P. Melchor de Novar,
Colonia, 1682, II, p. 216, 487 y 495. Un somero resumen de su vida da el *Dictionary of National
Biography,* Oxford, 1897ss., XVII, c. 1177-78. Cf. asimismo J. Alcalá-Zamora, *España, Flandes y
el Mar del Norte (1618-1639),* Barcelona, 1975, p. 148 sobre todo. La colección Mascarenhas en
la Biblioteca Nacional de Madrid es riquísima en memoriales de Semple, catalogados generalmente como anónimos. Sin pretensión alguna de exhaustividad indico algunos de ellos, agrupados cronológicamente:

1612	ms.	2348, f. 13ss.
1617 (octubre)	ms.	2348, f. 537ss.
1618	ms.	2349, f. 164ss.
1618 (febrero)	ms.	2349, f. 228 ss. (copia en f. 240ss.).
1619	ms.	2348, f. 469 ss. (= ms. 2350, f. 268ss.).
« (enero)	ms.	2350, f. 260ss.
» (febrero)	ms.	« , f. 258ss.
« (junio)	ms.	« , f. 262ss.
»	ms.	« , f. 264ss.
« (diciembre)	ms.	« , f. 268ss. (= ms. 2348, f. 469ss.).
1620 (30 de agosto)	ms.	2349, f. 170 ss.
» (27 de setiembre)	ms.	2351, f. 521ss.
1622 (18 de setiembre)	ms.	2353, f. 228ss.
1623 (25 de enero)	ms.	2354, f. 279ss.
« (28 de marzo)		« , f. 226ss.
» (8 de mayo)		« , f. 283ss.
« (18 de julio)		« , f. 224ss.
» (13 de noviembre)		« , f. 242ss.
«		« , f. 243ss.
1624 (6 de noviembre)	ms.	2355, f. 454ss. y 449ss.
1625	ms.	2357, f. 9ss.
1626 (febrero)	ms.	2358, f. 162ss.
» (1 de abril, 25 de agosto, etc.)	ms.	2358, f. 285ss.
1627 (2 de junio)	ms.	2359, f. 142ss.
1628	ms.	2360, f. 69ss., 79ss.
« (28 de abril)		« , f. 244ss.
» (18 de noviembre)		« , f. 246ss.
1629 (8 de julio)	ms.	2361, f. 506ss.
1630 (9 de febrero)	ms.	2362, f. 253ss.

[9] BN Madrid, ms. 2360 (28 de abril de 1628), f. 248; 2362 (9 de febrero de 1630), f. 258v.
[10] BN Madrid, ms. 2358, f. 292v; ms. 2360, f. 249v.
[11] BN Madrid, ms. 2348, f. 469ss. = ms. 2350, f. 268ss.
[12] BN Madrid, ms. 2348, f. 471v.

acuerdo con su peculiar interpretación de la historia. El duque de Parma, apreciando su vivaz ingenio, lo envió en 1582 al cardenal Granvela; en 1587 lo encontramos en Andalucía, informándose de la fuerza y poder que tenían los católicos escoceses. En 1588, en vísperas ya de la Gran Armada, lo comisionó Felipe II para ofrecer al rey de Escocia, el futuro Jacobo I de Inglaterra, gente, dinero y fuerzas para vengar la muerte de su madre, María Estuardo; pero Jacobo, más taimado que rencoroso, lo metió en prisión, de la que el escurridizo escocés se escapó descolgándose por una ventana [13]. Todavía en 1626 se enorgullecía de que a instancias suyas sus paisanos hubiesen tomado las armas contra Jacobo en 1588, llegando a infligirle una derrota [14]; a su juicio, el ataque de la Gran Armada había fracasado porque la flota y los tercios deberían de haberse dirigido a Escocia; y no era éste el único error estratégico que se había cometido contra su parecer: el socorro llevado a Irlanda por Juan del Aguila más tarde, en 1601, tenía que haber ido por Galway a las montañas [15]. Durante su larga vida siguió Semple atizando en Escocia el fuego de la rebeldía contra Inglaterra: en 1626 se lamentaba muy mucho de la muerte de MacDonnell,

persona de tal poder y valor que, si biviera, es cierto que con poco gasto y ayuda nuestra revolviera a Escocia y Irlanda en guerra contra Inglaterra, que de secreto lo tenía asentado conmigo; y por su fallecimiento se an trocado las suertes, y conviene mudar a Daniel Dotraff, que por orden de V. E. y mi intervención asistía en Londres a los negocios de Escocia acerca la persona del secretario Bruneo, como también al capitán Jaques Colbil, que asistía a lo mismo acerca la persona de la serenísima Infanta en Flandes [16].

Una idea se repite machacona y obsesivamente en todos los escritos de Semple: la paz favorece sólo a los rebeldes de los Países Bajos, que son en realidad un simple instrumento de los ingleses, los verdaderos enemigos, que sin golpe de espada se quedarán con el comercio de todo el universo [17]; por tanto, en vez de permanecer a la defensiva, imposible e ineficaz

[13] BN Madrid, ms. 2348, f. 474r y 474v (testimonio sobre sus servicios, firmado en Madrid el 24 de abril de 1601, por Bernardino de Mendoza). En España se casó con María, la hija de Juan de Ledesma (su cuñado, Pedro de Ledesma, fue miembro del Consejo de Indias); pidió en vano la plaza de escribano de ración de Cádiz hacia 1595 (cf. M. A. Heredia, *Catálogo de consultas del Consejo de Indias*, Madrid, 1972, II p. 173, n.º 2512 [10 de setiembre de 1595] y p. 424, n.º 3409 [13 de diciembre de 1597]).

[14] BN Madrid, ms. 2358 (25 de agosto de 1626), f. 292v.

[15] BN Madrid, ms. 2348 (1612), f. 16v.

[16] BN Madrid, ms. 2358 (25 de agosto de 1626), f. 291-92. En la misma carta nos enteramos de que anualmente se daba a los católicos escoceses, para fomentar su rebeldía, la nada exorbitante suma de 5.040 ducados. En cierto modo es lógico, ya que el interés de España estaba volcado sobre Irlanda, más relacionada tradicionalmente con la Península y de más fácil acceso: a los insurrectos irlandeses llevó dinero, según veremos, Bartolomé García del Nodal.

[17] BN Madrid, ms. 2349 (30 de agosto de 1620), f. 171v.

en un imperio tan dilatado —¿cómo guardar y proteger 12.000 leguas de costa?—, procede pasar a la ofensiva cuanto antes. Como es lógico, el dominio del Océano constituye una verdadera pesadilla para Semple, que, al proponer en 1617 que se pasaran al mar fuerzas de tierra, anotó al margen de su memorial: «Véase del provecho que son las fuerças que el Duque de Osuna emplea en la mar, y cada día será mayor, si se continúa».[18] Como Gondomar, pues, Semple se da cuenta de la amenaza que entraña el poderío marítimo del enemigo, que para uno y otro es Inglaterra, quizá con una visión demasiado unilateral de las cosas. Pero Gondomar, más flexible, busca por la vía diplomática un duradero entendimiento con Londres que supone la previa eliminación de belicistas radicales como Raleigh; en cambio, Semple se declara partidario a ultranza de la guerra y por tanto enemigo decidido del proyectado matrimonio de la infanta doña María con el Príncipe de Gales, tan pacientemente preparado[19], dado que el único fruto de la tregua de los Doce Años, firmada en 1609, había sido el fortalecimiento de Holanda y, en consecuencia, de Inglaterra.

No es una sorpresa, por tanto, que los memoriales que presentó a los sucesivos reyes con tenacidad admirable se ajusten todos a un mismo esquema, que sólo sufre ligerísimas variantes según lo recomienden las circunstancias. En 1612 ofrece a la consideración del monarca los siguientes puntos: a) recobrar las plazas perdidas en Indias, particularmente las Bermudas, ya que «las Yndias es lo de mayor importancia para España, por ser de donde procede la Hazienda, que es nerbio de la guerra»; b) pasar a la ofensiva «baliéndose de medios modestos y fáciles»; c) sorprender a los holandeses, cuando vuelvan de la India, en Santa Elena con una armada de media docena de navíos; d) fomentar la existencia de corsarios españoles como lo fue Juan de Mérida, para infestar las pesquerías del Mar del Norte, proponiendo de paso dos objetivos, que podían ser la toma de la isla de Frislandia o el ataque por sorpresa a la flota inglesa que va a San Nicolás en Moscovia; e) alentar la guerra intestina en Escocia, aprovechando el descontento reinante por haber ordenado Jacobo I que la nobleza escocesa residiera en Londres, «que es como tenerles por rehenes»[20]. En febrero de 1618 sugiere no ya el mantenimiento de una flota defensiva de 40 navíos, sino la creación de una armada volante de 24 bajeles de alto bordo, doce de los cuales estarían mantenidos por la Iglesia, seis por los Grandes y los otros seis por las Ordenes militares[21]. A finales de diciembre de 1619 aumenta la envergadura de sus proyectos,

[18] BN Madrid, ms. 2348, f. 538r.
[19] BN Madrid, ms. 2354 (18 de julio de 1623), f. 224ss.
[20] BN Madrid, ms. 2348, f. 13ss.
[21] BN Madrid, ms. 2349, f. 228ss.

conforme subía en el país la fiebre belicista: en efecto, la Corona española debía de disponer en total de un centenar de navíos de guerra repartidos en cuatro escuadras: una en el Estrecho de Magallanes, otra en el de Gibraltar, otra en el Atlántico y una última destinada exclusivamente a fines ofensivos[22].

La declaración de guerra, la solución de Olivares, hubo de ser acogida con un suspiro de alivio por un empedernido belicista como Semple, cuando el 9 de abril de 1621 cumplió el plazo de la tregua. Pero es sintomático que, a la larga, el viejo y terco coronel volviera a su plan más realista de 1619, cuyos puntos esenciales repitió en un parecer dado al conde-duque el 6 de noviembre de 1624[23]: urgía contar con dos armadas, cada una compuesta de doce navíos y tres pataches, costeada la primera por los comerciantes indianos de Castilla, para asegurar el Pacífico, y la segunda por los comerciantes de Portugal, para vigilar las costas del Brasil. Como se ve, varía tan sólo el medio de financiación de la armada, que recae sobre la hacienda de los particulares, copiando verosímilmente el sistema holandés de las Compañías.

Al menos en una de sus ideas parecía que Semple llevaba la razón: que la suerte del imperio español se iba a decidir en ultramar. En 1602 se había creado en Holanda la Compañía unida de las Indias Orientales, que muy pronto comenzó a hacer una guerra implacable a las posesiones asiáticas de Felipe III. En estas colonias remotísimas no cambió la situación con el armisticio de 1609, que sólo contribuyó a introducir un elemento de máxima perplejidad y desconcierto, bien patente en la carta que el 16 de julio de 1610 dirigió el gobernador de Filipinas, D. Juan de Silva, al monarca: «Muy confuso estoy con escrivirme algunas personas d'ese reino que V. M. a hecho treguas con los olandeses por doze años, y no tener yo aviso d'ello»[24]. Era evidente que la noticia del tratado había de tardar en llegar a los últimos confines de la tierra, por la enorme distancia que separaba Madrid de Manila; pero a la lentitud informativa se unía el hecho contradictorio de que, pese a la letra de tanto tratado, las hostilidades prosiguiesen su curso, pues los holandeses, siguiendo la estela de los corsarios ingleses, no sólo empezaron a presionar desde Malaca, sino que probaron el acceso al Pacífico por el Estrecho de Magallanes. En 1598 una armada, al mando de Oliver van Noort, había saqueado las costas del Perú y Nueva España y después, engolfándose en el Pacífico, se

---

[22] BN Madrid, ms. 2348, f. 471r. En 1621 Olivares parece que recogió parte de las sugerencias de Semple al promulgar sus Ordenanzas sobre la creación de una armada permanente de 76 navíos (cf. C. Fernández Duro, *Armada española,* IV, p. 13ss. Sobre el momento histórico cf. Alcalá-Zamora, *España, Flandes y el Mar del Norte,* p. 115-56).

[23] BN Madrid, ms. 2355, f. 449ss.

[24] A.G.I., Filip. 20, 2 n.° 83.

había presentado en Filipinas en 1600, donde en la punta Balaitigui fue derrotada en victoria pírrica por el oidor D. Antonio de Morga, que perdió la capitana. Pocos años después, en plena tregua, volvió a repetirse la intentona. Ya en 1614, por los informes que recibía de marineros holandeses, el duque de Medina Sidonia se enteraba en Sanlúcar de Barrameda de que en los Estados Generales se estaba aprestando una armada de cien bajeles contra las Indias tanto de España como de Portugal[25]; el pesimismo lo embargaba en 1615, ante nuevo rumor de que Holanda preparaba una armada de 70 velas[26]. Pero tan descomunal ataque hubiese supuesto algo tan indeseable como la ruptura de la tregua; por esta razón se procedió a una más sabia labor de hostigamiento a pequeña escala. En 1615 los barcos de Joris van Speilbergen corrían vencedores los litorales de ambos virreinatos[27] y en 1617 se enfrentaban con las naos de Filipinas, llevando otra vez la peor parte.

Ahora bien, por muy grande que fuera el acoso de los Estados Generales, era evidente que la Corona española no podía desatender la defensa de las Filipinas, costara lo que costara[28]. No sólo primaban motivos religiosos; prevalecía ante todo una cuestión de principio, pues razones de prestigio —«reputación», como se decía entonces— imponían al rey el deber de velar por la defensa de aquellas islas, a trueque si no de confesar una impotencia que entonces los españoles estaban muy lejos de sentir. En efecto, en esta época, tan aficionada a los dramas de honra, se tenía viva conciencia de que más que la fuerza valía el prestigio. Un memorial anónimo indicaba a Felipe III que los holandeses «saben se substenta aquella inmensidad de tierra con la reputación de España más que con las fuerzas intrínsecas»[29]. También en los Estados Generales existía el mismo convencimiento, cuando para celebrar una victoria naval se acuñó una medalla con el hemistiquio virgiliano (*Eneida* V 231) *possunt quia posse uidentur*: 'pueden, porque parece que pueden'[30]. Todo entonces se miraba bajo el prisma de la reputación, importando más el parecer que el ser en una vida que, a fin de cuentas, venía a ser un sueño. Pero a este no

[25] A.G.I., México 2487.

[26] Cf. M. Moret, *Aspects de la société marchande de Seville au début du XVIIe siècle*, Paris, 1967, p. 102 y 39-40.

[27] El 14 de noviembre de 1614 el marqués de Montesclaros, virrey a la sazón del Perú, avisó al virrey de Nueva España, marqués de Guadalcázar, que se habían avistado corsarios en la Mar del Sur (cf. el despacho de Guadalcázar al rey el 31 de enero de 1615 [A.G.I., México 28, 2 n.º 20]; cf. asimismo 28, 4 n.º 28 y 28-A-B, 31 y 31-A [relación de Sebastián Vizcaíno]; 28, 5 n.º 33-C, Patron. 33, 4 5 doc. 92 y 198 = Patron. 263, 1 11).

[28] Sobre la importancia que revestía la conservación de las Filipinas insiste el conde de Sherley en su memorial de 1622 *Peso político de todo el mundo* (editado por C. Viñas, Madrid, 1961, p. 80, 82).

[29] A.G.I., Filip. 200.

[30] Tomo la noticia de C. Fernández Duro, *Armada española*, III, p. 279, n. 1.

desdeñable motivo se unía otra causa fundamental: la privilegiada situación estratégica del archipiélago filipino. El Pacífico había sido a lo largo del s. XVI un coto cerrado de los españoles, salvando las episódicas correrías de los corsarios, y las Filipinas protegían la travesía de los galeones, que surcaban aguas amigas y recalaban a ambos lados del Océano en puertos hispanos. Si se quería mantener ese envidiable monopolio de la Mar del Sur era preciso sostener a toda costa el dominio de las islas; en caso contrario, era de temer que el enemigo se envalentonara y acabara poniendo pie en California, amenazando así a las Indias occidentales. Por ello se hacían cada vez más frecuentes las voces que clamaban en España por la reanudación de la guerra, único medio de arruinar para siempre el comercio de los holandeses.

En definitiva, el comienzo de siglo se caracteriza porque comienzan a soplar por toda Europa vientos bélicos, algunos de ellos fomentados curiosamente por el sutil magín de aventureros ingleses. Después de un viaje a la lejana Persia, el conde Antonio de Sherley presentó en 1601 al Papa Clemente VIII una propuesta para formar una confederación de príncipes cristianos contra el Turco, la cual, contando con el apoyo del Shah Abbas, trituraría el poder del Islam con la misma operación en tenaza que soñó Europa en el s. XIII, cuando se consideró hacedero llegar a una alianza entre cristianos y mongoles contra los muslimes para la conquista conjunta de Jerusalén. Después, el inglés acudió a la Corte de Felipe III con la misma pretensión, que por su mezcla extraña de utopía y pragmatismo acabó seduciendo a la Corona española, que sostenía hacía tiempo entrecortadas relaciones diplomáticas con Persia. Pues bien, al argumentar ante el Pontífice a favor de su proyecto, Sherley hacía del Shah un hombre forjado a su imagen y semejanza, que esgrimía razonamientos que sin duda salían de su propio caletre, como el concerniente a la ventaja de todo ataque sobre la táctica defensiva:

La guerra difensiva e pericolosa alli difensori et oltra la perdita del tempo, genti, spesa et riputatione si accresce anco la disciplina militare al inimico. All'incontra l'offensiva, oltra al fuggire tutti questi et molti inconvenienti, si come porta seco utile et riputatione, cosi porta anco timore et pericolo all'avversario, perche penetra piu nelli difetti et scuopri le sue debolezze, quali copriva la defensiva [31].

---

[31] BU Sevilla, ms. 331/188, f. 30-31 (con el nombre deformado en Antonio Sorieyns). Las peticiones del Shah eran en apariencia modestas: amistad y correspondencia entre los pueblos cristianos y Persia; mutuo intercambio de embajadores y confederación recíproca en guerra y en paz.

3. El camino del socorro a Filipinas

El peligro inminente que amenazaba a las islas obligó al Consejo de Indias a plantearse la manera de prestar ayuda a Filipinas por otro camino que la vía normal, pero larga en exceso, que conducía por medio de Nueva España y luego a través del Pacífico hasta el archipiélago. Sólo quedaba una alternativa, la que utilizaba el enemigo en tregua: doblar el Cabo de Buena Esperanza o embocar el Estrecho de Magallanes. El primer derrotero se utilizó con escasa fortuna en 1613: de las siete naos que zarparon de Lisboa a las órdenes de Ruy González de Sequeira dos carabelas, las mandadas por el general D. Francisco Centeno y el capitán Iñigo de Taúco, perdieron el rumbo y arribaron a Paraiba y a Bahía el 31 de mayo y el 6 de junio respectivamente; este tremendo error, motivado por la escasa pericia o la mala fe de los pilotos, así como las bajas causadas por las enfermedades, hicieron que, de 350 soldados de refresco, sólo unos 120 llegaran a Manila exhaustos y destrozados después de 16 meses de travesía [32].

Las alarmantes noticias procedentes de las islas indujeron en 1615 al Consejo a proyectar el envío de otra armada de seis galeones que, unidos a unos ocho que se podían armar en Filipinas y a otros seis de la India, estarían en hipotéticas condiciones de expulsar de una vez a los holandeses de la India y el Maluco. Sobre el papel, los preparativos no podían ser más imponentes: el 27 de agosto se pensaba invertir 100.000 ducados en el despacho de 600 soldados de socorro, y todavía el presupuesto aumentó el 20 de octubre y el 26 de noviembre a 300.000 ducados, destinados al avío de los 1.600 hombres que habían de embarcar en estos seis bajeles,

---

[32] A.G.I., México 2487. Es importante el informe de Silvestre de Aybar. Francisco Centeno se hallaba de nuevo dando guerra en la Corte en 1615, pidiendo licencia para pasar al Perú, como hacían sus cuatro hermanos (A.G.I., Indif. 1441). Cuatro años más tarde, todavía en 1616, Miguel Cazón y consortes, propietarios de los barcos que se tomaron en Lisboa para Filipinas, seguían pidiendo que se les pagara el precio de aquellos navíos que les habían sido cogidos por la fuerza (A.G.I., Indif. 1442). Entre los pilotos de la armada figuró Francisco Villegas, que luego ocupó el puesto de piloto mayor de las galeras de las Filipinas (certificaciones de servicios en A.G.I., Indif. 1448, presentadas desde México al intentar pasar a España); asimismo lo fue Lupercio de la Cruz, que después fue también detenido en Filipinas, donde murió el 11 de octubre de 1617 (reclamaron entonces sus herederos la paga de 1210 pesos y 5 tomines [A.G.I., Indif. 1448]). Otro piloto, Pascual Ventura, falleció asimismo en Filipinas, dejando cuatro hijas y un hijo en la indigencia. Todavía su viuda, Ana Jácome, andaba pidiendo ayuda al rey en 1623 (A.G.I., Indif. 1869) y en 1628 (A.G.I., Indif. 1870). Extraordinario es el caso del piloto Juan Díaz Soltero, que después de ir en esta expedición tuvo ganas todavía de enrolarse en la armada de Zuazola (A.G.I., Indif. 1452; no se le había pagado aún en 1622) y tras el naufragio de ésta en la de D. Iñigo de Ayala. Un personaje más que presentó tardía pero inevitable reclamación monetaria fue Benito Banha Cardozo, gobernador de Angola, que proveyó al despacho de la carabela del almirante de Sequeira, Fernando Muñoz de Arambula (cf. su memorial de 1620 [A.G.I., Indif. 1449]; Arambula parece error por Azambuja).

de porte de 400 a 500 toneladas. La armada, cuyo mando se ofreció sucesivamente a Juan de Salas, Luis de Silva y Antonio de Oquendo para recaer por fin, tras esta larga serie de negativas —contundente prueba de lo poco apetecible del puesto—, en el futuro gobernador de Filipinas D. Alonso Fajardo [33], no llegó a hacerse a la vela jamás; su infantería fue enviada a Lombardía, se devolvieron los barcos a sus dueños y la gente de mar se dispersó en mil direcciones.

No menores retrasos y dilaciones sufrió el apresto de la flota que se pensaba enviar a las aguas del virreinato peruano. En 1615 D. Juan de Andrade Colmenero fue nombrado por el rey general de la armada de la Mar de Sur, con el fin de que llevara al Pacífico otra de socorro por uno de los dos Estrechos, el de Magallanes o el de Maire; no obstante, se cruzaron ciertos inconvenientes que embarazaron su puntual partida. Un año después se mandó al conde de la Puebla del Maestre que fuese a Sevilla a encargarse del despacho de las naves, y se cursó otra orden similar para Andrade; no habían trascurrido cinco meses cuando el flamante general, al ver que habían aumentado las trabas e impedimentos y que se iba consumiendo y gastando en balde el dinero, los pertrechos y la gente, notificó al rey que, como se preveía que la flota de la Mar del Sur constase de ocho o diez galeones y dos pataches y no había a la sazón más que cuatro, era de todo punto necesario que se encomendase al virrey la fábrica de otros cuatro navíos de 500 a 600 toneladas [34]. Estos angustiosos

---

[33] A.G.I., México 2488 (30 de junio y 27 de agosto de 1616). Otras importantes facetas del negocio las descubre la correspondencia del rey y sus ministros con el duque de Medina Sidonia, conservada en el Archivo ducal de Medina Sidonia, legajo 2410. El 3 de febrero de 1616 se ordenó al duque que diera prioridad absoluta al despacho del socorro a Filipinas, armada que, como se dice expresamente en otra carta del 5 de febrero, había de doblar el Cabo de Buena Esperanza. Las dificultades del reclutamiento se aprecian en una carta de Juan Ruiz de Contreras del 14 de febrero de 1616, pidiéndole al duque «se busquen luego en esa ciudad hasta seis u ocho d'ellos [pilotos holandeses], que sean los más diestros y pláticos en la dicha navegaçión». El 22 de setiembre de 1616 se toca el espinoso tema de la falta de marinería, que hay que alistar por la fuerza, y el 2 de octubre del mismo año se reconoce la carencia de artilleros (ibidem). Antes atestiguo un piloto inglés, Juan Clerc, al servicio de la Corona española, con un sueldo de 10 reales diarios para su comida y sustento, muy probablemente con vistas a la armada de Filipinas (se le concedió a petición propia un mes de adelanto en la sesión del Consejo del 1 de abril de 1613 [A.G.I., Indif. 1436]). También los propietarios de las naves estaban furiosos: Pedro de Avendaño Villela, por sí y en nombre de los maestres dueños de las naos, pidió en 1617 que se supendiera el nombramiento de las naos que habían de ir a Tierra Firme hasta que se resolviera si habían de ser devueltas o no las de la dicha armada a sus dueños («que se oye», replicó dando largas el Consejo el 5 de octubre [A.G.I., 1444]).

[34] A.G.I., Indif. 1442. Fue pagador de esta armada de Chile, que luego se agregó a la de Filipinas, Luis de Mollinedo; el 23 de febrero de 1617 se le libró una carta de pago para que diese al flamenco Diego de Baldovinos 1320 reales por el alquiler del almacén grande que estaba en la Resolana junto a la Caridad, para el albergue de 150 pipas de vino y vinagre (A.G.I., Indif. 1444). En un principio se pensó que fuera en esta armada el maestre de campo Pedro Cortés, que incluso llegó a trasladarse a Sevilla (A.G.I., Indif. 1445).

tanteos y demoras prueban al menos la actualidad de la ruta del Estrecho, en la que más de uno depositaba entonces esperanzas excesivas. En cuanto a la flota, acabó agregándose a la de Filipinas.

A pesar de tantos intentos fallidos, el proyecto de enviar un refuerzo autónomo a las islas del Poniente siguió su curso tal como estaba planeado. Pero ya en las espaldas del informe del Consejo del 20 de octubre de 1615 se anotó, que, a la vista del fracaso relativo de la flota de Sequeira, convendría considerar si la vía del Cabo era de hecho la más adecuada; en efecto, al repasar las relaciones de los viajes de Magallanes y Loaysa, se apreciaba que habían atravesado el Pacífico, entonces un Océano español, en un plazo de tiempo relativamente corto, mientras que la navegación por el Cabo siempre podría deparar algún encuentro desagradable con el enemigo, cuando lo que se trataba no era buscar una batalla naval, sino transportar a Filipinas unas tropas que en circunstancias normales llegaban en cuentagotas desde la Nueva España. El 1 de octubre de 1616 la Junta, aun tajante en su decisión de mantener la derrota por el Cabo de Buena Esperanza, indicaba que era conveniente practicar el camino de los Estrechos, «porque los basallos de Vuestra Magestad de ambos reinos bean que las armadas de Vuestra Magestad, siguiendo al enemigo, pasan también por aquella mar y reconocen y abrigan sus costas»[35]. Un problema fundamental planteaba, como siempre, la falta de pilotos experimentados, triste carencia que apenas tenía solución ni aun recurriendo a los del eventual enemigo: D. Antonio de Zúñiga reconocía el 6 de febrero de 1616 que no había encontrado a cuatro o cinco pilotos holandeses prácticos en la navegación del Cabo ni en Lisboa ni en Setúbal[36]. Durante algún tiempo se depositaron grandes esperanzas en el piloto Morera, un viudo residente en Lisboa, de quien se decía no sólo que había hecho muchos viajes a la India, sino que había sido apresado por los holandeses y había cruzado con ellos, sondándolo, el Estrecho de Magallanes; se desvaneció la euforia cuando el arzobispo de Braga informó que nadie conocía en Lisboa al tal Morera, y que sólo había un Gaspar Moreira que casualmente había ido ese año como «sotapiloto» de la capitana en compañía del capitán mayor D. Manuel de Meneses[37], quedándonos la duda de si Morera no salió escapado como una exhalación en la primera flota que zarpara de Lisboa ante la amenaza de ser enrolado por la fuerza en la expedición a Filipinas.

Hasta en las Indias se dejó sentir el eco de la viva polémica geográfica, en la que participaron apasionadamente los veteranos de Filipinas. Había regresado ya de Manila un tan ilustre personaje como D. Antonio

---

[35] A.G.I., México 2488.
[36] A.G.I., Filip. 200.
[37] A.G.I., Filip. 200.

de Morga, que, tras residir algún tiempo en México como alcalde de la Audiencia, había pasado al Perú muy enriquecido no se sabe si, como murmuraron después las malas lenguas, por haber introducido un dineral de contrabando en los galeones. Morga, que a la sazón ocupaba la cúspide de la pirámide social en Quito, presidente como era de la Audiencia, sintiéndose afectado por todo lo concerniente a su antiguo destino, escribió una relación al virrey príncipe de Esquilache sobre la situación de las islas, desengañándolo de algunos puntos, como la tan cacareada conquista de Terrenate, que no se ajustaba exactamente a la realidad: sólo se había ocupado la fortaleza principal, en tanto que los holandeses conservaban los enclaves de Talangame y el Malayo. En definitiva, Morga se mostraba muy convencido partidario de la defensa a ultranza de las Filipinas, puesta entonces en entredicho, y declaraba su opinión adversa a la navegación por el Cabo propugnada por el Consulado de Sevilla, que equivalía a enderezar el rumbo por un camino infestado de enemigos[38]. En cambio, el antiguo gobernador de Santa Cruz de la Sierra D. Juan de Mendoza, muy aficionado a todo lo náutico, como era natural en quien en sus años mozos había capitaneado una nave desde Lima a Manila, presentó un memorial en el que hasta especificó la ruta que había de seguir la armada por la vía del Cabo de Buena Esperanza[39]. Otro memorial de Mendoza volvió a insistir en la necesidad de echar a los «luteranos» de las Indias orientales[40]; a su juicio, bastaba que hubiese en Filipinas una flotilla de cuatro galeones y dos galeras para la vigilancia del mar, mientras que se erigían fuertes en los estrechos, como en el de Palinban (el estrecho de Bangka); asimismo, rememorando su juventud, no descartó que, en el futuro, pudiera establecerse un tráfico regular entre China y Perú para importar de Oriente azogue, de tan vital importancia para la minería peruana.

---

[38] En carta de 10 de noviembre de 1615 (A.G.I., Quito 10, f. 45ss.). Había salido en agosto de 1614 de la Nueva España, donde siendo ya alcalde en la Audiencia de México solicitó licencia para casar a sus hijos en aquel distrito (vista en Consejo del 8 de enero de 1611 [A.G.I., Indif. 1434]). Una vez nombrado presidente de la Audiencia quiteña había proveído en su plaza de alcalde al fiscal mexicano Juan de Paz de Vallecillo, que tomó posesión el 6 de agosto de 1614; pidió Morga que corriera su sueldo desde ese día, pero el Consejo, con buen acuerdo tomado el 12 de noviembre de 1614, decidió que fueran los oficiales de Quito los que le pagaran el salario, pero de su cargo en México, hasta la toma de posesión de su nuevo puesto (A.G.I., Indif. 1439). Por cierto que se acusó a Morga de haber traído de México «un grande empleo de ropa de China de más de cien mil pesos, y en diferentes bezes a enbiado a la ciudad de Lima más de setecientos paños y duzientos quintales de pabilo, que todo bale más de cuarenta mil pesos» (fue el denunciante Juan García (?) de Solís el 28 de abril de 1620 [A.G.I., Quito 29]).

[39] Firmado en La Plata el 12 de febrero de 1612 (A.G.I., Lima 143. Este D. Juan de Mendoza fue el capitán de la nao que en 1583 hizo la travesía del Callao a Filipinas, como se recordará.

[40] Datado en La Plata el 26 de febrero de 1612 (A.G.I., Charcas 49).

Para enviar la armada de ayuda por el Estrecho de Magallanes, ruta ya familiar a los buques holandeses, era menester hacer un reconocimiento previo de sus costas y corrientes, ya que su población había quedado interrumpida desde la triste experiencia de Sarmiento de Gamboa. Por añadidura, Sarmiento era el único que había efectuado la navegación de vuelta y encima, como se le criticaba ahora, «sin haber alcançado la claridad d'ella»[41]. Por otra parte, urgía recuperar el prestigio náutico: España, descubridora del Estrecho, no podía permitir que los únicos barcos que lo cruzaran entonces fueran los holandeses, con el consiguiente descrédito para su Marina, como señalaba el virrey Esquilache, quien en 1619 sostuvo que tal exploración se realizaría mejor desde Lima que desde el Brasil[42]. Para colmo, el hallazgo sorprendente de un nuevo paso, el de Le Maire en 1614, despertó nuevas incertidumbres sobre el porvenir de la hegemonía absoluta de España en el Pacífico.

La apertura de esta nueva vía a la mar del Sur así como el alarmante grado de indefensión en que se hallaba el Perú, protegido unicamente por las temibles borrascas del Estrecho, fue uno de los puntos que llamaron la atención siempre despierta de Guillermo Semple. En febrero de 1618, despues de hacer una aguda exposición de los propósitos de los holandeses, tras los cuales veía como siempre la mano pecadora de Inglaterra, insistía en que,

porque uno de los intentos de los rebeldes, como dicho es, se funda indubitablemente en tomar puesto en la mar del Sur por el nuevo paso en 55 grados que tienen descubierto, conviene se refuerze desde España la armada que ay allí, para que no impidan los rebeldes los thesoros que han de pasar del Perú a Panamá, que conviene defender como cosa en que consiste el mayor daño que los ingleses pueden hazer por el barlovento[43].

---

[41] A.G.I., Chile 165, vol. II; es expresión que se repite en varios documentos de este legajo, como en el del 16 de agosto de 1618. De hecho, ya Rodrigo Zamorano se había jactado de haber mejorado las cartas del Estrecho de Magallanes subsanando múltiples yerros; «pero también en la carta que Pedro Sarmiento havía hecho y en la que hizo Antón Pablos se hallaron y emendaron grandes errores en lo que toca a las longitudes, los cuales por mi industria y estudios y por las dichas observaciones que yo tenía hechas se corrigieron, sin lo cual aquella armada [de Valdés] fuera muy descaminada» (A.G.I., Patron. 262, 1: memorial sin fecha pidiendo aumento de sueldo).

[42] Carta del 27 de marzo de 1618 (A.G.I., Lima 38, vol. VII, f. 436 y cf. *ibidem*, vol. V, f. 97v). El mismo virrey dio cuenta después, el 24 de abril de 1620, del viaje de los Nodales (A.G.I., Lima 39, f. 35r). Notificó entonces que se encontraba en Lima Tomé Fernández, uno de los hombres que habían ido a poblar el Estrecho con Pedro Sarmiento de Gamboa, adjuntando la información de abril de 1620 en la que se relataba su salvamento por Cavendish. A favor de hacer su exploración desde Lima argumentó Esquilache que el navío despachado por D. García de Mendoza desde Chile había realizado su reconocimiento en sólo un plazo de 38 días.

[43] BN Madrid, ms. 2349, f. 236r § 26.

Y remachaba a finales de diciembre de 1619: los holandeses

es de creer acometerán el año que viene por la nueva entrada por 55 grados al mar del Sur de que advertí el año de 1614 [en realidad 1615]; y se despachó a Don Diego de Molina para descubrirla, y quedó en Sevilla sin ir al efecto [44].

Por ello, de las cuatro escuadras cuya creación consideraba de la máxima urgencia, proponía la existencia de

una que esté en la nueva entrada de 55 grados para el mar del Sur, para que vengan a las manos con los olandeses que pretenden ir en este mismo tiempo a juntarse con los de la India Oriental, que los unos y los otros juntos pretenden ocupar el puerto de Valdivia y otros puertos en la costa del reino de las Californias que tienen reconosci-do [45].

Pero su obsesiva insistencia venía de antes. En un memorial elevado al Consejo con fecha de 2 de mayo de 1617 había advertido:

Por un papel que presenté a Vuestra Magestad en la Junta que se hizo el año de 615., supliqué a V. M. que se embiase persona a descubrir el Estrecho de Magallanes y se previniesse una escuadra de navíos con gente de mar y tierra para asegurar que rebeldes no tomasen pie en el Mar del Sur. Y para este efecto se despachó a Don Diego de Molina, que todavía se halla en Sevilla, sin apparienzia de ir a executar cosa que tanto importa [46],

sugiriendo que fuese Gabriel de Roes [47] el encargado de buscar «una persona de Holanda que sea muy plático en el Estrecho de Magallanes y en las demás partes del Mar del Sur».

4. *La armada de Filipinas (1619)*

Efectivamente no era D. Diego de Molina el jefe ideal para mandar esa expedición cuya génesis se atribuía en exclusiva el poco modesto Semple. Hombre valioso y experto, acababa de volver a la Península después de un azaroso reconocimiento de la Virginia, y los cinco años trascurridos desde su partida de España, llenos de disgustos y padeci-mientos, pues D. Diego había tenido la desdicha de ser hecho prisionero,

---

[44] BN Madrid, ms. 2348, f. 470r.
[45] BN Madrid, ms. 2348, f. 471r.
[46] BN Madrid, ms. 2348, f. 529r y 529v.
[47] Traza una sucinta biografía de Gabriel de Roy J. Alcalá-Zamora, *España, Flandes y el Mar del Norte*, pp. 142-43. Fue Semple quien había propuesto en 1623 a Gabriel de Roy como una de las personas indicadas para devolver el comercio español a su antiguo lustre y esplendor (BN Madrid, ms. 2362, f. 257v).

habían agriado su carácter, convirtiéndolo en un hombre suspicaz y resentido. Tampoco a su regreso se le habían festejado sus servicios como a su juicio merecían; encima, no sólo no recibía entonces galardones y recompensas, sino que era destinado a una jornada incierta y peligrosa. Para acallar sus quejas intervino el 1 de octubre de 1616 el propio duque de Lerma, otorgándole una ayuda de costa de 1.000 ducados por una vez, muchos como dádiva, pocos para suplir la paga de cinco años que pretendía Molina. Así, el alivio económico no mitigó su encono y amargura; el 24 de octubre de 1616 escribió desde Sanlúcar de Barrameda una ácida carta a Ruiz de Contreras, comunicándole que se encontraba traído en palabras y colgado de promesas, pues «a seis años que no atiendo a otra cosa sino a servir sin sueldo y con pérdida de lo que mis padres me dejaron, que no fue mucho, por averse perdido ellos en la misma mercancía que yo»; que había llegado a su noticia que Alonso Fajardo iba por capitán general a la provincia Bética o Virginia; que él, dispuesto a rodar por donde se le mandare, se conformaba con tener el segundo puesto y la sucesión de los cargos que llevase Fajardo, por más que a él le correspondiese por méritos el mando supremo; solicitaba después encargarse de la jornada de la Bermuda, una vez restablecida la situación, ya que en Inglaterra se aprestaban armadas, el «Guaterrale» no había salido para el Orinoco y en Londres «todo se adereça a la Bética» [48]. La falsa expectativa de destinos en un imperio tan dilatado creaba este cúmulo de irritantes chascos y tétricos pesares. Al final, no se proveyó el cargo apetecido y el nombramiento de gobernador de la Florida recayó en Juan de Salinas, puesto para el que también se pensó por un momento en D. Diego.

Ya el 16 de agosto de 1616 se le había dado orden a Molina de aderezar dos carabelas para llevar a cabo la exploración del Estrecho; sin embargo, el presidente de la Casa de la Contratación, Francisco de Tejada, gran valedor de D. Diego, se resistió a enviarlo sin contar previamente con pilotos prácticos, «pudiendo avellos tan fácilmente en Flandes y en Ingalaterra» [49]. Por otra parte, las peticiones de Molina, que Tejada consideraba razonables [50], no eran ni mucho menos insignificantes: no se con-

---

[48] A.G.I., Indif. 1442. Hay que decir, en honor a la verdad, que de 1613 a 1615 el rey se había preocupado vivamente por la suerte de Molina, a quien al final se canjeó por un piloto inglés prisionero.

[49] En carta a Ruiz de Contreras del 30 de setiembre de 1616 (A.G.I., Filip. 200).

[50] En carta del 7 de octubre de 1617 (A.G.I., Filip. 200). Es importante el resumen de las diversas peticiones de Molina preparado para el presidente del Consejo a finales de setiembre de 1617 (A.G.I., Indif. 1446), con indicación del costo presupuestado por Tejada (4.000 ducados) y el Consejo (6.000 ducados). El 18 de enero se 1618 se replicó al margen que se le daría la capitanía a la vuelta del Estrecho, y no antes, y que el sueldo sería de 150 ducados, y no de 200, como era su deseo. Entre quejumbrosos suspiros decía D. Diego que él había pedido la jornada un año y medio antes, cuando se sentía con fuerzas; pero que ahora iría sólo «sirviéndose el

formaba con menos que con título y sueldo de capitán general de la primera armada a Tierra Firme o a Nueva España, a elección propia, y la concesión de un hábito de Santiago, y eso que había logrado imponer el nombramiento de algunos capitanes [51]. Tanta tardanza y retraso irritó al propio monarca, que hizo un requerimiento perentorio a la Junta de Guerra. Sus miembros, reunidos en azarada sesión el 27 de junio de 1617 [52], tuvieron que excusarse por no haber ejecutado el proyecto a su tiempo descargando su responsabilidad en tres lamentables carencias: falta de las dos carabelas necesarias para efectuar la navegación, falta de pilotos diestros (ya que los dos flamencos que había enviado el archiduque Alberto no sabían esa derrota) y falta de dinero [53]. De todo había penuria suma, pero aun así mucho de la culpa hubo de recaer sobre la desgana e indecisión de Molina, a quien después el presidente del Consejo reprochó su «melancolía y lo que imposibilitó este viaje y lo que dixo del Estrecho de Maire» [54], pues poco previsor se tomó a chacota la noticia de que los navíos holandeses hubiesen llegado por tal vía a Filipinas. En el ínterin, un hombre más hábil y maniobrero como Tejada se había agenciado a un marinero flamenco, Pedro de Lestre, a quien pagaba tres reales diarios por el «mucho entendimiento y plática de la jornada que hizo con Jorge Espelberc al Mar del Sur» [55]; Lestre no tenía mayores

Consejo de honrarle para satisfazer al mundo que a servido honradamente». También le inspiraba recelo el tamaño de los barcos: «los navíos o carabelas... son muy pequeñas de [50 ó 60 toneladas] para navegación tan larga y tormentosa, donde apenas pueden caber bastimentos y gente para que muera debajo de la línea; que en cuanto a este punto, se sujetará a lo que se determinare en una junta en la Cassa de la Contratación de Sevilla de marineros y gente plática, porque así lo dejó al señor Don Diego Brochero cuando partió de aquí». Tales exigencias acabaron hartando al Consejo; ya en los mismos papeles se anotó: «que se escriba a Joseph de Mena por medio del presidente Don Francisco de Texada y que lo mesmo que se abía ofrecido a Don Diego de Molina se hará con él».

[51] En concreto, del capitán Andrés de las Alas; a su petición replicó el Consejo el 15 de setiembre de 1616: «como lo pide Don Diego con 30 escudos de sueldo al mes» (A.G.I., Indif. 1442). Andrés de las Alas fue exonerado de su ocupación y remunerado con 400 ducados el 10 de octubre de 1617 (A.G.I., Indif. 1444). Después de año y medio de esperar la salida para el Estrecho, pidió el gobierno de la Florida u otro oficio honrado («que se terná cuenta de su persona», sentenció el Consejo el 12 de diciembre del mismo año (A.G.I., Indif. 1444). Otro capitán, Lorenzo del Salto, aparece también en A.G.I., Indif. 1442: había reclutado ya una compañía que dejó en Cádiz y se preparaba a alistar otra, aunque hacía un año que no recibía dinero alguno por sus servicios. Tampoco cobraban Diego Cornejo y Alonso de Sotomayor, del tercio del socorro de la armada de Filipinas que pasó a Italia y que se habían quedado en Cádiz para levantar otra compañía: después de nueve meses de estar embarcados no habían percibido más de cuatro pagas, y encima les faltaban los tambores y banderas enviados a Lombardía (A.G.I., Indif. 1444). Sotomayor seguía reclamando en vano en 1618 (A.G.I., Indif. 1446).

[52] A.G.I., México 2488.

[53] Cf. Junta del 19 de junio de 1617 (A.G.I., México 2488).

[54] Carta de Fernando Carrillo a Pedro Marmolejo del 16 de julio de 1619 (A.G.I., Chile 165, vol. II).

[55] Así se infiere de sus cartas a Ruiz de Contreras del 9 de mayo y del 8 de agosto de 161...

conocimientos, pero aun así su experiencia podía resultar provechosa para la Corona, o cuando menos, para él mismo. Por su parte, D. Alonso Fajardo, en la larga marcha a su gobernación de Filipinas, tuvo tiempo y cabeza para enviar en la nave de aviso de la flota de Nueva España a un portugués llamado Francisco de Lima, por tener entendido que había navegado también por el Estrecho de Magallanes[56]. Todos se esforzaban por ser de alguna utilidad. En cambio, de nada servían las burlas dilatorias de Molina, que, a pesar de su gestión poco feliz, fue propuesto por el Consejo de Indias el 24 de enero de 1618 para desempeñar el corregimiento de Arica y el 20 de marzo de 1619 para el de Piura, ambos en el Perú, obteniendo este último cargo[57], ocupando el cual murió hacia 1625.

Tarde, pues, se procedió al reconocimiento del Estrecho de Maire, que realizaron los hermanos Bartolomé García de Nodal y Gonzalo de Nodal, naturales de Pontevedra, con las dos carabelas de rigor tanto tiempo esperadas, que salieron de Lisboa el 7 de setiembre de 1618 y regresaron —todo un éxito— el 9 de julio de 1619[58]. Con ellos iban dos pilotos flamencos (Juan Blanco [Wytt] y Valentín Yansen), otros tres portugueses (Juan Núñez, Juan López y Juan Manso) y cuarenta marineros también portugueses en cada fragata. Como cosmógrafo figuraba un criado del príncipe Filiberto de Saboya, el setabense Diego Ramírez de

(A.G.I., Filip. 200). Este marinero de altura, Pedro de Let, había caído prisionero de Sebastián Vizcaíno en Zacatula en 1615 (cf. W. Michael Mathes, *Sebastián Vizcaíno y la expansión española en el Océano Pacífico. 1580-1630*, México, U.N.A.M., 1973, p. 121).

[56] Consejo del 6 de febrero (A.G.I., Contrat. 5018; en el Consejo del 6 de marzo se precisa que «el primer navío que vino de Nueba España traía cantidad de plata, y que la arrivada que hizo a Villanueva de Portimam fue maliciosa»). Este Francisco de Lima, al ser apresado por los españoles en Chile, declaró que era madrileño y que iba en las naos de Speilbergen a la fuerza (cf. el memorial de Diego Flórez de León editado por J. T. Medina, *Biblioteca hispano-chilena (1523-1817)*, Santiago de Chile, II, 1898, p. 257).

[57] A.G.I., Lima 4.

[58] *Relación del viage que por orden de Su Magestad y acuerdo del Real Consejo de Indias hicieron los capitanes Bartholomé García de Nodal y Gonzalo de Nodal, hermanos, naturales de Pontevedra*, Cádiz, s.a. (posterior a 1776). Fue despachado Bartolomé a hacer los dos carabelones a la Pedreñera o a Lisboa (A.G.I., Indif. 1444). La instrucción dada a los Nodales se encuentra en A.G.I., Patron. 33, 4 n.º 5, y fue publicada por J. Rubio Pulido, *El piloto mayor de la Casa de la Contratación de Sevilla*, Sevilla, 1950, p. 726ss. Sendas informaciones de servicios se encuentran en A.G.I., Indif. 1427: en 1607 Bartolomé aspiraba a ser acompañado del general de Nueva España, Gonzalo (que había ido dos veces al Canal de la Mancha) trataba de ser entretenido cerca del general de Tierra Firme.

Se llevó a cabo una publicación del viaje a poco de ser realizado, sin duda con fines propagandísticos. Manuel Dávila, portero de cámara, después de haber recibido 1.400 reales, con informe del «impresor y del que açe las láminas y del estampero y de otras personas» solicitó para su terminación otros 1.350, que le fueron concedidos el 13 de enero de 1621 por el Consejo (A.G.I., Indif. 1450). Vio la luz la impresión en Madrid en 1621.

Arellano [59], que había de tomar el mando en caso de muerte de los Nodales. El capitán, Bartolomé, el hermano mayor, se había distinguido en misiones difíciles y de confianza; una vez había llevado pliegos, municiones y pertrechos a Irlanda y otra había hecho entrega de 20.000 ducados a O Solivan Bear, señor de Veraven, para sostén económico de la lucha contra Inglaterra (1602) [60]. En pago a sus servicios le habían sido concedidas dos ventajas en sendas cédulas reales, la primera de dos escudos el 30 de setiembre de 1611 y la segunda de cuatro el 23 de mayo de 1616; pero la crónica falta de liquidez de la contaduría de los Austrias permitió que el marino llegara hasta 1620 sin cobrar un céntimo [61]. Por su parte, Blanco y Yansen aportaron noticias sobre la derrota seguida por Schouten y Maire; de su trato y conversación se derivaron curiosas secuelas lingüísticas, como que a los «pájaros bobos» los denomine «pingoynes» el *Diario de los Nodales* [62]. Por otra parte, el influjo del léxico marinero portugués deja huella muy visible en la relación de Ramírez de Arellano, que habla de la «Tierra del fogo» [63] o del «pexe sombrero» [64].

Mientras los Nodales se encontraban en la mar desafiando las galernas del Estrecho y el creciente malhumor de la tripulación [65], se había logrado aprestar a principios de 1619 una flota de seis bajeles grandes y dos pataches para ir en defensa de las Filipinas. Con este motivo volvió a discutirse muy apasionadamente si la armada de socorro había de ser enviada por la ruta de la India o por el Estrecho de Magallanes. Por este último paso se había decidido con todo el peso de su autoridad el almirante D. Diego Brochero. El secretario del Consejo de Indias, Juan Ruiz

---

[59] Fue Pedro de Ledesma quien se encargó de pedir el permiso correspondiente al príncipe de Saboya, como hizo el 16 de agosto de 1618 (A.G.I., Chile 165, vol. II). Ramírez de Arellano, a quien los Nodales se refieren una vez de refilón (*Relación*, p. 38), sólo cita a su vez al flamenco Juan Blanco (BN Madrid, ms. 3190, f. 26v y 55r). El portugués Manso, por haber desembocado con los holandeses el Estrecho, pretendió ser piloto mayor en la expedición; el Consejo, reunido el 15 de mayo de 1618 dictaminó «que venidos los pilotos de Sebilla se tomará resolución» (A.G.I., Indif. 1446).

[60] *Relación del viaje... de los Nodales*, p. 141, A.G.I., Indif. 1427.

[61] Le fueron ratificadas las ventajas en Consejo del 9 de mayo de 1620 (A.G.I., Indif. 1448); pero todavía tuvo que pedirlas en 1621 (Consejo del 19 de agosto A.G.I., Indif. 1451) y 1622 (Consejo del 12 de noviembre [A.G.I., Indif. 1452]).

[62] Nodales, *Relación*, p. 100; Ramírez de Arellano, BN Madrid, ms. 3190, f. 48r. Del nombre «pingüinas» habla, como de palabra flamenca, D. García de Silva y Figueroa (*Comentarios de D. García de Silva y Figueroa de la embajada que de parte del rey de España Don Felipe III hizo al rey Xa Abas de Persia*, Madrid, 1903, I, p. 66); su etimología no es clara.

[63] BN Madrid, ms. 3190, f. 47r y 5lv.

[64] BN Madrid, ms. 3190, f. 53r.

[65] Efectivamente, durante la travesía hubo un conato de motín, que sofocó Bartolomé de Nodal condenando al cabecilla a ocho años de galeras y a otros dos cómplices a cuatro años y entregándolos presos al gobernador de Río de Janeiro, para que éste los enviase a Lisboa (cf. la solicitud vista en Consejo el 3 de octubre de 1619 [A.G.I., Indif. 1447]).

de Contreras, en una carta dirigida a Brochero [66], reconocía cortésmente que, si volvieran las carabelas que habían ido a reconocer la navegación de los Estrechos,

sería muy acertado hacer por ella el viaje a Philipinas; y esta opinión, que sienpre a sido digna de la prudencia de V. S., prebalece en la Junta con deseo de executarlo, y cesaría el inconveniente de no hallar los pilotos que son necessarios para hazer el viaje por el Cavo de Buena Esperanza.

El regreso de los Nodales —«conforme al poco tiempo que an gastado, es cosa milagrosa averlo echo [el viaje] con la precisión que dizen» [67]— introdujo nuevos y azarosos elementos de discordia. En efecto, el piloto Diego Ramírez de Arellano no perdió tiempo en manifestar su total desacuerdo con los mapas confeccionados por los capitanes, que encima reclamó como suyos [68], y en dirimir el debate desempeñó un papel importante el entonces catedrático de Matemáticas en la Corte y cosmógrafo mayor Juan Cedillo Díaz [69]. A juzgar por el curso de los aconteci-

---

[66] Fechada el 29 de junio de 1619 (A.G.I., Filip. 350).

[67] Carta al presidente del Consejo de Indias del 15 de julio de 1619 (A.G.I., Filip. 350).

[68] La disputa entre Ramírez de Arellano y los Nodales la narra sucintamente el primero en BN Madrid, ms. 3190 f. 180v: «Habiendo salido orden de la Junta de Guerra de que se hiçiesen dos [mapas], cada uno la suya, no quisieron [los Nodales] pasar por ello, y con el favor lo pervirtieron. Y bolvió a salir orden de que de los dos mapillas se hiciese uno, a cuyo effecto nos juntamos en casa del Dr. Juan Díaz Cedillo, cathedrático de Mathemáticas y cosmógrafo mayor de Su Magestad, y viendo la confución y mala orden se resolvieron poner todo mi mapilla, pocas cosas mudadas». Hay que tener en cuenta que, diferencias científicas aparte, Diego Ramírez tuvo una llave del arca del dinero, y fue él quien ajustó cuentas con los hermanos hasta el 26 de julio de 1619, según se ve por la liquidación de 4.093 ducados que se les hizo el 2 de marzo de 1621 (A.G.I., Indif. 1451); y la administración de dinero siempre provoca roces, máxime cuando vemos que los Nodales cobraron tarde y mal: de 1620 datan dos memoriales en petición de dinero de los Nodales y del piloto Juan Núñez, que llevaban catorce meses en la Corte sin ver una blanca, y que sólo habían de cobrar «en aviendo dineros», según anotó en Consejo del 13 de noviembre de 1620 (A.G.I., Indif. 1448); memoriales del mismo tenor se vieron el 16 de julio y el 19 de agosto de 1621 (A.G.I., Indif. 1451). Todavía el 7 de junio de 1622 reclamaba Gonzalo del Nodal los 800 ducados de las ocho últimas pagas, situados en la caja de Sevilla o en la de Panamá (A.G.I., Indif. 1452).

[69] La aparición en escena de Cedillo nos lleva a hacer una breve presentación de su persona; pero para ello hay que retroceder más lejos, al año de su nombramiento oficial. En 1610 expuso Andrés García de Céspedes que por su mucha edad no podía seguir la lectura de su cátedra ni dedicarse a las obligaciones cosmográficas, «que a treinta años que en Portugal y en este lugar e servido a Vuestra Magestad e al señor archiduque Alverto», pidiendo en consecuencia su jubilación y dejando parte de su sueldo para su sucesor. Solicitó entonces el cargo de cosmógrafo mayor y catedrático de Matemáticas el deán de la iglesia colegial de Pastrana Juan Cedillo Díaz, que había servido 10 años en la fortificación de Cádiz y Gibraltar; el 16 de noviembre respondió el Consejo: «que se haga, y para esto se remite al contador Bernardo de Olmedilla» (A.G.I., Indif. 1433). Después el Consejo le mandó, según consta por un memorial presentado en 1612, que «hiciese de nuebo las cartas que fuese necesario y reparase las que lo obiesen menester de las que Andrés García de Céspedes dexó hechas, por aberse maltratado de Valladolid a este lugar cuando se bino de allí la Corte» (A.G.I., Indif. 1435) En 1612 se disculpó de no haber escrito la

mientos, semeja que Cedillo y Arellano se entendieron muy pronto para inclinar la balanza a favor del despacho de la armada por el Estrecho de Magallanes. Arellano, además, debía de tener una habilidad singular para hacer valer sus méritos, verdaderos o supuestos, pues al propio Ruiz de Contreras le pareció el de Játiva «onbre muy inteligente y de buena razón», hasta el extremo de concluir: «A Diego Ramírez es a quien tengo por más util para el viaje»[70]. A él y a nadie más se le entregaron los instrumentos de precisión, como un «declinatorio» y un «trinormo» que le dio Cedillo y que valían al parecer la friolera de 110 ducados[71]. Pero el Consejo tampoco estaba ciego. Así, para zanjar la disputa, y como no era cuestión de escatimar esfuerzo alguno con tal de conseguir el éxito de la costosísima armada, se hizo venir desde Lisboa a un cartógrafo de la máxima categoría, a Pedro Teixeira, el autor del famoso plano de Madrid, a fin de que fuese él quien se ocupase de hacer las cartas hidrográficas definitivas de los Estrechos de Magallanes y de San Vicente; después, siempre con vistas al socorro de Filipinas, se le encomendó la confección de las cartas tanto particulares como de toda la navegación, y cuando ya se aprestaba a volver a su patria, D. Rodrigo de Aguiar, de la Junta de Guerra, le encargó que dibujase sendas cartas para las dos nave-

---

obra anual por haber estado ocupado en la arqueación de los navíos (A.G.I., Indif. 1435); en 1613 presentó un «discurso.. por el cual se pueden saver las longitudines de todos los cabos, puertos y ciudades del orbe» (A.G.I., Indif. 1437) y «una carta hydrográfica», que recibió el refrendo del Consejo el 10 de mayo de 1614 (A.G.I., Indif. 1439); en 1614 «una carta hydrográfica de la parte oriental de la tierra» (aprobada en Consejo del 6 de enero de 1615 [A.G.I., Indif. 1440]) y «una nomenclatura de los lugares, islas y puertos de las Indias del poniente» (vista en Consejo del 17 de diciembre de 1615 [A.G.I., Indif. 1441]). La poca estima social que gozaba entonces un catedrático de Cosmografía se refleja, entre otras cosas, en la colación dada en la fiesta de Santa Ana en Madrid el 28 de julio de 1614: el presidente del Consejo de Indias, el marqués de Salinas, recibió 1.000 ducados, 500 los consejeros y 50 Antonio de Herrera y nuestro Cedillo (A.G.I., Indif. 1438).

[70] En cartas del 15 de julio y del 3 de setiembre de 1619 al presidente del Consejo de Indias (A.G.I., Filip. 350).

[71] La tasación la hizo en Madrid el propio Ramírez de Arellano el 30 de marzo de 1620 (A.G.I., Indif. 1449). Ya antes Cedillo había reclamado de manera vaga los 110 ducados en que se habían apreciado los instrumentos que dio para la armada («que sea en efectos de la cámara», replicó el Consejo del 27 de mayo de 1620 [A.G.I., Indif. 1448]), por lo que nos ronda la sospecha de si pasó la misma factura dos veces. De otros instrumentos lo había proveído Juan Bautista Lavanha, según refiere Ramírez en un memorial por el que solicitó la paga de dos meses de licencia, que le fue concedida el 5 de julio de 1621 (A.G.I., Indif. 1450). Arellano, que llegó del viaje el 7 de julio de 1619, permaneció en la Corte 3 meses y 17 días (desde el 26 de julio al 24 de octubre) dando cuenta de las cosas tocantes al Estrecho, estancia por la que se le pagaron 1178 mrs. y medio el 31 de marzo de 1622 (A.G.I., Chile 165, vol. II; [A.G.I., Indif. 1452]). El avispado cosmógrafo consiguió el 7 de octubre de 1621 que se le condonara una deuda de 380 ducados que debía a la Hacienda real (A.G.I., Indif. 1450). También en 1621 logró que los 50 escudos mensuales que ganaba, además de su sueldo como piloto mayor, se le librasen no en penas de cámara —partida donde no había dinero—, sino en la avería (Consejo del 21 de mayo de 1621 [A.G.I., Indif. 1451]).

gaciones posibles, una por la parte del Oriente, por el Cabo de Buena Esperanza, y otra por la parte del Occidente, por los Estrechos[72], señal evidentísima de que hasta el último momento no se despejó la incógnita.

Justo es reconocer, asimismo, que antes de tomar una decisión en firme sobre la derrota a seguir se consultó a todos los cosmógrafos de nota del reino, los cuales expresaron su opinión por escrito a finales de julio de 1619[73]. El más decidido defensor de la navegación por el Estrecho era Juan Cedillo Díaz, que afirmaba con gran aplomo el 25 de julio que desde Sanlúcar a Manila, yendo por el estrecho de Mayre, había 5.250 leguas, por lo que, haciendo la armada una singladura diaria de 30 leguas, no tardaría en llegar más de 175 días, menos de seis meses cabales. Un día después firmó su parecer Juan Arias de Loyola, quien, en abierta contradicción con Cedillo, indicaba que un viaje de más de 5.700 leguas requeriría unos nueve meses de travesía, mientras que el Cabo de San Vicente distaba de Manila 4.200 leguas por el camino más seguro del Cabo de Buena Esperanza. En la misma fecha nuestro viejo conocido Hernando de los Ríos Coronel manifestó que, de no partir la flota para el Estrecho mediado octubre o antes, su consejo era que se tomase la derrota del Cabo. También el cosmógrafo Antonio Moreno[74] dictaminó en Sevilla el 30 de julio que, dado lo avanzado del año, las naves debían

---

[72] Después Teixeira tuvo la mala fortuna de caer enfermo de tercianas, de resultas de las cuales estuvo cuatro meses tullido en la cama. Cuando pidió que se le liquidaran sus haberes (el salario de ocho meses, 1850 reales) y se le diera una ayuda de costa (300 ducados), fue más afortunado que sus colegas, logrando que se le libraran 2118 reales (A.G.I., Indif. 1449).

[73] Las tres opiniones en A.G.I., México 2487. Sobre la de Ríos Coronel cf. M. Fernández de Navarrete, *Historia* (*BAE* 77, p. 375 b).

[74] BN Madrid, ms. 3176, f. 96ss. (el ms. se compone en buena parte de roteros portugueses de la carrera de las Indias orientales, sin duda para aleccionar a los españoles). El licenciado Antonio Moreno de Vilches entró en la Casa de la Contratación para sustituir al difunto Jerónimo Martínez de Pradillo por un tiempo de dos años (cédula del 21 de setiembre de 1603). Después, el 21 de noviembre de 1606, se le dio el puesto en propiedad (A.G.I., Indif. 1426). Sobre la paga de su salario cf. la petición en A.G.I., Indif. 1427. En 1611 se quejó de que con un salario de 70.000 mrs. consignados en penas de cámara «no se podía sustentar en lugar tan caro como Sevilla» (A.G.I., Indif. 1434). Fue mandado a la nivelación de las aguas que se pretendían llevar a Murcia en 1618 (A.G.I., Indif. 1446).

Es de notar que J. López de Velasco (*Geografía y descripción de las Indias* [*BAE* 248, pp. 44-45 y 291) calculaba en 4000 leguas largas (unos cinco meses de travesía) la navegación por el Estrecho a la Especiería, si bien juzgaba dicho camino impracticable por la necesidad de invernar durante el viaje. No todos fueron del mismo parecer. En 1605 un vecino de la isla de La Palma, Juan Aventrot, propuso abastecer de artillería a ciudades de Chile y de Perú, a condición de que se le permitiera mandar anualmente un barco con mercancía por el Estrecho. El Consejo de Indias desestimó su propuesta el 9 de febrero de 1605 (A.G.I., Indif. 748, cf. E. Schaefer, *El Consejo Real y Supremo de las Indias*, II, Sevilla, 1947, pp. 350-51). Parecida opinión reinaba en Chile. Su gobernador, Osores de Ulloa, respondiendo a cédula del 10 de agosto de 1619, fue asimismo uno de los que animó a que se estableciese contratación por el Estrecho y entretanto se diese permiso de arribada a navíos con carga de negros y de otras cosas que necesitara el reino (A.G.I., Chile 19).

zarpar por noviembre o diciembre a doblar el Cabo. No obstante, pocos días después, el 3 de agosto, el piloto Pedro Miguel, alias Dubal, fue examinado ante Antonio Moreno, Juan Mejía y los dos pilotos flamencos Blanco y Yansen [75], y todos contestes lo consideraron como muy experto y práctico en la navegación del Estrecho de Mayre. Después de tantos bandazos e indecisiones, al fin prevaleció en la Junta el parecer de Hernando de los Ríos Coronel, tomándose el acuerdo de enviar la flota por el Estrecho hasta el 24 o aun el 25 de octubre del año en curso [76].

5. *Las ilusiones secretas de Diego Ramírez de Arellano*

Con cierto retraso, el 19 de octubre se despachó la instrucción al capitán general de la armada D. Lorenzo de Zuazola; en ella atrae nuestra atención una serie de precisiones relativas a las tierras con las que se iban a topar en la travesía:

> Porque en el discurso del viaje, conforme al derrotero que lleváis y a lo que se a advertido del viaje que por esa misma parte hizo Jacobo de Mayre, olandés, cuyo derrotero y mapa lleva consigo Diego Ramírez, encontraréis algunas islas de las cuales se tiene noticia que tienen alrededor muchos plazeles y bajos, se irá con grande advertencia en demanda d'ellas, procurando en esta ocasión no ir haziendo reconocimientos, sino ir pasando adelante y caminando, que el hazerlos queda reservado para el tiempo que con diferente disposición se aya de ir a ellos [77].

Apenas hace falta advertir que las islas cercadas de arrecifes que podía y aun debía encontrar Zuazola en la mar, siguiendo el derrotero de Maire, no eran otras que las de Salomón, por más que su descubrimiento se posponga para mejor ocasión. Abundando en la misma idea y como para despejar cualquier duda, el rey enviaba en la misma fecha al gobernador de Filipinas otra cédula avisándolo de la salida de la flota y dándole órdenes respecto a sus futuras singladuras:

---

[75] Carta del 6 de agosto de 1619 de Ruiz de Contreras a Carrillo (A.G.I., Filip. 7, 2 n.º 108; México 2487).

[76] El 7 de agosto (A.G.I., México 2487; cf. la carta del 13 de agosto de Ruiz de Contreras a Carrillo [A.G.I., Filip. 350]).

Cuando dos siglos más tarde se esbozó el proyecto de formación de la Compañía de Filipinas, se volvió a abordar el problema de la ruta con casi los mismos elementos de juicio de que se disponía en el s. XVII: el jesuita J. Calvo propuso en 1753 que los barcos fueran por el Estrecho de Mayre, fundándose en que Juan y Teodoro de Vries habían calculado que el viaje de Europa al Maluco llevaría unos siete meses (cf. M.ª Lourdes Trechuelo, *La Real Compañía de Filipinas*, Sevilla, 1965, p. 11), mientras que el inglés Norton Nicols, con más experiencia, se declaró partidario en 1757 de establecer el comercio por el Cabo de Buena Esperanza. A igual conclusión que Calvo llegó Juan Bautista Muñoz en 1779 (*ibidem*, p. 24-25).

[77] A.G.I., Filip. 329, vol. II, f. 326v.

saliendo de esas islas [Filipinas] y queriendo pasar la línea para quererse poner en altura del Sur, se an de topar con muchas tierras, particularmente con la Nueba Guinea y con otras muchas islas o con tierra firme, que se llama la Parte Yncógnita del Sur, todo lo cual está por reconocer y particularmente la costa de la Nueba Guinea; y por otras islas a ella cercanas se entiende tienen muchos bajíos, que hazen su navegación peligrosa. Y porque de ida y buelta podría ser que mis armadas se hallasen en nezesidad de dar vista a esas tierras, sí será para este efecto a propósito tenerlas reconocidas, sondadas y demarcadas, y no se vivir con la poca luz y noticia que hasta aora se tiene d'ellas, demás de que sus riquezas en oro, plata y otras cosas preciosas y drogas y otros regalos necessarios para la vida humana se dize abundan, y podría ser que en ellas se hallasen cosas que comerciar de que esas islas [Filipinas] y estos reinos pudiesen recivir riqueça y benefício, gozando d'él con más quietud y sosiego que al presente se goçan las drogas de las islas de los Malucos y demás islas del archipiélago[78].

La idea es transparente, por más que se reduzca a mera potencialidad: esas tierras por descubrir van a inundar de oro, especias y otras riquezas sin cuento el imperio español, dándole el esperado triunfo sobre todos sus enemigos. De nuevo, pues, asaltaban a los gobernantes y a los marinos tentaciones ofíricas, atizadas por la ambición de Diego Ramírez de Arellano, que había dejado deslumbrado al presidente del Consejo de Indias con el aparato de su ciencia. Carrillo, en efecto, en carta al rey de 29 de septiembre de 1619, alababa mucho a Arellano, «hombre de partes, con cuya industria emprenderemos en nombre de Dios y de Vuestra Magestad alguna cosa que podría ser de más sustancia que se puede declarar con palabras»[79]. Las esperanzas íntimas se arropan, pues, en la más exquisita discreción y, como suele ocurrir, se evita hacer por escrito cualquier referencia inoportuna a esa Ofir cuya conquista se acaricia con la imaginación, y de la que sólo se habla en conversaciones confidenciales y entre cuchicheos, sin tener en cuenta que, cuando se abordan imposibles, el sigilo es terreno abonado para la farsa y la impostura. Llama sobremanera la atención este tejemaneje interno, pues el 30 de noviembre Arellano y los Nodales habían firmado en comandita el derrotero para ir de Sanlúcar a las Filipinas por los Estrechos, derrotero que terminaba desaconsejando bordear las islas y la costa de Nueva Guinea[80], justo lo contrario de lo que se vislumbraba con la fantasía.

Aunque se intentó guardar el secreto del rumbo a seguir, la resolución trascendió inmediatamente, incluso antes de que se cursaran las instrucciones regias. Cuando se esparció por Sevilla la noticia de que la armada había de cruzar el Estrecho, la protesta fue general. El 16 de setiembre de 1619 escribía Contreras al presidente del Consejo de Indias:

---

[78] A.G.I., Filip. 329, vol. II, f. 331r-332r.
[79] A.G.I., México 2487.
[80] A.G.I., Patron. 263, 1 2 (publicado por J. Rubio Pulido, *El piloto mayor,* p. 737ss.).

Obligado me allo a representar a V. S. que toda la gente plática de la navegación llora en esta ciudad que esta armada vaya por el Estrecho de Magallanes, saliendo de aquí tan tarde, porque por lo menos, si no se perdiere, se abentura a invernar o disbaratarse [81].

El 8 de octubre expresaba de manera muy discreta la disconformidad de los marinos y del propio Zuazola, partidario de doblar el Cabo:

porque aquí generalmente an sido de este parecer todos los pilotos y gente de mar, haviendo de salir por este tiempo el socorro, y haver sido de este mismo parezer los que se hallaron en la junta que se hizo en la Casa de la Contratación; y pareciéndole que acertava dize [Zuazola] que escrivió a la Junta sobre ello antes que a Su Magestad, que de haverlo echo está muy arrepentido, después que el Sr. D. Pedro Marmolejo le leyó la carta de V. S. delante de mí [82].

Lo mismo volvía a exponer a Carrillo el 11 y el 16 de noviembre, despues de celebrada una junta en la que todos se habían mostrado partidarios de efectuar el viaje por el Cabo, ya que para emplear la ruta del Estrecho hubiese sido necesario zarpar a principios de agosto [83]; incluso D. Diego Brochero se desdecía de su anterior parecer [84]. Para colmo, hasta el propio Contreras comenzaba a sentirse molesto. Desde un principio había propuesto ofrecer el cargo de piloto mayor al capitán Juan Mejía [85], y ahora resultaba que quien parecía embrollarlo todo con sus intrigas y manejos era Diego Ramírez de Arellano. Su indignación llegó al colmo el 20 de octubre, cuando Arellano, llegado a Sevilla de la Corte, le escribió a Sanlúcar de Barrameda para comunicarle que no podía continuar el viaje hasta Sanlúcar por encontrarse muy cansado y con calenturas. La demora era lo de menos; irritaba a Contreras que entre las órdenes hubiese venido una cédula real por la que se le concedía a Arellano la primera compañía que vacase en la jornada, concesión que, a instancias de Contreras, se le había otorgado al piloto mayor Mejía. Como no paraban aquí los favores y mercedes dispensadas al cosmógrafo, Contreras tomó la pluma exasperado para manifestar su disgusto a Carrillo:

El título de Almirante que Su Magestad le a dado, para en caso que se aya de hazer el descubrimiento de la Nueva Guinea, no me a parecido entregárselo, porque, demás de que las mercedes que se le han hecho de presente son muy bastantes, es bien que

[81] A.G.I., Filip. 350.
[82] A.G.I., Filip. 350.
[83] A.G.I., Filip. 350.
[84] Lo hizo el 9 de octubre (A.G.I., México 2487).
[85] Carta del 6 y del 20 de agosto a Carrillo (A.G.I., México 2487) Ruiz de Contreras se había valido de la coacción, amenazando a Mejía con la cárcel si rehusaba el cargo; con ingenuo cinismo Contreras confesaba a Carrillo el 8 de octubre: «le tengo [a Mejía] más manso que a un corderito» (A.G.I., México 2487).

cuando aya de hazer el servizio que se le manda tenga por premio o parte d'él el título de Almirante. Y así, no mandando V. S. otra cosa, inviaré a Don Alonso Faxardo porque allá en [Filipinas] se le dé, tiniendo efeto la jornada, con orden de que, si no la tuviere, le buelba a remitir[86].

Y aún a Arellano le faltaba la puntilla: el 10 de diciembre de 1619 se entregó a Zuazola otra instrucción en la que se le ordenaba que se encaminara por el Cabo de Buena Esperanza a golfo lanzado; la instrucción no venía firmada por el Rey, pero la avalaba con toda su autoridad Contreras. Por fin, el día de Santo Tomé se hizo a la vela en Cádiz la lucida armada, en la que iban 1.000 soldados de infantería, 732 marineros y 30 religiosos con sus criados, con un total de 1.792 personas. Cuando las naves se encontraban a más de 50 leguas de la bahía, les dio el viento por el S.E. y luego les entró por el S.,

y deviendo correr la buelta del Oeste y a barlovento para enmararse, pues pudieron ir a buscar mar ancha, como lo advirtieron los pilotos de los demás navíos y en particular los de la Almiranta, biró la capitana la buelta del Les-Sueste en demanda de la baía de Cádiz[87].

Esta insensata maniobra provocó la catástrofe: la capitana y la almiranta dieron de través en el cabo de Trafalgar y cientos de hombres murieron, entre ellos el propio Zuazola[88]. Arellano lograba salvarse a nado del naufragio[89], para ser metido en prisión acto seguido juntamente con el almirante García Alvarez de Figueroa: algún responsable había que buscar, y la cabeza, Zuazola, no estaba ya en el mundo de los vivos. La hoja de servicios del capitán general no había sido en verdad muy brillante, pero sí regular y sólida, manchada por el lunar de una pendencia. Con una paga de 30 ducados al mes había servido en la carrera de Indias desde 1602; en 1606 el general Bedmar le concedió el título de capitán

---

[86] A.G.I., Filip. 350.

[87] Carta de Contreras a Carrillo del 13 de enero de 1620 (A.G.I., México 2487).

[88] Repetidas veces suplicaron ayuda sus hijos huérfanos: el 21 de febrero de 1625 (A.G.I., Filip. 4, 1 n.° 22), el 22 de marzo de 1625 y el 16 de mayo de 1629 (A.G.I., Indif. 1870).

[89] BN Madrid, ms. 3190, f. 56r. «Si cuando le cargó el viento Sur a la armada que el año 1620 iva de socorro a las islas Filipinas uviera tomado esta derota [Oes-Sudueste] y no la del Les-Sueste, no se uviera perdido», comentó después Arellano (ibidem, f. 90v). Cf. la descripción del desastre que hace C. Fernández Duro, Armada española, III, pp. 363-64. Puedo precisar la suerte de una parte de los supervivientes: el 4 de setiembre de 1620 ordenó el rey que se armase con la infantería de Filipinas las galeras en que iba el marqués de Santa Cruz a Barcelona, y que después pasara a Génova (Archivo Ducal de Medina Sidonia, legajo 2411).

A la magnitud del desastre se sumó el robo y el pillaje a que fueron sometidas las naves naufragadas; para depurar responsabilidades se envió a Cádiz y a los lugares de su distrito al doctor Salcedo, juez de la Audiencia de la Contratación de Sevilla, que protestó vehementemente de que no se le hubiese asignado salario (Consejo del 24 de febrero de 1620 [A.G.I., Indif. 1448]).

de Infantería y de un galeón, de que el rey le hizo merced en propiedad, y en tal puesto había hecho cinco viajes a las Indias; en 1614 Felipe III lo había nombrado almirante de la flota de la Nueva España, volviendo con esta plaza en 1616. El Consejo lo propuso para capitán general de la armada de socorro a Filipinas el 5 de marzo de 1619, junto con las candidaturas de Juan Flores Rabanal, Jusepe de Mena y otro infortunado marino, Juan de Benavides Bazán, el inculpado del desastre de Matanzas [90]. Es curioso que tanto a Molina como a Zuazola, los dos capitanes generales en ciernes del socorro a las islas, los presentara también el Consejo, y en la misma lista a los dos, como posibles corregidores de Arica y Piura, con ventaja para Molina, según hemos visto.

En cuanto a Arellano († 27 de mayo de 1625), se trataba de un hombre que, a pesar de todos sus defectos, era un mirlo blanco en España debido a sus conocimientos teóricos, por lo que recibió un tratamiento muy especial, en atención también a que su parte de responsabilidad en el desastre era nula. Con vistas a otra futura jornada a Filipinas fue retenido en Sevilla con el honorífico, pero eventual nombramiento de piloto mayor [91], puesto en el que mantuvo otra acerba disputa y diferencia con su colega sevillano Antonio Moreno, debate que tiene todos los visos de haberse debido a una venganza personal [92]. El súbito encumbramiento obligó a Arellano a asentar su reputación por el tan generalizado procedimiento de desacreditar a sus jefes anteriores, los Nodales. Al redactar de

---

[90] Los servicios de Zuazola están expuestos en A.G.I, México 2487. A finales de 1609 ya se sentía el santiaguista Zuazola con méritos para ser general de la flota de Nueva España, como demuestra la solicitud que se vio en Consejo del 16 de enero de 1610 (A.G.I., Indif. 1433). Un sangriento tropiezo, no obstante, embarazó su carrera y su ascenso: en 1610 a consecuencias de un altercado con el contador de la armada de Tierra Firme, Juan de Alvarado, salieron a relucir los aceros, recibiendo el contador una estocada mortal; la Junta de Guerra condenó a Zuazola el 25 de agosto de 1611 a 3 años de destierro en Orán, pena cuya revocación pedía ya el reo en 1611 (A.G.I., Indif. 1435). Se presentó en Orán y comenzó a servir el 26 de junio de 1612, año en que volvió a solicitar el indulto, una vez conseguido el perdón de parte (A.G.I., Indif. 1437). Le fue concedido éste el 31 de mayo de 1613 (*Catálogo de las consultas del Consejo de Indias. 1610-1616,* Sevilla, 1984, pp. 225-26, n.º 975).

[91] Se le otorgó el 20 de diciembre de 1620 (A.G.I., Contrat. 5785, vol. I, ff. 23r-23v). Da noticias sobre su figura J. Rubio Pulido, *El piloto mayor,* p. 148ss., 713ss.

[92] Pretendió Arellano, en efecto, que se le confiara el examen de los intrumentos de navegación y el cuidado de una de las dos llaves del arca donde se guardaban los sellos, teniendo la otra uno de los dos pilotos. Ambas peticiones, en apariencia razonables, iban directamente dirigidas contra el cosmógrafo Antonio Moreno, que era quien pasaba el examen de los instrumentos que él mismo hacía y quien disponía de una de las llaves. Asimismo reclamó Arellano el derecho a hacer la información de la habilidad, naturaleza y viajes realizados por los pilotos, que había arrebatado la Universidad de mareantes al piloto mayor desde los últimos tiempos de Zamorano. En la guerra que se declaró a continuación se pusieron del lado de Moreno la Casa de la Contratación y los diputados de la Universidad de mareantes, que dieron un memorial «con relación siniestra y apasionada» contra Arellano, que recabó del Consejo licencia, que le fue concedida, para acudir a la Corte a defender su buen nombre (A.G.I., Indif. 1452).

nuevo en 1621 su *Diario* del viaje, que quiso convertir además en una especie de compendio náutico, volvió a plantearse el pro y el contra de uno y otro rumbo, para acabar desechando la ruta por la India. A su juicio, en efecto, de ir en demanda del Estrecho se obtenían varias ventajas, como la de partir de España en mejor tiempo y la de tener una travesía más saludable, ya que se disfrutaban de temperaturas más bien frías que calientes y se evitaba una navegación tan trabajosa como la del estrecho de Singapur. Tras salir al Mar del Sur, era recomendable tomar «la derrota del Oes-Norueste, atravesando y acortando camino» en dirección de las islas de los Ladrones. Ahora bien

si en desembocando el Estrecho se fuese a tomar bastimentos a la costa de Chile y estuviere el tienpo tan adelante que no pudiera llegar a Filipinas antes de San Juan, por no quedar detenido en Chile seis o ocho mes <es>, en los cuales pueden suceder varios accidentes y deshazerse la jornada, se podrá hazer el viaje por las islas de Salomón, pues por allí no ay vendavales, como consta de las navegaciones del Adelantado Alvaro de Mendaña, Quirós y Mayre, procurando enderesar la navegaçión al Maluco, que de aquí a Filipinas, aunque aya vendavales, se irá muy bien [93].

Por escrito Arellano se muestra mucho más pragmático que cuando había inspirado de manera solapada la instrucción a Zuazola, y elige una vez en el Pacífico el camino más corto a Filipinas. Pero es notable comprobar cómo en torno a las islas de Salomón se va creando cierto halo de irrealidad: en ellas no soplan «vendavales», término que designa, sí, a los vientos del S. O., pero también a los huracanes, y la navegación a Filipinas es milagrosamente fácil. Tal leyenda aparece ya en el padre Acosta [94] y de ella se hizo eco el procurador de las Filipinas, Ayala, cuando propuso al conde-duque el 4 de noviembre de 1624 que una parte de la flota del Brasil prosiguiera después su viaje cruzando el Estrecho: «después de tomar puerto en la Mar del Sur, irán a socorrer las Filipinas, por donde es la mejor y aun más sigura navegación que ay en el mundo» [95]. Se trata de una viejísima idea, que recoge una sempiterna aspiración humana: imaginar un mundo riente y soleado que no sacude el viento ni cubre la nieve, mundo que en los poemas homéricos [96] queda reservado a los dioses

---

[93] BN Madrid, ms. 3190, f. 103r y 103v. Este ejemplar, titulado *Reconocimiento de los Estrechos de Magallanes y San Vicente,* está dedicado al príncipe Manuel Filiberto de Saboya, virrey de Sicilia, su anterior mecenas. Hay una primera versión, dirigida al rey, que carece de las críticas a los Nodales (BN Madrid, ms. 3019), en las que tan pródigo es el ms. 3190 (cf. f. 13v, 22v, 53r y 53v, 55r, 56r y 56v, 102r y 102v, 167ss).

[94] *Historia natural y moral de las Indias,* III 4 (*BAE* 3, p. 58).

[95] A.G.I., Filip. 39, n.° 116.

[96] *Odisea,* VI 42 ss.

olímpicos; pero ya Píndaro[97], empapado de ideas órficas, abrió un portillo a la esperanza de los mortales, al asegurar que en el Océano existe una isla de los bienaventurados, en la que las noches son iguales a los días y el oro brota de las flores y de los árboles, isla que está destinada a los escogidos que han de disfrutar allí una dicha eterna, y que Hesíodo[98] reservaba a la cuarta generación, ya pasada, de los semidioses. Esta tradición es la que se perpetúa, incluso después del triunfo del cristianismo, a lo largo de la Edad Media. Por otra parte, el Paraíso tenía que estar en algún paraje de la Tierra, allá en Oriente; era lógico pensar que en sus confines reinara la más exquisita templanza, ese perpetuo equinoccio de que hablaba Píndaro. En consecuencia, ideas paganas y cristianas confluyen a la hora de tejer una resplandeciente aureola en torno a la isla de las mil maravillas, isla de los bienaventurados en la Antigüedad, isla de Salomón en la Edad Media, isla que en definitiva debe de estar próxima al Paraíso en Oriente. En la India es donde Pío II, en su *Historia rerum ubique gestarum*, había colocado siguiendo una tradición antañona el pueblo de los Atocos, los Atacos de Plinio[99] y Solino[100], que gozaba de un clima maravilloso a perpetuidad; y estas páginas eran leídas ávidamente por Colón, que llenaba de apostillas los márgenes del libro[101]. Pero ya antes, siguiendo tradiciones orales y no escritas, había insistido una y otra vez el primer almirante en el *Diario* del primer viaje que «ninguna tormenta había en aquellas partes», que «en las Indias... había siempre buenos tiempos»[102]. La misma observación vino a su mente al avistar las costas de Paria: «allí la mar no hace tormenta, sino la mar está siempre sosegada»[103]. ¿Cómo iba a ser de otra manera, si había llegado a las puertas del Edén? Ni que decir tiene que ninguno de sus hombres cae enfermo mientras a lo largo de su cuarto viaje se bordean estas costas prodigiosas. Para demostrar la ausencia de tormentas, usó siempre Colón el mismo argumento: que, en vez de ser árido y pedregoso, el litoral estaba florido y lleno de árboles que llegaban hasta el mar[104], sin que al

---

[97] *Olímpicas*, II 67 ss. De las islas de los bienaventurados, habitadas por héroes, habla Agatárquides (*Periplo del Mar Rojo* 7 [p. 116 Muller]). La misma idea aparece en epigramas sepulcrales (*Inscriptiones Graecae* V 1, 730 v. 2 [Laconia]).

[98] *Trabajos y días*, 167ss.

[99] *Historia natural*, VI 55. Son eco del país de Uttara Kuru.

[100] *Colectáneas*, 51 1.

[101] Cap. X, apostillas B 59-60.

[102] Así escribe el 21 de febrero (p. 132).

[103] Recogido por Las Casas, *Historia*, I 135 (*BAE* 75, p. 360 b). Encuadré estas ideas en un sistema más general en «Pedro Mártir de Anglería, intérprete de la Cosmografía colombina», *Anuario de Estudios Americanos*, XXXIX (1982) 500ss.

[104] Así lo atestigua Pedro Mártir (*Decades*, III 4, f. 42r).

terco genovés lo apearan de sus convicciones ni los propios huracanes. De igual modo Vasco Núñez de Balboa, en la carta [105] en la que, rebosante de júbilo, daba cuenta del descubrimiento de las minas de oro mayores del mundo, refería que la mar del Sur «es muy buena para navegar en canoas, porque está muy mansa a la contina, que nunca anda brava como la mar d'esta banda, como los indios dicen». A esta templanza maravillosa se añadía otro detalle geográfico que fue señalado en varias ocasiones por diversos memorialistas del s. XVII, entre ellos el gobernador de Puerto Hércules Alonso González de Nájera:

La parte opuesta de España es en el mar del Sur más al poniente del mar Pacífico y más al Sur de las islas de Salomón y en su mismo meridiano, que está a grados dozientos de longitud y a cuarenta de latitud australes, que son los mismos a que está España a la parte del Norte [106].

Huelga decir que, si España y las islas de Salomón estaban en el mismo meridiano, salvo que en los antípodes la una de las otras, ello era señal evidente de que la divina providencia así lo había dispuesto a mayor gloria de los Austrias, a quienes estaba reservado su descubrimiento y conquista. Bajo los mismos climas, de acuerdo con la idea viejísima, había que esperar los mismos efectos; y si entonces alguna mente enfervorizada colocaba Tarsis y Ofir en España, siguiendo las tesis de Goropius, cabía esperar iguales riquezas en su correlato austral. Basado en esta teoría un portugués vecino de Lisboa y estante en Viana, Fernando de Silva Solís, propuso en 1621 el descubrimiento de mucha tierra que él había calculado por geografía y arte de navegación,

la cual por correspondencia de los polos e línea equinocial necessariamente a de ser de tanto provecho a la Corona de Vuestra Magestad como lo an sido las partes del Nuevo Reino que descubrieron Christóval Colón xinovés y el adelantado Pedro de Alvarado y el marqués Francisco Pizarro y Fernando de Magallanes y otros muchos [107].

Al pueblo elegido de Dios no le podía haber tocado en suerte, claro es, una tierra cualquiera.

---

[105] Datada el 20 de enero del 1513 (*BAE* 76, p. 220 b).
[106] *Desengaño y reparo de la guerra del Reino de Chile*, BN Madrid, ms. 10646, f. 3r. El autor, veterano de las guerras de Chile, propugnaba en este escrito de 1614 la formación de una frontera por medio de fuertes con los araucanos, que quedaban condenados de manera tácita al exterminio, mientras que la mano de obra, a falta de otros esclavos, era suplida gracias a la importación de negros.
[107] A.G.I., Indif. 1450.

6. *La isla del oro de Gaspar Conquero*

El desacostumbrado espectáculo de ver aprestarse en Sevilla un socorro a Filipinas llenaba de comprensible pánico a marineros y soldados,
que huían a ser posible del enrolamiento punto menos que forzoso a que
los sometía Contreras[108], pero también henchía de no menos insólitas
esperanzas a los mercaderes, atentos a la apertura de una nueva ruta que
rompía el monopolio de la Nueva España, y entusiasmaba sobre todo a
los aventureros y a los cazadores de quimeras. En efecto, en 1619 no sólo
se barajó la idea de encontrar el oro de Ofir, sino que tornaron a aparecer
otros ensueños emparentados. El 12 de diciembre de 1619 el rey anunciaba al gobernador de Filipinas que, habiéndose visto en su Consejo de Indias

un memorial que en él se dio por parte de Gaspar Conquero, piloto, que va a
servirme en la armada que se está aprestando para hir de socorro a esas islas, en razón
de la noticia que tiene, como persona que a estado en ellas, de la isla del oro, y
pidiendo se le encargue su descubrimiento, ha parecido remitiros copias del dicho
memorial, como hago, para que, haviéndoos enterado del fundamento que tiene y
siendo cierto lo que refiere, le deis los recaudos necessarios para el dicho descubrimiento[109].

---

[108] No era para menos. El secretario Contreras en carta fechada el 21 de marzo de 1620 nos
informa de que los hombres de la armada de 1619 «han estado embarcados cuatro meses contra
su voluntad» (A.G.I., México 2487), sin duda como medida preventiva para evitar su huída. A
Angola se habían logrado escapar los pilotos Baltasar y Melchor Ome, según tuvo ocasión de
lamentar la Junta del 2 de mayo de 1619 (A.G.I., Indif. 1869); a estos pilotos los había contratado Francisco de Tejada, como éste informó en cartas del 27 de setiembre y del 23 y 26 de
diciembre de 1616, jactándose en otra del 2 de enero de 1617 de haber sido él quien los había
persuadido a alistarse (A.G.I., Filip. 200), como se ve, no con excesivo éxito. A Melchor Ome se
lo castigó después con el embargo en la ciudad de San Pablo (Angola) de 4.170.000 mrs. (A.G.I.,
Indif. 1450).
Bien se advierte que el trato que recibían los hombres y oficiales no inspiraba grandes deseos
de enrolarse en tan peligrosas navegaciones. Se conservan algunos penosos memoriales de los
supervivientes al desastre de 1619, con anotación de las mercedes otorgadas en cada caso: a D.
Miguel de Sesé, capitán de infantería en la nao capitana, se le dieron 100 ducados el 5 de marzo
de 1610 (A.G.I., Indif. 1448); al desdichado Juan López Largo, condestable del galeón «San
Joseph», a quien se le ahogaron en el naufragio su mujer y una hija, se le consoló con 30
ducados el 28 de abril de 1620 (A.G.I., Indif. 1449); al sargento mayor D. Gonzalo de Medina
Lisón, que había quedado con el brazo derecho inhabilitado, se le concedió el 26 de mayo de
1620 un permiso de dos meses para que pudiera ir a los baños de Alhama (A.G.I., Indif. 1449) y
después se proveyó en él el puesto de castellano de Portobelo. Un puñado de oficiales eran
veteranos de Filipinas que, cautivos de los holandeses, acababan de recobrar su libertad: así el
capitán Juan del Río, a quien se concedieron 40 escudos el 13 de mayo de 1621 (A.G.I., Indif.
1450); el alférez Alfonso Díaz, que recibió el mismo día 30 escudos (A.G.I., Indif. 1450), y el
sargento Juan Jiménez, que percibió el 17 de diciembre 20 escudos (A.G.I., Indif. 1450). Otro
veterano, el capitán Melchor Núñez de Rozas, pidió en 1621 la plaza de almirante en una de las
dos flotas a las Indias (A.G.I., Indif. 1450).
[109] A.G.I., Filip. 329, vol. II, ff. 335v-336r.

Este Gaspar Conquero, natural de Triana, hijo de Catalina Conquero y Melchor Vázquez, tenía un largo historial náutico a sus espaldas, miembro como era de una nutrida familia de marinos[110]. Su primer viaje por el Atlántico lo hubo de hacer en los galeones del general Cristóbal de Eraso (quizá en 1571), sentando también plaza de grumete en las flotas de Francisco de Luján (1573 ?) y de Diego Maldonado (1577). Como es lógico, simultaneó Conquero el servicio en los galeones y en los navíos mercantes[111]. Su propio abuelo, Alvaro Conquero, lo llevó como marinero a Tierra Firme, y los pilotos Rodrigo Madera y Manuel Díaz le dieron en la década de los ochenta el cargo de contramaestre. En 1583 fue como piloto de la nao «San Nicolás» en la armada que bajo el mando de Diego Flores de Valdés había de hacer en el Estrecho de Magallanes una población de la que sería a su vez gobernador Pedro Sarmiento de Gamboa[112]. Valdés se apercibió pronto de las dificultades de la empresa y fue el primero en zafarse de la quema volviendo de manera irresponsable a España. Más tenaz, su almirante Diego de la Ribera desembarcó en enero de 1584 a Sarmiento y sus desmoralizados hombres (338 en total) en la costa inhóspita y bravía del Estrecho; pero el 28 de mayo le tocaba el turno de emprender el regreso a Ribera, que dejó en Río de Janeiro al alférez Juan de Miranda y a Gaspar Conquero, como hombre práctico en

[110] Su hermano Alvaro Conquero, marinero en la nao almiranta «Santo Crucifijo» y después en uno de los galeones de Pedro Menéndez de Avilés, el «San Simón», murió muy joven, tras otorgar testamento el 6 de enero de 1573. Reclamó entonces su paga (que corría desde el 12 de enero de 1571 hasta el 9 de agosto de l571 a razón de 1.000 mrs. mensuales, esto es, 6.966 mrs.) su madre Catalina Conquero, que se había casado en segundas nupcias con Simón Rodríguez (A.G.I., Contrat. 920, n.º 31). Otro Antonio Conquero, maestre de la nao «Nuestra Señora la Bella», aparece en 1579 (A.G.I., Contrat. 717, n.º 13) y 1580 (*Catálogo de los fondos americanos del Archivo de Protocolos de Sevilla*, II, n.º 1287, 1417; III, n.º 835, 893, 894, 904). Nótese, por otro lado, que este Rodrigo Madera, presente en el examen de piloto de Gaspar Fernández en 1583 (A.G.I., Contrat. 52-A), estaba casado con una Inés Conquero: fue su primogénito Rodrigo Madera el mozo, que se examinó como piloto en 1605 (A.G.I., Contrat. 54-A) y tres después, por haber arribado de las Indias con su navío a Setubal y no a Sanlúcar, además de sufrir prisión catorce meses en la cárcel real de la Contratación, fue condenado por el Consejo a seis años de destierro en el fuerte de la Mámora, sentencia de la que pidió perdón en 1618 (A.G.I., Indif. 1446).

[111] Ordeno su vida a partir de los dispersos datos contenidos en A.G.I., Contrat., 53-B (un poder para su madre en 1580 registra el *Catálogo de los fondos americanos del Archivo de Protocolos de Sevilla*, II, n.º 1842).

[112] Cf. P. Pastells, *El descubrimiento del Estrecho de Magallanes*, Madrid, 1920, I, p. 136. La conveniencia de hacer un fuerte en el Estrecho de Magallanes para impedir el paso de posibles enemigos la había propuesto el virrey Enríquez al rey el 26 de abril de 1579, después de la entrada imprevista de Drake en el Pacífico: «Será nescessario que Vuestra Magestad mande poner aquel passo en defensa, que me dizen ay en el Estrecho partes adonde se puede poner sin mucha dificultad. Y esta relación me la dio un fraire agustino que comunicó mucho a Urdaneta, fraire de su Orden, honbre de la mar que passó por aquel Estrecho» (A.G.I., México 20, 1 n.º 24). Este religioso debe de ser fray Andrés de Aguirre, cuyos papeles tanto se utilizaron en el descubrimiento de las islas Ricas.

la navegación del Estrecho, al que «abía ido dos bezes»[113], para que, a la primera oportunidad, en noviembre de ese año, acudiesen en socorro de la colonia llevando harina y otros mantenimientos. Parece que fue nuestro hombre quien pilotó el patache que zarpó el 2 de diciembre de 1584 de Río de Janeiro para suministrar harina a los pobladores y que regresó a Río con tormenta[114]; a esta accidentada travesía se debe referir la instrucción que recibió Conquero para ir como piloto del «San Antonio» en socorro de los nuevos asentamientos[115]. Entre tanto, también Sarmiento de Gamboa había abandonado las flamantes ciudades del Nombre de Jesús y de Don Felipe (mayo de 1584) y, tras múltiples peripecias, acababa también él por regresar a España. A nadie podía caber la menor duda de que la culpa del trágico desastre incumbía a todos y cada uno de los que capitanearon aquel insensato empeño; pero, como suele suceder, cada cual intentó eludir la responsabilidad de haber abandonado a su suerte a aquellos desdichados colonos. Es cierto que había cundido el desánimo y el miedo. El alférez Juan de Miranda había dejado plantado a Sarmiento en Pernambuco a finales de 1584, «diciendo sin atender a su honra ni al servicio del Rey que no quiere honra ni servir a Vuestra Magestad en esta jornada»[116]. Según afirmó Sarmiento en 1590, huyeron asimismo «un piloto [i.e. Conquero] y un alferez que había dejado Diego de la Ribera para tornar al Estrecho»[117]; da la sensación, no obstante, de que Sarmiento intentaba desparramar culpas para diluir las suyas.

Con todo, la trayectoria posterior de Conquero da fe de que su prestigio salió un tanto menoscabado después de la lamentable jornada del Estrecho. Durante algún tiempo, en efecto, se dedicó a llevar navíos mercantes de la Nueva España a La Habana; después tuvo la mala fortuna de ser apresado por ingleses cuando conducía un barco desde el Brasil a España. En 1601, de vuelta en su patria, Conquero pasó el examen de piloto en la sevillana Casa de la Contratación, en el que obtuvo los votos favorables de los 20 pilotos asistentes a la prueba[118]. Pero no era Conquero hombre para estar quieto durante mucho tiempo, y pronto regresó a

---

[113] Cf. Pastells, *ibidem,* II, p. 240, cf. p. 311.

[114] Cf. Pastells, *ibidem,* II, p. 319, cf. p. 52.

[115] A.G.I., Patronato 33, 71. Pedro Sarmiento avisó a la Junta de que no sabía si habían llegado a su destino los abastecimientos enviados en el carabelón desde Río de Janeiro (A.G.I., SDom. 155, 2 n.º 85; el 6 de abril de 1585 se proyectaba mandar socorro a la colonia a finales de junio).

[116] Pastells, *ibidem,* II, p. 320.

[117] Pastells, *ibidem,* II, p. 54.

[118] Salieron fiadores de su habilidad y de su limpieza de sangre los pilotos Rodrigo Madera pariente suyo, según hemos visto, Vasco Martín, Juan Gallego y Manuel Díaz. Las diligencias se encuentran en A.G.I., Contrat. 53-B.

Nueva España. En 1615 era maestre de la nao «San Miguel», en la flota del general Martín de Vallecilla [119].

Cuando en España urgió la necesidad de reconocer el Estrecho de Magallanes, al punto se recordó la valía del piloto que estaba entonces en la Nueva España. En 1616 el presidente de la Casa de la Contratación, Francisco de Tejada, esperaba impaciente su venida inmediata para despacharlo en las carabelas de Diego de Molina [120]. Mas Conquero no llegó hasta 1619, quizá a propósito, ya que su objetivo no era tanto la exploración del Estrecho como la del Pacífico Norte. En efecto, el piloto había sido testigo de la efervescencia en torno a las islas de Salomón, y quizás había oído de labios de Pedro Sarmiento de Gamboa la sugestiva historia de Avachumbi y Niñachumbi. Ahora, ya de edad madura, transponía la experiencia vivida en su juventud a las nuevas circunstancias por las que atravesaba su vida: de existir la isla del oro, había de estar en las cercanías del Japón, según aseguraba la tradición secular, y no por donde la habían buscado Mendaña y Sarmiento de Gamboa. Por lo demás, algunos de los detalles que caracterizaban las fabulosas islas volvían a repetirse: Avachumbi y Niñachumbi se hallaban a unas doscientas leguas del Perú, y doscientas leguas cabales distaban las Ricas del puerto de Quantó, según Ríos Coronel. Se oía la misma canción, con letra diferente. El viaje de Vizcaíno, aunque frustrado, tuvo la virtud de tensar las esperanzas de todos los buscadores de tesoros; entre ellos se encontraba el piloto trianero, que logró impresionar con sus palabras al propio Juan Ruiz de Contreras. Este, muy necesitado de pilotos de experiencia, no sólo recibió a Conquero con los brazos abiertos, sino que se dejó seducir de paso por estos cantos de sirena, según indica la carta enviada el 25 de noviembre de 1619 a Carrillo:

Gaspar Conquero es un piloto muy plático e esperimentado en la navegación. Viene aora de Filipinas, y generalmente confiesan todos los que navegan es una de las personas más importantes que pueden ir en esta armada, y aunque biexo, tiene tan buena dispusición como intento de continuar al servicio de Su Magestad. Pasó el Estrecho de Magallanes el año de 82, y haviéndole hablado apretadamente para que no pasase de aquí, ofreciéndole 80 ducados de sueldo y la subcesión del Pilotaxe Mayor, si bacase en la xornada, le he reducido y se queda disponiendo. Pidióme le oyese en secreto la causa de su benida, que ha sido la que refiere en el papel incluso, y según lo asigura, por cierto es de tan grande importancia el tesoro que ofreze que, aunque huviera de ser su descubrimiento con alguna costa de la Hazienda de Su

[119] A.G.I., Contrat. 4035, n.° 11.

[120] Así lo dejan ver sus cartas a Ruiz de Contreras del 20 de setiembre («si viene Conquero como se entiende en esta flota de Nueva España, importará mucho su compañía por las razones que en otras cartas e referido») y del 30 de setiembre de 1616 («Conquero parece que no puede tardar, si es vivo, por la nueva que vuestra merced verá de galeones»), las dos en A.G.I., Filip. 200.

Magestad, se deviera intentar, y cuanto más siendo casi ninguno el que costará, según a lo que él dize. El hombre es muy bien entendido y de buena razón. Conforme a esto mandará V. S. considerarlo y que se embíen los despachos como los pide, pues se ba a ganar y no a perder aprovando lo que ha ofrecido [121].

Del 24 de noviembre databa el memorial —lo que indica que Contreras se había tragado el cuento de inmediato—, en el que Conquero exponía cómo había tenido noticia

de la altura, sitio y paraje de la isla del oro, la cual dista de Manila a la banda del Norte cuatrocientas leguas pocas más o menos en altura de treinta grados. Y es cosa savida y notoria que en bida del Serenísimo Rey Don Juan de Portugal un navío portugués derrotado con tormenta arrivó a esta isla, y entre otras cosas que alijaron a la mar fue el fogón del dicho navío; y aviéndolo inchido de tierra de la dicha isla del oro y aviendo salido d'ella en prosecución de su derrota y haziendo en él fuego cada día, la tierra se iba gastando; y advirtiendo en ello los del navío allaron ser toda la dicha tierra oro y averse echo pasta. Y estando con este cuidado el dicho Gaspar Conquero y deseo de averiguar esta verdad, el año de 1616 pasó a las Filipinas como piloto de la Almiranta que se despachó de Acapulco, y en Manila procuró informarse de lo que le pareció combeniente para mayor satisfación suya de la facilidad o dificultad que tendría descubrir esta isla. Y aunque le fue notorio que por orden de Su Magestad se avía imbiado persona con navío que hiziese el dicho descubrimiento [Vizcaíno], no fue Dios servido de que se alcançase. Y el dicho Gaspar Conquero está muy cierto de que su Dibina Magestad le a de fazer a él esta merced [122].

De tan preciado secreto sólo había hecho partícipe Conquero a Ruiz de Contreras, y aun así con grandes misterios y prevenciones. Para seguir manteniendo el sigilo proponía el piloto que, sin decir nada a nadie, se ordenase al gobernador de Filipinas aprestar un bajel de 150 a 200 toneladas con bastimentos suficientes para seis meses y la gente necesaria, bajel que se despacharía con pretexto de dar aviso al rey de que la armada había llegado a salvamento a Cavite; realizado el descubrimiento y bien reconocida la isla de oro, Conquero se disponía a volver a España por el Estrecho de Magallanes, ese Estrecho que conocía por amargas experiencias. Llama mucho la atención este proyecto de tornaviaje tan enrevesado, que al punto nos trae a la memoria los planes descabellados de otro piloto andaluz, Lope Martín, en su rebelión a bordo del «San Jerónimo» así como choca la aparición de esa isla de oro, que más parece trasunto de la *ilha do ouro* de los pilotos portugueses que de la Rica de Oro filipina. Más llamativa aún es la fábula a la que ha prestado oídos Conquero y que deslumbra también a Contreras, pues no es sino el viejo cuento marinero

---

[121] A.G.I., Filip. 350. Por lo que se refiere a la paga, es de notar que los pilotos andaluces ganaban 60 ducados, y otro tanto los portugueses Manuel Núñez y Juan Manso (carta de Contreras del 9 de noviembre de 1619 [*ibidem*]).

[122] A.G.I., Filip. 38.

que había escuchado también Cristóbal Colón y que, en esencia, remontaba a las antiquísimas tradiciones sobre la tierra aurífera de Ofir. Una
versión semejante presenta Conquero, si bien lo único que subsiste de la
leyenda es su adorno medieval: la fundición de la tierra en un horno para
lograr de esta manera el oro purísimo. Las hormigas, leones y grifos de la
Antigüedad se han evaporado, y la isla está totalmente deshabitada o
poblada —en el caso de la de las Siete Ciudades— de hombres hospitala-
rios; pero aún queda bien reconocible el poso mítico. En otras historias
auríferas salen a relucir otros detalles curiosos de la leyenda: así, p.e.,
son unas hormigas que extraen pepitas de su madriguera las que indican a un
negro de Juan Díaz Jaramillo, vecino de Tocaima, la existencia de una
mina riquísima [123]; en 1550 Bartolomé López asegura que en Guayana el
oro, sacado de unas sierras, «lo ponían en catabres como tierra, e que lo
echavan al sol en cáxcaras de árboles e en tablas, e que después de seca la
tierra escoxían el oro» [124]. Otro espejismo similar aconteció en 1629.
Cuando la armada de Tierra Firme tocó en la isla de Guadalupe, acudieron las canoas indígenas y en una de ellas un español mulato vestido de
indio. Recogido a bordo, el recién llegado insinuó a uno de los pasajeros,
Andrés de Pando, que un cerro alto de la isla cuya cima competía con las
nubes bajas se componía todo él de mineral argentífero: los indios tomaban pedazos de tierra, los llevaban al pueblo, los molían y después los
ponían al fuego en cazuelas de barro, sacando como la cuarta o quinta
parte de plata, con la que los toscos caribes engalanaban sus flautas,
desconocedores de su valor [125]. Ni que decir tiene que Pando, entusiasmado, veía salir de esta plata no ya ornamentos de bucólicos caramillos, sino
dinero contante y sonante para pagar los tercios que habían de debelar la
herejía luterana.

La fantástica petición de Conquero cayó en terreno abonado y propicio. En 1619 se encontraba también en España Hernando de los Ríos
Coronel, el defensor a ultranza de la existencia de las islas Ricas, cuya
doctrina venía a apoyar las sugerencias del piloto. Resulta muy curioso
observar cómo, hacía muy poco tiempo, la Corte inglesa había creído a
pie juntillas en una patraña semejante, pues W. Raleigh desde la prisión
no se cansaba de proponer a Jacobo I que, de alcanzar la libertad, le
revelaría el emplazamiento de la mina de oro de las Indias. Es muy
notable la versión del mito que transmitió al rey de España un confiden-
te, que se jactaba de ser amigo del aventurero lord. Según este informe
del espía, el inglés prendió en 1595 en la isla de la Trinidad a un cacique

[123] Zamora, *Historia de San Antonio del Nuevo Reino de Granada,* II 19.
[124] A.G.I., Patron. 156, 1 (pieza 1) f. 29r-29v.
[125] A.G.I., SDom. 7, 1 n.º 37-A (la carta está dirigida al rey desde Cartagena el 24 de enero
de 1630).

llamado Topiwary[126], que frisaba los 120 años —edad dicho sea de paso muy propia de un patriarca del Antiguo Testamento— y que tenía su hogar a unas 150 ó 200 millas de la boca del Orinoco, pasados los poblados de Ama y Anepas. Una vez llegados a la casa,

> me ha dicho el Raley que, partiendo por la mañana con el dicho cacique hazia la Mina, no tardaron más arriba de cuatro o cinco horas en ida y buelta. Tiene el sitio de la montaña de la dicha mina cosa de tres leguas de alrededor y legua y media de largo. Llegado el cachique a la montaña, sacó en tres diferentes partes d'ella un terrón o cesped verde, que bolbió a poner con mucho cuidado en su puesto, aviendo primero dado al Raley cierta cantidad de la tierra arenosa que avía debaxo del dicho terrón, que hera de hermoso lustre y resplandor; y d'estas arenas sacó el Raley a razón de diez y seis por ciento de oro muy fino, de lo cual asimismo hizo experiencia en presencia de los Señores del Consejo, asegurando y jurando ser esto la pura verdad[127].

Siempre según el espía, Raleigh se limitó a llevarse aquella arena sin dar crédito al reyezuelo, y después de haberse servido de ella como polvos de talco durante tres años y más, acertó a hablar con un platero que le dijo que un navío de las Indias había traído muestras de cierta tierra de la cual se aseguraba que se sacaba oro. Salió a colación entonces el polvo del cacique, bromeó Raleigh sobre él y prometió al platero una recompensa de cien ducados por el primer grano de oro que obtuviese. Al otro día se presentó el platero pidiendo albricias: había beneficiado de la arena un doce por ciento de oro fino. Se trata, en esencia, de la misma historia con nombres encima similares, pues si Conquero no paraba de hablar de la isla de oro, Raleigh se hacía lenguas del Dorado, y uno y otro encontraban crédulos oyentes que se quedaban pasmados de sus historias, tanto más seductoras cuanto mayor era su arraigo en la conciencia colectiva. Raleigh logró convencer a Jacobo I en 1616. Tres años después tragó el anzuelo el Consejo de Indias, que el 21 de noviembre de 1619 se apresuró a tramitar las órdenes oportunas. En Filipinas, sin embargo, no estaba el horno para fantasías, y hasta parece apreciarse cierta sorna en el acuse de recibo del gobernador D. Alonso Fajardo, que con suave ironía se permite enmendar la plana a Conquero:

[126] Es curioso este nombre, tomado evidentemente del étnico de los tupíes, y más notable todavía por el hecho de que en la expedición de Caboto de 1526 también encontraron los españoles a un cacique Topavera en la isla de Santa Catalina, del que habla p.e. Alonso de Santa Cruz en las probanzas contra el capitán general, al referir el abandono de Francisco de Rojas en la dicha isla (A.G.I., Patron. 40, 4 (pieza 2) f. 11v).

[127] BN Madrid, ms. 18684 n.° 18 f. 11r y 11v. Que los ingleses venían en busca de una tierra aurífera, de la que habían sacado una pipa en el primer viaje de Raleigh, lo sabe fray Pedro Simón, *Noticias historiales de Venezuela*, Séptima noticia, cap. 26 (II, p. 642 Ramos) y 29 (II, p. 662 Ramos).

El memorial del piloto Gaspar Conquero en que se ofresce para el descubrimiento de la isla de oro, que acá llaman Rica de Oro, e visto, e siempre que aporte para acá o que aya otra persona que sea a propósito para tratar d'este descubrimiento, lo haré como V. M. lo manda [128].

En 1619, pues, se dio un caso curioso: mientras el presidente del Consejo de Indias se dejaba engolosinar con el oro de la isla de Salomón, que llenaba la boca de Diego Ramírez de Arellano, el secretario Contreras suspiraba por el oro de otra isla no menos fabulosa: demasiado oro y demasiada quimera. El ensueño tuvo el triste final que ya conocemos. Tras el naufragio en la bahía de Gibraltar, se procedió contra D. Gonzalo de Medina Lisón, capitán de mar y guerra y sargento mayor de la armada, que iba en el galeón «Santa Ana», y contra sus pilotos Gaspar Conquero y Marcos de Acosta. El fiscal presentó sus cargos contra los marinos, presos en Cádiz, a los que ellos satisficieron por sus escritos. Hechas las probanzas oportunas y conclusa ya la causa, Medina Lisón marchó a la Corte, quedando en la mazmorra gaditana los pilotos. Tan triste caso movió a compasión al propio Ruiz de Contreras: «Son hombres muy ancianos que an servido en Filipinas y otras partes con satisfación, y de los de su arte son muy onrados y de crédito» [129]. A la salida de prisión la llamada del Pacífico todavía siguió atrayendo a Conquero, no escarmentado después de tantos sinsabores, si no fue la coacción la que avivó su celo: en efecto, cuando se preparó en 1622 una expedición de socorro a Chile, uno de los dos pilotos de la expedición era precisamente Conquero, mientras que de capitán de la gente de mar iba nada menos que Gonzalo de Nodal [130]. Al malograrse la expedición, el infatigable Conque-

---

[128] A.G.I., Filip. 7, 4 n.° 143.
[129] En carta al presidente del Consejo de Indias del 15 de agosto de 1621, exonerándolos de culpa por haberse limitado a seguir el rumbo que tomó la capitana (A.G.I., México 2487).
[130] A.G.I., Contrat. 5018 (13 de junio de 1622). El socorro se componía de 400 infantes a las órdenes de Iñigo de Ayala; el otro piloto era Juan Díez Soltero. Los oficiales de la expedición partieron de la Corte el 16 de junio de 1622 (A.G.I., Indif. 1869). En cuanto a Bartolomé García del Nodal, pereció ahogado en uno de los galeones que se hundieron en los cayos de Matacumbi, según se comunicó en la Junta del 11 de julio de 1623 (A.G.I., Indif. 114).
Al final el envío de las tropas de refuerzo se asentó con un particular, Pedro de Barrenechea, que se obligó a despachar una armadilla de dos navíos y un patache (A.G.I., Contrat. 1172). Se hizo ésta a la vela el 14 de octubre de 1622, y tras una recalada en Río de Janeiro, desde donde Ayala avisó al gobernador de Chile que habían zarpado de Holanda 82 velas rumbo al hemisferio austral (la flota de l'Hermite), reemprendió viaje el 8 de enero; a la entrada del Estrecho le sobrevino un temporal que obligó a la almiranta, a las órdenes de Francisco de Mendojana, a volver a Buenos Aires el 20 de marzo de 1123; de la capitana no se volvió a saber más (A.G.I., Lima 39, f. 272ss. y 299ss.; el 10 de abril de 1623 escribió Pedro Osores de Ulloa que quedaba esperando la llegada de D. Iñigo, cuya carta había recibido [A.G.I., Chile 19]; pero ya el 20 de abril tenía noticia de la pérdida de la capitana y del regreso de la almiranta al Río de la Plata [A.G.I., Chile 20]; cf. asimismo la carta del cabildo eclesiástico de Santiago del 12 de abril de 1625 [A.G.I., Chile 63]). En Buenos Aires permaneció Mendojana más de seis meses, procuran-

ro pasó de nuevo a la Nueva España, desde la que en 1624 reclamaba los
3.940 reales que se le debían por sus servicios en la armada de Filipinas y
se ofrecía [131], quizá para recobrar así su dinero, a enrolarse en la flota que
se aprestaba a ir a la reconquista de Bahía. Desde entonces se pierde el
rastro del piloto, probablemente fallecido.

7. Nuevos proyectos de auxilio a Filipinas

Inmediatamente después del desastroso naufragio de 1619, ordenó el
rey que se volviese a preparar una armada de suerte que estuviese lista
para largar velas a primeros de agosto de 1620, mientras los arbitristas se
estrujaban el cerebro pensando en la manera de prestar apoyo con la
mayor rapidez posible a las Filipinas. Según el parecer de uno de los de
más nota, el famoso conde de Sherley, se debía transportar la tropa a
Nueva España y de allí enviarla a las islas en galeras y galeazas, idea que
con razón le parecía al Consejo de Indias «cosa vana», si bien Sherley
estaba en lo cierto al estimar que la base natural de toda operación de
apoyo residía en Acapulco [132]. Las circunstancias, desfavorables, entorpecieron otra vez la empresa, y el 3 de setiembre de 1621 se despidió a los
pilotos que estaban retenidos [133]. Sin duda se pensó que la reanudación de
la guerra atajaría las incursiones holandesas en las Indias; a partir de
ahora, la idea obsesiva del conde-duque es la de asestar un golpe defini-

do, a falta de bastimentos, que los oficiales reales atendiesen a la manutención de los soldados;
durante aquel tiempo no se abstuvo de cometer mil tropelías, entre las que se contó el abordaje a
un navío portugués y la toma del fuerte de Buenos Aires, para gran indignación del obispo, que
escribió al rey desde Buenos Aires una carta airada el 2 de octubre de 1623 (A.G.I., Charcas
139). Pretendieron después Francisco de Mendojana y Pedro de Barrenechea que se les pagara
en Lima 20.000 ducados; se opuso el fiscal, alegando que la capitana había desaparecido y que la
gente que había saltado en tierra era poca y mal equipada; un cesionario pidió 28.000 ducados
por los hombres que constase por la lista que habían ido. También a esto contradijo el fiscal Luis
Enríquez el 30 de mayo de 1625 (A.G.I., Lima 98). Apoyaron a Mendojana los únicos beneficia-
dos por su llegada, los vecinos de Chile, empezando por el gobernador Osores, que salió en su
defensa el 10 de abril de 1612 (Chile 19).

Después de su azarosísimo viaje concluyó Mendojana que la navegación del Estrecho era
practicable desde el mes de diciembre hasta abril, según escribió en carta desde Santiago de
Chile el 15 de mayo de 1625 (A.G.I., Chile 9). Este Mendojana, maestre de plata en 1620, fue
«comerciante poderoso y uno de los administradores del asiento de avería», según E. Vila («Las
ferias de Portobelo: apariencia y realidad del comercio con Indias», *Anuario de Estudios Americanos*, XXXIX [1982] 306).

[131] Cf. A.G.I., Indif. 1869 (Junta de Guerra de 23 de agosto de 1624) y Filip. 39 (Junta del
20 de agosto de 1624).

[132] A.G.I., México 2487 (14 de febrero de 1620); el informe de Sherley se encuentra en
A.G.I, Indif. 1869.

[133] A.G.I., México 2488. Se hizo un gasto total de 14.000 ducados. Ya Ríos Coronel, en un
memorial conservado en el mismo legajo, se había quejado de que el despacho de la armada
iba para largo, al haberse librado el dinero en la moneda de vellón que se iba a acuñar.

tivo al nido mismo de los «rebeldes», golpe que haga innecesaria una costosísima defensa de las Indias orientales y occidentales; en definitiva, el esfuerzo se dirige no a dispersar, sino a concentrar fuerzas, dirigiendo su empuje hacia el punto clave. Los Estados Generales, por su lado, estaban bien seguros de la manera en que se había de conducir la guerra: el mismo año de la ruptura de hostilidades trajo consigo la creación de otra Compañía, la Compañía de las Indias Occidentales (1621), a la que se auguraba un risueño porvenir [134].

En 1623 una gran armada holandesa de doce navíos, al mando de Jacob l'Hermite, atacó sin gran éxito las costas del Pacífico para después acudir en socorro de sus factorías del Maluco [135]. Aumentaba así el prestigio de la Marina holandesa, que conseguía un objetivo —el paso del Estrecho— que parecía vedado a la española. Al año siguiente no se recibieron noticias más halagüeñas. Bien es cierto que el cardenal de la Cueva había anunciado a Felipe IV que la situación de los «rebeldes» en Oriente era crítica —«por esta causa baxaron tanto las porciones o actiones de los interessados en la Compañía», concluía [136]—, mas la infanta Isabel le enviaba desde Bruselas confidencias de espías que no podían ser más preocupantes: se preparaba otra gran escuadra que iba a la «entrepreza» de conquistar Bahía, y otro informe refería, también en ese pintoresco lenguaje, que los rebeldes

tienen otra inteligencia pour coza zierta de sezirse (=saissir) el pouerto del Callau a la mar del Soul con l'ayuda de los morenos de la tierra esclavos, persuadidos de argunos flamencos olandeses que están en la misma tierra [137].

El éxito sonrió a los Estados Generales con la toma de Bahía (8 de mayo de 1624), reconquistada prontamente por una flota española y portuguesa (1 de mayo de 1625) en esfuerzo titánico celebrado por los pinceles de Maino a mayor gloria de Olivares. Pero quedaba abierto el problema de la posible toma del Callao, tan desamparado que el príncipe de Esquilache había confesado el 16 de abril de 1618, pasada la amenaza del asedio holandés, que no había podido juntar 500 hombres para su defensa ni aun dándoles la paga de su bolsillo [138]; y sobre todo preocupaba la todavía

[134] Ya en 1615 se indicaba al duque de Lerma que en Holanda «muchos desean y tienen por segura la guerra, y así toda la Compañía del trato y comercio por mar» (A.G.I., Patron. 272, 3).
[135] A ella se refiere J. Solórzano Pereira, De Indiarum iure, I, pp. 365-66 (II 25 § 85-87); una relación impresa en Madrid, 1625, sobre el ataque puede leerse en BN Madrid, ms. 2355, f. 219ss. Por cierto que no anduvieron muy clarividentes los espías de Felipe IV, pues anunciaron que «la Armada de l'Hermitte que salió el año pasado de Holanda es cierto que no aya passado el Estrecho de Mayre» (BN Madrid, ms. 18196, f. 50v).
[136] En carta del 17 de junio de 1623 (BN Madrid, ms. 18196, f. 29v).
[137] BN Madrid, ms. 18196, f. 54r, remitida por la Infanta el 21 de febrero de 1624.
[138] BN Madrid, ms. 2351, f. 341v.

más verosímil pérdida de las Filipinas, lejanas y costosas, teniendo en cuenta, como confesaba ya en 1619 el propio monarca, «el apretado estado de mi Real Patrimonio, consumido en la defensa y gastos forçosos contra los enemigos de nuestra santa fee» [139]. En tales circuntancias, era de temer que estuviera a pique de cumplirse el negro diagnóstico que había hecho el coronel Semple el 6 de noviembre de 1624:

Como durante la guerra Don Phelipe segundo perdió los comercios del Septentrión y Phelipe tercero durante la paz los de España, Levante y Yndias orientales, en el reinado de Vuestra Magestad se acabarán de perder los de las Occidentales, lebantándose a mayores con estas ruinas de V. M. el Rey de Inglaterra, que es quien sobre todos la ha procurado con armas al parecer ajenas [140].

Para conjurar el peligro presente y futuro Felipe IV decidió en 1624 enviar por el Estrecho de Magallanes una nueva flota, compuesta de diez galeones y tres pataches y 3.000 hombres de mar y guerra, flota que debía zarpar de España en julio o principios de agosto de 1625 [141]. Restaba un problema, el más importante sin duda: los costes se suponía que habrían de sobrepasar el millón de ducados [142]. Para sufragar el flete de la armada acudieron de las Indias importantes sumas, más o menos voluntarias y desinteresadas, a título de donativos [143]; a su vez, el Comercio de Sevilla ofreció 400.000 ducados al contado, ante la amenaza de tener que pechar

---

[139] A.G.I., Filip. 329, vol. II, f. 260ss. A la sangría económica se unía la alarmante despoblación, que dificultaba cada vez más las levas.

[140] BN Madrid, ms. 2355, f. 454v, cf. ms. 2357 (memorial de febrero de 1625 entregado en El Pardo), f. 162r § 25.

[141] A.G.I., Indif. 2511, f. 8r, 13r. Sobrepasó este proyecto las previsiones más exigentes, como la propuesta de Antonio Juárez Vela de Priego, que insistio mucho en 1624 (6 de agosto y 10 de setiembre) y 1625 (1 de enero) en que acudiera en socorro de Chile, vistos los destrozos causados por los holandeses, una armada de seis galeones y tres pataches fabricados en Vizcaya, con una tripulación de 1.500 hombres (A.G.I., Chile 34).

De estos meses debe de ser el memorial de Diego Flórez de León conteniendo avisos sobre el envío de la armada por el Estrecho, publicado por J. T. Medina, *Biblioteca hispano-chilena (1523-1817)*, Santiago de Chile, 1898, II, p. 248ss. Proponía Flórez que la flota embocara el Estrecho en diciembre, enero o febrero, que acudieran a Buenos Aires los pilotos chilenos más expertos (Antonio Méndez, Francisco Pérez y Sebastián Jorge), que se fortificara Valdivia y que se despoblara la Mocha. También se permitía proponer el nombre del proveedor de la armada: Antonio de Azoca. Por último, avanzaba una idea audaz, la de convertir Chile en virreinato independiente. El santiaguista Flórez, curtido en las guerras de Chile, era hermano del almirante Alonso Flórez, muerto en Terrenate.

[142] A.G.I., Indif. 2511, f. 13r.

[143] P.e., el arzobispo de Lima contribuyó con 80.000 pesos (A.G.I., Lima 5 [Consejo del 21 de julio de 1626]) y la Nueva España con 432.334 pesos (A.G.I., Indif. 1870 [Junta del 7 de enero de 1626]). Destacan las dificultades con que tropezó el despacho de la flota P. E. Pérez Mallaina y B. Torres Ramírez, *La armada del mar del Sur*, Sevilla, 1987, p. 267ss.

con un 1 % más en el derecho de avería [144]. También en esta ocasión se hizo notar la falta de hombres prácticos en la navegación de altura, hasta el extremo de que el 19 de agosto de 1624 la Junta de Guerra propuso el rescate de Manuel Correa, contramaestre del galeón «El Rosario» en la frustrada armada de 1619, a la sazón cautivo de los moros. A la postre, todos los esfuerzos volvieron a resultar vanos ya que, equivocadamente, se consideró que el objetivo principal era la victoria terrestre en Flandes, esa victoria que las guerras anteriores habían mostrado imposible: así, con el sacrificio de la flota de Filipinas, se obtuvo el éxito más aparatoso que rentable de la rendición de Breda inmortalizada por Velázquez y Calderón. Después acabaron por imponerse los agobios del erario, y el monarca tuvo que confesar que ese millón tan necesario

no se puede suplir de mi Hazienda, estando tan exhausta y consumida.., que no basta para el cumplimiento de las obligaciones forzosas con que me hallo, sustento de mi Casa y Estado real, cresciendo cada día más el empeño con las contínuas provisiones de exércitos y presidios tocantes a la defensa de mis reinos, todo por el bien y amparo de la Religión, paz, descanso y conservación de mis basallos [145].

Como era de esperar, el 24 de noviembre de 1626 llegó la orden de suspender todas las levas. Con los restos del dinero consignado a este efecto el rey mandó al conde de la Puebla que aprestase los cuatro galeones que se unieron a los de la armada de guarda de la carrera de las Indias para ir en 1626 en defensa de Puerto Rico [146]. Esta constante atención al Estrecho de Magallanes produjo un espejismo más. En 1629 un veterano como Sancho de Urdanivia se ofreció a reconocer con un navío suyo de 250 toneladas los pasos de Mayre y Magallanes, como si diez años antes no lo hubieran realizado ya los Nodales; entre las condiciones que imponía se encontraba la de que, una vez en las costas del Perú, se le dejase ir adonde él quisiera y que, en caso de arribar a Filipinas, se le permitiese allí la contratación y la vuelta bien a Acapulco, bien a España por el Cabo de Buena Esperanza [147]. Estos espaciosos paseos por el Pacífico parecen no obedecer sino al deseo de seguir el rumbo de Mendaña en búsqueda de las islas de Salomón. El marino guipuzcoano se había dedicado desde

[144] Cf. A. Domínguez Ortiz, «Los caudales de Indias y la política exterior de Felipe IV», *Anuario de Estudios Americanos*, XIII (1956) 338-39.

[145] A.G.I., Indif. 2511, f. 15r.

[146] El 19 de enero de 1627 la Junta de Guerra propuso que se mantuvieran aprestadas las cuatro compañías con cualquier donativo: p.e., los veintisiete mil y pico pesos que habían llegado del Yucatán y de otras provincias de la Nueva España (A.G.I., Indif. 1870).

[147] A.G.I., Contrat. 5019; el escrito se vio en Consejo del 12 de junio de 1629. Sancho de Urdanivia se dedicó largo tiempo a la navegación atlántica; en 1610, como dueño y maestre de la nao «San Juan Bautista», fue al puerto de San Cristóbal de La Habana (A.G.I., Contrat. 4035, n.° 17).

hacía mucho tiempo al comercio atlántico, con la mala fortuna de caer cautivo de los turcos, que lo tuvieron prisionero por dos años en Argel; después ayudó a la misión de los mercedarios redentoristas, servicios por los que en 1618 pidió licencia para navegar tres viajes en la carrera de Indias [148].

Mientras tanto los holandeses no cejaban en su doble frente. En 1629 el conde de Sorle entregó al conde-duque un discurso de Pablo de Cuyper en el que éste último exponía los últimos planes de los accionistas de la Compañía de las Indias Occidentales que, con el riquísimo botín que habían obtenido de la presa de los galeones en Matanzas (1628), «fuera de dos millones que esprestaron a los Estados para el sitio de Bolduq [Bois-le-Duc], han armado de nuebo buena cantidad de navíos, con propósito de tomar tierra y fortificarse y mantenerse en algún punto de las Yndias, para por ese medio estorbar los negocios d'ellas con España» [149]. Cuyper no se privaba de exponer a continuación la consabida lista de remedios —entre ellos la prohibición de asegurar las mercancías para incrementar la flota de guerra—, que lo único que conseguían era aumentar inutilmente el papeleo del Consejo.

La amenaza anunciada por Cuyper pronto se hizo realidad. Mas aunque de hecho la Compañía holandesa tomó Pernambuco en 1630, este triunfo vino a poner de relieve la extrema dificultad que entrañaba la ocupación de las colonias del Nuevo Mundo, aunque pertenecieran al

---

[148] A.G.I., Indif. 1445. La licencia fue denegada, por lo que en 1619 Urdanivia volvió a solicitar de nuevo licencia para hacer tres viajes, pero con un filibote (A.G.I., Indif. 1447).

[149] BN Madrid, ms. 2361, f. 493r. En efecto, según el memorial de Cuyper, entregado al Consejo de Indias el 25 de noviembre de 1629, había que suprimir los seguros, que llegaban a veces a un 15 %, y aumentar hasta un 6 1/5 % por una vez la avería en las mercadurías que fuesen a Indias; con los 520.000 ducados conseguidos (Cuyper estimaba que el total montaría unos ocho millones) se habrían de comprar 400 cañones de bronce para armar 40 naos ya provistas de piezas de hierro colado. A esto respondió la Junta de Guerra el 7 de diciembre de 1629 (A.G.I., Indif. 1870) que era imposible quitar los seguros por una serie de razones que pasaba a exponer a continuación y que eran las siguientes: el seguro más subido no llegaba al 9 % y cubría los riesgos de la mar, la causa más frecuente de accidentes y desastres; los 520.000 ducados no bastarían para subvenir a los gastos de munición, marinería y soldados; no había cargadores ni carga para 40 navíos. La Junta se mostró partidaria de armar 32 galeones: de ellos, 12 con un 6 % de avería y otros 20 con 800.000 ducados más un 4% de avería. No contestó la Junta al más audaz de los proyectos de Cuyper, que en realidad venía a pedir licencia para enviar navíos flamencos a Indias. De hecho, no era ésta ninguna utopía: en efecto, el 1 de marzo de 1606 se despachó una real cédula concediendo contratar para las Indias a Arnaldo Crave, natural de Lovaina, casado con doña Catalina Arnao, natural de Amberes, que era vecino de Sevilla desde 1594; tal permiso hizo que pusieran el grito en el cielo el fiscal de Su Majestad y el Consulado de Sevilla (A.G.I., Indif. 1431). También el comercio hispalense había sido quien obstaculizó las solicitudes de Aventrot para lo mismo pocos años antes; la figura de Aventrot es más conocida en su vertiente religiosa, ya que por su fervor luterano tuvo que vérselas con la Inquisición.

reino de Portugal[150]. En efecto, no se trataba ya de tomar por sorpresa una factoría o de controlar una ruta marítima remota, sino de hacer un asentamiento duradero en un territorio enemigo, en el que había que aguantar una larga guerra de desgaste. Así, aun cuando los contraataques de Oquendo (1631), Lope de Hoces (1635) y Mascarenhas (1639) terminaron en un fracaso más o menos velado, la dominación de Recife se reveló a la larga como una aventura muy poco rentable para las arcas de la Compañía, que, a pesar de los esfuerzos de un hombre tan brillante como Juan Mauricio de Nassau-Siegen (1637-1644), acabó por tener que renunciar a una empresa que le había provocado enormes disgustos en el propio seno de los Estados Generales y le había salido costosa en demasía tanto en hombres como en dinero (1654). Nada más natural que, si fallaban los dividendos, se dejase de pensar en la fundación de unas colonias que Holanda en definitiva no podía poblar, sobre todo cuando mantenía otra guerra, de resultados sin duda más productivos, por la hegemonía en Ceilán, y a la amenaza terrestre de España había sucedido el acoso naval de Inglaterra[151].

8. El cuarteamiento del imperio

En 1583 Arias Montano[152], haciéndose eco de un sentir generalizado, pudo interpretar la anexión de Portugal a la Corona de los Austrias como un signo evidente del favor que la Providencia divina dispensaba a Felipe II, su hijo predilecto. Pocos años despues, aunque se seguía manteniendo el utópico sueño del Imperio universal, la precaria unidad peninsular amenazaba ruina inminente. El contador Alonso Gutiérrez señalaba ya en 1602 que los portugueses

muestran su descontento y deseo de tener Rey propio, cualquier que sea, y desasirse de la Corona de Castilla, considerando las grandes pérdidas que an tenido después

[150] Un buen resumen del curso de las operaciones ofrece J. Pérez de Tudela, *Sobre la defensa hispana del Brasil contra los holandeses (1624-1640)*, Discurso leído el día 3 de febrero de 1974 en el acto de su recepción pública en la Real Academia de la Historia, Madrid, 1974. La obra clásica se debe a C. R. Boxer, *The Dutch in Brazil (1624-1654)*, Oxford, 1957.

[151] El 10 de agosto de 1655 escribía Diego López de Bolaños a Joseph Pardo de Figueroa: «Lo que es menester es que V.S. tenga cuidado, cuando supiere que se escribe al Virey del Perú, para que se le enbíe orden apretada y mucho para que ponga mucho cobro y guarnición en Valdivia, que es donde estuvo el olandés el año de 42, porque está a barlovento de Lima, y si el inglés baja allí será dueño de todo el Pirú» (BN Madrid, ms. 2384, f. 133v). En las Antillas la amenaza quedó conjurada de momento al vencer Bolaños, capitán de 28 navíos de guerra y dos de fuego, a la armada de Guillermo Penn en Santo Domingo (relación impresa en BN Madrid, ms. 2384, f. 207ss.). Pero ese mismo año, no obstante, y pese a tanto memorial triunfalista, se perdía de manera definitiva Jamaica (1655); y hacía tiempo que Curação era holandés.

[152] *De optimo imperio siue in libr. Iosuae Commentarium*, Amberes, 1583, cap. 22, p. 555.

que se incorporó a ella, pues pasan de 56 millones en solas 46 ó 47 naos de la India, demás de otros docientos y cincuenta navíos de las islas y otras partes, y que no tienen palmo de navegación sigura [153].

Tampoco en el Nuevo Mundo de habla española gozaban los portugueses de buena prensa. Desde un principio, su afluencia a Indias había sido muy considerable, dado que estaba en sus manos, en buena parte, todo lo tocante al tráfico marítimo y después, entreverándose con los círculos criptojudíos, el comercio y los negocios. Las quejas que esta situación incómoda producía eran cada vez más frecuentes, contribuyendo a levantar un foso insalvable entre las diversas naciones que componían la Corona. De los ejemplos, innumerables, elijo unos cuantos significativos: el 30 de junio de 1565 se lamentó el presidente de la Audiencia de Santa Fe, el doctor Venero, de que poblasen aquel reino más portugueses y extranjeros que no naturales de Castilla [154]; el 5 de septiembre de 1575 el licenciado Briceño hizo observar que la mitad de los habitantes de Santo Domingo, Cuba, Jamaica y Tierra Firme eran portugueses [155], y el 4 de julio de 1590 denunciaron los oficiales de Cartagena que en su poder se estaba quedando el negocio de todo el puerto [156]. En 1606 el fiscal real Pedro Marmolejo protestó de que cada vez entrasen más portugueses en las Indias españolas por ser ellos quienes tenían el asiento de la avería y almojarifazgos y la licencia de esclavos negros (la compañía de Vaz Coutinho y sus hermanos, la contaduría de Simón Vaz) [157].

El recelo, el despecho y el desprecio eran los sentimientos que presidían las relaciones y el trato de los castellanos con los lusos, que se vengaban cuando podían poniendo todas las trabas imaginables a la actuación española, como tuvo ocasión de experimentar en su propia carne el embajador D. García de Silva y Figueroa, enviado por Felipe III a la corte del Shah Abbas de Persia en 1613 y que, por el hecho de ser castellano, sufrió dilaciones y desvíos sin cuento a lo largo de su viaje, que el maquiavélico celo del virrey de la India y del gobernador de Ormuz prolongó diez interminables años [158]. La acusación y el insulto estaban en la punta de la lengua: «portugués» significaba 'mercachifle' y «castella-

[153] BN Madrid, ms. 2347, f. 17v.
[154] A.G.I., SFe 188, f. 588r.
[155] A.G.I., SFe 187, vol. II, f. 170r.
[156] A.G.I., SFe 72, 2 n.º 58. En 1606 se hizo una lista de los extranjeros que moraban en el Nuevo Reino (A.G.I., SFe 49, 3 n.º 54). Al virrey Montesclaros, según escribió al rey el 25 de enero de 1608, la idea de expulsar a los forasteros del Perú le parecía con toda justicia impracticable (A.G.I., Lima 35).
[157] A.G.I., Indif. 1426.
[158] Achaca al nacionalismo portugués estas trabas, que justifica con razón por lo poco acertado que estuvo el rey al nombrar por embajador un castellano, R. Gulbenkian, *L'ambassade*

no» era equivalente de 'bobo'[159]; apenas cabe imaginar vecinos peor ave-
nidos. De la befa y chacota no era infrecuente que se pasara a mayores.
En 1596 la Audiencia de Santo Domingo mandó prender a unos portugueses, entre ellos a Simón de Herrera, acusados de mantener tratos con
los herejes luteranos y de profesar ellos mismos por su parte la ley mosai-
ca[160]. La discriminación llegó a ser tan brutal que en la ciudad de La
Plata se pidió públicamente en 1627 y en 1628 la expulsión de los portugueses, tildados de judaizantes[161]. A juzgar por lo encrespados que estaban los ánimos, no es de extrañar que la toma de Bahía en 1624 fuera
inmediatamente achacada a traición, urdida sobre todo por la perfidia de
los marranos, asentados a millares en Brasil. Por doquier se adivinaban
perfidias reales o inexistentes. Así se explica que en una Junta del Consejo de Estado el padre confesor reventara de cólera y dijera acalorado que,
en respuesta a las acuciantes peticiones de ayuda y de dinero provenientes
de Lisboa, «se les dé a entender que por su cuenta ha de correr su
defensa, y que sea mejor que la de Ormuz y de la de Bahía y otras»[162].

en Perse de Luis Pereira de Lacerda et des Pères Portugais de L'Ordre de Saint-Augustin, Belchior dos
Anjos et Guilherme de Santo Agostinho. 1604-1605, Lisboa, 1972, p. 67ss. Los hechos comienzan
a tomar nuevo y más claro perfil ahora gracias a los trabajos de L. Gil sobre la relación de
España y Persia a comienzos del s. XVII; cf. su primicia «Sobre el trasfondo de la embajada del
Shah Abbas I a los príncipes cristianos: contrapunto de las Relaciones de Don Juan de Persia»,
Estudios clásicos, 89, 347ss.

[159] El juego de dicterios se aprecia de manera muy clara, p.e., en la carta de Manuel de
Sousa al canónigo Gombau desde Almada de 22 de marzo de 1591, publicada por R. Robres
Lluch, *El comendador Jaime Juan Falcó: ciencia, humanismo y esclavos (1522-1594),* Castellón de la
Plana, 1971, pp. 72-73.

[160] A.G.I., SDom. 51, 3 n.° 169 y 172.

[161] El 26 de abril de 1619 comunicó el licenciado Luis Henríquez que se había hecho una
redada de los portugueses sospechosos que había en Lima y que eran: Marcos Cardoso; Gonzalo
Pinto; Antonio González; Francisco Barroso; Juan González; Antonio González; Domingo Antonio; Francisco Pinto; Manuel Casado; Domingo Antonio; Manuel de Barros; Pero Díaz; Felipe
González; Francisco Pérez; Francisco Correa; Antonio González; Antonio de Rivera; Manuel
Cardoso; Gaspar Martín; Antonio Martín; Pero Alvarez y Domingo Lorero. No se procedió, en
cambio, contra el también portugués Francisco Barreto, señor de la casa de Quartero en el
Algarve y general del Callao, y eso porque era primo hermano del virrey Esquilache (hay
probanzas de su hijo Nuño Barreto, hechas en 1646 [Lima 332]); observaba cáustico el licenciado Cantillana el 28 de abril de 1619 que Esquilache había traído de séquito 74 personas y les
había repartido más de 100 oficios (A.G.I., Lima 96). De los peligros que entrañaba la discriminación que sufrían los portugueses advirtió el virrey Chinchón el 6 de abril de 1632 (A.G.I.,
Lima 43); sobre la tacha de judaizantes cf. la carta del 13 de mayo de 1636 (A.G.I., Lima 47, vol.
III (1636), f. 137). La Audiencia pidió el 18 de mayo de 1636 que no pasaran más lusos al Perú,
anunciando que estaban presos algunos por judaizantes. El licenciado Varona Encinillas, al dar
cuenta de la prisión de Antonio Cordero el 20 de mayo de 1636, narra una sabrosa anécdota: «un
biernes de mañana le halló comiendo una manzana y le dijo que mejor estómago le hiziera un
torrezno de lechón; y respondió que su padre y abuelo no lo avían comido», por evitar duelos y
quebrantos. Estaban entonces presos en la mazmorra de la Inquisición 98 conversos (A.G.I.,
Lima 99). De este baldón se defiende en un folleto impreso Enoch Estelgenio (BN Madrid, ms.
2354, f. 210r).

[162] BN Madrid, ms. 2355, f. 388r (16 de agosto de 1624).

Para colmo, a partir de la década de los treinta surgieron nuevos roces fronterizos, pues los *bandeirantes* del Brasil comenzaron a penetrar en el Paraguay, provocando con sus desmanes una muy tensa situación que se perpetuó hasta el fin del virreinato [163].

De nada sirvieron para refrenar la xenofobia una serie de protestas bien intencionadas, entre las que nos interesa muy especialmente el contenido de un curioso folleto que publicó en Madrid en 1630 el obispo de Río de Janeiro, Lorenzo de Mendonza, en ardiente apología de sus paisanos [164]. A lo largo de las páginas de este escrito el prelado hacía ver la vanidad de las incriminaciones de criptojudaismo que se les hacían a los lusos [165] y no sin cierta amargura señalaba que, a fin de cuentas, más afín a un castellano era un portugués que no un vasco; por último, para justificar los derechos de sus compatriotas, Mendonza adornaba con un nuevo y pintoresco detalle la nebulosa colombina, pues resultaba que el piloto desconocido que había enseñado a D. Cristóbal el camino de las Indias «era el capitán de la ciudad de Oporto, casado con la hermana del Obispo, y el maestre y piloto [de la nao] era Alonso Yáñez Pinçón, natural de la isla de San Miguel, de los Pinçones de Cezimbra» [166]. El orgullo humillado de los portugueses tenía necesidad de buscar cobijo en estas fábulas que le prestaban vano consuelo; pero no deja de ser curioso que al filo del s. XVI rondara por el puerto de las Muelas de Sevilla un navegante portugués llamado precisamente Vicente Yáñez, cuyo recuerdo pudo dar pábulo a estas delirantes fantasías, en las que se mezclaba la aureola de Alonso Sánchez y del menor de los Pinzón [167].

En el Oriente la extrema lejanía, lejos de limar, aumentó las fricciones. La sempiterna porfía entre portugueses y castellanos, que en vez de darse un fraternal abrazo se habían saludado a tiros en el Maluco, desembocó tras la unión en una por solapada más tensa lucha por el poder; y la rivalidad alcanzaba no ya sólo a lo político, sino también a lo económico, pues no era infrecuente que los intereses comerciales de Filipinas chocaran frontalmente con los de Macán. Así, p.e., cuando los portugueses

---

[163] Ya en 1632 el conde de Chinchón presentó quejas al rey por los daños que habían hecho en el Paraguay los portugueses de São Paulo (A.G.I., Lima 43, vol. III, f. 39ss.). Volvió el virrey a insistir en sus alegatos y reclamaciones el 6 de mayo de 1638 (A.G.I., Lima 48, vol. II, f. 58). Como comunicó desde La Asunción el 20 de abril de 1639 Pedro de Lugo y Navarra, en su vigilancia de la provincia del Paraná pasó a la del Uruguay, donde cautivó a 16 portugueses y dio muerte a 5 o 6 en Cazapaguazú; a los prisioneros los llevó a La Asunción (A.G.I., Chile 10).

[164] *Suplicación a su Magestad Católica del Rey Nuestro Señor, que Dios guarde, ante sus Reales Consejos de Portugal y de las Indias, en defensa de los portugueses*, Madrid, 1630. Sobre las inútiles advertencias del obispo a la Corona española cf. C.R. Boxer, *The Dutch in Brazil. 1624-1654*, Oxford, 1957, pp. 100-101.

[165] *Suplicación*, f. 25r y 51v.

[166] *Suplicación*, f. 30r.

[167] A.P.S., IV 1502, f. 42r. Sin duda esta hominimia favoreció la leyenda.

pretendieron hacer un bloqueo económico al Japón después del incidente de la voladura de la nao de Pessoa en Nangasaqui (1609), el cabildo de Manila se zafó del compromiso con la excusa de que el trato con Japón les era de todo punto necesario y quejándose de paso de que se hubiesen abierto nuevas vías de contratación entre el Japón y la Nueva España, perjudiciales para el bienestar de las islas [168]. Otros debates y diferencias surgieron, según hemos visto, a raíz de la ocupación de Terrenate. Tampoco en lo religioso reinaba la concordia deseable, y los unos se sentían con mejores derechos que los otros a la futura evangelización de las islas y de la tierra firme de Asia.

El estallido de 1640 vino a sellar la ruptura definitiva de lo que podía haber sido —y no fue— un ideal colectivo. En el terrible desbarajuste político y económico que siguió a aquel desastre se acentuaron todavía más las diferencias entre unos reinos que no estuvieron nunca bien soldados, quizá por haberse visto arrastrados demasiado tempranamente por el vendaval vertiginoso de la historia a una fusión prematura. De hecho, no fueron las presiones externas, muchas y muy graves, las que acabaron con aquel colosal aparato de poder, que se mantuvo casi incólume más de un siglo después de la independencia de Portugal. Antes bien, el imperio se fue deshaciendo a sí mismo, cuando así lo fueron queriendo sus partes integrantes, siguiendo el mismo proceso de traumática desmembración interna que tuvo lugar en la lenta decadencia de Roma.

[168] A.G.I., Filip. 4, 5 n.º 88. También protestó la Audiencia de las actividades que había protagonizado el P. Sotelo y en especial de que, «habiéndoseles advertido a los religiosos [de San Francisco] de las descomodidades que a estas islas se seguirán en abrir contratación de Japón a la Nueva España y de otros inconbinientes, ni repararon en esto ni en otras cosas». El memorial, sin fecha, debe corresponder al 1610, pues iguales argumentos con conclusiones diferentes se barajan en el escrito del piloto Juan Cevicós, natural de Cantalapiedra, firmado el 20 de junio de 1610 (A.G.I., Filip. 4, 1 n.º 8); era Cevicós partidario de prohibir el comercio con el Japón o bien a Macán, o bien a Manila; en cuanto a la Nueva España, «solamente se puede llevar de Japón fierro, cobre y plomo, en lo cual abrá ganancia nabegándose para el Pirú desde Acapulco. Pero esto, ¿quién no ve que resulta en menoscabo de los reales derechos que en España se pagan de lo que hallá pasa a las Yndias, y en daño de los más próximos y necesitados vasallos de V.M., cuales son los de Castilla?» Por lo que tocaba a los intereses de Filipinas, tampoco consideraba necesaria el piloto la contratación con Japón; parece, en consecuencia, que dejaba vía libre a los vecinos de Macán.

VIII. OFIR, SALVACION DE LA MONARQUIA

1. La importancia estratégica de las islas del Pacífico

La aparición de los holandeses por aguas del Estrecho de Magallanes acrecentó el interés por las islas y tierras australes, que podían servir a los «hereges y rebeldes» no ya de refugio y escala, sino de posible base y asentamiento en el futuro. El conde de Chinchón, que el 31 de octubre de 1629 llamó a capítulo para discutir tan preocupante extremo a nuestro viejo amigo el general del Callao, D. Fernando de Castro, a su maestre de campo, D. Sebastián Hurtado de Corcuera y a otros hombres curtidos en la milicia, llegó a la conclusión de que las vigías en el Estrecho eran de todo punto infructuosas [1]. No le faltaba razón en parte. Como se expresaba en un parecer anónimo, los holandeses podían recalar en la isla de Perros, situada a 15° 20' S., o bien en otras mencionadas en el Diario de Schouten, islas que bien podían ser las mismas que conocían los pilotos españoles, situadas a 15° y a 300 leguas al O. de Nasca; en aquel tiempo, el banco Bernardo de Villegas estaba interesado en su descubrimiento [2], es de suponer que instigado por el cosmógrafo mayor del Perú, Francisco de Quirós, hijo de Pedro Fernández de Quirós. Las sucesivas quiebras bancarias ocurridas en Lima, que afectaron también al banco Bernardo de Villegas en el fatídico 1640 [3], pusieron fin a este descubrimiento austral tan bien financiado en apariencia. Pero conviene no olvi-

[1] A.G.I., Lima 42 n.º 26.
[2] A.G.I., Lima 42 n.º 26 A.
[3] A.G.I., Lima 50, vol. II, f. 248 (carta del 8 de junio de 1641 del virrey marqués de Mancera al rey); cf. sobre la situación del banco otra carta del 14 de junio de 1642 (A.G.I., Lima 51, vol. II, f. 192). Una denuncia de Alonso de Villarroel Quiroga contra el banco Bernardo de Villegas se encuentra en A.G.I., Lima 156. Antes, en 1636, se había producido una quiebra de 1.300.000 pesos en el banco Juan de la Cueva (carta de Mancera al rey del 8 de julio de 1641 [A.G.I., Lima 50, vol. II, f. 160]).

dar los nombres de los asistentes a la junta de 1629: D. Fernando de Castro era un experto en todos los asuntos concernientes a las Filipinas; a su vez el maestre de campo, Corcuera, llegará a ser con el tiempo gobernador de las islas.

Mientras tanto, el 19 de setiembre de 1630 se tomó la determinación de efectuar un reconocimiento del litoral aledaño a Lima para organizar su defensa, misión que se encomendó a Francisco de Quirós juntamente con el sargento mayor Gil Negrete y el capitán Francisco Márquez[4]. El 14 de noviembre de ese año Chinchón se decidió también a enviar un navío a las islas de Juan Fernández[5], pero un temporal desbarató el barco con tan mala fortuna que sólo escaparon del naufragio el alférez Orellano y tres personas más, a quienes redujo la necesidad a navegar más de 300 millas en un batelillo hasta llegar a Arica[6]. Así y todo, las islas de Juan Fernández constituyeron desde entonces una preocupación obsesiva para el virrey, que veía en ellas posibles guaridas de ladrones, hasta el punto de que volvió a enviar a sus costas otra nave de vigía el 20 de noviembre de 1635[7]. A partir de aquel entonces, las islas susodichas fueron objeto de exploración periódica, que venía a coincidir con las fechas en que se recelaba una eventual incursión enemiga. Así ocurrió en 1632, cuando después de haberse recibido nueva de haber aparecido navíos hostiles, el gobernador de Chile D. Francisco Lasso de la Vega despachó una nave del capitán Pedro de Recalde con persona práctica al reconocimiento de las islas[8]; así en 1658, al rumorearse que iban a cruzar el Estrecho seis fragatas de Inglaterra[9]; así también en 1663, al llegar noti-

---

[4] A.G.I., Lima 45, f. 210r (*Relación diaria* de D. Antonio Suardo, año 1634). El 26 de abril de 1635 Francisco de Quirós representó al monarca la dificultad de hacer una descripción del Perú (A.G.I., Lima 46, vol. II [año 1635], f. 236ss.). Según declaró el presidente de la Audiencia chilena, D. Francisco Lasso de la Vega, el 14 de octubre de 1637, fue Quirós en el navío de vigía a sondar y reconocer el puerto de Valdivia; de los planos hechos entonces no se fió mucho el virrey Mancera. Hacía tiempo, por otra parte, que se había establecido esta vigilancia del litoral: el 20 de febrero de 1625 el fiscal de la Audiencia chilena Jacobo de Adaro anunció que había ido un navío a la isla de la Mocha, al puerto de Valdivia y a la provincia de Chiloé a ver si habían penetrado navíos holandeses, y que había regresado al cabo de 60 días sin novedad (A.G.I., Chile 9).

[5] A.G.I., Lima 45, vol. de 1630, f. 219v. Asistieron a la junta, entre otras personas, D. Fernando de Castro, Gil Negrete y los pilotos Pedro de Torres y Melchor Polo.

[6] Allí los recogió el alférez Pedro Delgado, que los condujo al Callao, en el que entraron el 23 de marzo de 1634 (A.G.I., Lima 46, vol. II [año 1635], f. 73r). En 1632 fecha este desgraciado incidente C. Fernández Duro, *Armada española*, IV, p. 342. P. E. Pérez Mallaina y B. Torres Ramírez (*La armada del mar del Sur*, Sevilla, 1987, p. 272) se refieren al despacho de dos navíos, al parecer en 1629.

[7] A.G.I., Lima 47, vol. III, f. 98r del *Diario* de Suardo. En el navío iba desterrado el primer Robinson, D. Lucas de Escobedo Altamirano.

[8] A.G.I., Chile 60 (carta desde San Felipe de Austria del 20 de marzo de 1632).

[9] A.G.I., Lima 60, vol. II, n.º 29 (carta del conde de Alva de Liste al rey del 25 de julio de 1658).

cia de que Cromwell pensaba apoderarse con ocho bajeles de los puertos principales del Pacífico para después emprender la conquista de Guatemala, o al año siguiente, en 1664 [10]. Por último Juan Fernández de Alanís, como «cabo de la vigía del mar del Sur», reconoció en 1656, 1658 y 1661 las costas hasta Valdivia, llegando de paso hasta las islas de Juan Fernández [11].

2. Un soñador salomónico: D. Andrés de Medina Dávila

Los apuros del imperio más que frenar acicatearon la fantasía. En 1647 un veterano de las guerras de Chile, Andrés de Medina Dávila, graduado en Derecho, nieto de los conquistadores del Perú y casado con la viuda del sargento mayor D. Pedro Hurtado de Corcuera presentó al rey un memorial que no tiene desperdicio:

Señor: En los mayores conflictos y aogos quiere Dios como Padre piadoso consolar a Vuestra Magestad como al hijo único de su Yglesia, defensor de su sagrado Evangelio. Sucedió lo proprio que aora al Sr. Rey Don Fernando el Católico de felice recordazión, deparándole en el rigor de sus guerras un Colón strangero que descubrió las Yndias para prolatazión y esfuerzo de sus Reynos. No será, pues, Señor, intempestivo el ofrecer a Vuestra Magestad (en el mayor de las suyas) como a su Rey y Sr. natural Don Andrés de Medina Dávila, su basallo legítimo, el descubrimiento tan deseado como solicitado de las islas de Salomón en la parte del mundo austral, thesoro escondido hasta las dichosas eras de la monarchía grande de Vuestra Magestad. Grandes finezas y demostraciones hizo el Sr. Rey Don Phelipe el Terzero, padre de Vuestra Magestad, con Pedro Fernández de Quirós cuando vino a esta Corte y a la de Roma a dar noticia d'este descubrimiento, en que fue piloto mayor en la primera navegación que para él hizo el general Albaro de Mendaña, librándole gran cantidad de dineros y mandando al prínzipe de Esquilache, su Virrey en las provinzias del Perú, asistiesse a su despacho con instanzias. Pero la Divina Providencia, reservando a Vuestra Magestad (como en otro tiempo a Salomón) acción tan eroica, previendo las nezessidades en que Vuestra Magestad se alla, entonces la evitó con su muerte yendo al efecto en Panamá, y oy la alienta en mí sin las pensiones de gastos que Pedro Fernández pedía y se le davan: porque sirviéndose Vuestra Magestad proveerme por su general en las

[10] A.G.I., Lima, 65, vol. VI (1664) n.° 41 (carta del 11 de junio de 1663) y n.° 42 (carta del 2 de julio de 1663): «continuamente se están reconociendo las costas y el paraje de las islas de Juan Fernández». El 26 de octubre de 1664 anunció Santisteban que había dado una batida por las islas Martín de Gamarra, sin encontrar enemigos (A.G.I., Lima 66, vol. II, n.° 38). Antes, el 19 de noviembre de 1665, había escrito Santisteban que se iba a encargar de la exploración Gamarra por sólo 3.000 pesos, cuando lo normal era que costara 9.000 (A.G.I., Chile 55-B). En esta vigilancia también primaba el interés: en 1662 el fiscal de Chile, D. Manuel Muñoz, se quejó de que el navío de vigía —cada vez de mayor calado— entrase en el puerto de Valparaíso, de lo que derivavan grandes inconvenientes para la carga de mercancías (A.G.I., Chile 14).

[11] La información del cabo, del 24 de septiembre de 1674, se encuentra en A.G.I., Lima 172.

naos que vienen de Philipinas al puerto de Acapulco por el socorro y contractos de aquellas islas, sin faltar al intento aré (con el favor de Dios) este descubrimiento, por ser muy poco lo que se rodea y estar antes que las Philipinas seiscientas leguas de la parte contraria, passada la línea de cuatro a siete grados... Conque saliendo de Acapulco las dos naos grandes y pataches a un mismo tiempo, pasará la una al socorro de las Philipinas y con la otra y pataches aré el descubrimiento de las islas de Salomón, que (consideradas) poblaré en nombre de Vuestra Magestad y pasaré a Manila para bolver a tiempo en conserva de las que salieren para Acapulco [12].

A un año de la paz de Westfalia (1648) las viejas quimeras no se han esfumado ni mucho menos; antes bien, aparecen sin rebozo alguno, como es natural en los tiempos de honda crisis. En efecto, conforme avanza el s. XVII, se va disociando poco a poco el mundo de la realidad y el mundo de la fantasía. La Corona española quiere ya lo que no puede. En estos momentos de inadaptación angustiosa aparecen más a las claras los fantasmas a los que se han aferrado los españoles, que sueñan todavía con conquistar a mandobles enormes reinos y dilatados imperios, ya que, cuando las ideas desaforadas se descarnan, sólo queda un esqueleto grotesco. Pero en definitiva ¿no son ellos el pueblo elegido del Señor, los paladines de la fe católica? En tan amargos trances apenas cabe en cabeza humana que Dios los pueda abandonar a su suerte; todos esperan confiados que la omnipotencia divina, aun a costa de un milagro, los libre de la zozobra en que viven. En esta enfermiza y peligrosísima entrega a los delirios de la imaginación se llega incluso a manipular el pasado, como se pretende hacer con el presente: es así como surgen los falsos cronicones de Román de la Higuera y de sus secuaces, de contenido cada vez más aberrante, inconcebibles en un momento de sana vitalidad. Bien es verdad que el falsario Annio de Viterbo se había atrevido a forjar textos de Beroso y apócrifa compañía en servicio de los Reyes Católicos; pero ahora la superchería se hace moda y cunde por doquier y en todos los círculos, a servicio de las causas más dispares.

La discreción es la nota característica de los descubridores del s. XVI. Ni Mendaña ni siquiera Quirós habían osado poner por escrito que iban a descubrir las minas del rey Salomón. Ahora aumenta la desfachatez y el descaro a todos los niveles, de suerte que el bueno de Medina Dávila, que milita entre las «legiones de arbitrianos» [13] que pululaban por la Corte angustiada, además de asegurar al rey que su ganancia por los derechos

---

[12] El original se conserva entre los papeles del dominico I. Muñoz (BN Madrid, ms. 3048, f. 51r ss.). Todavía se dedica un recuerdo a D. Andrés en un memorial dirigido al padre confesor de Fernando VI hacia 1750 (C. Kelly, *Calendar of Documents*, p. 337, n.º 337). Cf. otro documento del mismo personaje en A.G.I., Indif. 583, vol. I, f. 136v.

[13] Es feliz expresión que tomo de *La hora de todos y la fortuna con seso* de Quevedo (*BAE 23*, p. 391 b).

reales en el galeón de Manila subiría de 20.000 a 70.000 ducados, base financiera para la expedición, se lanza a hacer promesas aun mayores. Pero no todo en sus razonamientos resultaba fantasía increíble, al menos para los hombres de aquel tiempo, acostumbrados a oir decir a Olivares que Dios era español; es significativo que en ese memorial el peticionario insistiera en que, cuando el Consejo tratara el asunto, se hallase presente en el debate el doctor Juan Solórzano Pereira[14], tan entendido en cosas de Indias, ya veremos con qué intención. En último término, conservamos otro escrito dirigido a uno de los miembros del Consejo, en el que Medina Dávila rebate de antemano las objeciones que sin duda le habían puesto sus detractores, en su mayor parte las mismas que se le habían formulado a Quirós en 1609: insistía la parte contraria en poner de relieve la extensión desmesurada de la monarquía española, la despoblación de la Península, el largo rosario de guerras interminables en Europa, la dificultosa conservación de las conquistas y otros argumentos por el estilo, que ya sonaban a viejo en la Corte. Mas para Medina Dávila no hay escollo que valga, porque él, como Colón o Cortés, es un elegido de Dios, un hombre enviado por la divina providencia en momentos de máxima tribulación y congoja para henchir las arcas de ese nuevo Salomón que es Felipe IV con el oro de la Incógnita, que «remata en el Estrecho de Mayre»[15], mientras que la Austrialia de Quirós se sumerge por el momento en el Guadiana de la historia. En efecto, sigue argumentando Medina Dávila,

de la parte intentada (se entiende) llevaron los criados náuticos de Hiram con los de Salomón las alhajas para el Templo. Bien see que me contradizen algunos escriptores, poniendo a Tarssis y Ophir en España. Repúgnalos la Sagrada Escriptura, que tiene más fuerza para ello que su opinión para mí: *reges Tarssis et inssulę munera oferent*. Si Tarssis y Ophir estuvieran en España, en tan pocos años como passaron de la Natividad de Christo S.N. y su adorada infancia a la entrada de Sanctiago en ella, no se les huviera olvidado la prostración de su rey, conque el Apóstol no padeciera las repugnancias que en siete años contínuos le hizieron los españoles. De Hierusalem a Espa-

[14] Solórzano había sido jubilado en 1644, según Schäfer (*El Consejo Real y Supremo de las Indias*, I, p. 231).

[15] BN Madrid, ms. 3048, f.53v. Del Estrecho de Mayre hay mapa del marqués de Barinas con el siguiente letrero: «Demás de estos dos estrechos descubrió el capitán Harpes inglés el año de 1685 ser mar ancha por 59 grados, montando la Tierra Incógnita y del Fuego, haviendo entrado a la Mar del Sur a piratear. Descubriólo accidentalmente, yendo bojeando la costa de la Tierra Incógnita del Sur, si bien no es éste el primero que lo hizo, pues ay noticia mucho más antigua que la descubrió otro olandés. Ay carta especial y derrota hecha en Inglaterra de este viaje» (BN Madrid, ms. 2957, f. 149v; cf. del mismo BN Madrid, ms. 7119, f. 288v con noticia anterior, que en vez de 59 grados da 55° 36', así como f. 82ss [*Navegación y descubrimiento del Estrecho de Mayre año de 1616*]). Reprodujo el letrero sin saber el autor del mismo J.F. Guillén Tato, *Cartografía indiana*, Madrid, 1942, p. 36-37, n.° 11.017 y lámina 30.

ña no es viage de tres años, como tardavan las armadas de Salomón. El del Cabo de Buena Esperanza no se exercitó hasta los Lussos. En la parte de la India no se da tanta plata que pudiessen con ella instruirsse rimeros (*fecitque ut tanta esset abundantia argenti in Hierusalem, quanta et lapidum*); ni las cosas que se llevaron entonces oy se hallan en ninguna parte de las descubiertas, y parece que <en> las relaciones de la Incógnita se señalan, además que las partes australes son las más ricas del mundo (Potossí, con toda su cordillera), y luego que se passa la Línea a este otro polo boreal se disminuye y encareze el haver, hasta llegar al estremo pobre de la Noruega [16].

Con buen juicio rechaza Medina las aseveraciones de un Bivar, que situaba Ofir en España; pero ese buen juicio se ofusca y obnubila cuando ha de medir el alcance de su propia empresa. Además de hacer gala de un curioso patrioterismo perulero, los argumentos de Medina, algunos de ellos muy medievales, no resisten el menor análisis: ¿acaso en las islas del Pacífico se habían encontrado elefantes, cuyo marfil engalanaba el Templo jerosolimitano? Pero no nos interesa en Medina su mayor o menor erudición —es notable que pretenda ser encima un estilista—, sino precisamente su pueril e inocente ingenuidad. En definitivas cuentas, tampoco se inventa el capitán un bulo intragable: en el pasaje antes transcrito se identifica de manera paladina al rey de Tarsis con el Mago que se postró ante Jesús niño. Así había pensado Colón en las postrimerías del s. XV, la misma idea había guiado a Mendaña en 1568; no deja de ser aleccionador que en 1647 un argumento de tal calibre se pudiera esgrimir seriamente en el Consejo de su muy Católica Majestad: alguna vez se había de encontrar por fuerza la fuente del oro, y nada más natural que ese descubrimiento correspondiera hacerlo a España, el brazo armado de Dios sobre la tierra.

3.	*Los apoyos de Medina Dávila y los apuros del gobernador Hurtado de Corcuera*

Así y todo, el asunto tiene muchos más recovecos de lo que parece a simple vista, porque, para dorar aún más esta doradísima píldora, Medina Dávila supo sacar partido muy hábilmente de una historia anterior que tiene sus ribetes de tragedia. En efecto, el primer marido de su mujer, D. Pedro Hurtado de Corcuera, había sido un sobrino de D. Sebastián Hurtado de Corcuera, y éste último era un personaje bien conocido que a la sazón sonaba mucho en la Corte: caballero de la orden de Alcántara, después de haber servido 17 años en Flandes, había pasado a las Indias para ser tesorero real en el Perú (1627-1631) [17], presidente y capitán

---

[16] BN Madrid, ms. 3048, f. 56-57.
[17] Trajo Corcuera cédula por la que el virrey le hizo merced de la tesorería de Lima (A.G.I.,

general de Panamá[18] y, por último, gobernador de Filipinas desde el 1634 al 1644[19]. Hombre chapado a la antigua, orgulloso de su linaje —era sobrino del vizconde de la Corzana, D. Diego Hurtado de Mendoza—, D. Sebastián se granjeó pronto la enemistad de religiosos y seglares en Manila por su afán reglamentista y, como decían sus enemigos, por su deseo de introducir novedades aun a riesgo de contravenir cédulas y ordenanzas reales, muy conforme todo al nuevo estilo de Olivares. A lo largo de la carrera militar y política de Corcuera uno de sus más firmes valedores fue precisamente su sobrino D. Pedro, incluso en lo económico[20], pues no otro le adelantó en un principio 20.000 pesos para afrontar los gastos de su último nombramiento[21] y le asistió siempre después, hasta el extremo de que D. Sebastián tuvo que confesar al rey:

Lo cierto, Señor, es que estoy muy empeñado, y que si Don Pedro, mi sobrino, a quien casé con muger rica en el Pirú no me huviera sustentado hasta venir aquí y héchome la costa, que en seis años no me pudiera desempeñar, aunque me ajustara mucho con el sueldo[22].

Claro es que esta dependencia económica suponía una dura hipoteca que acarreaba inmediatas consecuencias. Se da el caso de que uno de los

Lima 41, f. 104, carta del virrey Guadalcázar del 15 de marzo de 1628), si bien el conde de Chinchón retuvo a Corcuera, ya maestre de campo, en la asistencia al puerto del Callao (carta de Chinchón al rey del 26 de mayo de 1629 [A.G.I., Lima 42, f. 158]). En A.G.I., Quito 54 se encuentran unas probanzas (1672) del sargento mayor D. Lorenzo de Bances, que pasó a las Indias en 1626 en compañía de D. Sebastián a la defensa del puerto del Callao; sentó plaza de soldado en la capitana real de la Mar del Sur hasta 1629 y fue el primero que se alistó en la compañía de lanzas de Corcuera; sirvió en el Perú hasta 1633.

[18] El 1 de abril de 1634 dio cuenta el conde de Chinchón de haber recibido el nombramiento de Corcuera para gobernador y presidente de Panamá (A.G.I., Lima 45, f. 372).

[19] El 27 de enero de 1633 la Junta de Guerra propuso como gobernador de Filipinas a D. Sebastián Hurtado, empatado a siete votos con Antonio de Otaeza; D. Diego Salcedo obtuvo entonces dos votos (A.G.I., Indif. 1871). Esos años fueron importantes para la carrera familiar, pues el hermano, D. Iñigo Hurtado de Corcuera, fue nombrado gobernador y capitán general de la Española, si bien se excusó de ir a servir el puesto (Junta del 22 de diciembre de 1635 [A.G.I., Indif. 1872]) y pidió que se le conmutara la merced haciendo a su hermano D. Sebastián consejero de Guerra y concediendo un hábito a sus sobrinos D. Pedro y D. Juan (Junta del 4 de julio de 1636 [A.G.I., Ind. 1873]). La renuncia de D. Iñigo con su historial, firmado por el conde de Castrillo, se encuentra en A.G.I., SDom. 7, 1 n.º 14; fue presentada ya el 4 de diciembre de 1635.

[20] Cf. carta del propio Corcuera al rey del 20 de agosto de 1637 (A.G.I., Filip. 8, 8 n.º 235).

[21] El 20 de julio de 1634, el mismo día en que se enteró de su nombramiento como gobernador de Filipinas, escribió al rey: «Me baldré de veinte mill pesos de la hazienda y dote del capitán Don Pedro Hurtado de Corcuera, mi sobrino» (A.G.I., Panamá 19). El 7 de septiembre de 1632, según la *Relación diaria* de D. Antonio Suardo (A.G.I., Lima 45, f. 295r), dio parte al virrey el general tesorero D. Sebastián Hurtado de Corcuera de que había concertado el matrimonio de su sobrino D. Pedro con una hija de los Francia, vecinos del puerto de Pisco, con dote de 45.000 pesos al contado.

[22] El 30 de junio de 1636 (A.G.I., Filip. 22, 1 n.º 2); en la misma carta pidió que se le diesen 3.000 pesos de los baratos de los juegos de los sangleyes.

regidores de Manila es un hombre que con su esfuerzo se ha encumbrado de la nada, Jerónimo de Fuentes; pues bien, D. Sebastián sacó dicho regimiento en almoneda, que se remató precisamente en su sobrino D. Pedro, con la sutil argucia de que «no combiene que en una ciudad tan ilustre entre tantos nobles aya un plebeyo» [23]. Por el mismo drástico procedimiento y parecidos méritos D. Pedro pasó a convirtirse en sargento mayor del campo de Filipinas, gobernador del parián de los sangleyes, castellano del baluarte de San Gabriel, juez de licencias generales de sangleyes y capitán de la compañía de arcabuceros a caballo [24]. A cambio de tantos favores siempre estuvo al lado de su tío, y fue el único que se declaró partidario de la expedición contra Mindanao al discutirse la jornada en junta de guerra [25]; así también, cuando el malestar en las islas llegó a tal extremo que el almirante D. Jerónimo Bañuelos publicó en México un panfleto contra el gobernador Corcuera, ridiculizando sus triunfos [26], fue D. Pedro, el fiel sobrino, tan hábil con la espada como con la pluma, quien le respondió con el tratadillo intitulado *Interim satisfactorio* [27], dedicado, así como el libelo, al conde de Castrillo. Esta enconadísima pugna entre D. Sebastián y sus enemigos desembocó en una de los juicios de residencia más ruidosos que se hayan tomado a un gobernador de Filipinas, juicio que, como es lógico, salpicó a todos sus allegados. El 14 de octubre de 1644 el fiscal de Manila puso demanda también a D. Pedro Hurtado de Corcuera por los derechos reales que había cobrado con exceso en el tiempo que había sido juez de licencias de los sangleyes [28]. El sargento mayor, pocos días después, entre el 5 y el 15 de diciembre [29], entregó su alma a Dios —malherido a consecuencias de un balazo que recibió en la jornada de Joló y Mindanao, según afirma Medina

---

[23] Carta al rey del 30 de junio de 1636 (A.G.I., Filip. 8, 6 n.° 189; las diligencias *ibidem*, 8, 6 n.° 250). En honor a la verdad hay que consignar que el nombramiento no fue confirmado por el Consejo de Indias, reunido el 30 de julio de 1638.

[24] Cf. A.G.I., Filip. 22, 2 ff. 23-24.

[25] Para exaltar su gloria y defenderse de sus enemigos, D. Sebastián hizo imprimir en Madrid en 1639 dos relaciones de sus guerras en Filipinas durante los años de 1636 y 1637 (hay ejemplar de ambas en los papales de Mascarenhas: BN Madrid, ms. 2368 f. 96ss. y ms. 2639 f. 293ss.). La guerra contra Joló y Mindanao fue proseguida mucho más tardíamente por otros gobernadores, como el marqués de Ovando (cf. J. Ortiz de la Tabla, *El marqués de Ovando, gobernador de Filipinas*, Sevilla, 1974, p. 203ss.).

[26] Sobre esta cuestión cf. Pastells, *Catálogo*, VIII, p. XCIIIss.

[27] Cf. A.G.I., Filip. 8, 8 n.° 274 (carta de Corcuera del 14 de abril de 1639) y n.° 275 (carta del 1 de mayo de 1639). D. Jerónimo de Bañuelos fue después alcalde de la Nueva Veracruz y por último corregidor de México, donde chocó al punto con el arzobispo gobernador, que comunicó al rey el 3 de enero de 1649 que «la calidad del natural del dicho D. Jerónimo de Bañuelos es muy áspera y arrojada» (A.G.I., México 76, 3). Una relación de sus servicios se encuentra en A.G.I., Indif. 112.

[28] A.G.I., Escrib. 409-B, vol. II, f. 251ss. Cada licencia valía entonces dos reales.

[29] Cf. A.G.I., Escrib. 409-B, vol. II, f. 255r y 258r.

Dávila—, mientras que a D. Sebastián le aguardaba aún sufrir un largo calvario en la cárcel (15 de setiembre de 1644-8 de febrero de 1650).

No es este el momento de analizar uno por uno los actos de nepotismo de D. Sebastián —entre ellos, el flagrante de haber nombrado en 1638 general de los dos galeones a su otro sobrino D. Juan Francisco cuya juventud e inexperiencia provocaron un motín y a la postre hicieron encallar la nao capitana en los arrecifes de las islas de los Ladrones[30]—, actos que, por otra parte, se repiten con singular monotonía no exenta de lógica en la historia colonial. Sí interesa destacar que, mientras el Cabildo, la Justicia y el Regimiento de Manila acogieron de muy buen grado la residencia del gobernador, y algunos de los cargos incluso fueron presentados por franciscanos y dominicos[31], hubo una Orden, la de los jesuitas, que se mantuvo fiel a Corcuera hasta el final. La razón es bien simple: D. Sebastián se mostró especialmente devoto de S. Ignacio[32], hasta el extremo de querer fundar en su tierra natal un colegio de la Compañía[33], claro que con el dinero que se perdió en el naufragio de la nao capitana en 1638. Esta marcada predilección por los jesuitas lo llevó a alentar e insensato proyecto de evangelización del Japón, cuya inviabilidad ya se había puesto de manifiesto años antes después de la tormenta provocada por el celo cuando menos inoportuno del francisco sevillano Sotelo. E

[30] Cf. A.G.I., Filip. 22, 2 Testimonios, f. 46ss. De los favores dispensados por Corcuera a los sobrinos se queja Juan de Herrera en un memorial muy defavorable al gobernador fechado el 12 de agosto de 1637 (A.G.I., Filip. 41, n.º 127).

[31] Presentaron los franciscanos descalzos acusaciones contra Corcuera el 12 de julio de 1636 (A.G.I., Filip. 80) y el 22 de julio de 1640 (A.G.I., Filip. 81, 2 n.º 16). No es de extrañar que le reclamara 25.000 pesos fray Pedro de San Nicolás, procurador general de la Orden de los recoletos, y que otro tanto le exigiera fray Lucas Montaner, prior del monasterio de Santo Domingo. Con arrogancia suma había escrito Corcuera al rey a poco de llegar a Filipinas, el 30 de junio de 1636: «no me embió a governar sus islas Philipinas, sino a conquistarlas de las Religiones de Santo Domingo, San Francisco y San Agustín, pues en onze meses que a que llegué a ellas no he tenido otra cossa que hazer que entablar la jurisdizión de Vuestra Magestad y su Patronazgo Real y reduzir a los dichos religiosos» (A.G.I., Filip. 21). Tamaña jactancia le costó muy cara al gobernador.

[32] Así, p.e., concedió a los jesuitas el partido de Quiapo, que era de clérigos, «por las conveniencias que se les seguían por tener cerca de aquel partido muchas haziendas de importancia» (concesión anulada por orden del 8 de julio de 1645: A.G.I., Filip. 341, vol. VI, f. 1ss.), y fundó 20 becas de colegiales en el Seminario de San Joseph de Manila, que estaba a cargo de la Compañía, becas que cesaron a petición del procurador de la Religión de Santo Domingo (A.G.I., Filip. 341, vol. VI, f. 37v; somete la creación de las colegiaturas a muy erudita discusión, pero desde un punto de vista parcial, P. Pastells, en *Labor evangelica, ministerios apostólicos de los obreros de la Compañía de Jesús, fundación y progreso de su provincia en las islas Filipinas, historiados por el padre Francisco Colín*, Barcelona, 1902, III, p. 763ss.). El propio Corcuera hizo recuento el 20 de septiembre de 1650, desde La Habana, de los buenos servicios que había prestado a los jesuitas (A.G.I., Filip. 81, 3 n.º 93).

[33] A.G.I., Filip. 22, 2 Testimonios, f. 43r.

así como Corcuera, contraviniendo órdenes regias[34], avió el despacho al Japón del padre Marcelo Mastrilli, que, como todos esperaban, alcanzó allí la palma del martirio el 17 de octubre de 1637. Antes de partir a una muerte segura Mastrilli había escrito al monarca una carta altamente laudatoria para su benefactor Corcuera. Aquí radicaba el nudo de la cuestión. Mastrilli era ya un santo mártir; entonces, ¿cómo un alma angélica podía haber alabado «la felicidad del gobierno» de un hombre como Corcuera, que ahora se presentaba como un monstruo de maldad[35]? A esto redargüían los adversarios, implacables, que en realidad el bueno de Mastrilli, atento sólo a conseguir la gloria del Paraíso, había firmado en blanco un pliego y medio que después había rellenado de ditirambos a su gusto D. Sebastián[36]. En último término, se transparenta aquí un arduo problema de celos, emulaciones y rivalidades religiosas. Los jesuitas comenzaban a forjar planes grandiosos en torno a la evangelización del Pacífico, proyectos que contaron en todo momento con la fervorosa aprobación de Corcuera. Es éste un hecho muy digno de ser tenido en cuenta para la recta comprensión de los acontecimientos. Así se explica, p.e., que D. Diego Fajardo, el nuevo gobernador, confesara que, a pesar de las grandes diligencias que se habían hecho para descubrir los bienes de Corcuera (condenado a pagar 828.007 pesos), sólo se habían descubierto 120.000, con lo que apenas había capital para sastisfacer la demanda; y ello —proseguía— «le ha sido muy fácil con la mano que la Religión de la Compañía de Jesús a puesto en fomentar la ocultación de los bienes, y no haverles podido sacar más que hasta catorçe mill pesos, que valdrán los de Augustín de Hegoen, su secretario de cartas, que tenían escondidos en su Colegio»[37]. Por otra parte, la rígida e inflexible actitud de Fajardo con su antecesor también se entiende mejor si se recuerda que D. Diego había tenido frecuentes encontronazos durante su servicio en las islas Terceras con D. Iñigo de Corcuera, hermano de D. Sebastián[38]; ahora, cuando se le presentaba la ocasión de tomar cumplida venganza en la odiada familia, la Compañía venía a entorpecer sus designios. El gobernador encartado quedó eternamente agradecido a sus defensores; y en las

---

[34] Ordenes que, por cierto, él aplicó sin excepción a los dominicos (cf. lo que escribe el 20 de agosto de 1637 en A.G.I., Filip. 21).

[35] Este es el argumento Aquiles que esgrimió D. Andrés de Medina Dávila para probar la inocencia de D. Sebastián (A.G.I., Filip. 22, 2 f. 126r).

[36] Así lo dice sin recato D. Diego Fajardo en carta al rey del 12 de agosto de 1645 (A.G.I., Filip. 22, 2 f. 117r).

[37] Carta del 5 de diciembre de 1644 (A.G.I., Filip. 22, 2 f. 59v = f. 130v). Anotó al margen del f. 130v el fiscal del Consejo: «que se deve escribir una carta a los prelados de la Compañía de Jesús de Lima, en que se les advierta lo que a estrañado el Consejo que una Religión tan santa oculte y palie los bienes de los deudores de la Real Hazienda en perjuicio del fisco»).

[38] Así lo indica D. Diego de Inojosa al rey (A.G.I., Filip. 42, 1 n.° 4).

vueltas de la vida todavía se le presentó ocasión de devolverles el favor. En efecto, cuando el padre jesuita Francisco Vello pidió que se estableciera un tribunal de la Inquisición en Manila, se recabó —¡cómo no!— el parecer de D. Sebastián, entonces ya rehabilitado en España y a quien, al publicarse las guerras con Inglaterra, se le había confiado la defensa y seguridad de la costa del Principado de Asturias por cédula real del 16 de febrero de 1656 [39]; y bien que dio su opinión el 22 de noviembre de 1658, proponiendo «en todo y por todo el servicio de Dios» mandar allí un inquisidor [40], según indicaba la Compañía.

María de Francia, la acaudalada viuda de D. Pedro Hurtado de Corcuera, pasó a la Nueva España en 1642 con «otra gruesa de hazienda» de su tío político [41]. La muerte de D. Pedro y el encarcelamiento de D. Sebastián no amilanaron a esta mujer fuerte que, fuera por sus gracias naturales, por su influjo o por su dinero, contrajo pronto matrimonio con D. Andrés de Medina Dávila, amigo personal de los Hurtado de Corcuera, a los que hubo de conocer en el Perú.

D. Andrés tomó tan a pechos la defensa del gobernador residenciado y preso que, sin aguardar la salida de la armada, se dirigió a La Habana, compró allí un filibote a Pedro de Orihuela y, asalariando a gente de mar, lo condujo a Puerto Rico, desde donde se hizo a la vela para España, no sin que la prisa le impidiese cargar de mercancía particular 90 quintales de jengibre, 10 cajas de azúcar y 150 cueros vacunos [42]. Con viento favorable llegó la nao a la Península el 5 de noviembre de 1646, de suerte que, consumido el mes de diciembre en los trámites aduaneros, el 17 de enero de 1647 Medina Dávila pudo entregar un memorial al conde de Castrillo, presidente del Consejo de Indias, en el que exponía que había venido de Nueva España en tiempo tan riguroso más para exculpar a Corcuera que por otro motivo, haciendo observar que

para llevar estos despachos a tiempo de remitirlos [a Filipinas] tiene bagel en Sevilla dispuesto... no teniendo más que dos meses para ir a la Nueva España al punto de la partida de las naos de Manila, o dilatarse otro año más, haviendo dos y medio que está preso Don Sebastián [43].

[39] Del año 1656 data la *Noticia de la gente y puestos del Principado de Asturias* (BN Madrid, ms. 5757). Tampoco fue ágrafo el vizconde de la Corzana, pues en 1636 redactó en Sevilla un prolijo memorial *Por el agricoltura, criança, artífices, marinería del Reyno* (BN Madrid, ms. 6531), con muy extensas anotaciones marginales.
[40] A.G.I., Filip. 22, 5 n.º 137ss. Estaba entonces D. Sebastián en las Cuatro Villas del principado de Asturias.
[41] A.G.I., Filip. 22, 2 (Testimonios en relación de la residencia de D. Sebastián Hurtado de Corcuera), f. 25v y sobre todo 43v; otros turbios manejos económicos de doña María se registran *ibidem*, f. 92r (año 1643).
[42] A.G.I., Contrat. 2466, n.º 8. Cf. sobre todo f. 12r y 18.
[43] A.G.I., Filip. 22, 2 f. 126ss. El 15 de febrero pidió licencia para regresar a Nueva España

Presiones de toda índole facilitaron que Medina Dávila lograra sin trabas aparentes su primer objetivo: el 23 de febrero de 1647 se despachó una cédula para que se permitiera volver a D. Sebastián a Castilla, siempre bajo obligación de presentarse en la cárcel real de la Corte; el 3 de marzo se ordenó a Diego Fajardo la entrega a Corcuera de todos los títulos y papeles de los cargos que había desempeñado y tocantes a su casa que no estuviesen implicados en la residencia; el 27 de mayo se expidió otra provisión para que el gobernador dejase embarcar con Corcuera a algunos de sus criados; y todavía el 20 de mayo de 1649 [44] se siguieron librando cédulas para la «soltura» de D. Sebastián, ante la alarma que produjo entre sus allegados la llegada de una carta acusadora de Fajardo del 8 de mayo de 1648. No fue ésta la única instancia cuya resolución consiguió Medina Dávila con estupenda rapidez. El 13 y el 18 de junio del mismo año se atendieron favorablemente dos peticiones de su mujer, María de Francia, escritas con la letra característica de D. Andrés, para que se le devolviera la friolera de 10.000 pesos que se le habían embargado en el puerto de Acapulco [45]. Por fin, su propuesta para el

con el mismo bajel sin registro (cf. el informe presentado al Consejo el 15 de febrero de 1647 por Juan Bautista Sáenz de Navarrete en A.G.I., Contrat. 5025). El Consulado de Sevilla no perdió tiempo para mostrarse con razón contrario a la solicitud del capitán, «porque la presunción de que llebará carga es cierta, y mucho más el daño que por este género de permisiones reciben los comercios generales, pues cualquier carga que lleben basta para ponerlos en mal estado, mayormente en tiempo en que se an reconocido los menoscabos de las ferias por la abundancia de géneros» (escrito adjunto al papel de Sáenz Navarrete de 9 de abril de 1647 [A.G.I., Contrat. 5025]).

[44] Todas estas órdenes se encuentran en A.G.I., Filip. 341, vol. VI, f. 35ss., 40ss. y 56ss.

[45] A.G.I., México 276. Transcribo parcialmente la más importante:

Doña María de Francia y Espinosa, viuda del sargento mayor Don Pedro Hurtado de Corcuera, cavallero del Horden de Sanctiago, y al presente casada con Don Andrés de Medina Dávila, dije que, aviendo passado en compañía del dicho Don Pedro Hurtado como su primer marido a servir a Vuestra Magestad a las islas Philipinas y llevado a ellas desde el Reyno de Tierra Firme una compañía de infantería española de cient hombres, que levantó y sustentó con más de treinta mil ducados de expensas de su dote paterno, envió a la Nueva España y puerto de Acapulco diez mil pesos de a ocho reales empleados con Juan de Aller Ussategui, para poder servir a Vuestra Magestad en dichas islas con más substancia; y aviendo llegado a salbamento al puerto de Acapulco murió dicho Juan de Aller, al propio tiempo que mataron los enemigos de Vuestra Magestad al dicho Don Pedro Hurtado de Corcuera en la guerra y toma de Mindanao de un balazo, y al capitán Don Pedro de Francia y Espinosa, su hermano. Conque quedando viuda y sola en servicio de Vuestra Magestad, el licenciado D. Pedro de Quiroga, que en aquel tiempo se hallava visitando dicho puerto, embargó, vendió y metió en cajas de bienes de difunctos con sus ganancias, que fueron cuantiosas, los diez mil pesos, por no parecer parte que los pidiese en su cobranza [prosigue la instancia pidiendo el despacho de una real cédula para que el conde de Salvatierra, virrey de Nueva España, sacara los 10.000 pesos de la caja del juzgado de difuntos y los entregara a D. Andrés de Medina Dávila o a quien su poder tuviere].

Nótese que el almirante Bañuelos, acérrimo enemigo de Corcuera, «en el puerto de Acapulco asistió a Don Pedro de Quiroga con entereça» (A.G.I., México 469, n.º 21-C). D. Pedro embargó también el navío en 1635 a D. Pedro Porter Casanate, como éste anotó muy triste y desconsolado en su hoja de servicios (A.G.I., Indif. 112).

descubrimiento de las islas del rey Salomón se discutió en el Consejo del 20 de julio de 1647[46], cuando Medina Dávila se había asegurado ya de que habían cambiado las tornas y de que soplaba un viento propicio para los amigos del humillado gobernador, que los tenía e importantes, entre ellos el propio virrey de Nueva España, conde de Salvatierra[47]. En el memorial, por otra parte, se recogen ideas de Corcuera, pues hay que advertir que D. Sebastián, el antiguo tesorero del Perú, se había quejado muy amargamente, siendo ya gobernador de Filipinas, de la falta de escrúpulos de los oficiales reales de Acapulco[48]; éste es precisamente uno de los argumentos que a su favor esgrimía en 1647 D. Andrés, propugnando que una mayor honestidad bastaba y aun sobraba para financiar su descubrimiento. El fraude que se hacía con la mercancía transportada en los galeones era notorio, y continuó siéndolo mientras duró la carrera de Filipinas: resulta llamativa, no obstante, la compenetración y simpatía entre ambos personajes, el político y el descubridor, quizá buscada y hasta exagerada aposta; de lo que no cabe dudar es de su mutua amistad.

De esta ocasión tan propicia como emotiva se sirve muy hábilmente Medina Dávila; y aun, para tocar las fibras más sensibles de los consejeros, menciona primero en su memorial no a D. Sebastián, todavía en entredicho, sino a su sobrino, muerto en aquellos confines del mundo donde padecía triste mazmorra el tío, acusado de excesos más que de delitos, unos y otros demasiado lejanos para avivar la indignación. La petición de Medina Dávila, vista a esta luz, toma otro cariz. Parece indudable que D. Andrés era un soñador; pero respaldando sus quimeras se encuentran sin duda algunos de los hombres más acaudalados de la Nueva España, los mismos que estaban dispuestos a salir fiadores del gobernador Corcuera[49], y para quienes toda expedición de descubrimiento suponía un excelente pretexto para pasar mercancías sin pagar derechos reales, esto es, para hacer contrabando legal. De nuevo el capital se sirve de la utopía y la utopía se aprovecha del capital.

4.   *El círculo limeño de D. Andrés y su ilustre parentela*

También se esclarece de esta suerte el papel que había de desempeñar Solórzano Pereira, el cronista de Indias ya jubilado, que había sido visita-

[46] Tomo la noticia de Francisco Martínez de Grimaldo, *Recopilación de todas las consultas y decretos reales que se hallan en la Secretaría de Nueva España*, recopilación que llega hasta 1678 (A.G.I., Indif. 583, n.° 580).

[47] A.G.I., Filip. 22, 2 f. 94v y 5ss. de la *Información fecha a pedimiento del fiscal.*

[48] A.G.I., Filip. 8, 6 n.° 184.

[49] A.G.I., Filip. 22, 2 f. 135r y 140v; *ibidem*, 22 y 24.

dor de las minas de Huancavelica[50] y oidor en Lima desde 1610[51], por lo que conocía sin lugar a dudas a Medina Dávila. En efecto, aunque siguiendo una tradición cosmográfica muy antigua, que remontaba a Hernando Colón, Solórzano situaba Ofir en la isla «que se llama Tapróbana o Samatra, hoy Malaca, y que los antiguos nombraban Terra Aurea o Aurea Chersonesus»[52], tampoco consideraba equivocada o extravagante la opinión de quienes creían en la existencia de un nuevo continente en «la tierra austral que algunos llaman Magallánica, conocida hasta ahora en pocas costas»[53]. No en vano Solórzano conservaba entre sus papeles la relación manuscrita de Pedro Fernández de Quirós, que le había prestado su hijo Francisco de Quirós, hombre «entendidísimo en las ciencias matemáticas y cosmógrafo real y examinador de pilotos en este reino del Perú»[54]. En Lima, por tanto, se había formado un círculo de eruditos en torno a Francisco de Quirós entre los que se contaba Solórzano Pereira y sin duda Andrés Medina Dávila. Eran ellos, en sus tertulias, los que soñaban con las expediciones australes en demanda de las islas bíblicas cuyo oro podía venir en milagrosa ayuda de la fe cristiana, tan amenazada entonces por el acoso luterano; en cambio, otros vecinos de Lima, entre los que figuraba el virrey marqués de Mancera, aun sin negar que tales islas existiesen, distaban mucho de tener ni poca ni mucha confianza en la ciencia del retoño de Quirós. Era natural que ahora, puesto a opinar en el Consejo de Indias, Solórzano apoyara una propuesta que había oído dis-

---

[50] Desde el 10 de octubre de 1616 hasta el 31 de agosto de 1618 (cf. BN Madrid, ms. 3041, f. 485r). A este oficio alude en su *De Indiarum iure*, Lugduni, 1672, II, p. 38 (1 5 § 30); II, p. 113 (1 16 § 24).

[51] Fue propuesto por el Consejo el 18 de julio de 1609 (A.G.I., Lima 3), y a su solicitud de licencia para ir a servir su plaza con el tren requerido se contestó el 7 de octubre de 1609: «Vaya y lleve 8 criados, joyas, armas y libros que a los demás, y quinientos ducados prestados en la forma ordinaria» (A.G.I., Indif. 1431); a su puesto de oidor se refiere en su *De Indiarum iure*, I, p. 48 (1 6 § 6). Antes había sido catedrático de Vísperas de Leyes en Salamanca, teniendo consigo en su casa a su sobrino D. Fernando Valverdi de Mercado, hijo del gobernador de Panamá D. Francisco Valverdi de Mercado y de María Pereira Solórzano, viuda ya en 1615 (cf. A.G.I., Indif. 1440). El 8 de abril de 1618 y desde Huancavelica anunció que había escrito «unos libros latinos» (A.G.I., Lima 149), y para ponerlos en limpio solicitó dos años de permiso, que el Consejo de Indias redujo el 3 de diciembre de 1620 a 6 meses (A.G.I., Indif. 1449); sobre la composición del *De Indiarum iure* volvió a insistir, ya en Lima, el 24 de abril de 1621 (A.G.I., Lima 151). Las finanzas de Solórzano no andaban muy boyantes en los años que nos ocupan: en 1646 solicitó que se dejara marchar al Perú a su hijo Bartolomé de Solórzano Paniagua, «por hallarse [él] con tantos hijos y sin remedio alguno para ellos» (A.G.I., Indif. 1483).

[52] *De Indiarum iure*, I, p. 97 (I 13 § 28). Las vacilaciones de los contemporáneos quedan bien ejemplificadas en BN Madrid, ms. 3015: en f. 33v se dice que el Aurea Quersoneso es Samatra, en f. 110r que es Ceilán.

[53] *De Indiarum iure*, I p. 27 (I 4 § 54).

[54] *De Indiarum iure*, I, p. 43 (1 6 § 67).

cutir mil veces en las pláticas de su juventud, allá en la remota y entrañable Lima.

Para completar su entretenimiento y holganza no le faltaba a D. Andrés compañía familiar en esta estancia en la Corte, pues en 1647 también se encontraba en Madrid Juan de Medina Dávila[55], hijo del padre del mismo nombre, que pedía el 24 de setiembre de ese año que se nombrara juez para la averiguación de los capítulos puestos por su progenitor al virrey del Perú, así como solicitaba que el juez empezara la pesquisa por Panamá, donde como se recordará había sido gobernador Corcuera. El asunto venía de muy atrás, por lo que conviene retroceder unos años en el tiempo para ver de nuevo las caras a algunas personas conocidas.

Juan de Medina Dávila padre, casado con Isabel Gutiérrez Cortés, hija y nieta de los primeros conquistadores, había sentado plaza de soldado en la compañía del maestre de campo D. Sebastián Hurtado de Corcuera y en 1624 había ido por capitán de una compañía de infantería a los valles, para defenderlos de posibles incursiones holandesas; durante el virreinato del conde de Chinchón había sido nombrado cónsul de la Universidad y Comercio de Lima y, según se contaba, de los tan eficaces como contundentes servicios de Juan de Medina Dávila se valía el fiscal de lo civil en la Audiencia de Lima, D. Gabriel de Barreda, para realizar en interés propio diversos sobornos y cohechos. En compensación a tales méritos obtuvo en 1641 una plaza en propiedad de contador del tribunal de cuentas de Lima para gran escándalo de sus miembros[56], que lo obligaron a hacer una prueba de suficiencia el 6 de mayo de 1645. Pero detrás de esta maniobra se encontraba la mano del nuevo virrey, el marqués de Mancera, que, indignado de la vida poco ejemplar del flamante contador, le ordenó que abandonara el tribunal de cuentas e incluso llegó a incoarle una causa criminal, en la que se le acusó entre otros desmanes de haber dado una cuchillada a Antonio Ramírez Galindo, escribano público de la ciudad de Saña, de haberle partido un brazo al maestro carpintero Alonso Gutiérrez y de otras bravuras y fierezas por el estilo[57].

[55] A.G.I., Indif. 1483. Que Juan marchó a España a obtener confirmación del empleo de su padre, como así fue, se desprende de A.G.I., Lima 1626. Inspira lástima y compasión que este Juan Medina el Mozo muriera muy pronto; a su fallecimiento Juan de Medina el Viejo solicitó el 20 de setiembre de 1651 que heredara el puesto de contador su hijo Andrés (A.G.I., Lima 168).

Sospecho que nuestro contador no es otro que el mercader que pasó con destino al Perú 23.175 pesos de contrabando en la flota de 1624, contrabando denunciado por Balbás (n.º 45 en el cuadro de E. Vila, «Las ferias de Portobelo: apariencia y realidad del comercio con Indias» Anuario de Estudios Americanos, XXXIX [1982] 340); pero debió de ser un simple testaferro, un «perulero» de los estudiados por E. Vila.

[56] Transmitió su protesta el virrey Mancera el 18 de junio de 1644 (A.G.I., Lima 52, vol. II f. 17ss.).

[57] Carta del virrey del 5 de julio de 1646 (A.G.I., Lima 53, vol. IV (1646), f. 184ss.).

El viejo zorro, apresado, no parece que tuviera mayor dificultad en huir de la cárcel de Lima en 1646; es más, su desfachatez llegó al extremo de enviar a la Corte unos papeles impresos en forma de capítulos que eran poco menos que un libelo dirigido contra el virrey, y que también circularon profusamente en la capital peruana: son los que hemos visto blandir a su hijo en Madrid, adonde había acudido para obtener confirmación del empleo para su padre. Para colmo, cuando el 11 de enero de 1647 llegaron a Lima los pliegos traídos de España por los galeones, no vino instrucción alguna en respaldo de la actuación del virrey; antes bien, Mancera recibió una carta del Consejo real instándole a que se abstuviera de las causas de Medina Dávila y de su familia, carta que fue aireada triunfalmente por su sobrino, el agustino Pedro de Medina, ante la sala primera de la Audiencia, mientras que los franciscanos, para contrapesar la balanza, se pronunciaban a favor del marqués[58]. La orden regia, que concedía la inhibitoria pedida por Medina Dávila, colmó de indignación al virrey, que vio su dignidad y autoridad menoscabada por un «zurrador, tendero de jabón y cordobanes y facineroso»[59].

El alboroto y escándalo fue mayúsculo, si bien parece evidente que la humillación infligida a Mancera fue recibida con enorme alborozo por muchos de los prohombres del Perú, entre ellos los poderosos mineros de Huancavelica, contrarios a la manera con que el ingeniero Vasconcelos[60], el brazo derecho del virrey, había procedido en la apertura de nuevas galerías, contra el parecer del cosmógrafo Francisco de Quirós[61]. Por otra parte, el libelo de Juan de Medina Dávila, divulgado en Lima so capa de haber sido escrito por Juan de Laiseca, oficial mayor de la Secretaría de Indias, fue encontrado por el sucesor de Mancera, el virrey Salvatierra, en manos de un oidor, D. Pedro de Meneses[62]. Se abstuvo Salvatierra de actuar en un sentido o en otro hasta no recibir instrucciones del soberano, pero mientras tanto se produjo en 1650 otro altercado, pues Meneses se quejó de haber sido calumniado a su vez por Medina, quien quizá le pagó con la difamación la exhibición inoportuna de su libelo[63].

[58] Su manifestación data del 14 de julio de 1647 (A.G.I., Lima 332).
[59] Cf. su carta del 15 de julio de 1647 (A.G.I., Lima, vol. V (1647), f. 25ss.).
[60] Cf. su carta del 28 de febrero de 1650 (A.G.I., Lima 56, n.º 12-A).
[61] P.e., en su carta del 18 de enero de 1644 (A.G.I., Lima 52, n.º 4). En Huancavelica Quirós había tomado medidas para hacer un socavón en setiembre de 1619 con «sciencia particular y estudio», a juicio de Pedro Osores de Ulloa, gobernador de la villa; para guiar el rumbo del socavón, entre otras cosas necesarias como el agujón, había utilizado un planisferio de data (BN Madrid, ms. 3041, f. 497v): la verdad es que no le faltaba empaque al cosmógrafo.
[62] A.G.I., Lima 54, vol. I (1650), f. 268.
[63] Así lo atestiguan dos cartas, del 28 de marzo la de Meneses y del 20 de marzo de 1650 la de Medina (ambas en A.G.I., Lima 167; allí también parte del pleito entre Mancera y Medina). El 13 de octubre de 1654 volvió a quejarse Meneses de las calumnias del contador (A.G.I., Lima 200).

De manera clara se perfilan dos bandos, que vienen a corresponder a partidarios del conde de Chinchón y a seguidores del marqués de Mancera [64]. En este choque frontal, pues, desembocaron las fricciones que quizá podrían haberse evitado en un primer momento. En definitiva, ninguno de los personajes de esta historia parece haber gozado de excesiva buena fama. Meneses, fallecido el 17 de mayo de 1656, hizo *in articulo mortis* una confesión exculpando de una actuación criticada al conde de Salvatierra [65]. En cuanto al clérigo D. Gabriel de Barreda, todavía tenía humor en 1660 para escribir versos difamatorios contra otro virrey, el conde de Alva, escudándose en la protección que le brindaba el arzobispo de Lima [66]; no es de extrañar que el conde de Alva acabara pidiendo la expulsión del reino del Perú de un súbdito tan díscolo y revoltoso [67], que al final, desposeído de su cargo, murió de muerte desastrada [68]. Tales bande-

[64] A su vez, solían corresponder estas facciones a banderías regionales: en época del conde de Castellar firmaron una carta contra la actuación del conde de Lemos, muerto ya, sus «desfavorecidos», algunos sólo por el hecho de ser andaluces, «dada la mala voluntad que profesaba a los de esta nación el Doctor Don Alvaro de Ibarra» (Castellar, carta del 11 de julio de 1672, n.º 12 en A.G.I., Lima 75). Es que en el terrible levantamiento de Laicacota había tenido importancia capital este enfrentamiento regional entre andaluces (y criollos y mestizos) y vascongados, que tildaban a los primeros de «moros» (G. Lohmann, *El conde de Lemos*, p. 154 y 170). Ya el 20 de mayo de 1630 se había quejado fray Juan García de Tovar de «la insolencia, desprecio y tiranía con que mandan los vizcaínos» (A.G.I., Lima 160). Estos roces encrespados datan de los primeros tiempos de la conquista: Lope de Aguirre adoctrinaba a D. Fernando de Guzmán, sevillano él mismo, diciéndole que «no se avía de fiar de ningún sevillano, pues savía los doblezes que en ellos avía» (Pedro de Aguado, *Historia de Venezuela*, X 40 [II, p. 326 ed. J. Bekker]); siguiendo su propio consejo y por si acaso, él fue quien mató primero a Guzmán, que ni tiempo tuvo de mostrar su villanía. Obsérvese asimismo que procedían de Sevilla Diego de Abreu y Ruy Díaz Melgarejo, los rivales y contradictores de Domingo de Irala (Barco de Centenera, *Argentina*, V, f 38v).
El interés y el disfrute de las colonias mantuvieron unido este conglomerado heterogéneo que comenzó a intentar separarse no bien se agrietó el imperio. En 1640, cuando quedó patente la inviabilidad de las medidas de Olivares, se produjo el primer movimiento centrífugo, más o menos justificado según los casos. La guerra de sucesión volvió a asestar un duro golpe a la cohesión interna. La solidaridad quedó también trastocada por los movimientos independistas de Ultramar, que trasladaron al estrecho ámbito peninsular sentimientos y rencillas que antes tenían otro lugar donde desahogarse. En 1840, un viajero inteligente como Teófilo Gautier acostumbrado al rígido centralismo francés, quedó muy impresionado por la dispersión hispana «L'Espagne n'existe pas encore au point de vue unitaire: ce sont toujours les Espagnes, Castille et Léon, Aragon et Navarre, Grenade et Murcie, etc.; des peuples qui parlent des dialect différents et ne peuvent se souffrir» (*Voyage en Espagne*, nouvelle édition, cap. VIII, París, 1856 p. 101).
[65] Cf. el memorial del conde de Salvatierra del 28 de agosto de 1656 (A.G.I., Lima 59).
[66] Era muy amigo del sobrino del arzobispo, el provisor (cf. la carta del prelado del 2 de marzo de 1660 [A.G.I., Lima 61, n.º 4]).
[67] En carta de 2 de marzo de 1660 (A.G.I., Lima 61, n.º 14); cf. otra del 14 de octubre de 1660 (n.º 64).
[68] El duque de la Palata indultó a Miguel Rodríguez del Castillo, a pesar de que se sospechaba que estaba implicado en la muerte de Barrera, a cambio de que se embarcara contra el pirata

rías azotaban como plaga endémica el virreinato: al marchar a España y antes de la salida de la flota, el santiaguista D. Luis Osorio había hecho entrega de un memorial a Juan de Medina hijo, en el que le daba cuenta detallada de las mil traiciones que se maquinaban en el Perú. El 7 de octubre de 1652, por haber muerto tanto Osorio como Medina, el fiscal del Consejo de Indias decidió que no se pasara adelante en la averiguación [69], medida sabia y prudente sin duda que restañó viejas heridas.

5. La estancia de Medina Dávila en México

Impasible en medio de estos vendavales peruleros, D. Andrés de Medina Dávila se vio sonreído en la Corte por la fortuna. Alcanzada la libertad de Corcuera y encarrilado el negocio de su descubrimiento, pidió licencia al rey para regresar a la Nueva España, permiso que le fue concedido el 30 de noviembre de 1647. Mas nuestro hombre, que en todo había de singularizarse, tenía que volver como había venido, no en conserva, sino suelto y sin flota, en el batel de su propiedad. Tras el papeleo burocrático correspondiente [70], gracias al cual logró D. Andrés embarcar «ocho toneladas de permisión en el dicho su nabío para que más bien acomodado pueda hacer su viaje» [71], una vez pagada la media annata (342 reales de plata) y el uno y medio por ciento de la conducción, y dada la fianza de que no arribaría a otro puerto que el de Veracruz ni llevaría pasajeros sin licencia [72], el pingue de 60 toneles «Nuestra Señora del Rosario» [73], del que era dueño y maestre, se dio a la vela de Sanlúcar de Barrameda el 1 de abril de 1648 a las cinco de la mañana; dos horas más tarde se perdía en el horizonte. Consigo llevaba el descubridor despachos

en el año de 1684 (cf. *Memorial ajustado de la residencia del duque de la Palata* en A.G.I., Lima 87). El 26 de abril de 1680 anunció el arzobispo virrey que hacía ocho meses que había muerto Barreda en suspensión de su cargo (A.G.I., Lima 80).

[69] A.G.I., Lima 100. El memorial de Osorio estaba datado en Lima, a 15 de julio de 1646.

[70] Se halla en A.G.I., Contrat. 1474, n.º 8.

[71] Por decisión del Consejo de Indias el 14 de enero de 1648. La Casa de la Contratación avisó al monarca el 18 de marzo de que estaba despachado el patache de Medina Dávila (A.G.I., Indif. 1171).

[72] Fueron sus fiadores el 14 de febrero el capitán Lorenzo López, sustituido después por Pedro de Cea, y Antonio de Sepúlveda (A.G.I., Contrat. 1474, n.º 8, f. 10ss.).

[73] De la nave, «de fábrica extranjera, de porte de ochenta toneladas», que pertenecía entonces a Pedro Giménez, se habla en el borrador de una cédula, después tachada (A.G.I., México 387). LLevaba a la sazón 200 litros de arrope, 100 botijas de vinagre y otras 100 de vino. La tripulación estaba compuesta por los siguientes hombres: maestre, Antonio de Sepúlveda, uno de los fiadores; piloto, Manuel Gómez; contramaestre, Salvador Landero; condestable, Andrés Hernández; marineros, Diego Martínez, Domingo Herrera, Gonzalo Alonso, Antonio de León y Jerónimo Rodríguez; grumetes, Francisco de Villa, Marcos González, Rafael Gordey, Tomás Mateo y Pedro de Betancor (A.G.I., Contrat. 1474 n.º 8).

reales[74] para los principales personajes de la Nueva España, desde el conde de Salvatierra y el obispo de Puebla hasta los oficiales reales de Veracruz, México[75] y Durango.

El momento no era, sin embargo, el más adecuado para emprender utópicas expediciones, como demuestra la preocupación que entonces reinaba en México por la suerte de las Filipinas. El levantamiento de la India y Macán a causa de la independencia proclamada por «el tirano portugués» (el duque de Braganza), la pérdida de la isla Hermosa en agosto de 1642 (uno más de los desastres que se imputaban a la mala gestión de D. Sebastián) y el miedo a una invasión de Manila por parte de los holandeses acaparaban la atención de todos. El 15 de agosto de 1645, enterado de que Portugal y Holanda habían firmado las paces, el gobernador Diego Fajardo había escrito resignado al rey: al holandés «le tendremos en estas islas el año que viene. Yo quedo previniéndome y haciendo imposibles en orden a mi defensa»[76]. Para colmo, un terremoto sacudía ese mismo año Manila. A poco, como para hacer buena la predicción de Fajardo, en 1647 tenía lugar la esperada acometida: tres escuadras de quince navíos intentaban ocupar las islas y forzaban la entrada en Cavite.

En una serie angustiosa de años, del 1646 al 1648, no arribó a Acapulco el galeón de Manila; y aun en los años en que llegaba la ganancia era poco lucida, «por la falta y carestía de mercaderías que dizen a caussado la quiebra de Macán y otras partes, de donde concurrían a Manila copiosas y baratas»[77]. A partir de 1640 se sumergen las Filipinas en la fase más negra de la contracción económica que, iniciada en 1615, va a culminar en 1666-1670[78]. Estas y otras nuevas, reales unas e imaginarias otras, tenían tan en vilo al virrey Salvatierra que el 2 de febrero de 1648, en vista de que no se había tenido aviso de Filipinas, convocó Junta general de Hacienda y después otra de Guerra para enviar socorro a Manila; y

---

[74] La cédula real no puede ser más explícita sobre los objetivos de Medina Dávila: «Don Andrés de Medina y Avila me a representado que vino de la Nueva España a esta Corte a diferentes negocios de Don Sebastián Hurtado de Corcuera, gobernador de Philipinas, y juntamente a tratar del descubrimiento de la parte austral, y que con aver concluído ambas cosas nezesita bolber a la Nueva España para poner en execución el dicho descubrimiento en conformidad de los despachos que le he mandado dar» (A.G.I., Contrat. 1474, n.º 8 f. 3r).

[75] Asimismo se confió a Medina un pliego para entregar a D. Pedro Melián, fiscal de la Audiencia de México (cf. las cartas de Sáenz de Navarrete del 28 de febrero y del 7 de abril de 1648 en A.G.I., Contrat. 5026).

[76] A.G.I., Filip. 22, 2 f. 74r.

[77] Carta del fiscal de México Pedro Melián al rey en 25 de febrero de 1645 (A.G.I., México 76, ramo 1). Para solucionar el problema propuso que «se publicasen manifestaciones como el año de seiscientos y cuarenta y tres».

[78] Cf. P. Chaunu, Les Philippines et le Pacifique des Ibériques (XVIᵉ, XVIIᵉ, XVIIIᵉ siècles). Introduction méthodologique et Indices d'activité, París, 1960, p. 248ss.

tanto recelo tenían todos de que las Filipinas hubiesen capitulado, que el 9 de marzo la Junta de Guerra nombró por unanimidad por capitán de la futura expedición de auxilio a Cristóbal Romero, el más experimentado capitán y marino del Pacífico[79]: la falta de hombres de mar dificultaba la supervivencia de la colonia, y eso que, como decía el gobernador Salcedo[80], «consiste todo el ser de estas islas en que vayan y vengan naos».

Al virrey Salvatierra, el «íntimo amigo» de Corcuera, se había despachado una cédula real el 30 de agosto de 1647, en la que se le exhortaba a prestar ayuda a Medina Dávila y a reunir en México una junta de expertos para tratar en ella la mejor manera de realizar el descubrimiento. Pero una vez llegado a la Nueva España se encontró D. Andrés con la desagradable sorpresa de que regía entonces la Nueva España el obispo de Yucatán, y éste, tras informarse sobre la materia, remitió al Consejo de Indias, en carta del 30 de noviembre de 1648, el parecer desfavorable de D. Pedro Bravo de Acuña. No se contentó el Consejo de Indias con este voto único, y pidió por cédula del 27 de abril de 1647 que se le enviaran las opiniones de los demás peritos consultados. El propio Consejo confesó años más tarde que «no se halla ni ay noticia de que lo hiziese» así el obispo gobernador[81]; hay que reconocer que bastantes problemas tenía con «tomar el poder», como entonces se dijo cáusticamente. Ahora bien, entre los miembros de la junta que se reunió el 11 de agosto de 1648 en México para examinar el proyecto de Medina Dávila se encontraba un científico de reconocida valía: fray Diego Rodríguez (h. 1596-1668)[82], el

---

[79] A.G.I., México 36, 4 n.° 35-C f. 53v. Una relación de servicios de Romero se encuentra en A.G.I., Indif. 113.

[80] A.G.I., México 40, 1 8-A.

[81] A.G.I., Filip. 82, 4 n.° 156 (carta del 17 de febrero de 1672).

[82] Sobre la figura de fray Diego Rodríguez cf. Elías Trabulse, *Historia Mexicana,* XXIV (1974) 36-70. No sorprende, en verdad, que en el círculo de personas afectas a la astrología judiciaria llegara a figurar el propio almirante Pedro Porter Casanate.

Los demás asistentes a la Junta fueron el oidor D. Francisco de Rojas y Oñate; D. Pedro de Cruz, alcalde del crimen y auditor general de guerra; el general D. Andrés Pérez Franco, nombrado maestre de campo y alcalde mayor de Tacuba por virtud de dos cédulas reales del 22 de diciembre de 1642 (A.G.I., México 387); el maestre de campo D. Antonio Urrutia de Vergara; Antonio Pérez, piloto mayor de la carrera de Filipinas; el capitán D. Gonzalo de Luna y D. Pedro Bravo de Acuña, castellano del castillo de Cuba (A.G.I., México 36, 5 n.° 51-A). El único acuerdo que se tomó en esta Junta fue el de entregar a los asistentes copia de la cédula real y de la proposición de Medina Dávila.

No puede decirse que los convocados fueran unos bisoños. En la Junta formada por Salvatierra el 17 de febrero de 1648 el general Andrés Pérez Franco no se recató de decir que, a su juicio, «las personas más prácticas que oy ay en esta ciudad de la carrera de Philippinas son el sargento mayor Christóval Romero y Antonio Pérez, que a hecho muchos viages de contramaestre y tiene conocimiento de las costas y puertos referidos». (A.G.I., México 36, 4 n.° 35-C). En cuanto a Andrés Pérez, por sus servicios fue propuesto para un hábito de las Ordenes militares por el Consejo de Indias el 13 de abril de 1628 (*Catálogo de las consultas de Consejo de Indias. 1626-1630,* Sevilla, 1987, p. 193, n.° 815).

primer catedrático de Matemáticas y Astrología[83] desde 1637 en la Universidad mexicana, cuya amistad con el arquitecto y «astrólogo» judiciario Melchor Pérez de Soto había de acarrearle solapados conflictos con la Inquisición; era hombre el fraile de mente despierta, tan devoto de «las demostraciones que son patentes a los sentidos» y de las observaciones exactas que logró hacer una asombrosa medición de la longitud del valle de México, más precisa que la del propio Alejandro de Humboldt. Un pensamiento riguroso como el de fray Diego por fuerza tenía que chocar con la elocuencia desbordada y la pretenciosa fantasía de D. Andrés, por lo que cabe concluir que el mercedario hubo de ser uno de los principales responsables de que se condenase al silencio ese proyecto desatinado.

Los virreyes se iban sucediendo y la propuesta de Medina Dávila no encontraba eco alguno, de suerte que nuestro personaje hubo de descender del cielo a la tierra para atender al prosaico problema de buscarse alguna granjería para su subsistencia. Por un expediente pasado ante el escribano Pedro de Armendáriz nos enteramos de que el conde de Alva de Liste, por orden del 9 de enero de 1653, dio licencia a D. Andrés, residente en México, vecino y minero en las minas de Guautla, para sacar sal durante cuatro años de unas salinas antiguas que estaban arruinadas en la jurisdicción de Xolalpa y minas de Haucintgo, con obligación de dar cuatro reales de oro común por cuatro cargas de sal que sacare de ellas y de dejar las salinas una vez pasado el cuatrienio[84]. El mismo virrey se sirvió nombrarlo alcalde mayor de Teutlalco, minas de Haucintgo, cargo del que salió fiador Juan de Escobar, procurador de la Audiencia[85]; a falta de minas de oro, buenas eran las minas de sal, por muy «muger rica» que fuera su esposa.

Mientras tanto, tampoco era más halagüeña la situación en Filipinas. Hasta el propio monarca tenía que indicar el 8 de marzo de 1660 al virrey conde de Baños que el refuerzo de las islas no podía consistir en el envío de «niños mestizos y mulatos»[86], irrisorias tropas de refresco que sólo contribuían al desprestigio de las fuerzas defensoras. En descargo replicaba Baños el 8 de abril de 1661 que tenía «alistados y juntos en Cuernabaca para el día 10 de marzo de este año setenta y cinco hombres volunta-

[83] La cátedra de Astrología fue confirmada por el virrey Cadereita, quien también fundó la cátedra de lengua mexicana y otomí, que regentaba en estos momentos el agustino Diego Galdo de Guzmán (cf. BN Madrid, ms. 3047, f. 114v).

[84] México, Archivo General de la Nación, Reales Cédulas, Duplicados, vol. XX, Expediente 183, f. 115r (13 de enero de 1653).

[85] Ibidem, Expediente 183, f. 116v (24 de enero de 1653). Teutlalco es el Teotalco de Alcedo; dista 38 millas de México. Su alcaldía rentaba entonces 200 pesos, según la noticia coetánea de Díez de la Calle (BN Madrid, ms. 3010 f. 88r). Cf. en general P. Gerhard, *A Guide to the Historical Geography of New Spain*, Cambridge, 1972, pp. 310-11.

[86] A.G.I., Filip. 341, vol. VI, f. 247r.

rios, sin otros que estavan en las cárceles de este Reino sentenciados por cantidad de tiempo para el servicio de Vuestra Magestad»[87]. Mientras dormitaba el virrey de Nueva España, el enfermizo e hipocondríaco gobernador de Filipinas D. Sabiniano Manrique de Lara pintaba al monarca la situación de la isla en tonos jeremíacos, entreverados de extraños conceptos teológicos y medicinales, el 20 de junio de 1661, un año antes de que se retirara la guarnición española del Maluco:

En faltando la salud reinan los malos humores... El cuerpo místico de estas islas a adolescido: su salud son los españoles; entre todos los que ay no ajustan el número de 150. Los buenos humores que la an de conserbar son los socorros de plata y géneros[88].

6. Triunfo y fin de D. Andrés

En esa misma carta D. Sabiniano anunciaba el despacho de dos naos, la «Concepción», la capitana, a las órdenes de Cristóbal Velázquez de Lorenzana, y el «San Joseph», mandado por Francisco García del Fresno. Sólo una de ellas, el «San Joseph», logró arribar a Acapulco el 19 de abril de 1662. Para el tornaviaje del galeón superviviente había que nombrar general, nombramiento que correspondía al virrey de Nueva España, por más que Francisco García porfiase que el gobernador Manrique lo había designado como cabo superior y superindentendente del «San Joseph» en caso de faltar Lorenzana. Esta fue la ocasión que Medina Dávila supo aprovechar para pretender el puesto con su habilidad acostumbrada, prometiendo que llevaría el navío por un rumbo mucho más seguro tanto a la ida como a la vuelta. El debate hubo de ser turbulento, y de nuevo fray Diego Rodríguez trató por todos los medios de convencer a los demás miembros de la junta de lo descabellado de la propuesta del arbitrista. Pero el virrey era un hombre venal y atrabiliario y, como decía despectivamente Francisco García, Medina Dávila sólo podía encontrar audiencia en México,

donde no ay personas de tantas experiencias, a las cuales a querido persuadir a su dictamen sólo con razones aparentes, especulativas y fantásticas del Arte náutica, en que se presume y ostenta gran teórico, como si sin experiencia la expeculación sirviera y supliera la necessidad de asegurar este viaxe[89].

Sea como fuere, D. Andrés se salió con la suya[90]. El 24 de marzo de

---

[87] A.G.I., México 38, n.° 6.
[88] A.G.I., Filip. 9, 4 n.° 75.
[89] A.G.I., Filip. 9, 5 n.° 103.
[90] El sueldo que recibió como general fue de 4.136 pesos y dos granos (cf. L. Hanke, Los

1663 se hizo a la vela de Acapulco el galeón «San Joseph», ya puesto a las
órdenes de Medina Dávila. Al punto comenzó el flamante general a incurrir en garrafales errores, producto de su suficiente altanería; en efecto,
nada más salir de puerto ordenó al piloto virar la nao al N.O., con
achaque de que por allí sería más corto el viaje, «porque era mejor
camino y estar más a barlovento para buscar las brisas, siendo al contrario, que siempre se hallan en ocho y nueve grados de la banda del Sur,
como es notorio a todos los pilotos»[91]. Esto era más de lo que podía
tolerar la tripulación veterana, quizá dispuesta a dar el golpe de mano
incluso sin disponer de excusa tan excelente. Quiso el destino que en el
galeón viajara el gobernador entrante de Filipinas, D. Diego de Salcedo;
dos oidores de la Audiencia; 70 religiosos, algunos de ellos de muchas
campanillas, y 700 personas más de todos los estados[92], es decir, una
república en miniatura. Ante las extravagancias de Medina Dávila su
competidor, Francisco García, vio el cielo abierto, y sin pérdida de tiempo, el mismo 25 de marzo, puso ante el gobernador querella contra el
general. Sus argumentos tendían unos a conmover el corazón de Salcedo:
era a él, y no al virrey de Nueva España, a quien competía hacer los

---

Virreyes españoles en América durante el gobierno de la Casa de Austria. México, IV [residencia
hecha en 1667 al conde de Baños, cargo 175], en *BAE* 276, p. 295). Se conserva una carta del
gobernador de Filipinas Diego de Salcedo al rey, fechada el 24 de marzo de 1663, cuando estaba
ya embarcado en el «San Joseph» (A.G.I., Filip. 23, 5 n.º 55-A). Por cierto que, según el virrey,
se habían mandado en el galeón 600.000 pesos, que llegado a las Filipinas quedaron reducidos
por arte de magia a 222.000 (cf. A.G.I., Filip. 23, 5 n.º 63 A-B [26 de noviembre de 1663]). De
haber hecho turbios negocios en el galeón acusó a Baños su mortal enemigo el obispo de Puebla,
que en carta de 29 de enero de 1665 escribió al rey que acababa de arribar la nao de Filipinas,
«donde se dize tenía de empleo [el virrey] más de 230.000 pesos» (A.G.I., México 376).
    En cuanto a Francisco García del Fresno el gobernador Salcedo lo recompensó con 364
tributos por dos vidas en la encomienda de Bacarra (A.G.I., Filip. 2, 6 n.º 237. Fue nombrado
después general de la artillería de Filipinas, puesto que a su muerte suprimió el gobernador
Curuzelaegui, sustituyéndolo por el de teniente general, que proveyó en el capitán D. Juan
Antonio Pimentel (carta al rey del 5 de diciembre de 1688 en A.G.I., Filip. 14).
    El galeón «San Joseph» entró de nuevo en Acapulco el 23 de enero de 1665 (A.G.I., México
40, 1 n.º 8).
    [91] A.G.I., Filip. 9, 5 n.º 103, f. 12r (cf. 10v).
    Sin rayar en la audacia de Medina hubo otros intentos de alterar el rumbo de los galeones; ya
queda hecha mención de los proyectos de Ríos Coronel. Es de observar que también por esos
años, en 1660, el jesuita Maginosola, procurador general de las Filipinas, hizo una propuesta al
rey para asegurar el viaje de los galeones, indicando la conveniencia de «salir temprano, pues
llegando al puerto de Acapulco por noviembre o diciembre pueden salir d'él por todo enero,
que es lo más conveniente, y saliendo por mayo de Cavite pasan la altura antes del rigor del
invierno, con mares más benignos». Una solicitud semejante se volvió a presentar en 1677 (cf.
A.G.I., Filip. 341, vol. VI, ff. 245-46 y vol. VII, f. 239v respectivamente). Una novedad resultó
ser que la ciudad de Manila sugiriera la utilización, en vez de Acapulco, del puerto de Valderas,
junto a los cabos de San Lucas y Corrientes (A.G.I., Filip. 341, vol. VIII, f. 26ss. [16 de abril de
1682]).
    [92] A.G,I., Filíp. 9, 5 n.º 103 f. 22v.

nombramientos pertinentes en la carrera de la China. Otras razones, más realistas, mostraban que no se podía arriesgar la vida de tantas personas en un intento aventurado con una nao de 700 toneladas, grande en exceso para hacer descubrimientos. Apoyaban su parecer el piloto Leandro Coello, Alonso de Paredes, piloto acompañado [93], los oficiales del navío y es de suponer que todos los comerciantes de Filipinas. El gobernador Salcedo citó a D. Andrés a las seis de la tarde y, visto que todavía no había comparecido a las siete y media, restituyó en el mando a Francisco García. Con retraso y desgana llegó el memorial del vejado teórico de la mar, que hacía valer sus derechos, emanantes de las órdenes reales, y mostraba su desengaño por el perjuicio que se le había inferido, y eso después de haber abandonado mujer e hijos y haber gastado buena suma de ducados de plata en el servicio de Su Majestad [94]. Su voz por el momento encontró oídos sordos; pero conforme iban transcurriendo los días de incómoda travesía, más se inquietaban los ánimos bisoños y más se avivava la herida del depuesto general, que aterrorizaba a quien quería oirle diciendo que era menester racionar las provisiones, ya que el rumbo que llevaban era equivocado.

La tensión subió a tal extremo que de nuevo Salcedo creyó prudente intervenir para cubrirse las espaldas. El 25 de mayo, cuando habían pasado 60 días desde la salida de Acapulco, convocó una insólita prueba de suficiencia náutica, una verdadera oposición en alta mar: unos y otros debían de calcular solos y por separado la latitud y longitud en que se hallaban y entregar los papeles sellados al padre Francisco de San José, comisario de los frailes de S. Francisco. Así lo hicieron Francisco García y Leandro Coello, quienes, como se comprobó después, manifestaron hallarse el primero a 13° 10' y 280 leguas, el segundo a 13° 15' y 280 leguas respectivamente del archipiélago de los Ladrones. D. Andrés, pese a su grandilocuencia, prefirió no entrar en el desafío y se reservó para mejor ocasión. El 6 de junio se avistó tierra, con júbilo general y muy particular regocijo de García y Coello, que proclamaron hallarse ante las islas de los Ladrones. En este momento dramático es donde se muestra más a las claras la anormalidad genialoide de D. Andrés: según él, que se regía por una carta de marear que había confeccionado él mismo —no podía faltar este detalle, pues por algo era el mejor cartógrafo no sólo de las Indias, sino también de Europa— [95], las islas de los Ladrones se encontraban muy lejos, y «los que decían lo contrario se engañavan y no entendían la matheria, porque él se hallava por su ciencia y arte sobre la isla de San

[93] A.G.I., Filip. 9, 5 n.º 103 f. 10v y 12r respectivamente.
[94] A.G.I., Filip. 9, 5 n.º 104 f. 20r.
[95] A.G.I., Filip. 9, 5 n.º 104 f. 11v.

Bartolomé»[96]. Como se ve, nada vale la experiencia frente a la teoría, sobre todo cuando se trata de la teoría de un iluminado que se halla en posesión de la verdad. «Sin embargo de haverse descubierto dicha tierra [la isla Sarpana], decía y dice públicamente que se hallava de dichas islas de los Ladrones tresçientas leguas, y que daría su caveza si no fuesse assí»[97]. Entonces un marinero socarrón llega a aprovecharse de su terquedad inaudita para sacarle 20 pesos en una fácil apuesta[98]. Los testigos más piadosos se maravillan de su «passión y ceguera»[99]; otros, con toda justicia, afirman que «a herrado torpemente y negado aquello mesmo que se estava viendo y tocando». Pero este espíritu visionario, que se guía más de revelaciones y de fantasías que de realidades, hemos visto que es característico de todos los navegantes del Atlántico y del Pacífico. Medina Dávila está negando la evidencia misma; pero ¿no la había negado Colón cuando determinó de manera tajante la no insularidad de Cuba? Y éste es otro de los rasgos coincidentes de Medina Dávila y Colón, pues D. Cristóbal también era «homem falador e glorioso em mostrar suas habilidades, e mais fantastico e de imaginações... que certo no que dizia», según lo calificaba João de Barros[100], o bien, según su propio y más benevolente juicio, «manificador excessivo»[101] de sí mismo. Es el azar quien premia a unos pocos y afortunados mortales concediéndoles alcanzar su utopía, mientras condena a otros al más estrepitoso de los fracasos.

García y Coello, muy ufanos de su éxito, se prestaron el 16 de julio a pasar otra prueba, determinando la latitud en que se encontraban y la longitud que los separaba del Cabo del Espíritu Santo. Tampoco en esta ocasión se avino D. Andrés a poner en juego su maltrecha ciencia. Ahora bien, hay otra cualidad que suelen compartir estos personajes soberbios y con cierta vena estrambótica: todos ellos poseen un magnetismo especial, realzado normalmente por el don de la palabra, «la persuasiba y colores retóricos», como decía de nuestro hombre el gobernador Salcedo[102]; es que todo el que tiene fe, por absurda y disparatada que sea, acierta a inculcarla en almas débiles y timoratas, en los simples e impresionables. Otro tanto le ocurrió a D. Andrés. Después de su fracaso rotundo como navegante ni se amilanó ni perdió su prestigio carismático entre ciertas personas. Así, «este sugeto... muy peligrosso, cavilosso y amigo de nove-

---

[96] *Ibidem*, f. 13r.
[97] *Ibidem*, f. 17r.
[98] *Ibidem*, f. 10r.
[99] *Ibidem*, f. 14r.
[100] *Asia*, Primera Decada, libro III, cap. 11 (ed. Lisboa, 1945, p. 120). Su hijo D. Hernando veía a D. Cristóbal con mejores ojos: a su más tierno y apasionado juicio el primer almirante era «persona affabile e di dolce pratica» (*Historie* XII I, [p. 102 Caddeo]).
[101] *Diario del primer viaje*, 21 de diciembre (p. 89).
[102] En un informe al virrey de Nueva España (A.G.I., México 40, 1 8-A).

dades y introducir sismas donde quiera que llega», según lo definía Salcedo [103], a los dos días de pisar tierra filipina en 1664, acaudilló a diez personas, entre ellas un piloto, un maestre de fábricas y el capitán Andrés García, y fletando una nave con pretexto de ir a Manila se embarcó en Cavite con armas y bastimentos y zarpó llevándose una gran suma de pesos [104]. Desde entonces se pierde todo rastro del soñador salomónico, que pretendía llegar a España, o quién sabe si a Ofir, con su barquichuela. El 25 de junio de 1665 volvió a informar Salcedo de que, a pesar de las diligencias que se habían hecho en los reinos circunvecinos, «no se ha hallado raçón ni noticia alguna de su persona ni de ninguno de sus compañeros» [105]. Gracias al jesuita P. Murillo Velarde [106] nos enteramos de que pasó a Bolinao y de allí marchó en dirección a la Cochinchina, así como de que

unos portugueses declararon en Siyam al General Francisco Enríquez de Losada que en Cochinchina les avían vendido los naturales algunos vestidos que parecían de españoles, un astrolabio y otros instrumentos mathemáticos que en Manila conocieron algunos eran de D. Ándrés de Medina.

Muy ajeno estaba Salcedo de sospechar que esta destitución del general había de contribuir a la postre a su propia ruina. En efecto, Medina Dávila era persona muy de la devoción de Joseph de Paternina O.S.A [107], comisario del Santo Oficio por la Inquisición de México, de cuya creación en Manila se había mostrado tan partidario D. Sebastián de Corcuera, según se recordará; ya durante la travesía el orgulloso Paternina había inducido al también agustino fray Diego Gutiérrez a lanzar un furibundo sermón contra el gobernador y sus actos [108]: agustino era, no se olvide, Pedro de Medina Dávila, y ahora la Orden parece cerrar filas con el general depuesto en sus momentos de adversidad. Este primer disgusto [109], unido a otros roces más graves todavía, movieron a Paternina a

---

[103] En carta al rey del 16 de junio de 1664 (A.G.I., Filip. 9, 5 n.º 114).
[104] *Ibidem.*
[105] A.G.I., Filip. 9, 6 n.º 133.
[106] *Historia de la provincia de Philipinas,* Manila, 1749, III 17, f. 286.
[107] El padre Joseph de Paternina había sido comisionado por fray Andrés Jerónimo de Morales, prior del convento de San Felipe de Madrid y procurador general de la provincia de San Agustín de Filipinas, para que condujera a aquellas islas a los 30 religiosos de su Orden que se le había permitido llevar el año 1655 a Manila a fray Cristóbal Enríquez (A.G.I., Filip. 81, 6 n.º 217; la respuesta afirmativa del Consejo se produjo el 9 de marzo de 1660).
[108] Cf. A.G.I., Filip. 3, 1 n.º 31-K f. 2r.
[109] Todas las fuentes hacen partir la enemistad de Paternina con Salcedo de los incidentes ocurridos a bordo del galeón «San Joseph». A esta conclusión llega el gobernador Manuel de León en su sumaria información secreta de 1671 (A.G.I., Filip. 3, 1 31-C). Lo mismo declaran los testigos presentados en el informe inquisitorial secreto realizado el 11 de junio de 1670 (A.G.I., Filip. 3, 1 n.º 31-K): Juan de Rosales (f. 2r), Francisco Enríquez de Losada (f. 10r),

aliarse, entre otras personas de nota, con Sebastián Rayo Doria[110], criollo de México y genovés de nacimiento, alcalde ordinario de Manila. Tan explosiva unión produjo el resultado apetecido: Salcedo, acusado de haber tenido tratos con el hereje holandés y de haber incurrido en causa grave de la fe, fue prendido por Paternina el 10 de octubre de 1668. En el turbio asunto de la detención de Salcedo de nuevo resulta sorprendente la actitud de la Compañía de Jesús, que se distancia del camino que toman las demás Ordenes. El provincial de Filipinas, Miguel Solana, escribió al rey para asegurar que «los de la Compañía no hemos tenido parte en ella»; sin disculpar del todo a Salcedo, afeaba Solana la acción del agustino Paternina, que había provocado un gravísimo escándalo «siendo moço sin letras ni esperiencia, asistido del provincial y guardián de Manila y otros siete religiosos, todos franciscanos descalzos»[111]. Era verdad que Paternina, que por cierto rondaba ya los 34 años, por lo que mal le cuadraba el calificativo de «mozo», había dejado a Filipinas sin gobernador en un momento crítico movido por cicaterías y rencillas personales, la eterna lucha entre el clero y la milicia y más en la soledad de la colonia; pero también era cierto que Salcedo, si no en el grado extremoso de Corcuera, había favorecido los planes misioneros de los jesuitas, por lo que era de justicia mostrar el agradecimiento de la Orden al gobernador en desgracia. Otra lección se extrae de la caída de Salcedo, y es que el puesto

---

Jerónimo de Herrera (f. 21v), Tomás García, Manuel Estacio Venegas (f. 40v) y Nicolás Bazán (f. 45v). Otro tanto se afirma en el impreso de Pedro de Ardila Guerrero, teniente general de la caballería de la frontera de Extremadura, por poder de su yerno D. Juan de Vargas Hurtado, el gobernador de Filipinas, que —según era voz y fama— corría peligro de caer en una trampa semejante de Rayo Doria: la noticia en cuestión aparece en el impreso, sin fecha (acaso de junio de 1682), pero anterior al primer memorial manuscrito, que tiene timbre de 1682 (A.G.I., Filip. 94; aun elevó otro memorial el achacoso Ardila en favor de su yerno Vargas, que tenía ya más de 65 años y había sido excomulgado por el arzobispo de Manila [A.G.I., Filip. 14]). Idéntico cargo a Rayo Doria hace la instancia del capitán D. Luis de Pineda Matienzo (A.G.I., Filip. 43, 4 n.º 141 f. 9r) y repitiendo hasta las mismas palabras el escrito de 23 de junio de 1671 de D. Francisco Enríquez de Losada, uno de los testigos arriba citados por la Inquisición (A.G.I., Filip. 43, 4 n.º 142, cf. 5 n.º 174).

[110] Se despachó notaría en Manila a Sebastián Rayo Doria el 12 de febrero de 1650 (A.G.I., Filip. 341, vol. VI, f. 101r) y el 3 de agosto de 1678 se le nombró escribano mayor del Cabildo y de la Diputación (A.G.I., Filip. 341, vol. VII, f. 299r). Pidió dos veces confirmación del título de general de las galeras de la guardia y custodia de las islas, cargo que le fue denegado el 10 de enero de 1662 (A.G.I., Filip. 43, 3 n.º 76) y el 29 de noviembre de 1671 (A.G.I., Filip. 43, 3 n.º 100). Estaba casado con Doña María de Balmaseda y Esquivel, viuda del general D. Pedro Muñoz de Carmona Mendiola; una información de sus servicios se encuentra en A.G.I., Filip. 61.

[111] Carta del 12 de enero de 1669 (A.G.I., Filip. 23, 8 100). Narra la causa y la prisión una carta de la Audiencia del 31 de diciembre de 1668 (A.G.I., Filip. 23, 7 n.º 98). La acusación de que Salcedo tenía tratos con el holandés se puede leer en A.G.I., Filip. 23, 6 n.º 75. Una visión de conjunto ofrece J. T. Medina, *El Tribunal del Santo Oficio de la Inquisición en las islas Filipinas*, Santiago de Chile, 1899, p. 83ss.

de gobernador de Filipinas había dejado de ser una bicoca hacía mucho tiempo: Diego Salcedo había sido propuesto en tercer lugar el 13 de enero de 1661 [112], y en tercer lugar lo fue asimismo su sucesor Manuel de León el 26 de enero de 1668 [113]; los considerados más aptos se excusaron.

7. La evangelización de un nuevo mundo: el padre Diego Luis de San Vítores

La conducta de la Compañía obedece a una razón transparente. El 10 de julio de 1662, todavía durante el gobierno de Salcedo, había llegado al puerto de Lampón en el patache «San Damián» otro hombre extraordinario, vástago de buena familia y poseído también por un descomunal ensueño: el jesuita Diego Luis de San Vítores, descendiente último de una acaudalada dinastía de mercaderes burgaleses [114], que se sentía llamado a ser un nuevo Francisco Javier, y ello con el apoyo expreso de Felipe IV, que instó al gobernador de Filipinas a prestarle todo el concurso que necesitase. La cédula regia, fechada el 24 de junio de 1665, arribó a Manila en 1666 entre los papeles oficiales transportados por el galeón «La Concepción». Pronto se vio que a San Vítores no lo atraían los países que ya habían recibido semilla evangélica, como China o Japón: él debía de ser el primero en conquistar para la fe un nuevo mundo. Y este nuevo mundo que estaba por desbrozar se hallaba muy cerca, a 300 leguas de Manila, pues no era otro que las islas de los Ladrones, cuya evangelización proponía asimismo el capitán Esteban Ramos: según el marino, bastarían sólo 20 españoles y otros tantos indios para culminar una empresa de fácil ejecución [115]. No podía ser más patente que la instigación provenía del jesuita, pero se necesitaba el refrendo de un entendido en la materia, y Ramos, por haber naufragado en las islas en 1638, podía alardear de cierta experiencia en el trato con los naturales. A la vista de tales mañas y maneras se justifica que a una carta del arzobispo de Manila del 20 de junio de 1665 se adjuntara un memorial anónimo, pero obra sin duda de San Vítores, en el que se aducían los «Motivos para no dilatar

---

[112] A.G.I., Indif. 1876.

[113] A.G.I., Indif. 1877.

[114] Era hijo de Jerónimo de San Vítores de la Portilla, caballero de Santiago, de la cuenta de Hacienda de Su Majestad. Un Fancisco Gutiérrez de San Vítores, mercader burgalés, empezó a mercadear con el Nuevo Mundo muy a principios del s. XVI, al menos desde 1526, año en que aparece en tratos con Rodrigo de Gibraleón (*Catálogo de los fondos americanos del Archivo de Protocolos de Sevilla,* Sevilla, 1927, V, p. 327 [n.° 1049]).

[115] En carta fechada en Manila el 21 de mayo de 1665 (A.G.I., Filip. 82, 1 n.° 5).

más la reducción y doctrina de las islas de los Ladrones». Entre otras cosas se leía en este escrito que

trescientas leguas de esta ciudad de Manila, por el viaje que se haze de aquí a Nueva España, están en catorze y quinze grados un sinnúmero de islas vezinas unas a otras, que corren de Norte a Sur desde el Japón hasta el Perú, y se dan las manos también con las Malucas y la Tierra Incógnita [116].

San Vítores, lector clarísimo de Quirós, fue remitido por Salcedo en 1667 a la Nueva España, y allí el virrey, distrayendo 10.000 pesos del real situado de Filipinas —acto extraordinario que provocó las justas quejas del fiscal del Consejo de Indias—, complació los deseos del jesuita, que, mostrándose agradecido con sus benefactores, consiguió de Dios que el desventurado Salcedo sufriera el Purgatorio en vida, para ahorrárselo después de muerto. El 26 de abril de 1669, ya en su archipiélago, San Vítores envió desde Agadña (Guam) un memorial exultante. Resultaba que las islas de los Ladrones se habían convertido como por ensalmo en Marianas, gracias a la advocación de la Virgen y la previsora tutela de la reina gobernadora; a su vez, Guam quedaba transformado en San Juan, quizá por el sonsonete. Las conversiones se sucedían sin cesar: el 28 de abril de 1669 se habían bautizado nada menos que 13.280 indígenas, y desde entonces al 15 de mayo habían tenido lugar 307 bautismos más. Una inmensa llamarada de optimismo abrasa el pecho de San Vítores, que siente que es preciso evangelizar «desde la Tierra Austral, antes Incógnita, hasta el Japón». Y hay más: en el punto quinto de su memorial pedía

que se embíen otros semejantes [navíos] por la parte del Pirú para la Tierra Austral antes Incógnita, islas de Salomón y las otras d'este mar del Sur, que se refieren en el viage del capitán Pedro Fernández de Quirós y se continúan desde esta isla de Guan hasta bien cerca del Pirú, como se ve en la relación del dicho viage presentada ya en los papeles del año pasado [117].

La exageración de San Vítores es patente si se comparan sus palabras con el escrito del gobernador Juan de Vargas, que en 1684 procuraba ofrecer sin distorsionar la realidad un cuadro lo más risueño posible de la evangelización de las Marianas: «Florece la Cristiandad de tal manera, que se cuentan ya 8.000 cristianos reducidos a nueve pueblos con nueve iglesias, cada una con su ministro» [118]. Una ironía del destino quiso que precisamente en ese año, el 23 de julio, estallara la primera sublevación de los indios, a consecuencia de la cual fue herido gravemente el entonces

[116] A.G.I., Filip. 82, 2 n.º 12.
[117] A.G.I., Filip. 82, 2 n.º 33.
[118] Carta del 26 de junio de 1684 (A.G.I., Filip. 11, 9 n.º 111).

gobernador de las Marianas, Damián de Esplá [119]; pero las mil maravillas que se habían pregonado hasta entonces de los indígenas de las Marianas llegaron todavía en eco amortiguado al padre Feijóo [120], que se pasma de que tales hombres, tan rudos que desconocían el fuego, alcanzaran una longevidad inaudita, siendo frecuente entre ellos llegar a centenario: otra vez aparece el mito de la eterna juventud, tan común en los primeros años de la colonización de las Indias. Esta bucólica visión hay que contrastarla a su vez con lo que dice el capitán general de las islas Antonio Pimentel el 31 de mayo de 1711: los indios han hecho ya cuatro levantamientos,

si bien an quedado tan pocos con las repetidas epidemias que anualmente padesen, que apenas llegan de cinco mil almas todas las que rinden obediencia a Vuestra Magestad, sin acabar de conocer que visiblemente los castiga la Divina Justicia por los muchos religiosos ministros apostólicos y soldados españoles que an muerto en dichos levantamientos [121].

Un panorama no menos sombrío pintaba a la duquesa de Aveiro en 1682 su capellán:

El año de 1669 por el mes de junio passé por las referidas islas en el galeón «San Joseph», y haviendo ya entrado en ellas el muy reverendo Padre San Víctores con sus compañeros a predicar el Santo Evangelio a sus naturales, aún se estavan tan bárvaros que no los havían podido reduzir los Padres a que tapasen sus partes verendas [122].

Henos aquí, en consecuencia, con otro megalómano, que pretende convertir la cuarta parte del globo terráqueo a la fe católica; ideal desaforado que corre parejas con el de Medina Dávila (a quien por cierto llama D. Antonio el buen religioso). Después de todo la sucesión era lógica: en pos del héroe venía el santo, jesuita por más señas en aquellos tiempos, que ya pensaba que estaban próximos a cumplirse los versículos del capí-

---

[119] Carta de Gerardo Brouwens, viceprovincial de la misión mariana (A.G.I., Filip. 3, 3 n.º 3). Cf. asimismo la carta del gobernador de Filipinas, Curuzelaegui (un vasco veinticuatro de Sevilla), del 21 de junio de 1686 (A.G.I., Filip. 13, 4 n.º 58). El año de la revuelta las Marianas tenían un situado de 9.777 pesos, 6 tomines y 8 granos, que sólo recibió su gobernador mucho más tarde. Damián de Esplá (o Desplana) murió el 17 de agosto de 1694, sucediéndole en el mando D. José de Quiroga y Losada, que tardó algún tiempo en sofocar la rebelión de las islas del N. (cf A.G.I., Filip. 15, n.º 43). En un amanecer del 23 de junio de 1697 llegó a las islas procedente de Acapulco el arzobispo de Manila y pudo tener «la alegría de la nueva conquista de las islas»; de todas maneras, se necesitaban más militares y hasta veinte jesuitas, como expresó en carta al rey del 18 de enero de 1698 (A.G.I., Filip. 17, 4 n.º 23).

[120] *Teatro crítico universal*, Clás. Cast., II, p. 52.

[121] A.G.I., Filip. 193, 6 n.º 245.

[122] BN Madrid, ms. 4349, f. 201r. Nos informa también el capellán de que en 1619 pasó al Japón el padre sevillano fray Diego de Zúñiga, hijo del marqués de Villamanrique, que fue martirizado (*ibidem*, f. 381ss.).

tulo 49 de Isaías [123], los mismos que juzgaba Colón, para gran indignación del maestro Rodrigo de Santaella, que se habían verificado en su época. Pero dirijamos ahora nuestra mirada a España.

El Consejo, a la vista del primer memorial de San Vítores (de 1665), había pedido el parecer de tres personas de probada experiencia en las islas del Poniente. D. Sabiniano Manrique, ex gobernador de Filipinas, expresó el 20 de diciembre de 1667 su opinión, en la que se ratificó el 3 de enero de 1668, manifestando que era de parecer contrario a la predicación en las Marianas por el natural traicionero de sus naturales; y en frase por desdicha profética añadía: «Aunque a los principios los recivan de paz y les hagan agasajos, cuando se les antoje darán sobre ellos y los degollarán» [124]. En cambio, se mostraron francamente favorables a la iniciativa misionera el dominico Juan de Polanco [125] y el jesuita Luis Pimentel [126]. Este último, ponderando el provecho que se derivaría de la cristianización de las islas de los Ladrones, enumeraba también ventajas muy mundanales, entre las que figuraba el descubrimiento de los secretos del Seno Mendocino y del Estrecho de Anián; su discurso remataba en un delirio geográfico:

Según esta relación [del padre Martín Martínez], la última isla de Ladrones no puede estar muy distante de la tierra firme de la Tartaria ni del Cavo que por aquella parte da principio el Seno Mendocino, en cuyo espacio ponen las cartas de la carrera de Manila a México dos islas, una en treinta o treinta y dos grados de altura, trecientas leguas de Ladrones, y otra en cuarenta grados poco más, seiscientas leguas de aquellas islas, con nombres de Rica de Oro y Rica de Plata, por la abundancia que la fama a dibulgado ay en ellas d'estos metales; pero no sé el fundamento, porque asta aora no ay noticia cierta que hombre aya puesto el pie en ellas.

Si San Vítores pensaba en las islas de Salomón, la imaginación de Pimentel se complacía en pasearse por las islas Ricas: siempre el oro mágico acaba por acompañar estos intentos de cristianización. Cuando en el Consejo de Indias se discutió el 5 de noviembre de 1671 el segundo memorial de San Vítores, uno de los puntos que más llamó la atención fue precisamente el quinto, así que una mano garabateó en el escrito: «Para tomar resolución en el punto de las islas de Salomón, se reconozca lo que a pasado sobre esta materia y tráegase» [127].

---

[123] A.G.I., Filip. 82, 2 n.º 54 (sin fecha).
[124] A.G.I., Filip. 82, 2 n.º 26 bis y 28.
[125] A.G.I., Filip. 82, 2 n.º 55 (17 de diciembre de 1667)
[126] A.G.I., Filip. 82, 2 n.º 26 (sin fecha).
[127] A.G.I., Filip. 82, 2 n.º 35.

8. *Un escéptico andariego: fray Ignacio Muñoz*

El proyecto de Medina Dávila, refrendado ahora por San Vítores, seguía coleando en 1674 y 1675, pues por esos años los secretarios del Consejo de Indias, Francisco Fernández de Madrigal y Antonio de Rozas respectivamente, ordenaron emitir un dictamen sobre el particular al dominico fray Ignacio Muñoz [128], que entonces residía en Nuestra Señora de Valverde, a dos km. de Madrid.

Este ilustre cosmógrafo, nacido en Valladolid y oriundo de las montañas de Burgos, de las cercanías de Espinosa de los Monteros, había pasado a Filipinas en 1635 juntamente con otros 20 religiosos de su Orden, que llevaba a su cargo fray Diego Collado; en realidad, las miras de Collado estaban puestas por lo menos desde 1630 en el Japón, con el fin de romper el férreo y en cierto modo justificado monopolio que sobre las misiones niponas ejercían los jesuitas [129]. Cuando fracasó el intento de fundar una congregación *De propaganda fide* en la provincia del Santo Rosario, manera sutil de hacerse independientes, mientras los demás frailes se avinieron a incorporarse a la provincia de Filipinas, Muñoz, llevado de su natural intranquilo y rebelde, pasó a la India portuguesa para dar cuenta al rey —según dijo después— del descubrimiento consabido: el mágico astrolabio para tomar la altura a todas las horas del día [130]. En Macán y Goa, donde residió varios años, asistió a la declaración de independencia portuguesa; después en Nagapatán (1658) fue testigo de cómo el golfo de Bengala y Ceilán caían en poder de los holandeses [131], pues en todos los bullicios alegres o tristes había de encontrarse el fraile itinerante que, cargado de ciencia matemática y cosmográfica, tuvo por fuerza que volver a Filipinas (1659), donde en en 1662, ante la amenaza de un ataque del pirata mestizo Pumpuan Cogseng [132], andaba delineando por orden del gobernador D. Sabiniano Manrique una primorosa planta de Ma-

---

[128] Sobre Muñoz hay un artículo útil, debido a J.M. González, en el *Diccionario de Historia eclesiástica de España*, s.u., que remite a M. Velasco, *Ensayo de la Bibliografía de la Provincia del Santísimo Rosario de Filipinas*, Manila, 1960, II, pp. 371-74.

[129] Sobre este objetivo cf. A.G.I., Filip. 1, 5 n.° 329 y 336-338, 343; 6 n.° 360. Véase asimismo Pastells, *Catálogo*, VIII, pp. XXIV-XXVIII.

[130] A.G.I., Filip. 86, 3 n.° 73.

[131] G. Davison Winius (*The Fatal History of Portuguese Ceylon,* Harvard, 1971) pone de relieve lo que supuso esta pérdida para Portugal que, en guerra entonces con España y con Holanda en dos frentes tan lejanos como Ceilán y Brasil, tuvo que sacrificar lo que consideró menos importante (o mejor dicho, según creo, lo que era más difícil de defender: el propio Winius [p. 169] indica que el virreinato de Asia había sido fundado sólo para el beneficio de la Corona y no de los portugueses que moraban en él).

[132] Se intitulaba el pirata príncipe de Subengchiu y acababa de tomar al holandés la isla Hermosa. Muchas y curiosas noticias sobre su carrera ofrece Pedro Murillo Velarde, *Historia de la Provincia de Filipinas*, Manila, 1749, III 13, f. 270ss.

nila y se encargaba de la traza y construcción de la Tenaza Real con sus minas secretas de la puerta del parián [133]. Pero ya antes, rebulléndose inquieto en la celda, había dirigido una extensa carta al rey [134] en la que se maravillaba de que los enemigos de Felipe IV conociesen a la perfección los secretos hidrográficos de nuestros mares, mientras que los pilotos españoles se contentaban en su mayor parte con navegar por experiencia y fantasía, ignorancia que motivaba que muchos galeones se malograran en el embocadero o en las islas; él había terminado una Hidrografía de todo el mar de Oriente desde el cabo de Buena Esperanza, así como de la mayor parte de Europa, Africa y Nuevo Mundo, y ahora ofrecía al rey el fruto de sus desvelos para mayor seguridad de la navegación de las armadas. La proposición no podía resultar más tentadora, por lo que el 17 de julio de 1663 se le concedió licencia para trasladarse a España [135].

Los problemas empezaron nada más llegar a la Nueva España a principios de febrero de 1666. En efecto, Muñoz se resistió a continuar de seguido su viaje a la Corte, alegando quebrantos de salud; además, a este original hombre de repentes se le ocurrió que era preciso sacar copia inmediata de todos sus originales, que por lo demás habían aguantado incólumes una navegación de siete meses y medio; por si esta excusa fallaba, pidió a la reina que se le concediera lo necesario para viajar a España conforme requería la decencia de su edad (frisaba entonces los 55 años) y la dignidad de su estado religioso [136]. Transcurrió un año en el que tan sabio como atrabiliario fraile tuvo oportunidad de discutir de Astronomía y de Hidrografía con un cosmógrafo aficionado, el propio virrey marqués de Mancera, cuyo ilustrado y arrogante carácter no congenió en absoluto con el también arrebatado dominico, que un día lo escandalizó al espetarle de buenas a primeras que las Filipinas no caían dentro de los límites de la demarcación de España [137]. Pero las discrepancias no se limitaban a sesudas discusiones hidrográficas. Mancera favorecía la candidatura al provincialato de México del también dominico Alonso de la Barrera, cuyas mañas para conseguirlo le parecían a Muñoz claramente simoníacas [138]. Por otro lado, el fraile continuaba sin tener prisa ni demostrar gana alguna de salir de México. Trató el virrey de que se embarcara

---

[133] Se conserva en A.G.I., Filip. 86, 3 n.° 63; está fechada en 28 de noviembre de 1671.

[134] En 9 de julio de 1660 (A.G.I., Filip. 86, 3 n.° 74).

[135] A.G.I., Filip. 86, 3 n.° 61, 75, 82.

[136] En carta del 5 de abril de 1666 (A.G. I. Filip. 86, 3 n.° 84=85). El 26 de marzo de 1666 (*ibidem*, n.° 83) comunicó el virrey Mancera la oposición de Muñoz a continuar la jornada.

[137] Carta de Mancera del 20 de marzo de 1667 (A.G.I., Filip. 86, 3 n.° 76). Según el virrey, a quien no dejaba de faltar razón, no había en la ciencia de Muñoz «novedad grave ni leve que en lo teórico o en lo práctico realce lo ya sabido o resuelva lo dudoso o descubra alguna ley de lo ignorado» (*ibidem*, n.° 83).

[138] A.G.I., Filip. 86, 3 n.° 86.

en la flota de 1667, puso el fraile reparos [139], y el enfrentamiento tomó tales vuelos que Mancera, encolerizado, llegó en persona a amenazarle con enviarlo a Filipinas. El escurridizo Muñoz, que para todo tenía recursos, se retiró secretamente, con licencia de sus prelados, a lugar donde no se pudiera ejercer en él violencia alguna [140]. Pasado el peligro, cuando la armada del conde de Villalcázar se había dado ya a la vela, salió el fraile de su escondrijo: había ganado un año más de estancia en México.

Mientras tanto, se expidieron en Madrid dos reales cédulas para que se diese a Muñoz el avío y pasaje proporcionado a su persona (4 de octubre de 1677) y se le despachase a España en la primera oportunidad (18 de octubre de 1677). Cuando tales provisiones le fueron notificadas al dominico el 7 de julio de 1678, de nuevo redactó un memorial suplicando otra prórroga para ultimar el traslado de sus escritos (16 de julio). Su petición fue informada favorablemente por el oidor D. Julio Calderón el 20 de julio, de suerte que, como comunicó a la reina el marqués de Mancera el 3 de agosto, el viaje de Muñoz quedó diferido diez meses, hasta la vuelta a España de la flota que se esperaba aquel año en la Nueva España; en ese plazo habría tenido tiempo bastante el fraile para acabar la copia [141]. Mientras, no sólo vacaba el dominico para ordenar y «trasumptar» su balumba de papeles, sino que su despierto ingenio le hizo obtener en propiedad la cátedra de Matemáticas en la Universidad de México. Trascurrió un año; al aproximarse otra vez la sombra del fatídico mes de mayo, en el que zarpaba la armada, volvieron a recibirse memoriales por los que todavía en marzo y abril de 1669 intentaba el dominico poner trabas a su marcha: pedía unas veces la retención de su cátedra en México, otras juzgaba escaso el viático de 600 pesos que le ofrecía Mancera. Tamaña sutileza y tantos ardides agotaron la paciencia del virrey, que el 9 de abril de 1669 decretó que, de no embarcarse, proveería con remedio eficaz [142]. La seria amenaza surtió efecto y el 21 de abril de 1669 anunció Mancera la partida del fraile en la flota de D. Enrique Enríquez [143].

Llegado a España, desde el propio camarote de la nao capitana escribió Muñoz el 30 de enero de 1670 a la reina y el 21 de julio tornó a hacerlo al rey [144] para encarecer sus méritos y proponer la publicación en

[139] Por medio de un memorial remitido en carta del 12 de abril de 1667 (A.G.I., Filip. 86, 3, n.° 88).

[140] Carta al rey del 12 de abril de 1667 (A.G.I., Filip. 86, 3 n.° 86). Mancera observó su ausencia del convento ya el 16 de marzo. El provincial, requerido por el virrey, respondió el 17 de marzo que ni él ni el prior sabían «la derota que ha cojido ni adónde se encamina» (Diligencias y cartas copiadas, *ibidem,* n.° 77).

[141] A.G.I., México 42, 4 n.° 84 y 84-A.

[142] A.G.I., Filip. 86, 3 n.° 90 (diligencias).

[143] A.G.I., Filip. 86, 3 n.° 89.

[144] A.G.I., Filip. 86, 3 n.° 91 y 93 respectivamente.

folio de marca mayor de una *Hidrografía universal* en seis o siete tomos, a la que había de seguir un volumen más reducido sobre el *Arte de navegar práctica y especulativa e instrumental*, en realidad un resumen de las reglas de los modernos preceptistas latinos. Sin embargo, su desasosegado y neurótico comportamiento había alarmado hasta tal punto al Consejo de Indias, reunido en sesión el 22 de julio de 1670, que el 7 de agosto hubo de tranquilizar a sus miembros fray Pedro Alvarez de Montenegro, el mismísimo confesor del rey [145]: Muñoz había sido uno de los más brillantes discípulos del convento de San Pablo de Valladolid, y con el tiempo no se había embotado su inteligencia, antes bien, como certificaba fray Juan Polanco, definidor de la Provincia de Filipinas, los desvelos cosmográficos lo mantenían en pie todos los días hasta las dos o las tres de la mañana; no se trataba, pues, de «uno de los noveleros de la Corte», como los que solían entonces y suelen ahora pulular por Madrid. Menos lisonjero y más crudo era el juicio emitido el 8 de agosto de 1670 por el jesuita Joseph Zaragoza, catedrático de Matemáticas, que, por muy convencido que estuviese de que la utilidad del arte de navegar con exactitud no requería ponderación, estaba no menos persuadido de que la posibilidad de llevar a cabo tal empeño excedía el ingenio y la diligencia no sólo de un hombre, sino de una legión; afirmaba Zaragoza que con el famoso astrolabio de Muñoz no se conseguían mediciones más exactas que con los instrumentos normales; no obstante, concluía diciendo que, dada la competencia del dominico en Astronomía, Trigonometría y Aritmética, y atento a que los mapas manuscritos de la India los había copiado en secreto de los de los holandeses, convenía comenzar la obra con la impresión de esa parte y en folio pequeño prolongado para facilitar su uso, y no en el formato gigantesco de marca mayor que pretendía Muñoz [146]. Resulta, pues, que la máxima aportación del dominico, hombre en verdad al que no cabe regatear doctrina, laboriosidad ni agudeza de ingenio, estribaba en dar a conocer los mapas de la India no publicados por los holandeses, que él en persona —todo hay que reconocerlo— había revisado en parte. De todas maneras, el servicio, fruto de una discreta labor de espionaje, revestía no pequeña importancia, y así lo reconoció el propio Consejo, que el 12 de agosto de 1670 le concedió una pensión anual de 300 ducados [147].

Muy pronto el prestigio de Muñoz en la Corte hizo que se le expidiera el 20 de octubre de 1670 una cédula para que se ocupara en la «reformación de la Hidrografía universal». Para ejecutar plan tan ambicioso, el

---

[145] A.G.I., Filip. 86, 3 n.º 78.
[146] A.G.I., Filip. 86, 3 n.º 79; el informe está dirigido a D. Lorenzo Mateo y Sanz.
[147] Cf. asimismo A.G.I., Filip. 3, 1 n.º 20 (12 de agosto de 1670).

Consejo de Indias, a petición del propio Muñoz, solicitó el 1 de octubre de 1674 que todos los pilotos de los galeones tomaran la altura del sol en los puertos, muy principalmente en Cartagena y Portobelo, y entregaran después por escrito sus observaciones al general de la armada, que se las había de remitir al Consejo y éste a su vez a Muñoz; igualmente se recabó de Gaspar de los Reyes Palacios, piloto mayor de la armada de Indias, la nueva carta de marear que había hecho de la costa de Tierra Firme e islas adyacentes hasta La Habana, carta que Muñoz conocía por conversaciones tenidas con el propio Reyes [148]. Por un momento pareció que se iba a rehacer el antiguo padrón real terminado por Hernando Colón y los pilotos de la Casa de la Contratación: el 4 de diciembre de 1674 Francisco Fernández de Madrigal acusaba recibo de la carta geográfica de la barra de Sanlúcar de Barrameda [149]. Pero este intento de trabajo en equipo se malogró: semeja que el viejo lobo de mar que era Reyes sintió de repente suspicacias y recelos de lo que hubo de reputar marrullerías de Muñoz, y sólo en 1689, cuando él tenía más de setenta años y Muñoz gozaba ya de la paz eterna, entregó a la imprenta el dibujo de las costas de Tierra Firme y Nueva España, el canal de las Bahamas, los Lucayos y las islas de Barlovento, pretendiendo haber rectificado más de 250 yerros en latitudes y situación de tierras [150].

En este momento de apogeo de su fama redactó Muñoz su informe sobre los proyectos de Medina Dávila y el padre San Vítores. Era evidente que no se podía atacar con excesiva virulencia las fantasías del capitán sin herir los sentimientos de los jesuitas; por esta razón Muñoz elaboró un muy pensado memorial, cuyo borrador, lleno de vacilaciones, borrones y tachaduras (que reproduzco entre paréntesis), se conserva todavía entre sus papeles. El dictamen del fraile, que había tomado información de D.

[148] A.G.I., Contrat. 5045.
[149] A.G.I., Contrat. 5045.
[150] Tampoco se quedó cortó Gaspar de los Reyes en sus solicitudes; tras conseguir en propiedad el cargo de piloto mayor, presentó una serie de instancias que fueron informadas favorablemente por la Junta de Guerra el 9 de setiembre y el 7 de octubre de 1673 (A.G.I., Indif. 1877; otra suya, fechada en 21 de julio de 1676, en A.G.I., Contrat. 5047). Después pidió tres hábitos para sus tres sobrinas huérfanas, petición que fue apoyada por el conde de la Calzada, presidente de la Casa de la Contratación, según se vio en Junta de Guerra celebrada el 1 de noviembre de 1689 (A.G.I., Indif. 1879).

Otras noticias de Muñoz, el eterno pedigüeño, encuentro todavía en los papeles del Consejo de Indias: el 6 de setiembre, 20 de octubre y 24 de noviembre de 1670 le vemos insistir en que se le diesen 300 ducados de alimentos cada año para sustentarse en la Hospedería de la Pasión de su Orden en Madrid, pues la Hospedería «le aprieta con todo rigor hasta amenaçarle con su exclusión si no le satisfaze luego y con efecto dichos alimentos». El 13 de mayo y 16 de noviembre de 1671 reclamó el sueldo de medio año que se le debía. El 20 de agosto de 1671 solicitó que se consiguiese licencia del prelado de su Orden para poder vivir en el convento de Nuestra Señora de Valverde, permiso que obtuvo (A.G.I., Indif. 1491).

Gabriel de Villalobos [151], marqués de Barinas, estrambótico personaje con el que nos hemos encontrado más de una vez y a cuya «íntima amistad» alude Muñoz en sus notas manuscritas, comienza de manera muy cauta por sentar la irrealidad de los ensueños salomónicos:

(Este nombre) El título sobredicho de Islas de Salomón no se funda ni origina de lo que indica el nombre (que) de aver(los) cursado estas islas las flotas de Salomón..., como se convence claramente y con brevedad con las razones siguientes. Primeramente porque las islas d'este mar, que han descubierto nuestros españoles en tres viajes diferentes y otros dos que han hecho los estrangeros, no han dado indicios de abundancia de oro. Lo segundo, porque la distancia que ay desde estas islas hasta el seno Arábico del Mar Roxo, por donde salían los baxeles de Salomón, es tanta..., que no será factible naturalmente que en (dos) tres años hiziessen un viaje, como lo dize la Escritura. Y esto se corrobora con la mayor probabilidad de que entonces no se practicó (-ava) el uso de la aguja náutica [152].

A su entender, las naves de Salomón «corrían la costa oriental de Africa por la (Mogadoso) de Melinde y (Moçam-) Sofala y Mozambique hasta los ríos que se llaman de Cuama, en el dilatadísimo imperio de negros Monomotapa». Tras historiar acto seguido con prolija erudición las armadas que habían cruzado el Pacífico, acaba criticando abiertamente las ideas de Medina Dávila, «sugeto de quien tiene muy especial noticia, porque se halló en Manila cuando dicho Don Andrés llegó al (Filipinas) puerto de Cavite de Filipinas en compañía del nuevo Governador (D. Diego Salzedo) de aquellas islas D. Diego Salzedo el año de 1663, y de la fuga que hizo de aquel puerto en una canoa y de los desaciertos hydrográficos (que) en que incurrió en esta ocasión en la navegación desde Acapulco hasta llegar a dichas islas». D. Andrés, que destaca por «lo aseado de su dezir», tiene a juicio de fray Ignacio «más verbosidad animosa (en estar) que (la) mucha inteligencia y práctica náutica» [153]. Su plan no puede tenerse en pie por una serie de razones: porque supone más gastos enviar una expedición desde Acapulco que desde el Perú; porque se causa un grave perjuicio a Filipinas de separar un barco para dicho intento; en fin, porque los galeones de Manila, barcos grandes de 800 a 1.000 toneladas, no valen para realizar reconocimientos geográficos. Pero tampoco es proclive Muñoz a partir en demanda de fantásticos descubrimientos desde el Callao. En efecto, las islas están desviadas en exceso del tráfico marítimo para que pueda fructificar en ellas la propaga-

---

[151] BN Madrid, ms. 7119, apostillas en f. 188v (año de 1681), f. 64v y 65v (año de 1682) y 279v, y en f. 208v (año de 1685).

[152] BN Madrid, ms. 7119, f. 146v ss. La copia en limpio, firmada el 15 de abril de 1674, se conserva en A.G.I., Filip. 82, 2.

[153] *Ibidem*, f. 158r.

ción de la fe (otro tanto le ocurrió a Mendaña y fracasos parejos habían cosechado Porter y Bernal en los parajes más cercanos de California), y la empresa tiene demasiada envergadura para ser encomendada a un simple particular. Moviéndose en el plano más realista posible —no en vano se topaba con la Compañía—, el dominico se muestra partidario de conservar la fe en las Marianas y de predicar la palabra evangélica en Nueva Guinea. Pero no podía faltar un alfilerazo, dirigido en apariencia contra San Vítores: «proponer que para la conservación, continuación y extensión de la Christiandad de las islas Marianas y de las confinantes se introduzcan viajes y vajeles especiales desde el Perú por las islas de Salomón es no tener comprehensión de su situación» [154]. En efecto, las islas susodichas «no forman cordillera desde el Perú hasta las Marianas».

No fue la de Muñoz la única voz que se oyó en este debate apasionante y apasionado; también su gran rival, el virrey de Nueva España, terció en la polémica en contestación a una cédula del 29 de febrero de 1672 [155]. Mancera, que expresó su pesar y disgusto por no tener a nadie a quien consultar en México sobre la cuestión, se limitó a destacar tres yerros en el planteamiento de Medina Dávila: en primer lugar, Acapulco no era el puerto oportuno para dar comienzo a un descubrimiento austral; en segundo término, para realizar tal empresa se requerían antes fragatas que galeones; por último, no se podía divertir nao alguna de la carrera de Filipinas en un albur incierto. No es un azar que Mancera y Muñoz coincidieran en los reparos expresados, pues ambos debieron de comentar en México el triste sino del capitán y lo peregrino de sus teorías. Más floja aunque no más personal es la respuesta del virrey en lo concerniente a la situación de las islas de marras:

Las de Salomón es verosímil que se encubran en la gran inmensidad de tan vasto y tan poco navegado piélago como el que se estiende desde las costas del Perú navegando la buelta del Oeste. Y tengo fecha memoria de havérselo oído afirmar assí concordemente a tres sujettos de gran inteligencia en la Cosmographía, que fueron un caballero portugués llamado Don Constantino de Vazconcelos, a quien llevé por mi ingeniero militar a la jornada de Valdivia, al capitán Manuel Rodríguez. de la misma nación, mi piloto mayor en la misma jornada, y Melchor Polo, que también lo fue de la Armada de la Mar del Sur y después Almirante y finalmente General de ella. Estos en diferentes ocasiones, juntos y separados, me aseguraron que las dichas islas de Salomón distan de la costa del Perú hacia la vanda del Oeste ochocientas leguas con poca diferencia, y que las alturas de algunas era en treinta grados, y su riqueza, fertilidad y templanza ezcelente a la mayor ponderación. Esto supuesto y que nunca hice aprecio de algunos escritos que corren impresos en nombre de Pedro Fernández

[154] *Ibidem*, f. 159v.
[155] En carta de 27 de mayo de 1673 (A.G.I., Filip. 82, 2 n.º 156).

de Quirós. cuyo hijo y discípulo conocí Cosmógrapho en el Perú y experimenté que
su saver hera muy limitado.

Otra vez es la autoridad de los cosmógrafos portugueses la que priva,
si bien Mancera no se fiaba en absoluto de Francisco de Quirós [156], cuya
planta de Valdivia había comprobado él con sus propios ojos, cuando el
holandés hizo aparición en 1643 por el Estrecho de Magallanes, que
para nada se ajustaba con la de ningún otro cosmógrafo, y su oráculo era
Vasconcelos [157], de cuya experiencia como ingeniero se había servido para
poner en mejor rendimiento, según pensaba, las minas de Huancavelica.
Pero ¿de dónde habían tomado estos pilotos esa latitud disparatada de las
islas de Salomón, que venía a exhumar la dada en sus observaciones por J.
B. Gessio? Como ocurre tantas veces, parece que se refleja en el hemisferio austral lo que se pretende haber visto en el hemisferio boreal (las
Ricas en este caso). En definitiva, el virrey se mostraba muy partidario de
acometer la exploración, que debería intentarse —eso sí— no desde
Acapulco, sino desde el Perú. Y ocurre pensar que quizá entonces la
opinión que Muñoz criticaba por disparatada no fuese la de San Vítores,
sino la de su cordial enemigo el marqués de Mancera, a quien así podía
acusar de ignorante sin nombrarlo. Por su parte, el Consejo de Indias,
reunido el 18 de setiembre de 1675, decidió que se despachasen cédulas a
los virreyes del Perú y de Nueva España remitiéndoles copia de los informes del marqués de Mancera y de fray Ignacio, a fin de que, tras evacuar
consultas con las personas más peritas en el asunto de su gobernación,
viesen la mejor manera de hacer el descubrimiento. No conozco, sin
embargo, ningún documento más tocante al tema, por lo que sospecho
que las cartas, cuidadosamente archivadas, no fueron contestadas jamás.

9. *Un capitán pinturero: Francisco Palomino*

Con D. Andrés no se cierra el cupo de descubridores de las islas de
los Magos. En una amarga carta escrita en 1695 [158], el marqués de Barinas

---

[156] Así afirma en carta del 18 de enero de 1644 (A.G.I., Lima 52, vol. IV). Sobre Quirós cf.
Levillier, *Doc. Perú*, III, p. 186.
[157] El 30 de junio de 1646 recomendó sus servicios (A.G.I., Lima 53, vol. IV (1646), f. 32).
[158] Publicada por C. Fernández Duro, *Colección de documentos inéditos de... Ultramar*, XII,
Madrid 1899, p. 121, que controlo con las copias de BN Madrid, ms. 3034 f. 382r=21r. No es
ésta la única ocasión en que se refirió Barinas a Palomino. En su curiosa *Hidrografía* (BN
Madrid, ms. 2957, f. 151v), tras hablar de Mendaña en f. 150r y de Quirós en f. 150v=51r añade
por remate:
Las islas que demuestran estos dos mapas últimos son las que llaman de Salomón, por una
tradición que yo tengo por apócrifa, porque se cuentan muchas patrañas y embustes, como decir

repasaba los servicios que había prestado en vano a la Corona y refrescaba la memoria del soberano recordándole que gracias a su previsión se había impedido que la administración regia tragase alguna que otra «píldora»; y añadía para reforzar sus argumentos:

Una de ellas fue la de Christóval Palomino [159] en el descubrimiento de la isla de Salomón, quien suponía estava alastrada de oro; y puse en su inteligencia [del Consejo] era apócrifa y que no está en el archipiélago de San Lázaro, como suponía en su memorial.

Algunos errores indican que D. Gabriel de Villalobos habla de memoria. Pero el hecho es que las cédulas cursadas a los virreyes el 8 de octubre de 1675 habían puesto de nuevo de moda la búsqueda de las islas de Salomón, incitando la curiosidad de muchos, el desdén de unos pocos y la pasión de algunos. De esta cédulas tenía conocimiento nuestro personaje, que, en vista de que nadie se había resuelto a emprender a su costa el colosal proyecto, se decidió a probar fortuna él mismo. Por suerte conservamos todavía la instancia original, firmada en Sevilla el 8 de mayo de 1685 [160], en la que, con el mayor desparpajo del mundo, expone una extraña sarta de ingenuidades y disparates mayúsculos:

Señor: el capitán Francisco Palomino, besino de la siudad de Sevilla, puesto a los reales pies de Vuestra Magestad dise con ferboroso selo del serbisio de Dios y de Vuestra Magestad que está olbidado y perdido el mayor tesoro que en la tiera se a descubierto, el cual lo fue por una nao biniendo de las Yslas Filipinas para el puerto de Acapulco. Estando en altura de 12 grados setentrionales le dio una tormenta de biento Norte y corió la buelta del Sur pasando la línea equinosial a la parte austral, en la cual tormenta aligaron (sic por alij-) al mar los fogones y otras cosas que ensima de cubierta abía; y abiendo abonansado el tenporal descub<r>ieron una isla nonbrada

que una nao de Phelipinas, veniendo a Acapulco, arribó con un temporal a una de ellas, que cita en 11 grados de altura australes; llegando derrotada, hizo fogón con ella y hechó como es de costumbre un terraplén de tierra para hacer lumbre, y cuando llegó a Acapulco halló que se avía fundido en un texo de oro. De aquí se tomó por asunto de decir que esta isla era donde imbiava Salomón a cargar sus flotas de oro. Con esta noticia se ha salido del Perú en busca de estas riqueças algunas veces, y entre ellas el adelantado Alvaro de Avendaño y en nuestros tiempos un Fulano Dávila, preciado de mathemático y cosmógrapho, que murió haogado en la isla de Manila, y en tiempo de Su Alteça, siendo presidente del Consejo de Yndias el duque de Medina-Celi, Christóval Palomino, que el autor de este libro desvaneció dicho viaje por la insuficiencia del suxeto y porque tiene por apócrifa esta noticia, pues precisamente avía de aver razón en el Consejo de Yndias de un casso tan singular como el que suponen los que llevan esta opinión, y no la ay, conque...« (siguen dos páginas cortadas, con lo que se rompe por desgracia la ilación del texto).

[159] Debe de ser el capitán y piloto mayor que el conde de Baños despachó el 4 de noviembre de 1662 para que llevara a Acapulco la nao que tenía prevenida D. Martín Carlos de Mencos (A.G.I., Filip. 23, 4 48-A).
[160] A.G.I., Filip. 4, 3 n.° 68.

Salomónica. Llegaron a haser aguada y dando fondo echaron la lancha guarnesida con el mayor refuerso, por si ubiera indios que defendieran el haserla. Llegados a tiera no hallaron cosa biba y el piloto oserbó el sol y halló estar en altura de 11 grados la dicha isla. Hisieron el aguada y fogón, el cual llenaron de aquella tiera para cosinar en él. Siguieron su biaje a el puerto de Acapulco, adonde llegaron algo maltratada la nao; y abiéndola carenado se le hiso nuebo fogón, desbaratando el que fue hecho en dicha isla, y se le halló conbertida toda la tiera en un tejo de oro. Bisto este prodigio llegó la notisia a el Pirú, y el Birey despachó un nabío a descubrir dicha isla, y por pusilánimos se bolbieron en brebe tienpo. Y el año pasado de 1646 con poca diferensia fue a la Corte D. Andrés de Medina Dábila, el cual propuso a Su Magestad, que está en el sielo, ir a dicho descubrimiento, y se le dieron los despachos con honras y preeminensias, que por ellos constan y paran sus originales en la secretaría de la Nueba España. Y al dicho D. Andrés de Medina le comunicó el suplicante muncho tienpo en la siudad de México, bien sentido de que tres Bireyes no le abían querido dar cunplimiento a los despachos y sédulas reales que llevó, abiendo estado 15 años en la dicha siudad. Y el Birey conde de Baños le inbió a Filipinas por general de la nao, y allí murió, quedándose al olbido la mayor riquesa que el mundo tiene.

El seseante Palomino, enemigo también a muerte de la erre geminada, «a más de 40 años que continúa la carera de Yndias, ansí en la mar del Norte como en la del Sur, y ser piloto munchos años y capitán de mar y gera»; por desgracia, a su experiencia no corresponde su ciencia, pálido reflejo de la verborrea de Medina Dávila. También él ha de ser un nuevo Colón; también él va a culminar una «enpresa tan inportante y que consiste en su logro el alibio d'estos reinos»; pero por ninguna parte se advierte la más mínima brizna de inteligencia: para Palomino nada significan ya los nombres de Mendaña o de Quirós, y las anteriores expediciones australes se diluyen en el viejo cuento de marinos, y eso que todavía recuerda vagamente la latitud de las islas de Salomón, olvidada incluso por los cosmógrafos del Perú, y aun quizá la larga travesía de Filipinas a Perú realizada por algunos navíos en época del gobernador de Filipinas Gonzalo Ronquillo.

Palomino se ofrecía a hacer el descubrimiento si el presidente de Panamá ponía a su disposición con todo el avío necesario un navío de 300 toneladas de los que a ese puerto llegaban del Callao, siempre que el rey le concediese las mismas instrucciones, honras y sueldo que a Medina Dávila. El 16 de mayo remitió el soberano al Consejo dicho memorial, que fue examinado el 6 de junio [161]. Para entonces debía haberse reunido toda la información relativa al asunto, pero el secretario sólo había logrado encontrar la vieja cédula dirigida al virrey del Perú el 8 de octubre de 1675; no puede haber señal más fehaciente de que la administración

---

[161] Asistieron al Consejo el duque de Medinaceli, el conde de Villaumbrosa, D. Bernardino de Valdés, D. Miguel de Dicastillo, D. Luis Cerdeño, D. Joseph de Veitia, D. Juan Lucas Cortés, el marqués de Iscar y Lope de Sierra (A.G.I., Filip. 3, 3 n.° 156).

comenzaba a perderse en aquellas ingentes montañas de papeleo: hasta al propio escribano del Consejo se le iba el santo al cielo, y en vez de copiar Medina Dávila puso siempre Medina Malo, y ello porque por aquellos años había presentado asimismo una serie de instancias un tal Fernando Medina Malo. Discurrió el Consejo que, a juzgar por la dilación que había tenido el negocio y el silencio con que habían acogido los virreyes los despachos de 1675, el plan tenía demasiada enjundia como para proceder alegremente a su puesta en práctica; por tanto, y dado que Palomino era «de crecida edad» y la Hacienda real se hallaba exhausta y sólo podía acudir a los gastos más acuciantes, se concluyó que lo mejor era desatender la propuesta.

IX. LA TIERRA DE CESAR

1. *El país de los portentos*

Cuando Magallanes descubrió el estrecho que aún hoy lleva su nombre se cumplió una de las aspiraciones que habían guiado a Colón en su cuarto viaje. Se había consumido, no obstante, demasiado tiempo en su búsqueda y se habían sufrido en la consecución del empeño muy crueles sinsabores y descalabros como para que la fantasía de los descubridores no acabara desatándose en el momento del triunfo. «No hay en el mundo un estrecho mejor que éste», exclama en una ocasión pletórico de euforia Pigafetta [1], que, puesto a buscar maravillas, no se cansa de ponderar una y otra vez la estatura descomunal de los habitantes del puerto de San Julián, donde la armada estuvo anclada cinco meses: no era para menos, pues aunque las mujeres, quizá por aquello de la fragilidad femenina, tenían menor tamaño, los navegantes apenas alcanzaban con su cabeza la cintura de los patagones y nueve europeos casi no tenían fuerza suficiente para reducir a uno de aquellos colosos. No es preciso aclarar que tal porte desaforado es simple producto de la imaginación de Pigafetta, que ya había convertido en gigantes a los caníbales del Río de la Plata.

Desde entonces no hubo navegante que no cruzara el Estrecho sin referirse al tamaño descomunal de los patagones. Los expedicionarios de Loaysa no se apartaron un ápice de la pauta sentada por Pigafetta. Al truculento aspecto de los indígenas alude una y otra vez un clérigo novelero que viajó en aquella armada, Juan de Areizaga [2], que relata según su costumbre una disparatada historia en la que aparecen más de 2.000 hombres de aquella «generación gigántea», sujetos a la dominación de un

---

[1] *Viaje*, p. 37.
[2] Su relación se conserva en G. Fernández de Oviedo, *Historia*, XX 10 (*BAE* 118, p. 250 b, 251 b).

nozalbete al que él, Areizaga, un hombre hecho y derecho, no llegaba a la ingle[3]. Con esta estimación del vasco concordaron casi todos los que fueron en aquella armada[4], si bien Urdaneta[5], entonces un muchacho pero más en sus cabales, anotó que su altura era sólo un codo superior a la normal. Y dijo más Areizaga: que los patagones, que andaban en cueros, eran «gente muy alegre y regocijada», de grandísima fuerza y tan ligeros en la carrera, que no los aventajaría un caballo, detalle este último que los acerca a los trogóditas de Plinio[6], capaces de desafiar a los propios corceles en la carrera. Como correspondía a tales maridos, las esposas que les asignó el clérigo[7] eran también de talla superlativa. Asimismo los hombres de Simón de Alcazaba encontraron «grandes mugeres»[8] en el interior; ahora bien, entre estas mujerazas y las amazonas no media apenas diferencia.

Tras el paso de Magallanes su Estrecho no sólo quedó poblado de gigantes, sino que, por la norma bien conocida de acumulación mítica, vino a proyectarse sobre él una serie de viejos anhelos y quimeras. En primer lugar, también en ese paraje inhóspito se creyó encontrar la tan buscada especiería. Ya Pigafetta[9] había anotado que se daba el incienso en el puerto de San Julián. A su vez Urdaneta[10] observó al cruzarlo que en sus costas se criaban árboles «que parecían propio a la canela», y de canela verde, «aunque algo salvaje», se tomó alguna provisión, al decir de Areizaga[11], en el puerto de San Jorge, en la embocadura del Estrecho. Cuando Jerónimo de Alderete, capitán general de Chile, pidió para sí en 1544 la gobernación y capitanía general de la tierra que se extendía al Sur del Estrecho, encareciendo muy mucho la importancia que tenía acabar de descubrirlo y poblarlo por la otra banda, hubo de

---

[3] En G. Fernández de Oviedo, *Historia,* XX 6 y sobre todo 7-8, 14 (*BAE* 118, p. 245ss. y 259ss.).

[4] Cf. p.e. G. Fernández de Oviedo, *Historia,* XXII 3 (*BAE* 118, p. 351 a), XXIII 3 (*BAE* 118, p. 356 b), R. de Lizárraga, *Descripción del Perú,* II 80 (*NBAE* 15, p. 652 b). Los patagones tenían 13 ó 15 pies de altura, según Díaz de Guzmán (*La Argentina,* I 1 [p. 28]); habla en general de gigantes Barco de Centenera (*Argentina,* canto XXIV, f. 198r). De los pocos que mostraron escepticismo fue A. Thevet en su *Cosmographie universelle* (en S. Lussagnet, *Les français en Amérique pendant la deuxième moitié du XVIe siècle,* París, 1953, p. 9).

[5] En la relación publicada por F. Uncilla, *Urdaneta y la conquista de las Filipinas,* San Sebastián, 1907, p. 326.

[6] *Historia Natural,* VII 31, que parece tomar el detalle del *Periplo de Hannón* 7 (*Geogr. Graeci min.,* ed. C. Muller, I, p. 6).

[7] En G. Fernández de Oviedo, *Historia,* XX 6 y 7 (*BAE* 118, p. 244 b y 245 a).

[8] Cf. G. Fernández de Oviedo, *Historia,* XXII 3 (*BAE* 118, p. 351 a).

[9] *Viaje,* p. 31.

[10] En la relación editada por Uncilla (*Urdaneta,* p. 333).

[11] *Apud* G. Fernández de Oviedo, *Historia,* XX 10 (*BAE* 118, p. 251 a); cf. XX 11 (*BAE* 118, p. 252 b).

hacer referencia a la riqueza canelera, ya que al cabo de su memorial se apuntó que interesaba la empresa

tanto por la noticia que se tiene que los portugueses tienen fin a poner allí el pie, como porque se save que cerca de allí ay cantidad de espeçias que se pueden coger y traer brevemente [12].

Se trata sin duda de un árbol que también crece en Chile y «que llaman canela, porque huele un poco a ella, y los polvos hacen estornudar bastantemente» [13]. Esta supuesta canela hacía concebir mil fantasías a los mercaderes, que ya veían sus bolsas llenas de un dinero de obtención fácil; eran ellos los que deseaban explorar la costa meridional del Estrecho, «con sospecha que aquella podría ser isla, como lo es Çeçilia con la punta de Italia; y no sería mucho que ansí fuese y que hubiese mar ancha tras ella por donde ir al Perú» [14]. Hasta tal punto reinaba en el Perú el convencimiento de que en el Estrecho abundaban los aromas que el virrey Toledo, al despachar a Pedro Sarmiento de Gamboa en su reconocimiento, tras la incursión de Drake, le indicó en la instrucción que procurara averiguar

si en la tierra ay metales, y de qué calidad; si ay espeçería o alguna manera de drogas cosas aromáticas; para lo cual lleváis algunos géneros de espeçias, así como pimienta clavos, canela, gengibre, nuez moscada y otras cosas que lleváis por muestra... ansimimo os informaréis si ay algún género de piedra o cosa preçiosa [15].

La región mítica por fuerza tiene que ser abundosa en animales exóticos y monstruos terribles. Entre los productos de la India enumera San Jerónimo [16], además de las especias, el carbunclo, las esmeraldas, las perlas y las montañas de oro, a las que es imposible acercarse a causa de los dragones, grifos y demás espantajos de rigor. El campanudo y fantástico Areizaga, nuestro máximo informante de maravillas, asegura que se ve en el puerto de San Jorge brillar carbunclos por la noche [17]; y aunque el

[12] A.G.I., Indif. 1093, 14 n.º 9 (sin fecha). Las mismas palabras se recogen en la cédula de 2 de setiembre de 1554, fechada en Arras, por la que Carlos I concedió la gobernación a Alderet (cf. C. Morla Vicuña, *Estudio histórico sobre el descubrimiento y la conquista de la Patagonia y de l Tierra del Fuego,* Leipzig, 1903, p. 164).

[13] R. de Lizárrraga, *Descripción breve,* II 75 (*NBAE* 15, p. 649 a).

[14] A.G.I., Indif. 1093, 14 n.º 5 (memorial de Hernán Pérez, fechado el 8 de setiembre, si año). Que fuera isla lo sospechó también G. Fernández de Oviedo, *Historia,* XX 1 (*BAE* 118, p 221 a).

[15] BN Madrid, ms. 3043, f. 383v. Es de notar que los ingleses que atravesaron el Estrech cogieron también corteza que picaba como la pimienta, según notó David Ingram (en R. Hak luyt, *The Principall Navigations, Voyages and Discoveries of the English Nation,* Londres, 1589, p 559), que encontró algo parecido al Norte de Florida.

[16] *Cartas,* 125, 3.

[17] *Apud* G. Fernández de Oviedo, *Historia,* XX 10 (*BAE* 118, p. 251).

ésta una de las características de la piedra en cuestión, como indica San Isidoro[18], Areizaga da a entender que se trata de animales. Resulta que, como señala el propio G. Fernández de Oviedo, la gema *dracontites*, una de las más preciadas preseas de los reyes de Oriente[19], se extrae del cerebro de los dragones cuando están dormidos. Aquí está la génesis de este nuevo portento que hay que añadir al bestiario y del que tenemos una descripción inclusive, pues carbunclos pensó ver y persiguió evidentemente en vano Ruy Díaz Melgarejo cerca de la Asunción; así se los imaginaba el ripioso Barco de Centenera[20]:

> Un animalejo es algo pequeño;
> Un espejo en la frente reluziente,
> Como una brasa ignita en rezio leño,
> Corre y salta veloz y diligente.
> Assí como le hieren echa el ceño
> Y entúrbiase el espejo de repente;
> Pues para que el carbunclo de algo preste,
> En vida el espejuelo sacan d'éste.

También el topacio tiene la cualidad extraña de relucir en la oscuridad nocturna, según Agatárquides[21]; pues bien, ni más ni menos que un topacio, de más de 40 ducados de precio, encontró Urdaneta en el Estrecho, y según refiere[22], los lapidarios estimaron que había asimismo madres de turquesas. En medio de gigantes y de especias no podían faltar las perlas, y el mismo Areizaga[23] indica que a buen seguro, a juzgar por el tamaño de los ostiones, debía de haber perlas de singular grandeza. Parece, pues, que la fantasía había sido capaz de trasladar la India y sus embrujos equinocciales a las heladas regiones magallánicas.

Bien pronto aprendieron los españoles por amargas experiencias que el Estrecho de Magallanes no es tierra amiga para los navegantes: cuando

---

[18] *Etimologías*, XVI 14, 1. No es ésta la única gema reluciente que conoció la Antigüedad: cuenta el gran falsario del Pseudo-Calístenes (II 42 Müller) que Alejandro Magno logró matar con su espada un pez monstruoso, que ordenó descuartizar en su presencia; en sus entrañas brillaba una piedra, que el rey macedonio engastó en oro, utilizándola de noche como antorcha. Como se ve, se realza con nuevos y resplandecientes adornos la antigua tradición que consideraba las gemas producidas por las vísceras de un animal. Asimismo relata el Pseudo-Calístenes poco antes que, al abrir un cangrejo gigantesco e invulnerable al acero, que destrozaba con sus pinzas las lanzas de los soldados macedonios, se encontraron siete perlas de gran precio, cual no había visto jamás hombre alguno, y que impulsaron a Alejandro a emprender su exploración submarina en el batiscafo *avant la lettre* (II 38 Müller).

[19] Solino, *Colectáneas* 30, 16 (p. 133,2 Mommsen), San Isidoro, *Etimologías*, XIV 14, 7.

[20] *Argentina*, canto III, f. 21v ss.

[21] *Periplo del Mar Rojo* 82 (C. Muller, *Geogr. Graeci min.*, I, p. 171).

[22] Cf. Uncilla, *Urdaneta*, p. 332.

[23] *Apud* G. Fernández de Oviedo, *Historia*, XX 7 (*BAE* 118, p. 247 b).

llegó a él la armada de Simón de Alcazaba en enero de 1535, los expedicionarios encontraron en la orilla derecha restos de «una nao perdida» que identificaron con la «Sancti Spiritus» de Elcano[24]. Peor suerte corrió la capitana de la armada del obispo de Plasencia, D. Gutierre Vargas de Carvajal, que el 22 de enero de 1540 desapareció en la primera angostura del Estrecho sin que después se volviera a saber de ella. El optimismo humano se resistió a creer que hubieran perecido todos los pasajeros del navío: en una cédula de Carlos I se indica que los náufragos «salieron a una isla, que diz que es junto al dicho Estrecho, donde al presente quedan»[25], sin que nadie supiera muy bien cómo. Allí permanecieron muchos años grabados en el fértil recuerdo de los españoles, que forjaron con su desgracia otra «gente perdida» comparable a la de Ordás en el Orinoco. Así entraron en la leyenda fray Francisco de Rivera, el capitán general, su maestre, Miguel de Ragusa, el «arragocés», y los demás hombres de la capitana, porque en adelante no se pensó sólo en su salvamento, sino que se soñó de paso con las riquezas de la tierra en la que estaban apresados, tierra que iba cumpliendo con todos los requisitos que exigía el mito por obra y gracia de la imaginación.

Hubo un momento en que los conquistadores parecían próximos a llegar al Estrecho también por tierra, extendiéndose con rapidez por la última lengua de Chile. La comarca del remoto extremo no podía escapar a la aureola que rodea a toda región fronteriza, reuniendo como reunía óptimas condiciones para ello. En el mito áureo abunda el agua y la comarca meridional de Chile no es parca en lagunas, por lo que no es de extrañar que se produjeran ilusiones y espejismos. D. García de Mendoza, cuando se internó en 1558 por la provincia de los Coronados[26], halló en ella de 35 a 40.000 indios y más allá divisó un lago muy grande (el Llanquihué), plagado de islas y muy poblado de gente y de ganado, que iba a desaguar en el mar por un canal de 10 a 12 leguas de anchura; a este lago se disponía a ir D. García al verano siguiente, atraído por la fama aurífera del mismo[27]. A su vez, en 1567 Martín Ruiz de Gamboa pobló la ciudad de Castro en la isla de Chiloé, convertido por la añoranza en Nueva Galicia, tras franquear el canal en piraguas; llegada la hora de realizar la consabida probanza, no dejó pasar la ocasión de hacer constar

[24] Relación de Juan de Mori en Santo Domingo el 20 de octubre de 1535 en Morla Vicuña, *Estudio histórico*, p. 217.

[25] Cf. Morla Vicuña, *Estudio histórico*, p. 250 (18 de agosto de 1541) y A.G.I., Indif. 423, vol. XX, f. 744v (4 de marzo de 1542).

[26] En los Coronados fundó D. García la ciudad de Osorno (cf. la carta del cabildo de la Concepción del 12 de mayo de 1559 [A.G.I., Chile 28, n.º 3]; amplía este informe el mismo cabildo en otra carta del 30 de enero de 1559 [A.G.I., Chile 28], afirmando que D. García llegó hasta los 42° de latitud Sur).

[27] Carta del 20 de abril de 1558 desde Valdivia (A.G.I., Lima 119).

que la naturaleza de la isla daba muestras de que había en ella «mucha riqueza de metales de plata e asimismo oro»[28].

Otro signo indispensable de la tierra de promisión es la existencia de amazonas. Valdivia, nada más internarse en Chile, comenzó a dejarse llevar por la alucinación de siempre: más allá de los dominios del rey Leuchen Golma, que acaudillaba nada menos que 200.000 guerreros, se extendía la provincia de las amazonas, «la reina de las cuales se llamaba Guanomilla, de donde arguían muchos ser aquella tierra muy rica»[29]. Muy escéptico apostilló Gómara que mal podía haber oro en un lugar que se hallaba en cuarenta grados de latitud, es decir, muy alejado de la equinoccial, que es donde tenían que hallarse todos los tesoros del mundo. Ahora bien, este delirante cuento amazónico tiene todas las trazas de ser una invención premeditada del astuto Valdivia, que sabía realzar con mucha maña y destreza las cualidades reales e imaginarias de su gobernación: así, cuando envió en 1542 al Perú a pedir socorros a Alonso de Monroy y a Pedro de Miranda, ordenó que se les labraran en oro los estribos de las sillas y las guarniciones de las espadas[30], a fin de que su aparición llenara de pasmo a unos soldados, como los del Perú, cuyo sueño consistía precisamente en llevar armas de oro en lo que se suponía ser el colmo de la abundancia. Las amazonas no aparecen nunca mencionadas en las largas y prolijas cartas que se conservan de Valdivia; pero sus enviados recibieron sin duda instrucciones muy concretas sobre lo que habían de referir de palabra, y entre las maravillas de turno se encontraba a no dudar la saga apócrifa de la reina Guanomilla: no se concebían riquezas sin amazonas. Mientras, el verbo fácil de Valdivia, ajustado a su letra acompasada y menuda, que fluye en pulcras y compactas hileras, refería las excelencias de la tierra con exageración que podía rivalizar con la colombina; más allá de Biobío había

un puerto e baía el mejor que ay en Yndias y un río grande por un cabo que entra en la mar, de la mejor pesquería del mundo, de mucha sardina, çéfalos, tuninas, merluzas, lampreas, lenguados y otros mill géneros de pescados, y por la otra otro reachuelo pequeño que corre todo el año de muy delgada e clara agua.

---

[28] Probanzas de Martín Ruiz de Gamboa, yerno del gobernador de Chile Rodrigo de Quiroga, realizadas en Castro en abril de 1567 (pregunta sétima), en A.G.I., Chile 30. Hizo después otra información Gamboa en la Concepción en julio de 1569 (A.G.I., Chile 30), en la que depusieron como testigos los vecinos de Castro Diego Cabral de Melo y Juan de Molinez. Relató Gamboa su jornada en carta desde la Concepción del 24 de mayo de 1569 (A.G.I., Chile 30). El Cabildo de Osorno animó a que se prosiguiera el descubrimiento el 12 de mayo de 1567 (A.G.I., Chile 28, n.º 60).
[29] Cuenta tal fantasía López de Gómara, Historia, cap. CXLII (BAE 22, p. 242 b).
[30] Gongora Marmolejo, Historia de Chile, V (BAE 131, p. 85 a y 86 a), Mariño de Lobera, Crónica del Reino de Chile, II 20 (BAE 131, p. 277 a).

La bondad del suelo no es para contarla, ya que toda la provincia

es más poblada que la Nueva España, muy sana, fertilíssima e apazible, de muy lindo
temple, riquísima de minas de oro, que en ninguna parte se ha dado cata que no se
saque, abundante de gente, ganado e mantenimientos, gran notiçia muy çerca de
cantidad de oro sobre la tierra y en ella [31].

Pero sobre Valdivia tiraba con fuerza irresistible el Estrecho, pues no
parece que pudiera existir la fuente del oro en otro lugar que en su
ribera. Su programa conquistador, que la muerte le impidió ver realizado,
se orientó muy pronto a alcanzar el paso; así lo indicó el propio adelantado en una carta escrita el 20 de julio de 1552, expresando su intención de
ir en el próximo verano (de setiembre a abril) a reconocerlo «para descubrir otros mayores y mejores» reinos [32]; y así lo remacha un testigo de
excepción, Góngora Marmolejo: «Todo el fin y deseo que tenía era acercarse al Estrecho de Magallanes» [33], para establecer desde allí comunicación directa con los reinos de España, pero sobre todo para desvelar sus
secretos.

Se ocultaban, pues, ricos tesoros en el paso descubierto por Magallanes; también se presumía la existencia de grandísimas riquezas en el lejano Chile; pero todavía había una tercera tierra en discordia. En efecto,
próxima al Estrecho se extendía una región incógnita, al otro lado de la
Cordillera Nevada para los vecinos de Chile, pero situada asimismo, desde otra perspectiva, en la frontera meridional de Tucumán, y que bien se
podía identificar con la región de la que se había hecho lenguas, barrun-
tando las riquezas incaicas, el capitán de Caboto Francisco César, cuyas
andanzas y peripecias contó después con todo lujo de detalles Ruy Díaz
de Guzmán [34], sin privarse de darnos incluso el nombre de su informante,
un vecino de Tucumán, Gonzalo Sánchez Garzón, que había conocido al
capitán en Lima. Contaba, pues, la historia que César, partiendo al frente
de un destacamento del fuerte de Sancti Spiritus, anduvo siempre hacia el
poniente hasta llegar a la gran sierra; allí se desvió hacia el Sur, entrando

[31] A.G.I., Chile 18 (Concepción del Nuevo Extremo, 15 de octubre de 1550, § 67 y 72).
Iguales alabanzas en otra carta fechada en la misma ciudad el 25 de setiembre de 1551.
[32] A.G.I., Chile 28 (n.° 39, cf. n.° 55). En julio de 1548 había llegado a Valparaíso el piloto
Juan Bautista Pastene con un navío de su propiedad; el conquistador lo despachó en setiembre
reconocer 150 o 200 leguas de costa hacia el Estrecho, escribiendo después al rey que había
estado a pique de perderse en 40 grados, y encima insertando en su carta una indicación
cosmográfica al modo colombino: el error de los mapas no radicaba en los grados de Norte-Sur,
sino en los de Este-Oeste (15 de octubre de 1550). Según anunció Valdivia desde Santiago el 2
de octubre de 1552, había encomendado a Francisco de Villagrá que partiera de Villa Rica, a 4
grados, a descubrir hasta la Mar del Norte (A.G.I., Chile 18).
[33] *Historia de Chile*, XIII (*BAE* 131, p. 99 a; cf. XIV, p. 100 b).
[34] *Argentina*, I 9 (p. 65ss.).

n una provincia muy poblada de gente vestida y riquísima de oro y plata, que obedecía a un gran señor, debajo de cuyo amparo decidieron ponerse os españoles. El rey, que los recibió de muy buen grado, les dio licencia ara marcharse cuando le fue requerida, de suerte que desandando el amino el capitán volvió con sus hombres al fuerte y, al encontrarlo estruido, pasó por Atacama al Cuzco. Mantenía César que, desde lo alto le la cordillera, había avizorado las aguas de uno y otro Océano, si bien)íaz de Guzmán encontraba exagerada tal afirmación: a César lo hubo de ngañar la extensión de los grandes lagos que yacen al Norte del Estre-ho. Se compaginan en este relato de Díaz de Guzmán verdades y fanta-as. Existió, sí, un capitán Francisco César, del que hasta sabemos que us padres eran Juan López de Córdoba y doña Marina de Vilodo, veci-os de Granada [35]; también es cierto que Caboto lo despachó a descubrir on siete hombres, y que tanto él como sus soldados volvieron diciendo que habían visto grandes riquezas de oro, plata y piedras preciosas, pero in llegar a las sierras nevadas [36]. Más fallas muestra la cronología, pues el taque al fuerte de Sancti Spíritus tuvo lugar después del regreso de César éste no se encaminó a Lima, todavía no hollada por españoles, sino que olvió con Caboto a España: en 1530 se encontraba en Sevilla, prestando eclaraciones como testigo en los pleitos del controvertido piloto mayor.

A esta luz se explican otros impulsos descubridores. Tras la batalla de Chupas (1542), Vaca de Castro decidió librarse de tantos aventureros untos por el socorrido expediente de enviarlos a hacer entradas: a Verga-a lo despachó a Bracamoros, a Alonso de Alvarado a Chachapoyas y Levanto, a Puelles a Huánuco; la jornada de Zumaco y la Canela, des-restigiada momentáneamente tras el fracaso de G. Pizarro, quedó enco-nendada a Campos. El descubrimiento cenital correspondió a Diego de Rojas, que debía encaminarse al Sur, a las tierras de Chili y las fuentes ureas del Plata: «allí se dice que está el reino dorado, al otro lado de las ierras nevadas», afirma en el mal latín de sus prosaicos versos Juan Cristóbal Calvete de Estrella [37]. Tal conclusión, avalada por el testimonio le los veteranos de Caboto, respondía por lo demás a una lógica aplastan-e: explorado el Orinoco y avistado el Marañón, el mito retrocedía a las egiones desconocidas, a esa supuesta laguna central de donde nacían los randes ríos de la Tierra Firme. En la imposibilidad de realizar una

---

[35] Fue César en la nao capitana, en cuyos libros de pago figura esta noticia (A.G.I., Patron. 2, 1 (n.° 1), f. 138r).

[36] A.G.I., Patron. 41, 4 (Autos fiscales de Catalina Vázquez): pregunta XLI de la probanza e Caboto de 1530. En otro interrogatorio anterior de Caboto en el mismo ramo se encuentra la osca firma del capitán César.

[37] Vaccaeis 2308ss. (el texto impreso por Barnuevo corrige los solecismos del manuscrito dado conocer por López de Toro); cf. Diego de Rojas, Historia del Perú, I 2, 3ss. (BAE 164, p. 97ss.).

expedición conjunta, la entrada se hizo en cuadrillas, cuya historia conocemos fragmentariamente, gracias sobre todo a las informaciones de servicios realizadas por Pero González de Prado.[38] Tras recorrer el territorio
de Chicoana (¿Molinos?) y Quiriquire, la tropa capitaneada por Nicolás
de Heredia franqueó a golpe de hachas y azadones un paso de los Andes
llegando a términos de Tucumán, donde permaneció cuatro meses en una
fortaleza erigida a este fin. Desde ese puesto anduvieron 50 leguas tierra
adentro hasta dar en la provincia de Soconcho; en ella se juntó toda la
fuerza expedicionaria, cuyo mando, a la muerte de Rojas, recayó en Francisco de Mendoza. El incendio del campamento y la falta de alimentos
obligó a Mendoza a avanzar hasta los ingitas (yugitas, esto es, diaguitas
para Levillier), donde encontró mucha comida de maíz, algarroba y cha-
ñar, así como carne de ovejas y avestruces: allí se plantó el campo durante
casi un año. Como se hallaron muchos enseres de Castilla entre los indios, fue Mendoza a buscar nuevas de los cristianos del Río de la Plata a
través de ciénagas y ríos, hasta que unos salitrales le cortaron el camino.
Otra expedición que bordeó los pantanos dio con la tierra de la gente
barbada, por donde se descubrió la provincia de Talamochita o el río de
Alaona (o Anaona o Acaona: ¿el Tercero?). Plantado ya el real entre los
comechingones, la gente barbada, Mendoza se encaminó con la mitad de
su gente al Alaona, llegó a la fortaleza de Caboto, encontró en ella una
carta de Irala dando aviso de los puertos que había que tomar, y hasta
habló con indios que sabían algo de castellano gracias al trato con los
hombres de Ayolas. Los comechingones entre tanto atacaron una y otra
vez el campamento (llamado por ello Malaventura), sin lograr romper la
guardia de los 70 españoles que lo defendían. El regreso de Mendoza los
libró de la zozobra, si bien el capitán fue asesinado a poco, quedando al
frente de los supervivientes Nicolás de Heredia. Ante la imposibilidad de
cruzar el Río de la Plata, que tenía allí más de ocho leguas de ancho
según decían, se emprendió el retorno a las provincias de los ingitas y
juríes, pasando después Heredia al Río Salado, donde hizo provisión de
algún maíz y mucho pescado. En suelo ya de los nules o nunes (=lules)
los españoles, hallándose en las proximidades de los Andes y viendo
reducido su número a unos 150, acordaron regresar al punto de partida.
El descubrimiento del camino del Cuzco al Río de la Plata, puntos que
distaban según sus cálculos unas 700 leguas, les había llevado cuatro
años; tanto esfuerzo resultó baldío, al recibir a los expedicionarios a su

---

[38] A.G.I., Lima 122 (18 de julio de 1548) y Quito 27 (Los Reyes, 1556; esta última, creo
desconocida para Levillier). Había desembarcado en Paita en 1537. De otro veterano de Diego
de Rojas, Miguel de Ardiles, hay información de 1585 hecha en Santiago del Estero, con algunos
datos sobre la expedición (A.G.I., Charcas 34).

salida en 1546 un Perú alzado que, entre las violentas llamaradas de la guerra civil, mal podía dispensar atención a los resultados de esta jornada. Tampoco encuentro en el seco formulario de la información reflejo alguno de las ideas que motivaron tan singular empeño; únicamente cabe señalar la existencia de gente barbada, los comechingones, y la nebulosa noticia de un cacique, Cormida (o Corunda, según interpreta Levillier), «qu'es un principal de la costa», al que esperaban encontrar cuando se internaron por las ciénagas en demanda de los españoles del Río de la Plata. Sí hay que renunciar en cambio, decididamente, a ese río Amazonas que no es más que el producto de una mala lectura de Levillier por Alaona.

En un documento notarial otorgado el 14 de diciembre de 1542 Rojas, además de indicar que se dirigía «adelante de las provincias de Chile», dio poder a su yerno, Francisco de Cárdenas, para encargarse de reclutar hombres y de llevarlos por mar «al puerto de la provincia de Chile o al puerto de Arauco». Basado en este proyecto, nunca llevado a término, supone Levillier [39] que el objetivo primero de la jornada era descubrir la tierra de César; después, el hallazgo en Chicoana de gallinas de Castilla hizo que se desviara el rumbo de la expedición a las tierras del Río de la Plata; a la muerte de Rojas, Mendoza volvió a la idea original, buscando durante un año entre los diaguitas la tierra del oro hasta que, cansado de lo vano de sus esfuerzos, enderezó su camino otra vez a la fortaleza de Caboto. Esta hipótesis es verosímil y probable; no obstante, parece más lógico pensar que la meta buscada por Rojas fue siempre la misma: sus desviaciones y rodeos en las punas de Tucumán las hubo de causar el lógico desconcierto de quien no sabía muy a ciencia cierta adónde dirigir sus pasos a través de una tierra totalmente desconocida, fomentando además el enredo el error de cálculo inicial, al suponer la fuente del Plata cercana en exceso a un Chile tampoco bien explorado. De ahí proviene el zigzagueo de la ruta, muestra de la turbación de los jefes sucesivos que andaban en pos de un fantasma cuya localización exacta desconocían.

Había, pues, tres regiones próximas y lejanas al mismo tiempo que pronto acabaron por identificarse, confundiéndose en una las quimeras: la tierra rica del Estrecho, el señorío de las amazonas aireado por Valdivia y la comarca entrevista por César y que habían perseguido en vano los hombres de Diego de Rojas. Sin duda, esta última era la más accesible y fue la primera en ser perseguida.

---

[39] *Nueva Crónica de la conquista del Tucumán*, Madrid, 1927, I, p. 86ss. y 119ss.

2. La tierra de César, buscada desde Chile

Surgió de esta manera una dura competencia por alcanzar «la provincia de César», a la que unos intentaron llegar desde Chile, otros desde Tucumán. Por otra parte, la tierra misteriosa comenzó a recibir muy distintos y eufónicos nombres: Linlín, Trapananda, la Sal, Conlara. Las diversas variantes con que se presenta el topónimo fabuloso se deben a las diferencias de lugar, como ya observaron los propios conquistadores. Según Diego Pacheco [40], la tierra que en Santiago del Estero se llamaba la Trapalanda recibía el nombre de la Sal en Chile; a su vez, como precisa Pedro Sotelo Narváez [41], la entrada que en Chile se apellidaba de la Sal y Trapananda se conocía en Córdoba por el título de Linlín; por último, indica Ruy Díaz de Guzmán [42] que la denominación de Yúngulo la oyeron por primera vez los españoles en Córdoba, durante la expedición de Diego de Rojas: allí les informaron de que al Sur «había una provincia muy poblada de gente rica de oro y plata, llamada Júngulo, que se juzga ser la misma que en el Río de la Plata llaman los Césares».

La rivalidad entre los hombres de Chile y de Tucumán arranca de los mismos orígenes de la última gobernación, pues cuando La Gasca, en 1549, dio licencia a Juan Núñez de Prado para poblar en el Tucumán, inmediatamente le siguió los pasos, para anular sus actos, un capitán de Valdivia, el incansable Francisco de Villagrá: al natural conflicto de jurisdicción se unía el temor de que, desde aquella fundación frustrada de la villa del Barco (1550), se llegara antes al descubrimiento de las provincias de César. Y efectivamente, conseguido el propósito de reducir por el momento a Núñez de Prado, Villagrá prosiguió la exploración de las tierras de diaguitas y comechingones, en vez de acudir en inmediato socorro de Valdivia, quien quizá, como sospecha Góngora Marmolejo [43], había sido el principal inductor de la jornada, para deshacerse de un posible e incómodo rival. Para nuestro intento interesa destacar que Valdivia tenía muy claro que el objetivo de Villagrá era Yúngulo o, dicho de otra manera, la jornada que había mandado pregonar Diego de Rojas y que era la mejor y más rica del mundo; por ende, una cosa era entonces

---

[40] *Relación de la provincia del Tucumán* (¿1569?) en M. Jiménez de la Espada, *Relaciones geográficas de Indias*, II, p. 38.

[41] *Relación de las provincias de Tucumán* (1583) en M. Jiménez de la Espada, *Relaciones geográficas de Indias*, II, p. 152.

[42] *Argentina*, II 6 (p. 123).

[43] *Historia de Chile*, X (*BAE* 131, p. 91 b); cf. Mariño de Lobera, *Crónica*, II 30 (*BAE* 131, p. 299). No hubo problemas de competencia durante la gobernación en Chile de D. García de Mendoza, ya que Juan Pérez de Zorita actuó como su teniente de gobernador en Tucumán (1558-62), fundando allí los pueblos efímeros de Londres (1558), Córdoba (1559) y Cañete (1560).

todavía la conquista del Estrecho y otra el descubrimiento de la provincia buscada por Rojas.

Dos años, hasta 1551, anduvo Francisco de Villagrá en el «descubrimiento de Yúngulo y provincias que dicen de César, por detrás de la Cordillera Nevada»[44], en cuya demanda había partido de Potosí[45]. La búsqueda fue infructuosa, pero no les faltó tenacidad a los conquistadores, pues en 1553 de nuevo franqueó la sierra un primo de Francisco, Pedro de Villagrá[46]. La muerte de Valdivia en el desastre de Tucapel (1553) interrumpió de manera brusca la conquista. Pero también a D. García de Mendoza, durante sus años de gobierno de Chile, lo tentó el secreto oculto en la otra banda de los montes, enviando en su descubrimiento al capitán Pedro del Castillo[47]; así, con la fundación de Mendoza, nació la nueva provincia de Cuyo, sometida a la gobernación de Chile.

Tras un largo período de interinidad el regreso definitivo de Villagrá a Chile con el título de gobernador no puso fin a las turbulencias y rencillas, sino que provocó escozor y aun cólera en los nuevos encomenderos, que, sometidos a la durísima brega de la lucha con los araucanos, encima veían o sospechaban que se les iba a arrebatar las mercedes que les había otorgado D. García. Esta ocasión fue aprovechada por dos vecinos de la Imperial, el capitán Martín de Peñalosa y Francisco Talaverano, para intentar un motín: su plan era juntar a los descontentos en un lugar situado entre Valdivia y Osorno y salir del reino, cruzando la cordillera, con el señuelo de ir a descubrir la provincia de Trapananda, de la que tantas maravillas se contaban. La deserción fue descubierta a tiempo, y los dos cabecillas sufrieron pena de muerte; pero en la conspiración estaban implicadas muchas más personas y de más fuste que las susodichas, así que se prefirió echar tierra sobre el asunto[48].

[44] Testimonio del propio Villagrá en Los Confines (= Ongol) el 22 de noviembre de 1561, en las probanzas del capitán Alvarado publicadas por J. T. Medina, *DIHChile*, XVI, p. 15. «En demanda y descubrimiento de las provincias de Yúngulo, de que dio notiçia César», dice Villagrá en otro documento extendido a favor de su maestre de campo en aquella campaña, Alonso de Reinoso, en Tucapel el 4 de noviembre de 1561; descubrieron entonces, se añade, mucha parte de las provincias de los juríes, comechingones, Cuyo, Caria y diaguitas (probanzas de Jusepe de Villegas, hijo de Juan de Villegas, que fue con Pedro del Castillo al descubrimiento de Cuyo, y nieto de Alonso de Reinoso, f. 8v [A.G.I., Chile 33]).

[45] Proporciona este detalle la información de servicios de Tristán Sánchez en enero de 1569 en La Plata (A.G.I., Charcas 40; sólo se habla de Yúngulo); venía Sánchez de Arequipa.

[46] Morla Vicuña, *Estudio histórico*, p. 182. En la solicitud de la vara de alguacil mayor de Chiloé presentada por Arias Pardo se recuerda que fue con Pedro de Villagrá a «conquistar las provincias de Chilué y Trapananda» (Moral Vicuña, *Estudio histórico. Apéndice*, p. 187).

[47] Fueron a esta expedición Juan de Villegas (probanzas de Jusepe de Villegas en 1618 en Santiago [A.G.I., Chile 33]), Martín de Santander (probanzas de su hijo Martín de Santander en 1604 [A.G.I., Chile 43]) y Francisco de Urbina (A.G.I., Chile 43).

[48] Góngora Marmolejo, *Historia de Chile*, XLI (*BAE* 131, p. 158); Mariño de Lobera, *Crónica*, II 2, cap. 17 (*BAE* 131, pp. 422-23).

Al ir recorriendo su gobernación, Villagrá realizó una entrada desde el valle de Ongol a la cordillera, descubriendo las llanadas de la otra vertiente, de modo que desde la cima, como se dijo del capitán César, divisaba tanto la costa de la Mar del Norte como la de la del Sur; y al descender del puerto encontraron indios «de diferentes talles y aspectos que los demás de Chile», sin que faltaran «prenuncios de oro» [49] aunque la noticia del inminente levantamiento de los indios obligó al gobernador a tomar el camino de Valdivia, embarcándose allí rumbo al puerto de Arauco. El mismo Villagrá despachó en 1562 a Juan Jufré para explorar, al Sur de Cuyo, las provincias de los Césares (ya en plural), Linlín, Trapananda y Conlara [50]. En estos esfuerzos tanto de descubrimiento como de población comienza a perfilarse mejor el mito, que de manera obligada toma un disfraz incaico. En una carta dirigida el 21 de enero de 1562 al virrey conde de Nieva le indicó Villagrá que un bergantín enviado en reconocimiento había traído noticias de tierra muy poblada y de «gente vestida de manta y camiseta como la de Cuzco», que tenía «mucha comida y grandes insignias de oro y plata, buen temple y buenas aguas» [51]. De nuevo se volvió a hablar entonces de muchedumbres ingentes de indios: entre los juríes y diaguitas había más de 200.000 almas, según el licenciado Alonso de Herrera [52].

En 1565 el licenciado Castro encargó a Juan Pérez de Zorita, que se encontraba en los Reyes después de haber servido en Chile, el descubrimiento de las provincias «de la Sal y Trapananda y noticias de Zésar», con título de gobernador, capitán general, justicia y alguacil mayor [53]. Zorita comenzó su jornada desde Chile, pero cuando llegó a la Serena, el primer asiento de españoles, fue requerido a no proseguir su camino, porque, si pasaba adelante, se despoblaría la ciudad para marchar sus vecinos tras él. Evitó el incidente Zorita, pero su prudente renuncia se debió más bien al deseo interesado de hacerse con la gobernación de Tucumán, que estaba vacante a la sazón por el proceso entablado a Aguirre tras el motín de sus soldados en 1566 [54].

El fracaso de Zorita alentó las esperanzas de Juan Jufré, que se vieron respaldadas por el dominico fray Lope de la Puente [55], testigo de la vera-

[49] Mariño de Lobera, *Crónica,* II 2, cap. 16 (*BAE* 131, p. 421).
[50] Morla Vicuña, *Estudio histórico,* p. 44.
[51] A.G.I., Charcas 40.
[52] Carta del 1 de mayo de 1564 desde Santiago de Chile (A.G.I., Chile 30).
[53] Después Zorita fue nombrado por el virrey Toledo gobernador de La Paz y por último de los chiriguanáes y Santa Cruz, con cargo de procurar el descubrimiento de la Mar del Norte, según declara él mismo en carta del 8 de noviembre de 1577 (A.G.I., Lima 124).
[54] Cf. R. Levillier, *Nueva Crónica del Tucumán,* II, p. 120.
[55] A.G.I., Chile 64.

cidad de cuanto relataba el capitán y garante de las excelencias de la tierra transandina, muy rica en gente y en tesoros. Pero el virrey Toledo se resistió a acceder tanto a las instancias del doctor Saravia[56], que pedía esa conquista para Alonso Picado, como a las de Jufré, que reclamaba desde la Concepción el descubrimiento de la provincia «de la Sal y por otro nombre de César», que se encontraba al Sur de Santiago del Estero, a las espaldas de Chile. El propio Jufré, padre a la sazón de nueve hijos, se percató de que su fracaso se debía a los informes negativos enviados desde Chile[57]; pero para entonces ya había prendido en él otra ilusión, la idea de ver qué islas eran esas con las que había topado el piloto Juan Fernández en el Pacífico.

Fruto de la anterior expedición de Jufré fue la fundación en Cuyo de San Juan de la Frontera. El 8 de octubre de 1573, doce años después del primer asentamiento, su cabildo, con énfasis solemne, dio cumplida cuenta al rey de las excelencias de la tierra: aunque de su suelo no se sacaba oro,

sábese cierto los ingas señores que fueron del Pirú y d'estas provincias lo sacaron, que agora se ve las poblaçiones que para ello tubieron y estrumentos con que lo labravan[58].

La información de servicios que hizo en 1572 Juan de Ahumada, uno de los 40 veteranos de Juan Jufré que estuvo presente en la población de San Juan de la Frontera, se resiste más a plegarse al encanto de lo incaico, conservando mejor por tanto las ilusiones originarias: la villa tiene

muy buena tierra y muy fértil y abundosa de todos mantenimientos y de muchos naturales; y poco más adelante gran notiçia de la Mar del Norte y de gran suma de indios muy ricos, qu'es la mayor notiçia que jamás se a tenido[59].

La carrera descubridora, como siempre, se vio acicateada por claros intereses comerciales. Los vecinos de Chile se percataron muy pronto de

---

[56] Confesó el licenciado Saravia que había accedido a la entrada «importunado de Alonso Picado y de su muger y de su suegra», sin hacer mucho hincapié ni apremiar al virrey, en carta del 15 de octubre de 1571 (A.G.I., Chile 30).

[57] Se mostró muy contrario a que Toledo concediera la jornada el licenciado Gaspar Venegas (carta del 22 de abril del 1571 en A.G.I., Chile 30), alegando que se despoblaría la tierra al irse la gente descontenta con ellos. Sobre Jufré vide *supra*, p. 99ss.

[58] A.G.I., Chile 30. Sobre la fundación en 1562 cf. Mariño de Lobera, *Crónica,* II 2 (*BAE* 131, p. 419 a). Como indican los vecinos, la villa distaba 120 leguas de la fortaleza de Caboto.

[59] Información de servicios hecha en la Concepción en 1572 (A.G.I., Chile 39; cf. la pregunta decimosexta y ss. del interrogatorio). Juan de Ahumada pasó con D. García a Chile, según consta por otra información de 1574 (A.G.I., Chile 30). Una real cédula, dada en Madrid el 15 de junio de 1574, concedió a Juan de Ahumada 1.500 pesos en un repartimiento de indios; todavía coleaba la dichosa encomienda en 1602, 1609 (reclamada por su hijo, Luis de Ahumada [A.G.I., Chile 32]) y en 1635 (A.G.I., Chile 44). Cf. asimismo A.G.I., Indif. 1434.

las ventajas que acarreaba para su economía la posible utilización de la
vía del Estrecho, que bien los podía librar de la dependencia y tiranía de
Panamá. El 8 de julio de 1564 el cabildo de Valdivia volvió a solicitar del
rey la navegación del Estrecho [60], y en esta petición abundó el veterano
Lorenzo Bernal de Mercado [61]. Según es norma, la solicitud se vio avalada
por quimeras y ensueños. Como notificó Juan López de Porras [62], cuando
D. García Hurtado de Mendoza lo envió a descubrir Chiloé, tuvo «las
más brabas notiçias de tierra más rica del mundo»; ahora lo acuciaba el
deseo de descubrirla una vez conseguida la preceptiva licencia del rey. Y
no se necesitaban grandes aprestos para semejante empresa; antes bien,
en dos meses podría verse terminada, «porque estará esta tierra rica no-
benta leguas d'esta ciudad de Baldibia», si bien la exploración se había de
hacer de manera conjunta por tierra y por mar.

El prestigio del mito, utilizado una vez para enmascarar una rebelión,
volvió a ser enarbolado con el mismo fin por un mestizo de profesión
platero, Juan Fernández, que intentó soliviantar los ánimos de los desam-
parados y mestizos de Ongol, donde estaba casado, diciéndoles que la
única manera de escapar de los mil agravios e injurias que sufrían era
marcharse del reino, ya que, más adelante, se tenía noticia de tierra rica.
La intervención del capitán Lorenzo Bernal de Mercado hizo abortar la
sedición, y el licenciado Torres prendió al mestizo y le dio muerte. En el
tormento había confesado que eran cómplices del plan muchos hombres
de nota; pero nunca se supo si era verdad lo que declaraba o si lo había
dicho para salvar su vida acusando a cuantos más mejor [63].

No es infrecuente que el recién llegado, el chapetón, sea quien quede
más deslumbrado ante el falso oropel de unas fantasmagorías que hacen
sonreír al baquiano. Así ocurrió con un veterano de Italia y de Flandes,
Juan de Nodar, uno de los cuatro capitanes que llevaron a Chile el
socorro que condujo Juan de Losada en 1575. Nodar presentó en 1578
ante el Consejo de Indias un memorial solicitando la conquista de Conlara, que se jactaba de haber descubierto él en parte, y de la que adjuntaba
«una traza y pintura» hoy desgraciadamente perdida. Esta tierra, de mucho oro y plata, fertilísima y poblada de indios vestidos, «comienza desde
el Río Bermejo y çerro de Gaboto, qu'es por donde diçen bajó César, que
es hasta la Mar del Norte y Estrecho de Magallanes»: como se ve, tienta a
Nodar el sueño de Valdivia y de Aguirre, la atracción de esa comarca
transandina que enlaza con la nebulosa del Estrecho. Denegada su peti-

<hr />

[60] A.G.I., Chile 30.
[61] Carta dada en la Concepción el 31 de mayo de 1569 (A.G.I., Chile 30).
[62] A.G.I., Chile 30.
[63] Góngora Marmolejo, *Historia de Chile*, LXXXVI (*BAE* 131, p. 216); Mariño de Lobera,
Crónica, II 2, cap. 38 (*BAE* 131, p. 469).

ción el 24 de noviembre de 1578, volvió a la carga en 1580 ofreciendo un plan para la pacificación de Chile y haciendo a tal efecto una propuesta escalonada: primero, la reducción de los indios en un plazo de dos años; después, en el mismo término, la conquista de Conlara con 300 hombres y la fundación en esa provincia de tres ciudades. Como no albergaba ya grandes esperanzas en que triunfara este proyecto, Nodar recurrió a otra oferta alternativa, pues también cabía descubrir el Estrecho de Magallanes y la Tierra del Fuego, erigiendo allí un fuerte; para llevar a cabo esta idea, ya acariciada por Alderete, bastaba un navío de 50 soldados y marineros, con dos pilotos muy prácticos de aquella navegación, así como una fragata tripulada por 15 soldados y marineros y un piloto. Este ofrecimiento fue igualmente rechazado el 20 de julio de 1580 [64]. En una y otra instancia, todo el interés del desairado Nodar gravita sobre el Estrecho, ya en su costa Norte, en la que están todavía por encontrar los Césares famosos, ya en su costa Sur, que bien puede estirarse hacia el polo hasta formar otro continente. Antes de disfrutar de los tesoros imaginarios, Nodar pedía bienes más reales y palpables, como la protectoría general de los indios de Chile por dos vidas o licencia para introducir mercancías; pero resulta claro que su propuesta se inserta de manera muy oportuna en esta carrera por el dominio de la región magallánica, que entonces preocupaba por igual a militares y a comerciantes.

Ya a finales del s. XVI la noticia de los blancos perdidos en el Estrecho estaba muy arraigada en la conciencia de los habitantes de Chile. En la jornada que por orden de su gobernador, Alonso de Sotomayor, hizo el famoso capitán Lorenzo Bernal de Mercado en búsqueda de unas minas de plata a las espaldas de Ongol [65], minas que huelga decir que nunca aparecieron, se cruzó la cordillera hasta llegar a tierra de los indios puelches. Estos dijeron a los españoles que a pocos días de distancia, hacia la Mar del Norte, vivían unos hombres como ellos, barbados y vestidos de

---

[64] A.G.I., Chile 31. Presentó Nodar al Consejo una información de servicios hecha en Los Confines en diciembre de 1577.

[65] El 15 de abril de 1580 Bernal, quejándose de la postración que sufría Chile, proponía ya hacer «algún nuevo descubrimiento de que se tiene muy cierta noticia y se descubrirían muchas minas de oro y plata, de que en esta tierra ay gran cantidad» (A.G.I., Chile 31). El 28 de febrero de 1592 se lamentó Martín Ruiz de Gamboa de que el gobernador lo hubiese mandado desde Valdivia al frente de 200 soldados en demanda de puras fantasías, en las que ya se habían gastado 49.000 pesos (*ibidem*). El propio Sotomayor tuvo que enviar al capitán Pedro Cortés a la frontera de Chillán en socorro de Bernal, de quien no se tenía ninguna noticia desde su partida (información de servicios del capitán Martín de Morales en el fuerte del Espíritu Santo en 1585, pregunta decimosegunda [A.G.I., Chile 31]). Fue a «la jornada de la plata» Melchor de Herrera (información de servicios en Santiago en 1587 [A.G.I., Chile 39. pregunta novena]); con Pedro Cortés marchó Juan Luis de Guevara, vecino de Mendoza (información de servicios en Santiago en junio de 1588 [A.G.I., Chile 40]). Narra las incidencias de la expedición Mariño de Lobera, *Crónica*, III 3, cap. 31 (*BAE* 131, pp. 537-38).

pieles, a los que Bernal envió un mensaje por medio de un indígena, sin obtener como es de suponer respuesta. Tales fábulas parecían a fray Reginaldo de Lizárraga [66], obispo de la Imperial, patrañas de los indios a fin de dividir a los cristianos y hacerles caer en una emboscada; Lizárraga, que parece haber sentido gran interés por la leyenda, sin duda por haber vivido en Chile en época de Sotomayor, aseguraba que «desde Buenos Aires a la boca del Estrecho no hay gente poblada», basado en el testimonio de un soldado, Montemayor, que había ido como escríbano con Pedro Sarmiento de Gamboa, y que lo había desengañado de tales fantasías: como que había recorrido a pie la costa del Estrecho y no había encontrado más que indios salvajes «poco menos que gigantes», bien que había visto, eso sí, señales evidentes de naufragios y cabe los destrozos restos de huesos humanos. Cuando los puelches hablaban, pues, de hombres barbudos, era obligado colegir que se referían a los españoles que poblaban las tierras del Río de la Plata; de ahí la categórica negativa de Lizárraga a admitir «semejantes ficciones y mentiras».

3. La tierra de César, buscada desde Tucumán

La conquista de la provincia maravillosa tentó sobre todo a los hombres del Tucumán, convertido en gobernación desde 1563. No es un azar que su primer gobernador, un veterano de Valdivia, Francisco de Aguirre, buscara ante todo la expansión hacia el Sur, intentando ya poblar, como señaló oportunamente Levillier [67], una ciudad entre los comechingones que se hubiese adelantado a la fundación de Córdoba por Cabrera. Con razón resaltó también Levillier la certera elección del emplazamiento, necesaria charnela entre Charcas y el Río de la Plata; pero no destacó como merecía que desde Córdoba oteaban los conquistadores el misterioso reino de que había hablado César: no en vano fue en Córdoba donde con más tenacidad iba a persistir el mito. Según Blas Ponce, Aguirre fue hecho prisionero por un motín de sus soldados cuando se encontraba a 50 leguas de Santiago del Estero yendo en búsqueda de los españoles perdidos [68]; el testimonio es tardío, pero merece cierta confianza, dado que Jerónimo Luis de Cabrera, contraviniendo la orden expresa del virrey Toledo de poblar en Salta, se sintió atraído también él por la llamada del Sur y no paró hasta levantar un asentamiento, en realidad un fuerte, a un cuarto de legua de la actual Córdoba, haciendo realidad el sueño de

[66] *Descripción*, II 84 (*NBAE* 15, pp. 655-56).
[67] *Nueva crónica de la conquista de Tucumán*, Buenos Aires, 1930, II, p. 74ss.
[68] Información del capitán Hernán Mejía Miraval en Madrid en 1591 en J. T. Medina, *DIHChile*, XXVI, p. 191, Levillier, *Nueva Crónica*, II, p. 99.

Aguirre[69]. Su alférez, Lorenzo Suárez de Figueroa, pensaba que, delante de Córdoba, no sólo había mucha riqueza, sino que se podría poblar hasta el Estrecho[70]; y uno de sus lugartenientes, Hernán Mejía Miraval, fue enviado a bordear la Cordillera Nevada hasta el valle de Talamochita, para tratar de entrevistarse con los caciques de Linlín, Chachapa, Bolbol, Charaba y Nicolaisti[71].

En 1579 el gobernador Gonzalo de Abreu fue «al descubrimiento de los Césares y Trapalanda»[72] al frente de 60 hombres, «y a causa de la comida que le faltó se bolvió del Cuarto río, que llaman, para desde allí rehazerse y bolver a su jornada por camino diferente»[73]. El nombramiento de otro gobernador, Juan Rodríguez de Velasco, desbarató el proyecto, que dio por resultado positivo el hallazgo del camino de Tucumán a Chile[74].

Años después, al hacer una relación del estado en que se hallaba el Tucumán, el escribano mayor Alonso de Tula Cerbín enumeró también sus diversas posibilidades de expansión en el futuro. Entre las entradas a hacer figura, de manera inevitable, el descubrimiento de las «noticias de Cehar [sic], Linlín o Trapananda, que todo es una cosa» y se reduce a una gran provincia de ingas belicosos, que antes extraían el oro del valle de San Pedro Mártir (el antiguo Londres) y que después, al tener noticia de la llegada de los españoles, se refugiaron en una laguna como la de México, aunque no eran tantos en número como los aztecas; tras rendir este singular homenaje a Tenochtitlán, concluía Cerbín diciendo

puéblanse entre ellos en la costa muy buenas ciudades, fértiles y de gran temple, que ay en la costa de la mar desde la boca del Río de la Plata hasta el Estrecho de Magallanes, que serán por la mar doçientas y sesenta leguas y por tierra çiento e çincuenta; y muchas menos leguas d'éstas dizen que ay desde la ciudad de Córdoba d'esta gobernación de Tucumán al Estrecho[75].

[69] Cf. Levillier, *Nueva Crónica*, II, p. 168ss.

[70] Probanzas de 1580, pregunta novena (Levillier, *Nueva Crónica*, p. 329).

[71] Levillier, *Nueva Crónica*, II, p. 211.

[72] *Ensayo anónimo sobre la genealogía de los Tejeda* apud Levillier, *Papeles eclesiásticos de Tucumán*, Madrid, 1926, II, pp. 393-94.

[73] Carta de Hernando de Retamoso en Potosí, a 25 de enero de 1582 (A.G.I., Charcas 41).

[74] Así lo asegura Tristán de Tejeda, uno de los cuatro capitanes nombrados por Abreu en la jornada y el encargado de la vanguardia. La primera expedición, realizada después de poblar en el valle de Salta, se vio interrumpida en 1578 por el alzamiento de los indios de San Miguel (cf. las probanzas [preguntas décimooctava a vigésima] de su hijo Juan de Tejeda Mirabal, hechas en Córdoba en 1609 [A.G.I., Charcas 54]). En la expedición de Abreu participó el futuro gobernador de Buenos Aires Hernandarias de Saavedra, que entonces tenía 15 ó 16 años (cf. R.A. Molina, *Hernandarias, el hijo de la tierra*, Buenos Aires, 1948, p. 61).

[75] Carta de 15 de diciembre de 1586 desde Santiago del Estero (A.G.I., Charcas 42). Deja en blanco Cerbín el nombre del gobernador que con 400 hombres se internó en el Tucumán, provocando la desbandada de los ingas.

En esta noticia escueta se hallan en germen —o mejor dicho, ya granados, pero encubiertos discretamente— todos los ingredientes del mito del Dorado, como son la gran laguna que baña un territorio riquísimo en oro, el clima paradisíaco, los ingas huidos. Pero Cerbín no quiere apurar la descripción en exceso, quizá a sabiendas de que en cosas de fábula más valía dejar correr la imaginación a su aire. En efecto, los vecinos de Santiago del Estero conocían por entonces muchísimas cosas de todas aquellas maravillas, calladas por Cerbín. Es más: en el año de gracia de 1587 la leyenda del país de César se encuentra perfectamente ajustada a los cánones doradistas, como demuestra una larga serie de documentos. Para entonces, hacía tiempo que al gobernador del Tucumán, Juan Ramírez de Velasco, le rondaba por la cabeza la idea de descubrir la provincia de César. Al fin, el 10 de diciembre de 1586 propuso al rey la jornada, cuya meta y extensión tenía ya perfectamente definida: la tierra rica corría desde Córdoba hasta el Estrecho unos 20 grados, esto es, 350 leguas, y se podría allanar con 300 ó 400 hombres del Perú. Como modesta recompensa a sus futuros e incalculables servicios, pedía el título de adelantado, dos hábitos de Santiago, uno para sí y otro para su hijo, y la décima parte de los indios reducidos [76].

En apoyo de tal solicitud se hizo una muy notable información el 18 de febrero de 1587 en Santiago del Estero en presencia del propio interesado, Juan Ramírez de Velasco [77]. Ni que decir tiene que no se puso entonces freno alguno a la imaginación más calenturienta. En efecto, Cristóbal Hernández, un portugués natural de Coimbra que había vivido 20 años en Chile, afirmó muy serio que en Talan y Zuraca, a 60 leguas de Córdoba, había muchos indios poblados junto a una laguna y un río; se trataba de indios vestidos, que tenían rebaños de carneros y búfalos, y que no eran otros que los ingas que habían logrado escapar del Perú. Más allá se encontraban los españoles perdidos, que tenían luengas barbas y que como armas sólo disponían de espadas viejas de hierro sin vaina, y que eran los supervivientes del naufragio de un navío del obispo de

---

[76] A.G.I., Charcas 26, n.° 27 (otra copia en Charcas 42). Velasco no era santo de la devoción del obispo de Tucumán, fray Francisco de Vitoria, que el 21 de diciembre de 1586 execró la falta de capacidad y de talento del gobernador, «cuya cobdicia es bastante a destruir mil reinos» y que, si había pedido por esclavos los indios chiriguanáes del Tucumán, del todo punto inofensivos, era para sacarlos y venderlos al Perú (A.G.I., Charcas 137).

[77] A.G.I., Charcas 26. Cf. M. Jiménez de la Espada, *Relaciones geográficas de Indias*, Madrid, II, p. LIss. y extractos en Morla Vicuña, *Estudio histórico*, p. 241ss.
Sobre la expedición de Velasco en 1587 y la participación en ella del P. Barzana cf. R. Vargas Ugarte, *Historia de la Compañía de Jesús en el Perú*, Burgos, 1963, I, p. 193ss. En 1591 Hernán Mejía Miraval adjuntó a su probanza una información hecha en Santiago del Estero sobre los intentos de descubrir los Césares (R. Levillier, *Nueva Crónica*, II, pp. 98-99; *DIHChile*, XXVI, p. 191).

Plasencia mandado por el capitán Quirós. Las conexiones y parecidos de este testimonio con la leyenda de los «perdidos» novogranadinos saltan a la vista: el gran cacique Caribana en el Marañón o los descendientes del Inga en Talan impiden a los españoles abrirse camino hasta la civilización; y estos españoles de barba crecida sólo tienen como defensa unas espadas mohosas. El oro es la referencia ineludible que aparece una y otra vez como hilo conductor en las declaraciones de Cristóbal Hernández y de los indios Juana y Pelan: de oro son los collares de estos «ingas», sus chipanas, sus sortijas, sus patenas. Quilquilta, señor de Zuraca (*Çucac* en el manuscrito) «trae una corona de oro en la caveça con una borla delante en ella», como corresponde al rey por antonomasia del oro, que se saca en bateas, mientras que la plata se extrae de un cerro grande; pero también hay esmeraldas, que llevan las mujeres engastadas en oro en sus zarcillos.

Al día siguiente concluyó muy satisfecho Velasco que esa tierra no era otra que las provincias de Trapananda, Linlín o César que había ya buscado su precedesor en el cargo Gonzalo de Abreu; Velasco, por otra parte, indicó el origen de uno de estos nombres, que conocía quizá gracias a Barco de Centenera: «la llaman de César porque un soldado llamado César con veinte o treinta soldados, yendo por caudillo del capitán Gaboto, la descubrió por el río que llaman de Talamochita, que entra en el Río de la Plata, y d'ella sacó una esmeralda como media luna» que vendió después en Cartagena por 6.000 pesos. La información, con las historias increíbles de Cristóbal Hernández, no venía sino a confirmar la pretensión y las noticias de Velasco; y para salir al paso de posibles impugnaciones desde Chile, afirmaba Hernández que Talan y Zuraca estaban más cerca de Córdoba que de Chile, así como para respaldar su autoridad y crédito entreveraba entre las fantasías alguna que otra verdad: existió, sí, el capitán Quirós del que hablaba el portugués, pero este Quirós no había ido con la armada del obispo de Plasencia, sino con la de Valdés y Sarmiento[78].

Los vecinos de Córdoba, en 1589, apoyaron también con su fervoroso testimonio las pretensiones de Velasco, cuyo nombre mantuvieron en discreto silencio en unas probanzas realizadas en tal fecha[79]. La pregunta octava, en efecto, inquiría por «la gran noticia del Sésar» y averiguaba si «por allí se a de venir a poblar y después ir hasta el Estrecho, donde se

---

[78] Ya lo advirtió agudamente Morla Vicuña (*Estudio histórico*, p. 243), que sólo conoció la información de 1589.

[79] Probanzas hechas en noviembre de 1589 (A.G.I., Charcas 34). La cuarta pregunta reza así: « Si saven que la dicha çiudad y vezinos d'ella a mucha costa de sus haziendas y riesgo de sus vidas descubrieron el camino que ay desde la dicha çiudad a Chile y el que ay a Buenos Aires y a la fortaleza que dizen de Gaboto».

tiene noticia que ay muchas naciones de indios y riquezas». Desfilaron
ante el escribano veteranos de Gonzalo de Abreu como Hernán Martín,
Andrés de Contreras y Pedro Anes; también respondió al interrogatorio
Juan de Barrientos, que aseguró que, cuando fueron con Abreu al «descubrimiento de los Sésares», los españoles «tuvieron grandes noticias de
que avía mucha gente adelante y riqueça y gente bestida de mucho ganado». La unanimidad era completa: para ninguno de ellos cabía duda de
que «por esta ciudad [Córdoba] se a de descubrir los Sésares». Por todas
partes, en suma, se oían voces pidiendo la jornada del Estrecho, cuya
ejecución, al estar tan próxima a Córdoba, correspondía desde luego al
gobernador de Tucumán. Todavía en una información hecha en 1594 se
vanaglorió Velasco de haber despachado a un capitán con 45 hombres a
poblar la ciudad de Nueva Sevilla, que se hallaba a 45 leguas de Córdoba
«la buelta de los Césares en el Quinto río, con intento de ir descubriendo
camino para poblar hasta el Estrecho de Magallanes». Tan fructífera
jornada no llegó a tener efecto por haberse recibido nueva del cambio de
gobernador; pero aun así prohombres como Alvaro de Abreu, Antonio
Fernández de Velasco y Pedro Osores de Ulloa se llegaron a la tienda del
escribano a certificar que, de no haber sido relevado en el mando, Velasco habría dado fin a esta empresa[80]: había salido perjudicada, en definitivas cuentas, la Corona española.

4. *La tierra de César, buscada desde el Río de la Plata*

Si se contempla en su conjunto, pronto se echa de ver que todo el
esfuerzo descubridor que se vuelca por el Río de la Plata y refluye hasta
el Perú no tiene más objetivo que alcanzar un mito. Así la afirma sin
ambages un testigo de excepción, el escribano de minas Martín de Orúe:
«la falta de no estar poblado un nuebo reino en estas provincias no a sido
sino en los malos pilotos, porque en lugar de la poblar la han destruido
con andar buscando la laguna del Dorado o un nuebo Atabalipa»[81].
Como si se hubiera buscado aposta el contrapunto, en la embarcación
portadora de la carta viajaba asimismo Juan de Garay, para tratar de

[80] A.G.I., Charcas 47 (otra copia del s. XVII en A.G.I.,Chile 42, f. 32v: pregunta vigésimo-
segunda).
[81] Carta dada en la Asunción el 14 de abril de 1573 (A.G.I., Charcas 40). El señuelo del
Dorado aparece también, con otros fines, en un memorial sin fecha presentado al Consejo por
un religioso que contaba con más de 60 años y cuyo nombre lamento no poder precisar:
«Advierto a V.S. por el descargo de mi conçiençia que los mestizos que ay en la Asunçión, que
son tres mil largos de quinze años para arriba, si no se *** y se hazen pueblos con ellos o los
llevan a la laguna del Dorado, que, por no tener repartimientos de indios, como no se los dieron,
se an de levantar y matar los españoles» (A.G.I., Charcas 50).

hacer un asentamiento río abajo, en un postrer intento de aliviar la angustiosa situación de los españoles.

Poco después se fundó la ciudad de la Trinidad y puerto de Buenos
Aires. Pero este Juan de Garay, colonizador afortunado, no se contentó
con levantar un nuevo hogar para sus hombres en 1580; en noviembre de
1581, con el corazón inquieto, salió en descubierta con una carabela a
reconocer la costa, que corrió más de 60 leguas más allá de Buenos Aires.
Su esfuerzo se vio recompensado con el hallazgo de siempre: unos indios
vestidos de «ropa de lana muy buena» le dijeron que la traían «de la
cordillera de las espaldas de Chile», donde habitaba un pueblo que salía a
pelear con «unas planchas de metal amarillo en unas rodelas»[82]. Garay,
pues, topó con otra quimera, la de los Césares, cuando el prestigio del
Dorado, un tanto marchito, había perdido atractivo a las orillas del Plata.
Un mito sustituye a otro porque no puede ser de otra manera: incluso el
colonizador no se resigna a dejar de soñar en conquistas inauditas y en
ganar batallas contra ejércitos revestidos de armaduras doradas. Es así
como se viene a oir no las palabras de los indios, sino la voz de la propia
fantasía.

En ese mismo año de 1581 insistió fray Juan de Rivadeneira en la
necesidad de poblar San Salvador frente a Buenos Aires, fundación muy
conveniente de hacer no sólo para fomentar el comercio con el Perú,
Tucumán y Chile, sino también «por lo del César», que es «la entrada...
más rica y abundante del mundo», y «está entre Chile y el Estrecho, y de
Buenos Aires abajo acia el Cabo Blanco»[83]. Del mismo modo Barco de
Centenera, cuando propuso al rey la división en dos de la gobernación
del Río de la Plata, hizo ver la oportunidad de sojuzgar toda la banda
meridional del Río hasta el Estrecho de Magallanes,

llamada los Çésares por un Fulano Çésar que la descubrió, que se tiene por cierto que
es muy rica de oro y gente; y sería ocasión de descubrirse la gente perdida, que
llamamos a las reliquias de los que quedaron del armada del obispo de Plazencia Don
Gutierre de Carvajal[84].

Al filo del nuevo siglo se dejó enredar por las quimeras un criollo de
fuste, el asunceño Hernandarias de Saavedra (1560-1631), gobernador del
Río de la Plata; pertenecía nuestro personaje, casado con una hija de Juan
de Garay, Doña Jerónima de Contreras, a una familia de muchas campa-

---

[82] En carta de Santa Fe, a 20 de abril de 1582 (A.G.I., Charcas 41); cf. Levillier, *Correspondencia de la Ciudad de Buenos Aires con los Reyes de España,* I, p. 427.
[83] *Descripción de la gobernación del Río de la Plata* (en Levillier, *Papeles eclesiásticos del
Tucumán,* Madrid, 1926, II, p. 263).
[84] A.G.I., Indif. 1098.

nillas: su hermanastro, D. Hernando de Trejo, era obispo del Tucumán y
su cuñado, Gonzalo de Solís Holguín, llegó a ocupar el puesto de gobernador de Santa Cruz de la Sierra. Desde 1603 Hernandarias, que había
participado en la expedición de Gonzalo de Abreu, empezó a importunar
al rey con la historia de los Césares; se trataba, según la receta conocida,
de la «noticia de más nombre y la cosa más importante de cuantas ay al
presente en estos reinos»[85]. El 5 de abril de 1604 indicó que estaba ya a
punto de «deshazer el encantamiento»[86], ese malhadado hechizo que él,
como nuevo caballero andante, se propuso desatar poniéndose al frente
de unos 130 hombres en noviembre de ese mismo año. La tropa caminó
unas 190 leguas desde Buenos Aires, «hasta que dio con unos indios muy
grandes que salían de la cordillera de Chile» a la vera de un río Turbio (el
Colorado), y estos gigantones de buen agüero les informaron de que, a
día y medio de camino de allí, habitaban otros indios en otro río mejor.
Llegados a él, los españoles, en la imposibilidad de vadearlo, remontaron
su curso; no obstante, como la comida comenzó a escasear y a cundir el
desaliento, al no encontrar nada de consideración, se emprendió la retirada, visto que la tierra iba a peor conforme se adentraban hacia el Estrecho. Saavedra salió muy escarmentado de esa intentona, en la que había
llegado hasta el río Claro (el Negro); para mayor inri, hasta sus propios
hombres lo acusaron de «inconsiderado» en su trato[87]. Fuera como fuese,
la gloria de los Césares nunca más volvió a tentar a Saavedra, que por el
momento se convirtió en el más terco negador de su existencia: bastante
tenía el gobernador con atender a esa ladronera de contrabandistas y

[85] Carta del 12 de febrero de 1603 (A.G.I., Charcas 27). Sobre Hernandarias cf. la biografía,
que a veces raya en el ditirambo, de R. A. Molina, *Hernandarias, el hijo de la tierra*, Buenos Aires,
1948. Para atemperar el panegírico basta recordar algunas quejas de religiosos y de seglares.
Entre las primeras cabe citar (todas en A.G.I., Charcas 145) las del arcediano D. Pedro Manrique de Mendoza (Buenos Aires, 15 de febrero de 1603), fray Pedro López Valero (Buenos Aires,
7 de abril de 1603 y 15 de junio de 1605), fray Juan Veloso (Buenos Aires, 14 de agosto, sin año)
y fray Bernardino de Larraga (Buenos Aires, 11 de julio de 1605). Entre las segundas figuran las
críticas de Jerónimo López (Santiago de Jerez del Río de la Plata, 1 de marzo de 1601 [A.G.I.,
Charcas 45]), Gabriel de Peralta (Tucumán, 10 de marzo de 1604 [A.G.I.,Charcas 46]) y sobre
todo de Ruy Díaz de Guzmán (Tucumán, 7 y 8 de mayo de 1604 [A.G.I., Charcas 46]). Pero a
su favor tenía Hernandarias a los jesuitas: fue él quien favoreció la expedición del padre Juan
Romero a Tucumán y Paraguay en 1608 (A.G.I., Indif. 1431, con carta del gobernador del 1 de
julio de 1608 significando el provecho que había supuesto la llegada de la Compañía; la licencia
al padre Romero y sus 20 religiosos en A.G.I., Indif. 1432, con expresa indicación de los recelos
provocados en el Consejo por el paso de italianos).
[86] A.G.I., Charcas 27.
[87] *Información levantada en Buenos Aires por el procurador de la ciudad Martín de Muruchaga y
enviada al rey sobre la entrada para descubrir los Césares*, Buenos Aires, 1 de abril de 1605 (R.
Levillier, *Correspondencia de la ciudad de Buenos Aires con los Reyes de España. 1588-1615*,
Buenos Aires, 1915, p. 136ss. Interesan las preguntas primera a novena). Fue sargento mayor de
la jornada Sancho de Nebrija y Solís (información de servicios en 1606 en Buenos Aires [A.G.I.,
Charcas 47]).

maleantes de la peor estofa que era la ciudad de la Trinidad y puerto de Buenos Aires. En 1605 secundaba su escepticismo el vicario de los dominicos, fray Juan Veloso, que declaró sin ambages que la famosa noticia de los Césares se reducía a cuatro indios pobres y sin casa ni hogar acampados entre las bajas de Chiloé y la ciudad de Osorno: incluso el nombre de César no era más que el de «un portugués que fue por allí marinero» [88]. Tan mala memoria se tenía cuando se quería.

No todos, sin embargo, quedaron satisfechos con la incredulidad desilusionante de Saavedra. Entre los expedicionarios figuraba un franciscano, fray Gabriel de la Anunciación, que muy pronto manifestó sus críticas a las conclusiones negativas del gobernador. Habían andado, sí, cerca de 300 leguas por suelo fragoso y poblado de «muy brutal y bárbara gente»; también la versión que recoge Ruy Díaz de Guzman en su *Argentina:* no señalar que la tierra de los Césares se hallaba al poniente. Ahora bien, en vez de inferir, como había concluido Saavedra, que la tierra buscada se trataba en realidad de Chile, había que deducir más bien que habían errado el camino al arrimarse a la costa sin llegar a ver las sierras nevadas [89]. Tal era el razonamiento que se hacían no sólo los veteranos de Chile, sino algunos hombres de Tucumán. Ni que decir tiene que ésta es también la versión que recoge Ruy Díaz de Guzman en su Argentina: no en vano Díaz de Guzmán, además de adversario acérrimo de Saavedra, era hermano de fray Gabriel. Según el cronista [90], la Bahía sin Fondo se encontraría al otro lado del río descubierto por los de Buenos Aires en 1605,

saliendo en busca de la noticia que se dice de los Césares, sin que por aquella parte descubriesen cosa de consideración; aunque se ha entendido haberla más arrimada a la cordillera que [va] de Chile para el Estrecho, y no a la costa del mar por donde fueron descubriendo.

Muchos motines y alzamientos habían estado acaudillados por miembros de las dinastías conquistadoras; de ahí que fuera fácil salpicar de barro a los descendientes de las grandes familias acusándolos de rebelión. No escapó a esta común censura Hernandarias de Saavedra, hombre altivo por ser hijo de Martín Juárez de Toledo y de María de Sanabria, y que, como muy amigo que era de favorecer a sus deudos y allegados, despertó por esa misma razón enconadísimos odios y resentimientos. La delación

---

[88] *Información* de 1605 (R. Levillier, *Correspondencia de la ciudad de Buenos Aires,* I, p. 163).

[89] Carta de Buenos Aires, a 12 de junio de 1605 (A.G.I., Charcas 145). En otra carta, fechada también allí el 4 de agosto de 1607, fray Gabriel, que en la información de 1605 ponía a Saavedra por las nubes, elevó duras quejas sobre su proceder (A.G.I., Charcas 145).

[90] *Argentina,* I 2 (pp. 29-30). La bahía sin Fondo, según Molina (*Hernandarias,* p. 152), es la desembocadura del río Negro; así es, según veremos.

provino en este caso de un portugués, Manuel Núñez Magro de Almeida, que el 26 de abril de 1611 tomó la pluma para transmitir al rey sus quejas por los agravios que le había inferido Saavedra [91]: él, que había encontrado en 1603 más de un millón de indios entre el reino de Brasil y la gobernación de Paraguay; él, que había erigido más de 80 iglesias y predicado mucho tiempo el evangelio a tantos miles de idólatras, casando a sus cuatro reyes y recibiendo en rehenes a cuatro hijos de los caciques, había sido muy maltratado por el gobernador del Paraguay, que le arrebató sin contemplaciones cuanto tenía: es que Saavedra le guardaba inquina capital por haber sido Núñez quien había descubierto en Chuquisaca el alzamiento que tramaban Saavedra y D. Gonzalo Luis de Cabrera. La acusación podía tener muchos visos de verosimilitud, ya que Saavedra estaba emparentado con los Cabrera, por los que no ocultaba su simpatía: una de sus hijas, Doña Isabel de Becerra, habría de casarse con un retoño del propio D. Gonzalo, D. Jerónimo Luis de Cabrera, vástago también él de una ilustre estirpe conquistadora, pues su abuelo materno era Juan de Garay.

La trama de la conspiración no quedó del todo clara. De la carta que los oidores Cepeda y Lopedana escribieron el 6 de marzo de 1600 [92], a raíz de la rebelión, se desprende que los amotinadores intentaron aprovecharse del descontento que había provocado en los encomenderos la publicación de las Ordenanzas, como ocurrió tantas veces en la historia del virreinato peruano, desde la rebelión de Gonzalo Pizarro hasta la asonada quiteña causada por las alcabalas. Según otra misiva de la Audiciencia de La Plata [93], Cabrera, el licenciado Ortiz y sus secuaces pretendían introducir en su ayuda nada menos que 2.000 ingleses por el puerto de Buenos Aires. Una muy circunstanciada *Relación del suçeso que Don Gonçalo Luis de Cabrera y el licenciado Juan Díez Ortiz tuvieron en la conjuración que pretendieron açer en la ciudad de La Plata y Potosí* [94], ade-

[91] A.G.I., Lima 141.
[92] A.G.I., Charcas 31. No da importancia a este alzamiento R. Vargas Ugarte, *Historia del Perú. Virreinato (1551-1600)*, s.l., 1949, I, p. 432. Pero las influencias de la mujer de Ortiz, sus tres hijos y dos hermanos, así como de los parientes de su mujer, inspiraban todavía seria inquietud a Cepeda y Lopedana el 6 de marzo de 1600, cuando la mujer y el hijo de Cabrera habían marchado ya al Río de la Plata (A.G.I., Charcas 17).
[93] El 28 de abril de 1600 (A.G.I., Charcas 45).
[94] Realizada en La Plata en 1599 (A.G.I., Charcas 81); los secuaces nombrados son el capitán Salvador de Fuentes, vecino encomendero de Loja; el clérigo D. Alonso Fajardo, el soldado del Cuzco Domingo de la Serna y Gabriel Velázquez Briceño. También son de importancia otras informaciones, como las que hicieron Lope de Briceño, teniente general de Chucuito (1599 [A.G.I., Charcas 80]); Gonzalo de Paredes Hinojosa en La Plata (A.G.I., Charcas 80); Miguel Ruiz Bustillo, corregidor de los carangas, que prendió a Gabriel Velázquez y a Francisco de Rozas (La Plata, [1606 A.G.I., Charcas 86]); el clérigo Ambrosio Martínez de Yanguas, que trató de encarcelar al capitán Salvador Fuentes de Sotomayor, que iba a Potosí y acabó presentándose ante la Audiencia (La Plata, 1609 [A.G.I., Charcas 86]).

más de dar los nombres de algunos cabecillas, brinda el detalle precioso
de que Domingo de Garay, el vizcaíno que denunció la conjura al licenciado Lopedana, era primo de la mujer de Cabrera: todo, pues, hasta la
delación, quedaba en la familia. Sigue relatando que D. Gonzalo, el
conjurado, confesó que, si se suprimía la contratación del puerto de Buenos Aires, se alzaría en armas toda la provincia de La Plata y que, a su
vez, los vecinos del Río de la Plata no recibirían a otro gobernador si se
arrebataba el mando a Hernandarias. La *Relación* termina diciendo que el
propósito de los conjurados era meter por Buenos Aires a franceses e
ingleses «para ser del todo señores de la tierra». Parece más que improbable que fuera cierta esta conjura internacional, apoyada hasta por la reina
de Inglaterra [95]; en cambio, sí es evidente que las grandes familias protegían mutuamente sus intereses, sin cuidarse gran cosa del bien común [96].
Otro caso flagrante vamos a ver a continuación.

5. *Amigos y enemigos del clan Cabrera*

Muy poco después sonó otra vez el nombre de los Césares, pero no ya
en el Río de la Plata, sino donde se había guardado desde tiempo inmemorial su recuerdo, en el Tucumán. Como los indios habían dado muerte
a varios españoles, el gobernador, Alonso de Ribera, ordenó a su teniente
general, estante a la sazón en Córdoba, que les diera un buen escarmien-
to. La expedición de castigo, compuesta de 70 hombres, tomó rumbo
Sur-Sueste y se topó con muchos indios, trayendo noticia muy cierta de
que un poco más adelante estaba poblada gente vestida. Esta noticia
avivó el interés de Ribera: si Saavedra hubiese ido un poco más cerca de
los Andes, habría dado con los Césares, que según sus cálculos se encontraban no a 60 leguas de la ciudad de Córdoba, como había estimado
Cristóbal Hernández, sino a unas 130 [97]. De nuevo, pues, la Cesárea jornada cobraba palpitante actualidad en el Tucumán, y no por casualidad:
uno de los prohombres de Córdoba era precisamente Jerónimo Luis de

---

[95] No obstante, el propio Domingo de Garay (La Plata 1599 [A.G.I., Charcas 81]) aseguró
que, para alzarse con el reino del Perú, contaban los amotinados con el concurso de la reina de
Inglaterra, que iba a socorrerlos con 2.000 hombres. Este Garay recibió una buena recompensa
del Consejo de Indias (*Catálogo de consultas del Consejo de Indias, 1600-1604,* Sevilla, 1983, p.
471, n.º 471 [31 de julio de 1601]).

[96] No hizo mucho caso Saavedra, dicha sea la verdad, de chismes, habladurías y críticas, pues
no tuvo empacho en nombrar teniente general del puerto de Buenos Aires a D. Pedro Cabrera,
hermano del ajusticiado D. Gonzalo, desatando la censura de Francisco de Salas en carta dada en
Buenos Aires a 20 de julio de 1603 (A.G.I., Charcas 46).

[97] Carta desde Talavera de Madrid, a 26 de febrero de 1611 (A.G.I., Charcas 26 n.º 100). Cf.
E. de Gandía, *Francisco de Alfaro y la condición social de los indios,* Buenos Aires, 1939, p. 201ss.

Cabrera, lo que explica la en apariencia contradictoria solicitud de Saavedra que vamos a examinar a continuación.

El 29 de mayo de 1618, en efecto, Hernandarias de Saavedra propuso, para prevenir la entrada de los enemigos en la Mar del Sur, que se hiciese una población en las vertientes de la cordillera de Chile hacia el Estrecho: su futuro yerno, Jerónimo Luis de Cabrera, se ofrecía a llevar a feliz término esta empresa [98]. El virrey Esquilache, influido por un padre de la entonces omnipotente Compañía, D. Pedro de Oñate, acogió con benevolencia el proyecto, anteponiéndolo a otro similar del gobernador de Chile, D. Lope de Ulloa. Recibidas las capitulaciones, pudo partir Cabrera de Córdoba el 25 de noviembre de 1620. Pronto apareció el consabido señuelo, pues ya el cacique Icasayan les dio información más o menos vaga referente a la gente vestida; pero cuando los españoles llegaron a territorio de los puelches, al valle de Cután, se enteraron de que a 20 leguas de aquella cordillera «abía gente labradora y que tenían crías de ganado, obejas de Castilla y yeguas, y que estavan vestidos, particularmente en una laguna de hallí seis leguas, donde abía cuatro caciques» (f. 7v). Los indios, no obstante, se conjuraron para tenderles una emboscada, en vista de lo cual Cabrera emprendió una prudente retirada [99].

El resultado de la expedición había sido nulo y aun contraproducente, dado que un terrible incendio había reducido a cenizas parte de los carromatos y ganado y que la incursión había alborotado los ánimos de los indomables indígenas; con todo, paliaba el capitán su fracaso alegando que, cuando menos, se había descubierto el camino de Buenos Aires a la Concepción y que, por otra parte, se había fijado con más precisión la situación de los Césares, que caían «donde se topa el Río Grande caminando al Sudueste hasta los cuarenta y siete (siete *escrito sobre* nuebe *tachado*) grados y medio». Para Cabrera, los Césares volvían a ser los ingas huidos, aunque también tenía noticia de la gente perdida, restos de diversas huestes, pues a la del obispo de Plasencia se unía la de Pedro Sarmiento y otros.

Pero quedaba por contar el hallazgo más sensacional: a esa misma altura había un brazo de mar que atravesaba los Andes para salir enfrente de Chiloé, según decía Juan Griego, que había ido como marinero en la segunda navegación de Cavendish. En efecto, seguía diciendo este barbián, al adentrarse en el Estrecho fondeó la almiranta de Cavendish en la

---

[98] A.G.I., Lima 99. Recabó informes el rey de D. Diego de Portugal, presidente de la Audiencia de los Charcas, el 10 de agosto de 1619.

[99] A.G.I., Lima 99 (*Relación de la jornada que Don Gerónimo Luis de Cabrera hizo al descubrimiento y población de los Césares*). Fernández Duro (*Armada española,* III, p. 370) alude brevemente a la expedición de Cabrera, convirtiéndolo en gobernador del Río de la Plata.

Bahía sin Fondo, a 47° y medio, donde permaneció más de 40 días esperando a la capitana; en ese largo intervalo, como es lógico, saltaron los hombres en tierra, donde encontraron una torre de piedra labrada que albergaba la osamenta de un gigante —faltaría más— y divisaron un brazo de mar que penetraba en dicha Bahía al Este, por el que navegaron nada menos que dos días. Por este brazo se había internado también un francés, Pedro Rico, que pretendía capitular por entonces con el virrey su descubrimiento [100].

Como se ve, Cabrera enhebra muy hábilmente unas noticias con otras, disimulando el descalabro de su malogrado empeño con proposiciones verosímiles: nada más lógico para la mentalidad de entonces que el cono sur del continente americano se deshiciera en un sinfín de islas, grandes y pequeñas, integrantes de un gran archipiélago que se iría comunicando desde las Filipinas y las islas de Salomón hasta Chiloé. Cabrera refleja fielmente las ideas de Quirós sobre la configuración de la tierra austral; estas ideas le sirven a él y a otros para imaginar un brazo de mar que convertiría a Chile asimismo en una isla, sólo que con la aparente genialidad de suponer que este estrecho se encontraría a 47° y medio, a la misma altura a la que presuntamente se hallaba la tierra de los Césares. Este es, en consecuencia, el gran resultado de la expedición; claro es que para descubrirlo no hacía falta salir de Córdoba ni caer en ese despilfarro de hombres y dinero. En realidad se trataba de una idea muy antigua. Ya los primeros navegantes vislumbraron la posibilidad de que alguno de los entrantes del Estrecho desembocara en el Océano, posibilidad que expresó G. Fernández de Oviedo en un párrafo hoy incomprensible por culpa de los editores: «este estrecho tiene muchas gargantas, que paresce que por ellas se va a la mar» («llamar» edd.) [101]. A su vez, la teoría de que todas las islas de Sur de la India y Malaca habían pertenecido al continente asiático se halla formulada en A. Galvão [102]; otro tanto podía inferirse que había ocurrido con la punta meridional del Nuevo Mundo.

La gran sorpresa es que Cabrera recoge y rectifica ideas que ya había avanzado el viejo zorro de Saavedra el 29 de mayo de 1618, cuando pidió para su amigo la población del Estrecho: el canal de la Bahía sin Fondo no había de ser otro, a juzgar por la altura en que se hallaba, que el Río Claro, a 200 leguas de Buenos Aires, «donde yo llegué avrá 13 años con 100 hombres, yendo al descubrimiento y jornada de los Césares, de cuyas

---

[100] Recoge el testimonio de Pedro Pérez, que lo oyó decir a Juan Griego, un auto hecho en Córdoba el 22 de julio de 1625 (A.G.I., Lima 99).
[101] *Historia*, XX 11 (*BAE* 118, p. 252 b).
[102] *Tratado de... todos os descobrimentos*, ed. Bethune, Londres, p. 27.

noticias avía grande encanto y engaño» [103]. He aquí la otra cara de la moneda: frente a los amaños risueños de Cabrera, que todo lo adoba con el mito, Saavedra esgrime la escueta realidad de un proyecto estratégico. No hay que suponer, sin embargo, que uno y otro abrigaran planes diferentes: solo difería su respaldo ideológico.

Enterado no sin colerilla de la propuesta de Hernandarias, el gobernador de Chile, Pedro Osores de Ulloa, redactó el 20 de abril de 1624 un informe demoledor en el que rechazaba de plano la posibilidad de poblar en el Estrecho [104]. Tras una alusión despectiva a la expedición de Cabrera, que intentó el descubrimiento «con hasta 80 hombres mal aviados y los llevó como 100 leguas la tierra adentro», invocó Osores el testimonio de Juan García Tas, enviado antaño por el gobernador Lope de Ulloa a reconocer todas las islas del archipiélago y del Estrecho, con quien Osores había departido en persona y cuyos papeles había examinado con sus propios ojos; pues bien, Juan García

subió más de 80 leguas de una isla en otra, que pudo juzgar estuvo en la salida de los estrechos y canales a esta parte, y así lo dizen los que entienden de la carta de marear; no halló gente considerable, sino muy poca, bruta, en cueros y que se sustenta del marisco, ni noticia de averla por allí en la tierra firme y demás islas, como lo refirió Hernando Arias en su relación.

No existía, pues, ni oro ni plata ni siquiera posibilidad de sustento para establecer allí un asentamiento permanente; para mayor seguridad, prometió Osores que volvería a enviar a García con «algún marinero de raçón» para tomar la altura y marcar la tierra. Entretanto, propuso como contrapartida que se permitiera la contratación por el Estrecho, la manera más sencilla y menos costosa de explorarlo, de suerte que los navíos tuvieran licencia de arribada con cargazón de negros y de otras mercadurías necesarias en Chile, que hasta entonces llegaban de contrabando por vía de Buenos Aires.

El problema es que Osores se guardaba cartas en la manga o no sabía de la misa la media, dado que el maestre de campo Diego Flórez de

---

[103] A.G.I., Charcas 27. En A.G.I. Lima 121 se encuentra el pleito que sostuvieron D. Jerónimo Luís de Cabrera y su mujer Luisa Martel sobre los 3.500 pesos que tenían situados en los repartimientos de Macha y Chaqui.

[104] A.G.I., Chile 19. De Pedro Osores de Ulloa, cuando era corregidor en Potosí, narra una curiosa anécdota Mariño de Lobera (*Crónica del reino de Chile,* I cap. 45 [*BAE* 131, p. 338 a]). Tuvo un hijo natural cuya legitimación pidió en 1608, valiéndose de la recomendación de Alonso Núñez de Valdivia (A.G.I., Indif. 1430). Accedió a su petición el Consejo el 18 de agosto de 1614, concediendo la legitimación sirviendo con 2.000 ducados, con tal que no se entendiese para feudos (A.G.I., Indif. 1439). Ese mismo año pidió copia de sus servicios y mercedes (hábito de Alcántara y 6.000 pesos de renta [A.G.I., Indif. 1439]). Murió el 18 de setiembre de 1624 (A.G.I., Chile 9).

León [105], un madrileño que había servido 37 años en Chile, conocía hacia 1623 la relación de un piloto, Juan Fernández, probablemente el mismo Juan García, que había ido el año de 1620 con 46 hombres en busca de noticias de los Césares por la parte de Chiloé y Valdivia, que era —recalcaba Flórez— por donde se había de acometer el descubrimiento, y no por donde lo habían intentado Saavedra y Cabrera. La expedición de Juan Fernández había salido de Calbucó en piraguas, había llegado a los lagos de Quechocabi y Nehuelhuapi y, encimando la cordillera con esfuerzo, había caminado unas 20 leguas hacia el Sur. Un puelche que cogieron los exploradores les aseguró que por el Estrecho estaban poblados muchos indios, que había visto cómo invernaba un navío arrimado a una isla y por último que, tierra adentro hacia el Sur, le habían dicho otros indios que venían de hacer mita a los «guincas», que así eran llamados los españoles perdidos. Cuando Juan Fernández le pidió que los llevara hasta ellos, el puelche se levantó y cogiendo puñados de arena los arrojó al aire, diciendo que él los guiaría, pero que había más indios que granos de arena tomaba él en la mano; la tierra, así como el cacique, tenía el nombre de Tipayante, que quería decir «nacimiento del sol», y su suelo era fértil y abundoso en caza. En Chile, pues, las noticias que se tenían de los Césares no eran como las quería pintar Osores ni mucho menos, y todos, Flórez el primero, vislumbraban quiméricas riquezas en las regiones magallánicas.

Para colmo, el valimiento de Cabrera era tan extraordinario como inasequibles al desaliento sus amigos. Para compensar el varapalo chileno, Alonso Pérez de Salazar, en un a modo de balance de las exploraciones de Saavedra y de Cabrera en demanda de los Césares, puso de relieve los logros conseguidos [106]. A su juicio, el nuevo camino descubierto por

[105] Editó el memorial de Flórez, desgraciadamente no datado, J. T. Medina, *Biblioteca hispano-chilena (1523-1817)*, Santiago de Chile, 1898, II, sobre todo pp. 255-56.

[106] Hizo Salazar una exposición bastante pormenorizada de los descubrimientos de Saavedra y de Cabrera; el río Claro se encontraba a seis leguas de distancia del río Turbio, cuya latitud austral era de 41° y medio (A.G.I., Lima 159 [24 de junio de 1628]).

La búsqueda de los Césares acabó pronto y de manera desastrada, cuando el gobernador de Tucumán D. Felipe de Albornoz intentó levantar una ciudad en el valle de Calchaquí. Su proyecto provocó una rebelión de los indios que intentó sofocar Albornoz a sangre y fuego (carta de Jerónimo Godínez desde Santiago del Estero, a 1 de enero de 1631 [A.G.I., Charcas 138]). Este alzamiento de los naturales impidió hacer nuevas exploraciones, nunca movidas es verdad por fines muy santos, y de paso abrió una agria polémica entre Cabrera y el gobernador. Un partidario de este último, Jerónimo de la Rosa, acusó entonces a Cabrera por haber despoblado Londres (memorial dado en La Plata el 26 de setiembre de 1631 [A.G.I., Charcas 20]), mientras que el 30 de abril de 1633 asumió la defensa de Cabrera Juan de Carvajal, muy enemigo de Albornoz (A.G.I., Charcas 20). Por fin D. Jerónimo Luis llegó a ser gobernador de Tucumán, si bien murió el 18 de junio de 1662, cuando no llevaba cumplidos dos años de gobierno.

Cabrera podía ser utilizado con intención doble: por un lado, para poner fin a la guerra inacabable con los indios de Chile, que ahora se verían atacados por dos flancos; por otro, para proteger el Estrecho de las incursiones de los barcos holandeses e ingleses. En este convencimiento propuso en 1628 que se enviara a Cabrera de nuevo a correr la costa con una tropa de 50 hombres; además de cubrir los antedichos objetivos militares, gracias a esta expedición se podría conseguir poblar de ganado desde la ciudad de Córdoba hasta el río Claro, el punto donde había dado la vuelta Saavedra en su penetración de 1604.

En algún momento acarició Cabrera la idea de formar con la provincia de Cuyo, algunas ciudades de Tucumán y aquellas pingües si no descubiertas tierras de los Césares un nuevo gobierno y obispado. No eran en verdad pequeños los humos de este vanidoso criollo, cuya ambición tropezó con un terco opositor en la persona del chantre de Tucumán, Luis de Molina Parragués [107]. También Molina hizo constar, sin duda para burla y mofa de las pretensiones de Cabrera, que en los supuestos Césares sólo vivía un puñado de indios semidesnudos y bárbaros, retirados de Tucumán, Buenos Aires y Cuyo; ahora bien, si se quería hacer una nueva gobernación, quien de veras merecía ese honor era Martín de Ledesma, que poco a poco iba conquistando las vastas llanuras del Chaco Gualamba: de esta suerte, Jujuy formaría el frente del nuevo distrito, cuyas espaldas estarían guardadas por Tarija con los chichas, lipes y Atacama. El desmembramiento de Cuyo, artificialmente unido a Chile, había sido ya propuesto por el obispo de Chile, fray Juan Pérez de Espinosa [108], a favor de Garci Gutiérrez Flórez; todo en vano naturalmente.

6. Viejos sueños de una nueva Compañía

En medio de las constantes escaramuzas y batallas con los indios y a vueltas de las mil discusiones vivísimas sobre la conveniencia o no de la guerra defensiva propugnada por el jesuita Luis de Valdivia, todavía quedó tiempo en Chile para seguir soñando con los Césares. Precisamente era ésta una de las razones que el capitán y sargento mayor Pedro Páez de Castillejo, que había servido con el duque de Parma para pasar a Indias

[107] Cf. su carta desde La Plata del 1 de marzo de 1631 (A.G.I., Charcas, 55 En la geografía un tanto nebulosa de Molina, los asientos de Omaguaca y Cochinoca, «ricos de minerales», distaban cinco o seis días de camino llano y cómodo del Chaco; a su vez, la población del río Bermejo, hecha por Ledesma, pertenecía según él a la gobernación de Buenos Aires. Luis de Molina Parragués, maestrescuela y chantre de la catedral, llegó a arcediano. Según indicó el obispo de Tucumán (cartas desde Santiago del Estero, a 28 de diciembre de 1634 [A.G.I., Chile 61]), era criollo de Chile, «hijo de lo mejor de aquel reino».

[108] Carta del 20 de mayo de 1602 (A.G.I., Chile 60).

en 1590 con el marqués de Cañete, traía a colación para no abandonar la lucha armada: no sólo urgía rescatar del yugo de los indios a las desgraciadas cautivas españolas cuyos gemidos desgarraban el corazón de todos los cristianos, sino que había que promulgar la fe tanto a las gentes que estaban al otro lado de la cordillera como a este lado del Estrecho, que estaban pobladas en muchas islas allende Chile; y no contento con esta vaga referencia a las islas salomónicas o a la Patagonia, se refería Castillejo a la noticia de los

Çéssares que tenemos sercanas con muy çiertas notiçias, y descubierto hasta la provinçia de Allana, que está en 47 grados 1/2 hasta 48 y 49, y muy serca de allí una población de mestizos descendientes de los españoles que se perdieron en el almiranta de la harmada que enbió el obispo de Plazençia [109].

Por lo general, no obstante, el descubrimiento se proyectaba desde la otra vertiente de la Cordillera Nevada, a partir de la provincia chilena de Cuyo. Un criollo natural de la Imperial, el maestre de campo D. Pedro de Escobar y Bacache, que había cruzado ya la sierra durante el gobierno de Sotomayor y que, avezado a las escaramuzas fronterizas, había logrado cortar la cabeza al caudillo indio Cayancura, protestó de manera airada en 1621 de que, a la muerte del presidente de la Audiencia D. Lope de Ulloa, su sucesor en el puesto, el oidor más antiguo D. Cristóbal de Sotomayor, le hubiese dado orden de no ejecutar la jornada de Cuyo, con la excusa de que esa conquista contravenía una cédula real [110]. La verdadera intención que ocultaba nombre tan genérico se despeja en la información que Escobar hizo en Santiago de Chile en diciembre de 1623 [111]: el maestre de campo se disponía a descubrir los indios «que llaman Césares», empresa que hacía más de sesenta años que no se encomendaba a ningún capitán del reino de Chile, y que se aprestaba a llevar a cabo con gran costa de su hacienda al procurar de bastimentos y munición a sus hombres. Y este Bacache le parecía gran soldado a D. Alonso de la Cámara, visitador de Cuyo por el Capítulo en sede vacante, que sabía asimismo que una cédula real había dado permiso al general de Cuyo para poblar el valle de Diamante, «por aver en aquella comarca mucho número de naturales» [112].

La situación por la que atravesaba la comarca no permitía, sin embargo, tales desahogos expansionistas. Cuyo estaba a la sazón tan dejado de la mano de Dios que, aunque parezca increíble, el capitán Juan de Larrea,

[109] Carta de la Concepción, a 25 de mayo de 1623 (A.G.I., Chile 34).
[110] A.G.I., Chile 34.
[111] Pregunta decimosexta (A.G.I., Chile 41).
[112] Carta al rey desde Mendoza, a 14 de mayo de 1621 (A.G.I., Chile 65).

vecino encomendero de San Juan de la Frontera, había tenido que ser enviado en 1604 a descubrir el camino de Buenos Aires [113]. Era por aquel entonces una región muy pobre, en la que, además de Mendoza y San Juan de la Frontera, sólo se había plantado una reciente fundación de inevitable cuño jesuítico, San Luis de Loyola. Según afirmaba fray Gaspar [114], obispo de Santiago, en Cuyo «todo el tener se reduce a casas, viñas y tierras; los conventos allí se sustentan con muy poco: nunca llegan a seis frailes»; como para enredar más las cosas y complicar la evangelización, «la lengua de los indios de aquella tierra es singular y dificultosísima»; y aun en estos indios residía la riqueza principal de la comarca, ya que eran llevados en inhumanas reatas, puestos en colleras como galeotes, al otro lado de los Andes, para suplir la falta de mano de obra en el reino de Chile, y ello a pesar de la tajante prohibición que fulminó al respecto una cédula real dada el 17 de julio de 1622, años después de que el obispo de Santiago fray Juan Pérez de Espinosa, incorporado a su diócesis desde Cuyo, se hubiera espantado de la existencia de tráfico tan terrible, que causaba gran mortandad entre los indios guarpes [115]: es que, como ocurría en otras tierras de frontera, como los Quijos, los encomenderos se encontraban lejos, muy lejos, nada menos que en la otra vertiente de los Andes, en Santiago de Chile [116].

A mediados de siglo sobre la gobernación toda de Chile se cernieron tiempos difíciles [117]. Después de dos desvastadores terremotos (1647 y

[113] Salió el 13 de febrero de Buenos Aires y llegó el 17 de marzo a San Luis de Loyola. Acompañaron la expedición como pasajeros Juan de la Presa y Pedro de Asqueta (carta de 27 de abril de 1604 [A.G.I., Chile 40]). Es de notar que la decimocuarta cruz la puso cinco leguas adelante del río Quinto, con nombre de la Dormida de San Bartolomé, ignoro sin con alguna intención alusiva a las Indias por descubrir protegidas por el apóstol.

[114] Carta desde Santiago, a 24 de abril de 1641 (A.G.I., Chile 61).

[115] Carta de fray Juan Pérez de Espinosa de 20 de mayo de 1602 (A.G.I., Chile 60). Todavía subsistía el inhumano comercio en época del obispo Francisco de Salcedo (cf. su carta desde Santiago, a 8 de abril de 1627 [A.G.I., Chile 60]). Contra lo dispuesto en la cédula apeló el 16 de mayo de 1626 el capitán Juan de Valenzuela, alegando que los indios eran traídos para trabajar en la fábrica de la catedral (A.G.I., Chile 60). Fray Diego de Umansoro realizó una visita a Cuyo en 1665 (A.G.I., Chile 61).

[116] Así ocurría todavía en 1686, según se desprende de una carta del obispo fray Bernardo de 20 de marzo de 1686 (A.G.I., Chile 62), que acababa de visitar Cuyo. Por eso el gobernador D. Juan Enríquez ordenó el 11 de octubre de 1674 sin gran éxito que los indios fueran devueltos a sus poblaciones, añadiendo en su informe que es «tierra sumamente miserable y pobre, y que se mantienen los habitadores con pan de algarroba y un poco de maíz» (A.G.I., Chile 62). El 14 de abril de 1618 los vecinos de San Luis de Loyola elevaron un curioso memorial al rey, pidiendo entre otras cosas su separación de Chile para formar una nueva gobernación, memorial inspirado sin duda por los jesuitas (A.G.I., Indif. 1447). Después se mudó el emplazamiento de la villa, que, según una carta de su cabildo del 12 de mayo de 1670 (A.G.I., Chile 62), contaba con seis o siete hombres. De San Luis se volvió a ocupar el obispo de Santiago el 14 de mayo de 1681 (A.G.I., Chile 62).

[117] La crisis no impidió que siguiera floreciente el contrabando entre Buenos Aires y Chile

1654) sobrevino una sedición popular y un temible alzamiento general de los indios en 1655. Como es lógico, apenas había respiro para barajar ensueños en medio de tales catástrofes, que no impidieron sin embargo que estallase una escandalosa pelea en Santiago entre las clarisas y el provincial de los franciscanos en diciembre de 1656, mientras ganaban terreno los más sutiles y disciplinados jesuitas. En 1650 el provincial y los consultores de la Compañía, además de proponer la fundación de un colegio para hijos de caciques indios, tal y como existía en Lima, pusieron de relieve que el capitán Francisco de la Fuente Villalobos, varias veces regidor y alcalde de la Concepción, veedor general del ejército real y protector general de los indios, había realizado una expedición tierra adentro hasta Valdivia y Osorno, a costa de su hacienda [118]. Es que la mirada de la Orden de San Ignacio estaba fija entonces en el extremo meridional de Chile.

El 26 de mayo de 1669 anunció desde Lima el conde de Lemos una agradable sorpresa [119]: había por fin fundadas esperanzas de hallar de una vez la tierra llamada de los Césares, donde vivían aquellos españoles cercados por la barbarie. Quien difundía esta ilusión era a todas luces un jesuita, Nicolás Mascardi, rector del colegio de Chiloé, quien sabía al dedillo, por los inescrutables designios de la providencia, lo que les había sucedido a los supervivientes de la expedición de Argüello, perdida en la parte del Norte junto al Estrecho: los náufragos, compuestos por 500 hombres, 60 mujeres, tres sacerdotes y algunos niños y criados, habían caminado incansables tierra adentro hasta alcanzar los 46° de latitud; «allí se pobló en una isla y laguna grande, y se casaron con los naturales de la tierra, y se han multiplicado; y dicen habrá más de mil españoles hijos de ellos». Si no se había tenido antes noticia más cierta de los náufragos, se debía a que los puelches, poyas y otros indios de las pampas chilenas recelaban que los españoles, de juntar sus fuerzas, acabarían con ellos, cogidos entre dos fuegos; mas a él le había confiado el secreto una india

consistente por lo general en la introducción de esclavos negros. Pedro de Lugo informó el 19 de marzo de 1639 (A.G.I., Chile 10) que en 1637 habían entrado en esta última gobernación más de 500 esclavos procedentes de Buenos Aires. El 25 de mayo de 1652 anunció Juan de Huerta un comiso de esclavos (A.G.I., Chile 12). A este paso de negros se mostró contrario el oidor Alonso de Solórzano y Velasco el 7 de junio de 1659 (A.G.I., Chile 13). Hasta se llegó a proponer por parte de la Audiencia de Chile, quizá con boca chica, el cierre de la comunicación con Buenos Aires el 7 de agosto de 1659 (A.G.I., Chile 13).

[118] A.G.I., Chile 66 (carta del 5 de enero de 1650). Volvieron a proponer la creación de un colegio de hijos de caciques el 6 de mayo de 1699 (A.G.I., Chile 66).

[119] A.G.I., Lima 68, vol. IV (1669), n.° 8, con capítulo de carta del padre José María Adamo. Todavía recordaron este vano intento de Mascardi Jorge Juan y Ulloa en sus Comentarios, II, p. CXXXIII. Sobre la figura del jesuita cf. R. Vargas Ugarte, Historia de la Iglesia en el Perú, Burgos, 1960, III, p. 408ss.

muy principal llamada reina por los suyos, que hacía tres años había sido tomada en una maloca contra los puelches. El hermano de esta cacica le había mostrado un libro de *Horas* impreso en Sevilla más de doscientos años atrás, precioso incunable que sólo podía pertenecer a aquella gente perdida. Para mayor seguridad, el año pasado Mascardi había enviado allí a dos principales indios, que habían vuelto muy contentos y agasajados, tras haber visto en poder de los poyas joyas y arreos que evidenciaban su origen español. El providencial hermano de la no menos providencial cacica iba a traer más información sobre el particular antes del invierno; de resultar cosa cierta, Mascardi tenía ya licencia de su provincial para emprender el viaje a los puelches, cuya lengua había aprendido en el entretanto.

Logró Mascardi salirse al fin con la suya. En una carta sin fecha dirigida a su provincia [120], el padre Francisco Javier Grijalba, manifestaba Mascardi su entusiasmo por encontrarse ya entre los poyas, cuya excelencia moral haría palidecer de envidia a más de un cristiano. El jesuita seguía terne en sus manías preferidas; buena prueba de ello es que decía que entre los poyas había indios bautizados, que se habían retirado de Chiloé hacía 48 años, viviendo después con la más exquisita y recatada moral: parece como si Mascardi anduviese siempre en busca de reliquias. Tampoco —claro está— lo había abandonado su gran obsesión; antes bien, lejos de contentarse con buscar los náufragos de Sebastián Argüello en la costa de Buenos Aires, soñaba con una empresa de mayor envergadura y se veía rescatando también a los hombres de Pedro Sarmiento perdidos en el Estrecho y a los de Iñigo de Ayala abandonados en el mar de los chonos: la gran operación de salvamento estaba en marcha. Ya había estado Mascardi entre los chonos, que le habían dado noticias de los españoles y «de las quemazones que dos años a havían hecho por estas lagunas y cordilleras, buscando paso a mi entender para la plaza de Valdivia», fuegos que en parte había presenciado él con sus propios ojos y que en parte le habían narrado los indios, entre ellos uno junto a la laguna de Chocayo, a 30 leguas, y otro en una laguna a 50 leguas. La belicosidad de los naturales acabó con la vida de Mascardi, segando tan bello e imaginario ideal.

En 1682 otro jesuita, Joseph de Zúñiga, estuvo en Nehuelhuapi con los indios con los que había vivido Mascardi [121]. Su experiencia indujo a

---

[120] A.G.I., Lima 84. Data aproximadamente la carta de Mascardi el que se diga en ella que había permanecido tres años sin ver sacerdote. Le había ayudado el gobernador de Chile D. Juan Enríquez con el sueldo de tres soldados.

[121] Carta al provincial Ferreira de 3 de marzo de 1682 (A.G.I., Chile 84). Había entrado por Mariquina, siguiendo por Guaneque, Callupén, Villa Rica, atravesando la cordillera y pasando después a tierra de los peguenches, puelches y poyas.

provincial de la Compañía, el P. Francisco Ferreira, a proponer el 3 de agosto de 1683 al duque de la Palata la evangelización de los poyas. No obstante, tras el sangriento revés experimentado se corrió un tupido velo sobre la fábula de los españoles perdidos. Para fundar su petición misionera Ferreira argumentó que el gentío de los poyas era innumerable, grande su docilidad, mejor su disposición, indescriptible su virtud y ardentísimo el deseo de los jesuitas, desde el más sabio al más lerdo, por atraerlos a Dios, pero no escribió ni una palabra acerca de la salvación —bien merecida por cierto— de aquellos españoles errabundos por los gélidos desiertos de la costa magallánica [122].

7. *Un espía y un traidor al servicio de Inglaterra: Carlos Enríquez Clerque y Diego de Peñalosa*

En enero de 1671 reinó máxima alarma en el Perú ante la noticia de que habían cruzado el Estrecho doce bajeles ingleses [123]; a la postre resultó, no obstante, ser más el ruido que las nueces, pues se trataba sólo de un navío (el «Swipstakes») con un patache (el «Bachelor»), que encima dispersó una tormenta cuando se hallaban a 47° de latitud S [124]. En Valdivia fueron hechos prisioneros cinco ingleses que habían saltado en tierra, entre ellos un tal Carlos Enríquez, hombre de unos 59 años [125], sobre el que recayeron de inmediato gravísimas sospechas y acusaciones: una cédula real del 29 de diciembre de 1671 avisó que aquel Carlos Enríquez Clerque era el mismo que citaba el primer secretario de Estado, lord Arlington, con el nombre fingido de Thomas Highway, intérprete [126]. El

---

[122] El 10 de febrero de 1684 la Junta de Hacienda libró 4.000 pesos a la Compañía para las misiones de los poyas (cf. carta del virrey Palata del 30 de mayo de 1685 [A.G.I., Lima 84, n.° 2, con anejos]). Pero el 4 de mayo de 1697 Tomás Marín de Poveda tuvo que manifestar compungido que hasta ese momento no se había cosechado ningún fruto evangélico entre los pegüenches ni puelches (A.G.I., Chile 26).

[123] Cf. una carta del conde de Molina del 24 de julio de 1671, anunciando el paso de bajeles ingleses por el Estrecho (A.G.I, Indif. 635).

[124] Véanse las cartas del conde de Lemos del 24 de enero de 1671 y del 14 de febrero de 1671 (A.G.I., Lima 72).

[125] Cf. sobre él la carta del gobernador de Chile D. Juan Enríquez desde la Concepción, del 2 de febrero de 1671 (A.G.I., Lima 72). En BN Madrid, ms. 18719/21 se encuentra la primera carta de Clerque al gobernador de Chile; en BN Madrid, ms. 18179/28 el segundo papel enviado al gobernador, con la instrucción recibida en Inglaterra, fechado en la Concepción el 11 de febrero de 1671.

[126] A.G.I., Lima 72. El conde de Molina remitió el 20 de noviembre de 1671 una carta de lord Arlington probando la identidad de D. Carlos Enríquez y de Thomas «Hihguar» (sic), intérprete; otras dos cartas del conde de Molina del 9 de diciembre de 1671 se refieren a Enríquez (A.G.I., Chile 23). Sobre este viaje de Enríquez da un resumen, desde el punto de vista

conde de Lemos lo remitió a Panamá para que fuera conducido a España, pero la junta de Panamá, contradiciendo al virrey, decidió que lo mejor y más seguro era volverlo a encerrar en la cárcel de Lima [127].

Había ciertos motivos para asustarse, pues el tal Enríquez había hecho en Valdivia declaraciones estupendas y hasta se había permitido entregar un memorial con el pomposo título de *Avisos generales* el 28 de enero de 1671 [128]. En efecto, decía ser nada menos que hijo natural del príncipe Roberto de Bohemia y haber nacido en Brissac, en Alsacia; a los once años, seguía contando, había ido a Sevilla con los mercaderes Tomás, Pedro y Nataniel Bucher, alojándose dos o tres días en casa del cónsul inglés Ricardo Suit, que tenía su morada «hacia el horno de las brujas», y después en residencia aparte unos 18 meses, recibiendo clases de un sacerdote tuerto llamado «el señor maestro D. Juan»; después, de los 16 a los 22 años había recorrido medio mundo, educándose también en Lovaina y Liorna y viajando por Roma, Padua, Milán, Nápoles, Venecia y mil ciudades más. A un hombre como él, inquieto y versado en varias lenguas, se le abría un camino expedito en la carrera diplomática [129]: nada tiene que extrañar que estuviera varios meses en Madrid en los años 1658-1659 formando parte del séquito del arzobispo de Londres, o que en 1665 y en 1668 residiera en Lisboa, en este caso acompañando a D. Roberdo Sutene, enviado para ajustar la dote de la reina de Inglaterra. El motivo que lo había llevado al Perú obedecía, no obstante, a razones tanto económicas como políticas. Oigamos su relación.

La Compañía inglesa de la India Oriental sufría la competencia despiadada de los holandeses, que le cerraban el paso en el Cabo de Buena Esperanza y después en sus estratégicos establecimientos comerciales en Oriente. Incluso mentes agoreras y tétricas recelaban que, de declararse una nueva guerra entre Inglaterra y Holanda, la Compañía inglesa sufriría una quiebra. Era lógico, pues, que se buscasen nuevas vías de acceso a la Especiería: en 1669 el rey concedió permiso a la Compañía para explorar el Estrecho de Magallanes. El incansable Enríquez, Heinrich o Enriques se desplazó a fines de 1668 a Suecia a fin de interesar tanto a su rey como al de Dinamarca en el nuevo proyecto de llegar a la India por el Occiden

---

estrictamente peruano, C. Lohmann Villena, *El conde de Lemos, Virrey del Perú*, Madrid, 1946, p. 347ss. Cf. además Mendiburu, *Diccionario*, IV, p. 188 (BN Madrid, ms. 2341, f. 143r ss.).

[127] Carta de la Audiencia de Panamá al rey del 17 de abril de 1673 (A.G.I., Lima 73, vol. de 1673, n.º 6). Cf. asimismo los autos del 6 y del 8 de agosto de 1672 en Panamá y del 17 de agosto del mismo año en Portobelo; los prisioneros fueron devueltos a Lima con la excusa de que no se podía llevar a un reo en los galeones sin expresar al tiempo la causa de su detención (todo ello en A.G.I., Lima 171).

[128] Testimonio, f. 55ss.

[129] Sobre la vida cf. Testimonio, f. 44r ss. y sobre todo 50v ss.

te. Esta y no otra era la causa por la que, en octubre de 1669, había zarpado del puerto de las Dunas el «Swipstakes», al mando del capitán Narborough (llamado también Narbuc o Arbro) [130], quien una vez en su destino había de seguir las instrucciones de Enríquez. Su objetivo era claro: se trataba de hacer una población en el Estrecho de Magallanes o en Chile, de suerte que las naves contasen con una escala antes de proseguir después su viaje a las islas de Salomón, Japón, Nueva Guinea, costas de China y demás comarcas situadas al Norte del estrecho de Batavia (el de Singapur).

Ahora bien, este plan de perfiles en apariencia tan nítidos se imbrica con otros objetivos secundarios, que en cualquier momento podían pasar a primer plano. En efecto, en el memorial que dio la Compañía al rey [131] se especificaba que en el Estrecho, a 30 leguas poco más o menos al Este del Cabo de la Victoria, los navegantes tanto ingleses como holandeses habían entrado en un canal llamado de San Jerónimo en lanchas, hallando a 20 leguas de distancia llanuras muy amenas y pobladas, adonde podrían subir buques de más de 1.000 toneladas; y desembarcando allí, habían conseguido oro excelente de más de 21 quilates amén de buena provisión de alimentos, todo ello a trueque de perlas falsas y abalorios. Decíase que se veían en aquella tierra diferentes cruces como las de España, y que a intervalos se oía el tañido de campanas. Se trataba de gente amable, de hermosas facciones, de color que mediaba entre blanco y pálido. No eran otros, evidentemente, que los españoles que habían despoblado San Felipe y Jesús, las fundaciones de Pedro Sarmiento, y que en número de 400 hombres, 36 mujeres y 6 sacerdotes se habían refugiado en el interior. En consecuencia, la expedición inglesa se dirigía a descubrir la ciudad de los Césares, como sabía, además de Enríquez, otro de los ingleses apresados, Luis Coe [132]. Es claro que a un inglés nada le decía el nombre de un Camargo o de un Argüello; la experiencia pobladora en el Estrecho estaba relacionada para ellos con el intento de Pedro Sarmiento, cuyos hombres había alcanzado a ver todavía Cavendish. Esta es la razón, quizá, de que el navío inglés se detuviera entonces durante tres días a hacer aguada en Puerto Fame [133], es decir, el Puerto del Hambre, como se llamó a la portuguesa,

---

[130] Así en las Declaraciones de 1675, f. 103v, Narbruc en el Testimonio, f. 40v.

[131] Testimonio, f. 61v ss.

[132] Declaración tomada en Lima el 20 de abril de 1675; en cambio, Juan Fortescue no sabía adónde iban, ni tampoco el mulato Tomás Iglesias. Es de notar que en 1643 cinco naves holandesas con 400 hombres, bajo el mando de Elías Herckmans, se habían dirigido a Chile seducidas por el viejo cuento de las minas de oro. La expedición no logró nada positivo, regresando a Recife en diciembre del mismo año (cf. Boxer, *The Dutch in Brazil*, pp. 146-47).

[133] Testimonio, f. 93v.

sin duda por ser portugués el piloto de Cavendish, a la fundación de Sarmiento de Gamboa [134].

El navío inglés, en su tornaviaje, había de cumplir otra misión de vital importancia, la de descubrir el estrecho de Anián, que se pensaba encontrar con más facilidad por el Pacífico que por el Atlántico. La compañía inglesa conocía, de hecho, la fabulosa navegación realizada por un bajel que partió de Acapulco en 1609 y que, obligado por una tempestad a refugiarse en lo que creyó ser un puerto y resultó ser el tan buscado paso boreal, acabó por arribar a Dublín y después a Lisboa; allí, en vez de recibir una recompensa, el piloto portugués vio sus mapas y derroteros destruidos por orden de Felipe III [135]. Al conocer sobradamente la marina anglosajona el viaje imaginario de Juan de Fuca, el ambiciosísimo proyecto de la Compañía consistía, en suma, en bloquear los dos estrechos [136], el de Magallanes y el de Anián, controlando de esta suerte el tráfico por el Pacífico, donde se contemplaba también el descubrimiento de las islas de Salomón.

Atenazadas de esta suerte las Indias Occidentales, a D. Carlos Enríquez le correspondía llevar a cabo otra empresa de no menor envergadura: la sublevación del Perú contra España. A tal fin esparcía el rumor de que contaba con la colaboración del antiguo gobernador de Chile D. Francisco de Meneses, hombre muy festejado por el rey de Inglaterra y el duque de York, a quien Enríquez había conocido en Valenciennes [137]. El descarado aventurero, que cuando le placía se arrogaba una ascendencia principesca, no tuvo reparo en proclamar durante la navegación que él era en realidad hijo de un virrey del Perú [138] o hasta de D. Francisco de Meneses [139], pensando al parecer que esos cambios de paternidad convenían mucho a su propósito. Hay que dar la razón a D. Juan Enríquez, el gobernador entonces de Chile, cuando calificaba a este redomado farsante de D. Carlos de hombre «muy ladino y versado en todas lenguas» [140] y que sabía desempeñar a la perfección cualquier papel que le tocara en suerte. No todo, sin embargo, era pura baladronada. Enríquez se había

[134] Cf. asimismo la Instrucción, f. 70v.

[135] Testimonio, f. 133ss. En 1704, en *Memoirs for the Curious,* apareció una relación del supuesto viaje de Fonte por ese fabuloso estrecho. C. Fernández Duro (*Armada española,* IV, p. 350ss.) supone que se trata de una invención más de Diego de Peñalosa y aventura, con poca verosimilitud a mi juicio, que el imaginario Fonte sea una deformación del real Porter. De proceder algo del magín de Peñalosa, es la adaptación de la historia del galeón de Acapulco, rehecha sobre el modelo de la travesía de Fuca.

[136] Cf. Testimonio, f. 74ss.

[137] Testimonio, f. 9ss., 47ss. Por otra parte, en el pingue el «Bachiller» iba el judío Salomón Franco, que conocía la lengua de los indios chilenos (Testimonio, f. 48v).

[138] Así se lo oyó decir Juan Fortescue, cf. Testimonio, f. 34r, 86r.

[139] Testimonio, f. 47v, 80r.

[140] Carta desde la Concepción del 12 de marzo de 1675 (A.G.I., Lima 73).

hartado de decir que «en el estrecho de Magallanes havía tierras ricas y fáciles de conquistar y que él tenía en ellas parientes y amigos» [141]. No sabemos con qué apoyos reales contaba el aventurero, pero al menos se encontraba en excelentes relaciones con los portugueses residentes en Chile. Lo vemos, en efecto, ponerse en contacto con D. José de Torres, que había sido criado del duque de Aveiro y que después lo fue del gobernador Meneses por indicación precisamente del mismo duque [142]; también debía de conocer a la familia de Meneses, a cuya mujer llegó a escribir una carta entregada por mediación de Torres. Detrás de Enríquez se mueven grandes personajes de Portugal, como el marqués de Marialva, que le había librado en Inglaterra 5.000 escudos para costear su viaje [143], y es de suponer que otros muchos, deseosos de mermar el poderío español para afianzar su recién recuperada independencia. Todo, en suma, parece indicar que se fraguaba una sublevación de enormes vuelos, abortada en el último momento por causas imprevistas. Hay que recordar que durante la época puritana la fibra filantrópica de los ingleses había sido cultivada, sacudida y estremecida con vistas a una intervención militar en el Pacífico incluso con el estreno de vibrantes óperas cuyo título lo expresaba todo, como *The cruelty of the Spaniards in Peru*, estrenada por Sir William D'Avenant en 1658 [144].

La ocasión pide a gritos que volvamos nuestra atención al hombre que supuestamente le debía de entregar a Enríquez la llave del virreinato, el anterior gobernador de Chile, el también portugués D. Francisco de Meneses, que había sido depuesto de su cargo sólo dos años antes, en 1668. Conviene confesar antes de nada que nuestro hombre, que entró en Santiago de Chile a fines de enero de 1664 [145] no había sido durante su mandato un personaje popular. Contra él clamaron al unísono las Ordenes de La Merced [146], Santo Domingo [147], San Agustín [148] y San Francis-

---

[141] Declaración de Almiger en Testimonio, f. 91v.
[142] Testimonio, f. 9v.
[143] Testimonio, f. 22.
[144] *Cambridge History of English Literature*, VIII, p. 118.
[145] Carta del 10 de julio de 1668 (A.G.I., Chile 14). El 23 de enero de 1663 anunció D. Juan del Solar desde Madrid que Meneses estaba listo para partir con el capitán D. Antonio de Valdés, cuatro alféreces reformados y 59 soldados sencillos; Bernabé Ochoa de Chinchetru escribió el 8 de abril desde Cádiz que había zarpado en dos navíos al frente de 240 hombres (A.G.I., Chile 54). El propio Meneses relató las incidencias de su viaje desde la Península hasta Buenos Aires el 2 de noviembre de 1663 (A.G.I., Chile 22).
Otro socorro de 197 hombres sin contar los oficiales llegó a Buenos Aires con destino a Chile el 12 de febrero de 1677 en los navíos del capitán Miguel de Vergara (carta de los oficiales reales de Buenos Aires del 30 de agosto de 1678 [A.G.I., Chile 54]).
[146] Carta del 10 de julio de 1688 (A.G.I., Chile 14).
[147] Carta del 10 de agosto de 1668 (A.G.I., Chile 14).
[148] Carta del 9 de agosto de 1668 (A.G.I., Chile 14).

co [149], muy partidarias de su predecesor en el cargo, D. Angel de Peredo, con cuyo gobierno prudente pudieron respirar los españoles después de los desatinos de D. Pedro Porter Casanate, el valido del conde de Alva de Liste. Al principio fueron nimiedades: p.e., chocó mucho al rancio puritanismo provinciano el carácter un tanto licencioso de Meneses; el padre Lorenzo de Arizabalo se espantó de que hubiera aprendido a «bailar un baile infame que llaman allá bananas» [150]; a su vez, la rígida Audiencia chilena criticó su atuendo que calificó de ridículo, ya que llevaba «vestido de color, con muchos bordados de oro y plata balona, caído el sombrero con cairel de oro, plumas de avestruz» [151]. El previsible enfrentamiento entre el gobernador y el obispo se produjo pronto, demasiado pronto, pues el temple desapacible y terco del prelado chocó a las primeras de cambio con los humos pretenciosos del infatuado portugués [152]: en su visita a Cuyo, fray Diego de Umansoro se quejó mucho contra Meneses, acusándolo entre otras cosas de haber nombrado corregidor de Cuyo a otro portugués, acusación grave en aquel momento en que Lisboa se había rebelado.

Con Meneses, no obstante, estaba emparentada buena parte de la aristocracia chilena: su mujer, Catalina Bravo de Saravia, pertenecía a la más rancia estirpe de conquistadores, por lo que no es de extrañar que las pesquisas que más tarde se le hicieron a su marido no traspasaran a veces el ámbito familiar [153]. Así y todo, la crítica y hasta la acusación encontraba terreno abonado por cuanto en la rebelión de los indios de Chile se quiso implicar como culpables a D. Antonio de Acuña y a su cuñado D. Juan de Salazar [154]. Y es más: la Audiencia de Chile recordó maliciosa al rey que, cuando Meneses fue nombrado gobernador, un Grande de la Corte había exclamado: «Vuestra Magestad envía a Meneses a Chile; él se coronará» [155]. Por ello no es ningún azar que el obispo de Santiago, fray Diego de Umansoro, alardeara orgulloso de su tajante oposición «a los malos intentos que él tiene de coronarse»; y aun el 16 de

---

[149] Carta del 4 de agosto de 1668 (A.G.I., Chile 14).

[150] Carta desde Sevilla del 22 de marzo de 1668 (A.G.I., Chile 55-A).

[151] El 20 de diciembre de 1665 (A.G.I., Chile 55-A).

[152] Carta desde Mendoza del 28 de octubre de 1665 (A.G.I., Chile 55-A). Respondió Meneses el 5 de febrero de 1666, alegando que el nombramiento lo había hecho su antecesor en el cargo, Peredo (A.G.I., Chile 55-A).

[153] Así, p.e., el alcalde D. Juan Manuel de Ribadeneira y Carbajal, hijo de doña Mariana de Carbajal y Saravia, hizo averiguaciones sobre la actuación del maestre de campo D. Francisco Bravo de Saravia, el suegro de Meneses; pero resulta que la tal Doña Mariana era prima hermana de dicho maestre, como apunta el oidor Juan de la Peña Salazar en carta desde Santiago del 15 de abril de 1678 (A.G.I., Chile 16). Hay probanzas del maestre de campo D. Francisco hechas en los años 1659 y 1661 (A.G.I., Chile 47).

[154] Cf. la carta del virrey conde de Alva de Liste del 9 de noviembre de 1660 (A.G.I., Chile 22).

[155] Carta desde Santiago del 10 de febrero de 1666 (A.G.I., Chile 55-A).

marzo de 1666 lo acusó el obispo de que, si en esta intentona de alzamiento fracasaba, pretendía el gobernador escapar por el Estrecho de Magallanes, para lo cual hacía más de un año que tenía ocupado a un piloto en el sondeo de la boca del Estrecho y de otros parajes en el Pacífico [156]. Tampoco las tenía todas consigo la Audiencia de Lima, que mostró su alarma cuando Meneses manifestó su interés por la plaza de Valdivia; en efecto, desde ese puerto, llave de Chile, podía llamar Meneses a los portugueses del Brasil [157]. El peligro era demasiado grande como para permitir que un portugués en entredicho siguiera desempeñando en paz sus funciones de gobernador. Como se ve, en toda esta complicadísima trama montada contra Meneses juega un papel fundamental no ya la acusación más o menos explícita de traición, sino también la excepcional situación estratégica de Chile, que controlaba la desembocadura del Estrecho. Y este Estrecho había reclamado muy pronto la atención de Meneses, a quien hemos de suponer muy atento no sólo a la fortificación de Valdivia, sino también al descubrimiento de los Césares. Ya en 1665 la Audiencia de Chile puso en guardia al rey contra la vana fantasía del gobernador, que pretendía haber encontrado grandes minas de oro y de plata, ya que «no ay otras que las que ha finxido su maliçia» [158]; ¿no parece que estas grandes minas las pensaba hallar en los aledaños de ese Estrecho cuyas aguas había mandado sondar con tanto cuidado? En cualquier caso, cuando el «Swipstakes» dio vista a las costas del Pacífico, Meneses había sido cesado brutalmente de su cargo, en la drástica residencia que le hizo en 1668 el oidor de Lima D. Lope Antonio de Munibe, en cuya loa encomiástica tomaron la pluma con fruición tanto el obispo Umansoro [159] como los oidores de Chile [160], los enemigos del por-

---

[156] Carta desde Santiago (A.G.I., Chile 55-B).

[157] Carta del 30 de noviembre de 1666 (A.G.I., Chile 55-B). Valdivia fue objetivo principal en toda incursión contra el virreinato, a partir de su primera toma (cf. la relación de Jerónimo Benavides, datada el 2 de julio de 1594 en Valparaíso, en sus probanzas [A.G.I., Chile 31]). En 1615 volvió a haber noticia de que había corsarios holandeses poblados con cuatro naos en su puerto, si bien luego se supo que era mentira, gracias a un indio ladino que capturó Alonso de Rivera en una internada (carta del cabildo de Santiago del 31 de enero de 1615 [A.G.I., Chile 27]). Desde entonces, su fortificación se convirtió en un preocupación obsesiva para todos los gobernantes de Chile y del Perú. Francisco Laso de la Vega la propuso el 27 de abril de 1630 y el 15 de abril de 1636 (A.G.I., Chile 20). La plaza fue ocupada por el holandés; el 8 de junio de 1644 insistió la Audiencia en que, una vez desalojado el enemigo, convenía dotarla de poderosas defensas (A.G.I., Chile 11). Levantó planos de ella Francisco de Quirós. El virrey Mancera se sirvió a tal efecto del ingeniero Vasconcelos.

[158] A.G.I., Chile 55-A.

[159] Cf. sus cartas del 24 de abril de 1670 (A.G.I., Chile 62) y del 20 de julio de 1678 (A.G.I., Chile 61).

[160] Así, p.e., Sebastián Chaparro en 1673 (A.G.I., Chile 36). Sobre la prisión de Meneses y su intento de huida cf. la carta de Juan de la Cerda Contreras, fechada en Santiago el 20 de agosto de 1668 (A.G.I., Chile 15).

tugués encumbrado. Todavía en 1678 Meneses purgaba su arrogancia en la mazmorra del Callao, después de haber conocido los calabozos de Arica y Trujillo [161]; y aun una cédula real del 4 de noviembre de 1682 pidió que se procediera contra él por la vía criminal, cuando se daba el caso de que el preso había muerto en diciembre de 1679 en la mayor de las indigencias, sin haber dejado bienes algunos que confiscar [162].

A Madrid, mientras tanto, seguían llegando noticias que sembraban cada vez mayor inquietud. El 4 de diciembre de 1671 Ricardo White, un caballero irlandés que en la última guerra de Cataluña presumió de haber conducido a más de 8.000 irlandeses a su costa, presentó un memorial en el que, además de hacer ver los peligros que amenazaban a Valdivia, anunciaba que se encontraba en Londres D. Diego de Peñalosa, mantenido por el duque de York y lord Arlington, haciendo creer que sería cosa fácil ganar algunas plazas a los españoles en el Perú [163]. La aventura del «Swipstakes», en consecuencia, respondía a un plan perfectamente organizado en apariencia por el visionario limeño [164], quien después de incógnitas peripecias trataba de descubrir en servicio de Inglaterra el reino de los Césares: la quimera podía mover montañas.

Una cédula real dada el 30 de diciembre de 1671 ordenó al conde de Lemos vigilar con disimulo a los parientes de Peñalosa [165], y el 10 de abril de 1673 remitió la Audiencia limeña a la Península los informes requeri-

---

[161] Intercedió por él el arzobispo virrey el 24 de agosto de 1678 (A.G.I., Lima 78, vol. II (1678), n.° 7).

[162] Así lo comunicó la Audiencia al rey el 28 de abril de 1685 (A.G.I., Lima 104).

[163] A.G.I., Indif. 1877. En A.G.I., Chile 23 se encuentra alguna información sobre este Peñalosa. Así, p.e., una copia de la carta del embajador en Londres, el conde de Molina, avisando de que el principal promotor de las incursiones inglesas era D. Diego de Peñalosa, «que fue quien persuadió a lo de Panamá», se vio en Consejo del 15 de agosto de 1671; sobre él se volvió a tratar en sesión del 26 de setiembre de 1671. El 26 de febrero de 1672 dio cuenta Marcos Albertos de Oñate que Peñalosa se ofrecía a ir a Jamaica y hacerles a los ingleses mapas de las costas de las Indias (A.G.I., Chile 23).

De los autores modernos cf. C. Fernández Duro, *D. Diego de Peñalosa y su descubrimiento del reino de Quivira, (informe presentado a la Academia de la Historia por el capitán de navío...)*, Madrid, 1882, *Armada española*, V, p. 274ss. y el artículo de J. Basadre en *Revista del Instituto Sanmartiniano del Perú*, 1935, 24-41, refundido en su libro excelente sobre *El conde de Lemos y su época*, Lima, 1945, p. 175ss.

[164] Al menos se jactó de ello ante su valedor el abate Bernou, quien escribió en 1684 que la expedición de Narborough fue despachada a instigación de Peñalosa (cf. C. Fernández Duro, *D. Diego de Peñalosa*, p. 119). Recordó todavía a Narborough como ejemplo a imitar Juan Pablo Viscardo en una carta a Udny del 30 de setiembre de 1781, dando por descontado que el capitán inglés fue a atizar la rebelión del Perú (cf. M. Batllori, *El abate Viscardo. Historia y mito de la rebelión de los jesuitas en la independencia de Hispanoamérica*, Caracas, 1953, p. 208). El diario y los derroteros del «Swiptsakes», traducidos al español, se encuentran en A.G.I., Indif. 1877. Es notable que también los llegara a conocer Bougainville (*Viaje alrededor del mundo*, Buenos Aires, 1954, pp. 133-34).

[165] A.G.I., Lima 72.

dos por Madrid [166], tales que podían calmar un tanto la ansiedad de la Corte. Resultaba, en efecto, que el padre de Peñalosa, el vecino de La Paz D. Alonso Berdugo de Peñalosa, no había sido nunca maestre de campo, como tenía entendido el Consejo, sino que era «un afectado cortesano» que frisaba ya los 75 años, padre de otros dos hijos, residente el uno en Cochabamba y el otro, clérigo presbítero, en La Paz. El yerno de D. Diego, Jacinto Gutiérrez de Moscoso, asistía en Larecaja en media chácara de su propiedad. No parecía, pues, que hubiese mucho que temer por parte de tales sujetos, de muy poca monta y sustancia. La humildad de su cuna no había rebajado, en cambio, los humos de Peñalosa, hombre de verbo facundo, porte arrogante y mente quimerista, que no vaciló en darse a sí mismo entre otros los títulos de adelantado de Chile y de la Gran Quivira, legítimo sucesor y heredero del marquesado de Arauco, condado de Valdivia y vizcondado de la Imperial, y en proclamarse bisnieto nada menos que de Pedrarias Dávila, Pedro de Valdivia y Diego de Ocampo. El empaque con que alardeó de su alcurnia y de su influencia en el Perú fue mucha parte sin duda en que le diera crédito el partido belicista inglés, chasqueado después del fracaso de la guerra con los Países Bajos; nada se perdía, por otro lado, con probar fortuna en los lejanos mares del Sur, llenos siempre de exóticos tesoros y de galeones cargados de plata, cuya captura, a la postre, podía resarcir los gastos de la expedición. El final poco feliz de la empresa desmoronó el prestigio de Peñalosa, un tanto agrietado ya por los sucesivos informes de los embajadores españoles en Londres. En este momento de adversidad no flaqueó D. Diego ni por pienso, demostrando que su ingenio sabía estar en todo momento a la altura de las circunstancias: si había embaucado con una entelequia al soberano de Inglaterra, ¿por qué no hacer lo mismo con el rey de Francia?

En 1684 ya andaba presentando Peñalosa al marqués de Seignelay, ministro de Marina de Luis XIV, una fabulosa relación en la que, adoptando la personalidad del padre franciscano Nicolás de Freitas, narraba el descubrimiento que había hecho en 1662, siendo gobernador del Nuevo México, del fantástico reino de Quivira, siguiendo punto por punto los delirios de Juan de Oñate. En la época en que los viajes de La Salle

[166] A.G.I., Lima 13, n.º 5 (año 1673), con un anexo del corregidor de La Paz, Andrés de Castro, y una carta del propio Peñalosa a su hija doña Aldonza, recibida en abril de 1672. En la carta, escrita en Londres el 20 de abril de 1671, refiere que había estado en Londres desde febrero de 1670 hasta entonces, obligado a guardar cama varios meses a causa de una gran hinchazón de piernas, y explica que su arribada a Inglaterra se había debido al temor de caer en manos de piratas musulmanes. Da cuenta también de que había escrito al rector de la Compañía de Jesús en Cádiz, y confía en volver a Madrid en breve, donde quedará victorioso de «la inmencidad de savandijas» que lo difaman. Termina expresando su deseo de ser abuelo.

ponían de candente actualidad en Francia la colonización de la América septentrional, resultaba que este mago del oportunismo que era D. Diego había remontado el Mischipí (Mississipi), en uno de cuyos afluentes y rodeada de deleitosas vegas se extendía opulenta la gran población de Quivira, ciudad tan inmensa que se tardaría dos días en cruzarla de cabo a cabo; y más al Noreste se encontraba otro gran reino riquísimo en minas de oro y perlas, el de los Ahijados o Theguayo, y otras grandes poblaciones, entre las que no podía faltar la laguna de Copaia, que confinaban con la mar desconocida todavía que unía el Atlántico con el Pacífico.

Todos estos movimientos y proposiciones de Peñalosa eran seguidos con nervioso recelo por los agentes españoles en Francia, que iban dando cumplida cuenta de los planes del criollo. Pero incluso los amigos de antaño le volvían la espalda al gran farsante: hasta el propio rey de Inglaterra insinuó al embajador D. Pedro Ronquillo que los franceses tenían intención de hacer alguna empresa en Indias y que había aviso de que Peñalosa había pasado a Francia y de que se estaban aprestando navíos de Brest [167]. Entretanto había propuesto D. Diego la conquista de Nueva Vizcaya, prometiendo que los criollos de Nuevo México, en cuanto se enteraran de su llegada, se levantarían a una contra la tiranía de los gachupines. El fracaso de la expedición de La Salle (1684-1687) acarreó al mismo tiempo el desprestigio de Peñalosa, que todavía intentó pasar a España en 1688 en el colmo del aventurerismo o de la inconsciencia.

Muy negra era entretanto la suerte que les aguardaba en Lima a Carlos Enríquez y sus compañeros. Pasaban fugaces los años y los ingleses cautivados en Valdivia en 1671 seguían prisioneros en la cárcel de Lima. El 27 de agosto de 1678 manifestó el arzobispo virrey su embarazo ante una enojosa situación que se prolongaba en exceso, anunciando con pesadumbre que uno de ellos, Tomas Armiger, había muerto «en la profesión de los errores anglicanos» [168]. En 1681 se remitió su causa a la Sala del Crimen [169], que agilizó los trámites cuando el rey ordenó que se diese a Enríquez el trato de pirata. Al notificársele la pena de muerte y encontrarse ya en capilla, este nuevo Ulises urdidor de mil enredos recurrió a una última y desesperada argucia, proclamando que pertenecía en realidad a la Orden de San Francisco y que su verdadero nombre era fray Joseph de Lizarazu. Como existía de hecho un religioso de este nombre que había desaparecido hacía mucho tiempo, asaltaron a los jueces graves escrúpulos de conciencia. Consultado el virrey, celebró junta la Sala del

---

[167] Se deliberó sobre ello en Junta del 24 de octubre de 1684 (A.G.I., Indif. 1879).
[168] A.G.I., Lima 78, n.º 10.
[169] Carta del arzobispo virrey del 16 de julio de 1681, n.º 44 (A.G.I., Lima 81).

Crimen para examinar este sesgo inopinado de la cuestión y no se llegó a un acuerdo; tampoco conformaron los dos ministros de la Audiencia a quienes correspondía dictaminar sobre el caso, así que tuvo que ordenar el virrey que decidieran todos los oidores en sesión plenaria, llegándose a la conclusión de que se debía ejecutar la sentencia, en cuya justificación escribió el alcalde del Crimen de Lima D. Juan Luis López un curioso y docto folleto, impreso en Lima en 1682 [170].

No había terminado, sin embargo, la trágica farsa. Para desentrañar el secreto de unos papeles que parecían estar cifrados se procedió a dar tormento al reo Enríquez. Entonces tuvo lugar la última y suprema metamorfosis. Puesto en la mancuerda y apretados los lazos, Enríquez confesó el 5 de mayo de 1682 que, de verdad, era francés y natural del puerto de Saint Malo, y que se llamaba Oliveros, y que era hijo de Oliveros Belin. Su vida era otra odisea. Tras haber permanecido en el Perú unos diez años (desde 1651 hasta 1661 ó 1662), había vuelto a Francia. Una fraternal pelamesa con su familia a causa de una herencia lo impulsó a pasar despechado a Inglaterra, donde había comunicado a un francés, el marqués de la Guardia, capitán de la guardia del duque de York, todos los secretos que sabía del Perú; de ahí que se le confiara la dirección del viaje del «Swipstakes», que miraba a dos objetivos: «a ber si podían descubrir la ciudad de los Sésares y a asistir a Don Francisco de Meneses, por la boz que abía corrido en Inglaterra de que se avían levantado con el reino de Chile» [171]. Así rezaba la instrucción oficial inglesa; pero el plan secreto de Belin, a su vez, era buscar cuanta plata pudiese sacar de las minas del Perú y con ella pasar al reino de Francia, para regresar a conquistar el Perú ya bajo bandera francesa. La confesión postrera de Belin es quizá su mejor representación: en este dramático canto del cisne nada dice, en efecto, del apoyo con que contaba —y ciertamente que no debía de ser pequeño— ni de las ulteriores implicaciones de su trama; los personajes que cita por su nombre, muy pocos, se encuentran todos fuera del virreinato y aun de suelo español; la escritura en clave sirve tan sólo para comunicarse con el embajador de Francia, sin que se nos indique el

[170] *Decissión de la Real Audiencia de los Reyes en favor de la Regalía y Real jurisdicción sobre el artículo, dos vezes remitido, en la caussa de Oliberos Belin, llamado comúnmente Don Carlos Clerque.* De este Juan Luis López, doctorado en Filosofía por la Universidad de Zaragoza el 26 de marzo de 1661, guarda diversos y curiosos papeles manuscritos la Biblioteca Universitaria de Sevilla, entre ellos sus *Problemata* latinos (ms. 330/126).

[171] La Declaración la remitió el fiscal de Lima D. Pedro Trejo el 20 de diciembre de 1682, aunque la causa no se había seguido en su tiempo; se halla aneja a la carta n.º 58 (20 de noviembre de 1682) del duque de la Palata (A.G.I., Lima 87). No fue Belin el único francés que sufrió prisión en el virreinato peruano; el 12 de agosto de 1659 escribió el fiscal D. Manuel Muñoz de Cuéllar anunciando que remitía con sus declaraciones a dos franceses que habían llegado a Chile por la vía de Buenos Aires (A.G.I., Chile 13).

portador del mensaje. Ninguna de estas lagunas pareció alarmar al virrey que, confundido ante tanto embuste, dio el caso por zanjado.

La figura de Belin es compleja. Alternan los reyes a quienes sirve, se transforma su camaleóntica identidad, se trueca su lengua, su nombre, hasta su padre, pero entre tantos y tamaños cambios de identidad hay una serie de ideas que no sufren variación, ni siquiera en medio de esos mil lastimeros ayes recogidos con escalofriante celo por el escribano de la Audiencia que impertérrito tomó su dicho en el tormento. Subsiste siempre su terca y feroz enemiga a España, a la que hay que despojar del dominio del anchuroso virreinato del Perú, y sobre todo su monomanía, el tesoro imaginario, pues apenas si cabe duda de que hay que identificar esa mina que lo iba a hacer rico con la ciudad fantasmal de los Césares, situada en algún paraje cercano al Estrecho de Magallanes. Un fin miserable, la muerte por garrote vil, puso atroz término a tan colmadas esperanzas el 8 de mayo de 1682. El cuerpo sin vida del desventurado fue expuesto después a pública chacota e ignominia en la plaza mayor de Lima.

La incómoda visita del barco inglés recibió interpretaciones para todos los gustos. Entre los diversos comentarios que suscitó destaca la explicación aventurada por fray Dionisio Phelipe de Cuéllar, de la Orden de San Francisco, siguiendo por lo demás esquemas muy manidos [172]: Narborough no había venido a descubrir el Estrecho, que bien descubierto estaba, «sino sólo a ganar las voluntades a los indios». Y no era de extrañar que los luteranos conquistaran el corazón de almas tan simples, ya que vivían unos y otros a la misma usanza, «en la libertad de conciencia», extremo abominable. Por eso el capitán Francisco Labreña no conseguía que los indios de Valdivia acudieran a socorrer a los españoles, dado el gran amor que profesaban a los herejes, con los que se sentían muy hermanados, como se vio en 1643, por andar unos y otros entregados a la poligamia y a la embriaguez, por no hablar ya de la execrabilísima libertad de conciencia. Los malditos indígenas sabían dónde se hallaba «la mayor riqueza del mundo de oro y plata», pero se guardaban muy mucho de comunicar su paradero a los españoles para tenerlos lo más posible a raya. El franciscano terminaba su visión pesimista sobre la posible recuperación del indio para la fe católica aconsejando que se llevara a la práctica el plan del que se había hablado de vez en cuando: la deportación de los habitantes de Chiloé (unos 500 ó 600 hombres y más de 2.000 mujeres), para llevarlos a la Serena y poblar la Imperial: así los ingleses tendrían menos apoyo cuando surcasen la Mar del Sur. El religioso bien se ve que no se andaba ni por las ramas ni con chiquitas, pues lo

---

[172] A.G.I., Chile 24 (12 de septiembre de 1681).

bien amigados que estaban los herejes y los idólatras era asunto que
causaba ya gran espanto a los españoles desde finales del s. XVI: en 1580
fray Tomás Pérez de Valdés puso en autos a Felipe II de que una vez fue
enviado un navío al reconocimiento del Estrecho; llegado que hubo al
puerto del Carnero, fingieron el maestre y el piloto ser luteranos o «Viracochamocos», y entonces los indios hicieron buenas migas y se confedera-
ron muy gustosos con ellos [173]; terrible experiencia en verdad, que no
convenía que se repitiese por el bien de la Corona y de la cristiandad.

8. *Vagos rumores y ciertas expediciones*

No se habían recobrado los ánimos del susto de ver aparecer el
«Swipstakes» en el puerto de Valdivia, cuando en 1675 un indio esparció
la especie de que los ingleses habían vuelto a cruzar el Estrecho, asentán-
dose en los lugares de Ayauta y Callanac [174]. Como cundiera el nerviosismo y la inquietud, se juzgó conveniente que el gobernador interino de
Chile, D. Antonio de Vea, reconociese la costa y la tierra, mientras el
capitán Pascual de Iriarte exploraba el mar en busca de posibles invaso-
res. Vea regresó al puerto de Chacao en Chiloé el 28 de enero de 1676. A
su vez, Iriarte fondeó en Chacao el 6 de marzo. Su navegación había
durado 48 días, todos ellos —menos cinco— de tormenta, y sin que
faltara un dramático lance. En efecto, al llegar a la altura del Estrecho, a
os 52°, Iriarte echó el batel sobre el Cabo de los Evangelistas, con
propósito de poner en él la lámina de bronce con la correspondiente
inscripción conmemorativa; el temporal, sin embargo, arrastró el navío
hacia el Sur y lo hizo bajar hasta los 55° y dos tercios, a la altura del
Estrecho de Maire, forzándolo a abandonar en los Evangelistas el batel,
en el que iba el propio hijo del capitán, el alférez Antonio de Iriarte, con
6 hombres más, que el angustiado padre rastreó en infructuosa batida
durante dos días a su vuelta. Salvo la amargura de este trágico incidente,
Vea e Iriarte trajeron a Lima el 19 de abril noticias tranquilizadoras: no
sólo no había enemigos poblados en el litoral y en las islas del Pacífico,
sino que era imposible su asentamiento, dado el clima extremado de
aquellos parajes inhóspitos [175]. Para despejar todas las dudas, se reconoció

[173] A.G.I., Chile 64.
[174] Carta n.° 81 del conde de Castellar del 28 de abril de 1675 (A.G.I., Lima 73).
[175] Cf. A.G.I., Lima 74: anexo a la carta n.° 129 del conde de Castellar del 25 de junio de
1676; asimismo otra carta n.° 1 del 20 de diciembre de 1676 (A.G.I., Lima 75). El reconocimiento del Estrecho se realizó con donativos voluntarios, de suerte que no costó nada a la Hacienda
real, según informó ufano Castellar al monarca el 22 de junio de 1678 (n.° 6 [A.G.I., Lima 77]).
remió el virrey a Vea con el corregimiento de Riobamba y a Iriarte con el de Cochabamba,
recompensas ambas que aprobó el monarca (cf. el acuso de recibo de Castellar del 20 de abril de

asimismo la costa atlántica hasta los 50°, comprobándose la poca veracidad de la información sobre el poblamiento inglés en alguna banda del Estrecho [176].

A poco volvieron los ingleses a despachar otro navío a la Mar del Sur (1688): el «Lyon», con 59 cañones encabalgados y una tripulación de 150 hombres, de los cuales uno había sido marinero con Sharp. Nada más volvió a saberse del «Lyon»; pero en su apoyo zarpó de Londres el 3 de setiembre de 1689 el «Wellfare», artillado con 35 cañones, al mando del capitán John Strong [177]. El «Wellfare» embocó el Estrecho el 11 de febrero y el 13 de julio de 1690 hizo su aparición ante Valparaíso sembrando la lógica alarma en todo el virreinato, aunque Strong hizo saber, por medio de una curiosa misiva en latín «galano» [178], que venía por orden de los reyes Guillermo y María de Inglaterra a combatir contra los navíos de corsarios franceses que pirateaban en aguas del Pacífico y de paso a vender algunas mercancías —paños de Londres, sombreros de castor, ruanes, brocados, encajes de oro y plata, medias de lana y seda y otras cosas por el estilo— muy apreciadas por su rareza en el Perú [179]. La conducta de Strong no fue nunca la de un pirata, pero es claro que los ingleses perseguían otros objetivos más beneficiosos que efectuar un simple viaje comercial por el Pacífico. Además de portar equipamiento para el «Lyon», el «Wellfare» traía orden de buscarlo por la Punta de Santa Elena, donde, según se decía, se había hundido un galeón repleto de plata (¿el «Jesús María», naufragado en 1654 en la punta de Chanduy?); a fin de efectuar exploraciones submarinas llevaba el navío buzos y otros artefactos apropiados para la inmersión. Al llegar al punto convenido, los tripulantes buscaron durante tres días el tesoro sumergido con auxilio de la barca, pero como el éxito no acompañó sus intentos, pusieron proa de nuevo al Sur. Sin embargo, este rescate no era ni mucho menos la meta última de los ingleses, que trataban de establecer alguna factoría una vez reconocidas con la debida atención las costas y las islas de

1678, n.° 122 [A.G.I., Lima 77]). Fue de capellán en la expedición D. Juan de Uribe, que el 1 de enero de 1679 pidió en pago de sus esfuerzos y trabajos una canonjía en la Concepció (A.G.I., Chile 66).

[176] Así lo comunicó el gobernador de Buenos Aires, D. Andrés de Robles, al conde d Medellín el 10 de junio de 1676 (A.G.I., Charcas 28).

[177] Hizo un resumen del periplo de Strong el conde de la Monclova el 31 de diciembre d 1691 (A.G.I., Lima 88). Antonio de Vea realizó entonces un viaje a las islas de Juan Fernánde en busca de una urqueta de piratas, sin éxito. En estas islas había fondeado también el «Wellf re», sacando cuatro prisioneros (entre ellos, piratas). En su tornaviaje se dejó ver el «Wellfare en Topocalma, Maule y boca de Itata, pero luego desapareció sin dejar rastro.

[178] Publiqué estas cartas en «Documenta indiana», Habis, XIII (1982) 82ss.

[179] Cf. la carta del conde de la Monclova al rey del 14 de noviembre de 1690 (A.G.I., Lim 88).

Pacífico [180]. Durante la travesía del Estrecho Strong mandó tomar muestras de metales, entre ellos plata, peltre, hierro y cobre, para llevarlos a ensayar a Inglaterra; asimismo hallaron los navegantes aquellos árboles de canela y de pimienta que tanto habían intrigado a los primeros descubridores, si bien las presuntas especias fueron consumidas durante el tornaviaje [181]. Es posible que se pensara hacer población en el propio Estrecho; pero da que pensar que el lugar de la cita del «Lyon» y del «Wellfare» fuera la Punta de Santa Elena, atalaya estratégica desde la que se podía estrangular el comercio del Perú y de Quito.

En 1696 se rumoreó de nuevo que en Inglaterra se estaban aprestando dos fragatillas para bucear la plata de un navío hundido junto a Panamá [182], que quizá no fuera otro que el buscado por Strong en la Punta de Santa Elena (mejor que el «San José», perdido hacía mucho tiempo, en 1631, frente al cabo de Garachiné), dado que los conocimientos geográficos no eran el fuerte de nuestros embajadores. Sin embargo, el peligro venía a la sazón no de Inglaterra ni de Holanda, sino de Francia, deseosa también ella de alzarse con el dominio del Pacífico en los años de mayor gloria del rey Sol, cuyo estado mayor diseñó una operación en tenaza similar a la que realizaron muchos años después Anson y Vernon. A pesar de despachos alarmistas, que dieron por seguro el paso de navíos franceses por el Estrecho [183] o la ocupación de la isla de Castro en Chiloé por 80 piratas unidos al piloto portugués Bartolomé da Ponte, lo cierto es que la escuadra del conde de Gennes, que partió de la Rochela el 3 de junio de 1695 [184], si bien hizo acopio de esclavos en Gambia y llegó a salvamento a Río de Janeiro, donde vendió su preciada carga de 280 negros, no consi-

---

[180] Cf. la carta del conde de la Monclova del 26 de enero de 1691 (A.G.I., Lima 88).

[181] Cf. la carta de Jerónimo de Quiroga, desde la Concepción, del 5 de diciembre de 1690, así como las declaraciones hechas en el interrogatorio de Thomas Fise (¿Fix?) y Juan Chamber (A.G.I., Lima 88). En las preguntas a que fue sometido otro de los tripulantes, Voss, se encuentra ésta de la presunta población en el Estrecho (A.G.I., Chile 26).

[182] Cf. la carta del conde de la Monclova del 2 de diciembre de 1696 (A.G.I., Lima 90); nadie al parecer sabía que por allí se hubiese hundido un barco.

[183] Cf. la carta de D. Ramón de Torrézar al conde de Adanero, fechada en Sevilla a 9 de octubre de 1696. El conde de la Monclova desmintió el 2 de diciembre de 1696 que hubiese entrado navío enemigo en la Mar del Sur (A.G.I., Lima 90).

[184] Supo la noticia el conde de la Monclova por carta del corregidor de Piura del 23 de febrero de 1696 (cf. su carta de 3 de setiembre de 1696 [A.G.I., Lima 90: sólo se equivoca en el número de navíos, que estimó en cuatro). El 20 de enero de 1696 avisó el gobernador de Buenos Aires al de Chile la arribada de los cinco navíos de guerra franceses (A.G.I., Chile 25; allí también la contestación del Chile cf. asimismo A.G.I., Chile 26]). Acerca de la expedición del conde de Gennes ofrecen un breve resumen C. Fernández Duro, *Armada española*, V, p. 304ss. y E. W. Dahlgren, *Les relations commerciales et maritimes entre la France et les côtes de l'Océan Pacifique (commencement du XVIIIᵉ siècle)*, París, 1909, p. 98ss. Sobre su impacto en el Perú cf. P. E. Pérez Mallaina y B. Torres Ramírez, *La armada del mar del Sur*, Sevilla, 1987, pp. 312-313.

guió cruzar el Estrecho debido a que soplaba un viento Sur muy recio. No obstante, saltaron los franceses en tierra en la Isla Grande, en la embocadura, y trabaron grandísima amistad con los indios; tanto fue así, que un capellán dominico bautizó a cuatro, y aun se hubiera quedado a vivir con ellos, de haber dado su consentimiento el capitán [185]. Torna, pues, a aparecer la leyenda dorada frente a la leyenda negra: antes eran los tupinambás, ahora son los indios magallánicos los que esperan ansiosos la evangelización gala. Tampoco faltó entonces una referencia más o menos velada al mito de los Césares: según un testimonio coetáneo, desde la isla Grande la armada penetró en el Estrecho hasta Cabo Galán, punta la más a propósito para establecer un fuerte, ya que no había al parecer más de una milla entre una y otra orilla. Desde aquel cabo se envió de exploración una lancha, que trajo al término de 10 días dos barras de plata y cinco lámparas del mismo metal, además de 18.000 pesos en unos sacos de cuero; por otra parte, al sondar la otra costa del Estrecho, la barca que entró por el Río Grande encontró maderas preciosas, pero también una gran muchedumbre de indios que la obligaron a volver. Parece que estos indios y estos tesoros no son reales, sino que forman parte del mítico aderezo inherente a la tierra de Magallanes.

A su vuelta al hogar patrio, los filibusteros franceses que vinieron con Massertie habían inundado el país de mil narraciones acerca de riquezas fabulosas, que se encontraban no sólo a orillas del Estrecho, sino que todavía permanecían ocultas en las vastedades del Pacífico. Un muy curioso escrito [186] insistió mucho, en efecto, en la urgencia de encontrar tres islas que los españoles habían puesto especial cuidado en encubrir a los ojos de todo el mundo, incluso, en su necedad, de ellos mismos. Todas las cartas que tenían marcada su posición eran sistemáticamente destruidas por la celosa vigilancia de los virreyes y ante la ceguera de los pilotos, que desconocían su verdadero valor. A Dios gracias, alguien más avisado había tenido tiempo de echar una ojeada al mapa, anotando que «tenían figura de trípode y estaban situadas a unas 250 leguas de tierra y por los 16° 30 de latitud Sur», ilustradas con la leyenda —ya impresa por Mercator en sus cartas— *hic uspiam insulas esse auro diuites nonnulli uolunt.* Esta narración infantil mezcla de manera burda el vago recuerdo de la expedición de Mendaña con datos tomados de planisferios impresos; pero a fin de lograr cierto empaque y más aire de seriedad, el memorial que la

---

[185] Testimonio de Francisco de Robles, natural de Almagro, en la Trinidad, puerto de Buenos Aires, el 19 de febrero de 1697 (A.G.I., Lima 91).

[186] El memorial, anónimo y sin fecha, se encuentra en París, en el Archive du Service hydrographique de la Marine, vol. 80 2 (pieza 5), p. 68, de donde lo copió y resumió E. W. Dahlgren, *Les relations commerciales et maritimes entre la France et les côtes de l'Océan Pacifique,* París, 1909, pp. 96-97.

relata trajo a colación la vieja fábula relatada por Diógenes Laercio [187] acerca del trípode de oro que, encontrado en el mar por unos pescadores, había de ser dado por indicación del oráculo de Delfos al más sabio; y así fue entregado a Tales, por éste a otro, por el otro a otro y así sucesivamente hasta llegar a manos de Solón, que mandó el trípode al templo de Apolo. Pues bien, este trípode áureo no era sino la figura de las islas del Trípode, que todavía hallaron cobijo en los mapas de Delisle, y de ser éste real, quien más derecho tenía a poseerlas era el más sabio de todos los reyes del mundo: Luis XIV, evidentemente. No siempre se derrochó tanta fantasía en alegorías eruditas para contentamiento del rey Sol y pasmo de los marinos maluinos, mas otro *Mémoire sur le voyage des Indes* [188] perseguía los mismos fines deshaciéndose en alabanzas de la tierra de Magallanes, parecidísima en su temperamento a Francia y desde la que se podría tanto explorar poco a poco las demás comarcas australes como tomar descanso en el largo viaje a la India. El aliciente era en verdad demasiado bello para no sucumbir a su hechizo.

En 1698 y bajo la presidencia del conde Jerónimo de Pontchartrain se formó en Francia una Compañía de la Mar del Sur [189] para establecer en el Estrecho y tierras aledañas un asentamiento que se proyectó en gran escala y no con fines precisamente amistosos, blandiendo el señuelo de poblar Puerto Galand y el litoral limítrofe, todo pintado como una verdadera tierra de promisión, riquísima en oro, plata, otros metales preciados, pedrería infinita y especias. La expedición, que las estrecheces económicas redujeron a una flota de dos navíos, una fragatilla y un barco de carga, partió de la Rochela bajo el mando de Beauchesne el 17 de diciembre de 1698, embocó el Estrecho el 24 de junio de 1699, mercadeó en los puertos peruanos y regresó al puerto de partida en agosto de 1701. Formaba parte de los colonos, atraído con el cebo de un obispado, un presbítero de 26 años, Manuel Jouin, natural de Saint Malo, que dedicó su tiempo a reconocer la tierra y a trabar contacto con los indios. Las buenas cualidades de los «magallanos» enternecieron el corazón de Jouin, «de modo que hizo voto de emplear todo cuanto hubiere a la conversión de

[187] *Vidas de los filósofos,* I 28ss.
[188] Extractado por E. W. Dahlgren, *Les relations commerciales et maritimes entre la France et es côtes de l'Océan Pacifique,* París, 1909, p. 112.
[189] Hace una sumaria historia de la Compañía C. Fernández Duro, *Armada española,* V, p. 05ss. Sobre la presencia de barcos franceses en el Pacífico y los problemas económicos que lantearon al comercio indiano, interesan los despachos y diligencias del virrey conde de la Monclova en los años 1704 y siguientes (A.G.I., Indif. 2720). Cf. sobre todo el estudio capital de E. W. Dahlgren, *Les relations commerciales entre la France et les côtes de l'Océan Pacifique,* París, 909, p. 107ss.; C. D. Malamud Rikles, *Cádiz y Saint Malo en el comercio colonial peruano 1698-1725),* Cádiz, 1986, p. 130ss.; P. E. Pérez Mallaína y B. Torres Ramírez, *La armada del mar del Sur,* Sevilla, 1987, p. 314ss.

estos desgraciados alarbes»[190]. Entre 1701 y 1709 hizo otros dos viajes
más al Estrecho en busca quizá de cristianar a sus queridos moros entre
otras ocupaciones menos evangélicas —«especulador audaz», lo llama
Dahlgren—, en el curso de la invasión pacífica que sufrió el virreinato
peruano por parte de las naves francesas a raíz de la entronización de
Felipe V; que a España le ha tocado en suerte soportar periódicas avalan-
chas de la dulce Francia, de consecuencias tanto más duraderas —y a
veces nocivas— cuanto menos brusca y más amigablemente se producen.
En 1714 intentó volver a la Mar del Sur en dos naves, el «Conquerant» y
el «Triomphant», que en parte había contribuido a armar para el rey de
España (el asiento se había hecho con Gory y Martinet), pero se lo
impidió una carta de cachet, una orden reservada del monarca, que también le negó licencia para entrar en la Península. Mientras Martinet pasaba al servicio de la Corona española, se propuso a Jouin, sin duda para
calmar sus ardores evangélicos y viajeros, que partiese a llevar a los forba-
nes, o piratas de las Indias Orientales, el perdón general de Luis XV.
Vuelto a Francia al cabo de dos años, recuperó parte del dinero invertido
en la armazón de los navíos y logró por fin cumplir su anhelo de pisar
suelo de España. Obsesionado siempre con su idea de ver bautizados a sus
queridos «magallanos», pidió entonces permiso a Felipe V «para llevar la
palabra de Dios y el Evangelio hasta la extremidad de la tierra, y cumplir
la promesa que pareze aver hecho Dios sólo para Vuestra Magestad: *dabo
tibi gentes hereditatem tuam et possessionem tuam terminos terre* [Salmos
2,8]». Para esta empresa, que a su juicio no era quimérica ni dificultosa,
quizá por el decisivo respaldo de la profecía bíblica, le bastaban a Jouin
tres navíos medianos con 500 hombres escogidos.

Pasaron los años y el abate seguía sin pensar en otra cosa que no fuera
el paso de Magallanes y el litoral del Pacífico. En diciembre de 1723
trazó un mapa del Estrecho, acompañado de un memorial, que hizo
llegar al rey en un estuche de «fer blanc», no sin haber discutido antes
largo y tendido sobre la cuestión con Miraval. Aprobó Felipe V su proyecto, que hicieron fracasar sin embargo las circunstancias políticas del
momento. De nuevo se temió en diciembre de 1725 que una potencia
extranjera tramara apoderarse de las islas de Juan Fernández. El peligro
inminente alumbró un nuevo parto de Jouin, una carta de las costas de

---

[190] BN Madrid, ms. 3102, f. 240r (otra copia en BN Madrid, ms. 3042, ff. 1-8). Sobre la
armada de Martinet cf. sobre todo C. D. Malamud Rikles, *Cádiz y Saint Malo en el comercio
colonial peruano (1698-1725)*, Cádiz, 1986, p. 159ss.; P. E. Pérez-Mallaina y B. Torres Ramírez,
La armada del mar del Sur, Sevilla, 1987, p. 318ss. Da noticias de Jouin E. W. Dahlgren, *Les
relations commerciales et maritimes entre la France et les côtes de l'Océan Pacifique*, París, 1909, p.
126, 198ss., 371ss., 466ss., remitiéndose a su folleto *Abbé Noël Jouin, en Humbert-historia fra
Ludwig XIVe tid*, Estocolmo, 1904; C. D. Malamud Rikles, *o. c.*, p. 160 y 188-89, basándose en
E. Dupont, *L'aumonier des corsaires, l'abbé Jouin (1672-1720)*, 1926.

Chile, enviada a Sopeña. Por fin, el 30 de mayo de 1726 presentó otro arbitrio más para la defensa de Chile [191], también provisto de los consabidos mapitas y hasta de un presupuesto general, que ascendía a la suma, en verdad módica, de 130.920 pesos. Se trataba de fortificar Valdivia, el mejor puerto del mundo, y de dotarlo de una nueva población de 1.000 hombres entre soldados y obreros, que habían de estar siempre ocupados para evitar la «fainéantisse, mère de la discorde et de tous les vices». La gran innovación del abate consistía en proponer que la colonización se hiciese con europeos y más en concreto con rubicundos suizos, idea no de extrañar, dado que los helvéticos, al no comprender la lengua del país, no podrían tener más diversión que el trabajo y no sentirían la tentación de desertar; a estas ventajas se unía la no pequeña de que su patria, Suiza, no planteaba problema alguno de competencia colonial, por carecer de marina. La feliz ocurrencia flotaba en el ambiente y no es un azar que con el correr del tiempo el limeño Pablo de Olavide la pusiera en práctica pero no para atajar hipotéticos avances enemigos, sino para hacer más rentable el campo andaluz con fornidos ganapanes tudescos. Mientras llegaban los contingentes suizos —no era preciso movilizar los mil de golpe, sino que podían ir de doscientos en doscientos—, urgía enviar una tartana con 30 hombres a las islas de Juan Fernández, para asentarse en ellas antes de que, abierto por la estación el cabo de Hornos, plantara pie allí el enemigo. En este último plan de Jouin no faltan hiperbólicas alabanzas de la fertilidad chilena, pero se corre un velo sobre las excelencias del Estrecho, quizá contempladas en la memoria anterior.

La temible inflación afectó también a los proyectos del abate: en 1714 pedía 3 naves, en 1726 era necesaria una media docena para la protección de Chile. Pero no era Jouin un loco que se alimentara de desvaríos. De hecho, puede decirse que su primer memorial se había hecho realidad, pues tres fueron los barcos franceses que formaron parte de la expedición de Juan Nicolás de Martinet en 1716, armada que tuvo por objeto acabar con el corso y contrabando y expulsar a los extranjeros asentados de manera ilícita en el Perú: el nuevo Borbón confiaba la defensa de las costas de sus colonias a las naves de sus paisanos que, por ironías del destino, habían de poner coto a las tropelías de los propios franceses, los más afamados contrabandistas de aquel tiempo. Así, con esta iniciativa que supuso a la larga la sentencia de muerte de la armada de la Mar del Sur, se acabó de una vez con el tráfico ilícito; pero el precio pagado había sido demasiado alto.

En descargo del monarca cabe alegar que, mientras las embarcaciones inglesas y francesas se paseaban a sus anchas por los litorales chilenos y

---

[191] A.G.I., Indif. 1292.

peruanos, la navegación del Estrecho constituía, en los extertores del
s. XVII, algo así como un nebuloso misterio para los españoles. La falta de
técnicos se había hecho sentir muy pronto; el 15 de abril de 1635 el
presidente de la Audiencia chilena, D. Francisco Lasso de la Vega, en
respuesta a una real cédula del 30 de diciembre de 1635, se veía en la
triste necesidad de tener que confesar al rey: no «se a hallado quien haga
los dichos mapas con la perfección que se requiere» [192]. El tiempo, en vez
de remediar, había empeorado la situación, máxime cuando la armada de
la Mar del Sur, nunca bien pertrechada, se destinó desde su creación,
como han probado P. E. Pérez Mallaina y B. Torres, más a la protección
de los galeones de la plata que a la defensa del virreinato, inerme ante
una incursión enemiga. Algunos crasos despistes causan sonrojo. Un memorial sin firma, fechado en Madrid el 22 de enero de 1672 y destinado a
ponderar la importancia estratégica de Buenos Aires, señalaba que el
puerto se encontraba a menos de 200 leguas del Estrecho, que se situaba
a 40° de latitud S [193]. Hay que reconocer que esta ignorancia supina no
era privativa de los españoles: un inglés que acababa de pasar precisamente por el Estrecho en el «Swipstakes», Tomás Armiger, colocaba «the
straightes if Magalene» a 40° [194], si bien Armiger era un simple marinero
y no un alto funcionario de la Corona, y el error que era disculpable en el
uno de ningún modo podía ser tolerado en el otro.

La misma inoperancia agarrotaba las decisiones de una Corte ya definitivamente abrumada e incapaz de reaccionar a tiempo de solventar los
problemas apremiantes y antagónicos de la metrópolis y de las colonias.
El duque de la Palata solicitó el 18 de octubre de 1687 que acudieran por
el Estrecho en su socorro dos fragatas bien armadas, con más guarnición
de artillería y marineros que de infantería [195]. Su petición causó no sorpresa, pero sí cierto embarazo en la Corte. Poco antes, el 1 de agosto, se
había discutido en el Consejo de Indias los problemas inherentes a esta

---

[192] A.G.I., Chile 21. De Astronomía no parece que hubiera muchos peritos en todo el
virreinato del Perú. Es notable que a finales del s. XVI entre los habitantes de Lima descollase
como excepción un tal Richarte inglés, «gran cosmógrapho y muy plático en cosas de navegación
y hazer cartas de marear», como comunicó el virrey Velasco el 10 de abril de 1597 (A.G.I., Lima
33, vol. I, § 16, f. 7v), inglés que había sido hecho prisionero en el Río de la Plata allá por el
1587. Murió en 1607, según anunció la Audiencia el 21 de mayo. Quedaba entonces en Lima
una reducidísima colonia inglesa: el capitán Juaneles, el piloto Diego Cornex y el herrero
Richarte David, que fueron atrapados en la infructuosa entrada de Hawkins (A.G.I., Lima 95).
El 14 de noviembre de 1665 anunció el conde de Santisteban que se había fundado en la capital
una cátedra de Matemáticas, cuya docencia recayó en el capitán Francisco Ruiz Lozano, cosmógrafo mayor del reino, con sueldo de 66 pesos al mes (A.G.I., Lima 170).
[193] A.G.I., Lima 170.
[194] A.G.I., Lima 72. La carta de Armiger está fechada en Leama (sic) el 28 de abril de 1671.
[195] A.G.I., Lima 86 (n.° 65).

navegación, y tras mucho deliberar se había decidido enviar por esa vía tan desusada, ya que no había piloto que supiera hacerla «sin provables riesgos y con muchas dificultades y dilaciones», al capitán José Gómez Jurado, con la ayuda de un mapa que se ofreció a dar el marqués de los Vélez: mal se iba a despachar, pues, a dos fragatas [196]. Todavía en tiempo de Jorge Juan y Ulloa el jefe de escuadra D. José Pizarro iba a encontrar dificultades para pasar de Buenos Aires a la Mar del Sur [197], y se recordaba vagamente que en Lima se había considerado como cosa de brujería la nebulosa navegación del Callao a Chile que había efectuado en sólo treinta días un piloto «europeo», nuestro viejo amigo Juan Fernández. Tal era la desidia y lo que es peor, la rutina paralizante, aferrada a un concepto de gobernación óptimo para mantener un imperio colonial en el s. XVI, pero poco apto para los tiempos que corrían. Quizá no podía ser de otro modo y hubiese sido mucho pedir que los españoles cambiasen bruscamente de mentalidad; tampoco les había ido tan mal hasta entonces.

Mientras el mito de los Césares prolongó su vida en Chile a lo largo del s. XVIII, en la provincia rioplatense fue poco a poco desvaneciéndose, como demuestra hasta la saciedad un curioso escrito que redactó el 28 de enero de 1683 [198] un vecino de Buenos Aires, Antonio Lobo Sarmiento, para dar aviso de las desasosegantes nuevas que habían llegado a sus oídos a través de los indios serranos. Le habían dicho éstos que habían visto un pueblo de hombres españoles —«a todas naciones les dan ellos este nombre, aunque sean extrangeros», aclara Sarmiento— asentado a la parte del Sur, hacia el Estrecho, a orillas de un río muy grande y caudaloso, tanto que no se podía cruzar a caballo. Tales europeos eran muy blancos y rubios, trajeados con un atuendo diferente al español, con vestidos abotonados y coletos muy largos de color amarillo. La ciudad era populosa, mucho más que Buenos Aires, y sus habitantes riquísimos, ya que sacaban plata de unos cerros inmediatos a la población y traficaban con los indios serranos y aucas. Estas mismas noticias, añadía Sarmiento, las había oído también el alférez Juan de Sisternas y Miranda, vecino de Coquimbo, al entrar en 1679 en las campiñas confinantes a Buenos Aires

[196] A.G.I., Indif. 1879.
[197] *Relación*, II, p. 269 y 273ss. respectivamente. Esta dejación recuerda a lo que dice ya fray R. de Lizárraga en su *Descripción del Perú*, I 68 (*NBAE* 15, p. 525 b).
[198] A.G.I., Charcas 60. En Chile documento un Juan de Sisternas Carrillo, casado con Doña María de Lafuente Villalobos, hija del veedor general Francisco de Lafuente Villalobos (carta de la Audiencia del 17 de mayo de 1677 [A.G.I., Chile 16]), así como un Juan de Sisternas de la Serna, hijo del capitán Juan de Sisternas y de doña Mariana de Tovar (probanzas de D. Cristóbal Fernández Pizarro [A.G.I., Chile 47, f. 118ss.]). Claro es que ya entre los primeros conquistadores figuraba un Pedro de Cisternas.

conduciendo ganado en compañía del maestre de campo Andrés Sánchez Chaparro Chumacero. He aquí, pues, cómo la ciudad de los Césares se evapora pero no para morir, sino para transformarse en una floreciente colonia inglesa, en la que no faltan ni las amazonas muy británicas que montan galanamente a caballo por los arrabales de la ciudad. De esta suerte los tumbos de la historia caprichosa van modelando poco a poco el mito: existe la ciudad, existe la mina de plata, pero sus habitantes cambian de nacionalidad y ya no son los «perdidos» gente amiga, sino que al revés, constituyen una amenaza sustancial para los españoles. Esta metamorfosis refleja mejor que una realidad el miedo colectivo: otra vez el mito es el mejor termómetro de las esperanzas y temores de la comunidad.

X. EL ESTRECHO DE ANIAN

A lo largo de las páginas anteriores se ha hecho mención en varias ocasiones del Estrecho de Anián; no parece inoportuno, por consiguiente, ampliar las referencias a este freo, cuya existencia fue debatida con calor y apasionamiento tanto en el Nuevo como en el Viejo Mundo.

1. *Presupuestos previos*

El firme convencimiento de que existía un paso por el Noroeste, correlato del Estrecho de Magallanes, había impulsado en España buen número de navegaciones desde el comienzo del Quinientos, empezando por Esteban Gómez y siguiendo con los proyectos no llevados a la práctica de Sebastián Caboto. Incluso a un hombre poco dado a la especulación abstracta, pero despierto de mente y gran aficionado a la Cosmografía[1] como G. Fernández de Oviedo el Mundo Nuevo, la mitad del globo terráqueo, le parecía tierra independiente de Asia y «abrazada del mar Océano», de más de seis mil leguas de circunferencia. De la misma manera pensaba López de Gómara, acuñando según su costumbre una frase lapidaria: «la tierra que llamamos Indias es también isla como esta nuestra»[2].

Idéntica opinión predominaba en el virreinato de Nueva España. Ya el piloto moguereño Juan Fernández Ladrillero[3] declaró que la armada en la que fue por capitán a la California tenía por objetivo fundamental descubrir tal estrecho, «que se tiene noticia que desemboca adonde los

---

[1] *Historia,*, XVI prólogo (*BAE* 118, pp. 86-87).
[2] *Historia,*, XI (*BAE* 22, p. 162 a). Por eso extraña que un poco más adelante, quizá para ridiculizar a Esteban Gómez, niegue la existencia del paso (XL [p. 178 b]).
[3] Madrid, Museo Naval, Colección Navarrete, vol. XV, f. 179r; se trata de la información de 1574 citada más abajo.

ingleses van a matar los vacallaos», aunque los vientos contrarios lo obligaron a retornar a la Nueva España sin haber dado vista al paso, que a su
juicio distaba de Compostela unas 800 leguas. Una mezcla de inquietud y
de curiosidad hizo que en 1561 fray Andrés de Urdaneta, tanteando las
diversas posibilidades de hacer la jornada de las islas del Poniente, propu-
siera a Felipe II, de partir la armada en marzo, la navegación al Oeste-
Noroeste

hasta ponernos en altura de treinta e cuatro grados o más, donde procuraremos de
reconosçer la tierra en la costa que descubrió Juan Rodríguez Cabrillo; y tomado lo
neçesario de lo que hubiere en aquella costa y tomada plática de los indios, aunque
sea por señas, de un agoa grande que dieron notiçia a Juan Rodríguez Cabrillo que
avía adelante de allí azia la parte de la tierra, iremos en busca d'ella siguiendo la costa,
para ver lo que es, que podría ser que fuese mar aquella agoa y allí fuese el remate
d'esta tierra[4].

Como se ve, constituyó grave preocupación para el gran agustino no sólo
el reconocimiento de la costa de la California hasta dejar desvelada la
verdadera naturaleza (mar o laguna) de aquella gran masa acuática, sino
también la ocupación de la boca atlántica del estrecho, que suponía nave-
gada por franceses; por aquel paso, de hecho, se podía hacer la contratación del Maluco de la mejor manera del mundo, ya que no sería difícil
plantar en su máxima angostura una población donde hicieran escala las
naos de la Especiería y China, población que serviría asimismo de defensa
y de impedimento contra las incursiones foráneas. El adelantado Pero
Menéndez de Avilés era, a juicio de Urdaneta, la persona más indicada
para llevar a cabo este asentamiento, después de haber dado buena prueba de su energía implacable en la Florida.

Mucho hubo de discutirse en México sobre esta cuestión, entonces y
después. En 1572 el mercader H. Hawkes, que había vivido cinco años en
la Nueva España, escribió a requerimiento de R. Hakluyt una pequeña
descripción del virreinato, registrando entre los puertos de la Mar de Sur
el de Culuacán, en el que los españoles «hicieron dos naves para ir a
buscar el estrecho o golfo que, según dicen, se encuentra entre Terranova
y Groenlandia y que hasta ahora no se ha encontrado del todo; aseguran
que no se halla lejos de la tierra firme de China, que los españoles
estiman que es rica a maravilla»[5]. La preocupación fue en aumento,
estimulando los delirios imaginativos más o menos interesados. Así, no
pasó mucho tiempo sin que incluso se esparciera por Nueva Galicia y
Nueva España el rumor de que andaban por aguas del Pacífico 27 navíos

[4] A.G.I., Patron. 23, 15 f. 4r ss.
[5] Recogido en su magna obra *The Principall Navigations, Voyages and Discoveries of the
English Nation*, Londres, 1589 (reproducción fotolitográfica, Cambridge, 1965), p. 546.

extranjeros; esta noticia tomó tanto cuerpo y alcanzó tal crédito, que en diciembre de 1574 el presidente de la Audiencia de Guadalajara, el doctor Jerónimo Orozco, ordenó que se celebrase una información a la que fueron convocados a prestar testimonio los más expertos marinos del momento. Entre ellos se encontraba el viejo Juan Fernández Ladrillero, que ya había pasado entonces la sesentena y llevaba 28 años como piloto en la Mar del Sur. Su testimonio no pudo ser más alarmista, porque relató que un marinero inglés, que había navegado con él hacía más de 27 años, «le dixo... que, viniendo él e otros ingleses a matar vacallaos de Yngalaterra, estuvieron dentro del dicho Estrecho»[6]. Asimismo recordó Ladrillero que, cuando D. Luis de Castrillo fue al puerto de la Navidad a entregar los navíos a Bolaños, le dio asimismo copia de una carta de Carlos I a D. Antonio de Mendoza para ponerlo en autos de que un caballero portugués había descubierto el dicho Estrecho y pasado por él de una mar a otra, pregonando acto seguido su hallazgo, indiscreción temeraria por la que había dado con sus huesos en la cárcel: la saña del monarca de Portugal no perdonaba a lenguaraces. En conclusión, pues, las naves extranjeras, que cabía sospechar fueran de ingleses o franceses, podían establecer fortalezas en la costa del Pacífico y de allí descender hasta Panamá, haciéndose dueños y señores de un Océano que hasta entonces era español. A finales del s. XVI el famoso paso vino a recibir hasta nombre, variable según los autores, si bien a la postre se impuso en la vertiente asiática el de Anián[7], que ya hemos visto utilizar entre otros a Ríos Coronel y que sin duda, si es preciso aventurar algún intento de explicación, es deformación de la provincia china de Hainán.

No carecía de fundamento la alarma sentida en la Nueva España, dado que hacía mucho tiempo que la posibilidad teórica de llegar a la China por otras vías que las utilizadas por portugueses y españoles tentaba a eruditos, marinos y mercaderes de otros países. Las hipótesis y argumentaciones habían asimismo trascendido del círculo de las tertulias eruditas para quedar plasmadas en letra de molde. No puede sorprender, por tanto, que el licenciado Andrés de Poza, natural de Orduña, creyese oportuno rematar su *Hydrografía*[8] con un *Discurso hydrográfico sobre la navegación del Catayo* traducido del *Regimiento del mar (Regiment of the Sea)* de W. Bourne, impreso en Londres en 1580. En él se contemplaban a la luz de la crítica las diferentes derrotas, reales y posibles, para llegar al

[6] Madrid, Museo Naval, Colección Navarrete, vol. XV, f. 175r-183v.
[7] Fue utilizado por primera vez por el italiano Gastaldi en *La universale descritione del mondo* (1562) de creer a O. Marinelli, «Lo stretto di Anian e Giacomo Gastaldi», *Rivista Geografica Italiana*, XXIV (1917) 39ss. (cf. G. Caraci, «Note critiche sui mappamondi gastaldiani», *Rivista Geografica Italiana*, XLIII [1936] 120ss.).
[8] Bilbao, 1585, f. 130ss.

objetivo colombino. La primera sigue fielmente el rumbo de los navíos portugueses, que de Tapróbana (Sumatra) iban a Gilolo y de allí a China; pero Bourne, cuidadoso, recoge también el camino que pasaba por el Estrecho de Magallanes, corriendo desde allí unas 2.800 leguas rumbo al Noroeste. Y es más: apunta el autor inglés que el capitán Forbister (=Frobisher) había penetrado hasta la Meta incógnita por un paso que bautizó con su nombre, asegurando haber encontrado el estrecho del Noroeste que distaba de Quinsay, según la opinión de los más insignes cosmógrafos, no más de 400 ó 500 leguas. El cuarto camino existiría sólo en el supuesto de que hubiese paso por la parte del Nordeste o del Norte de Rusia. Tampoco faltaba una quinta propuesta, la misma que ya había propugnado R. Thorne en 1527: ni más ni menos que cruzar el Polo Norte, caso de ser él todo mar, si bien algunos creían que en el casquete ártico se elevaba una gran serranía de la que salían cuatro rías grandísimas, en las que se encontraban, a 80° de latitud Norte, islas habitadas por pigmeos. En consecuencia, de estas cinco posibilidades dos le parecían a Bourne más hipotéticas que reales; por el contrario, la existencia del paso semejaba probada por la corriente del Noroeste, que los marineros de entonces llamaban «la Baga del Noroeste».

En su gran recopilación de viajes R. Hakluyt reunió una nutrida serie de opúsculos referentes al estrecho, entre los que destaca el primero, un agudo y sentencioso discurso de Sir Humphrey Gilbert repartido en diez capítulos para demostrar la existencia del paso por el Noroeste al Catayo, cuya utilización acarrearía un sinfín de beneficios al tráfico inglés, poseedor entonces de todas las riquezas innumerables de Oriente, fuera de la jurisdicción de España y Portugal. A los argumentos de autoridad —América no era otra que la antigua isla Atlántide, de donde provenía el nombre de Océano Atlántico— se sumaba por un lado la razón teórica, que contemplaba la gran profundidad de las aguas cerca de la costa, la falta de hombres y animales asiáticos en el Nuevo Mundo y el movimiento circular del mar de Este a Oeste, siguiendo la moción del *primum mobile;* por otro, venía a inclinar el fiel de la balanza la experiencia de diversos viajeros (entre ellos el inevitable Sebastián Caboto, hurtándole la gloria a su padre en cartas conservadas entonces en el palacio de Whitehall) y hasta la famosa noticia de Plinio sobre los indios arrastrados a la costa de Germania que ya había llamado la atención de Cristóbal Colón. Pero también aducía Sir Humphrey otros testimonios coetáneos que probaban la insularidad de las Indias: en 1568 había oído decir en Irlanda a un vasco, Salvatierra, que el mismísimo fray Andrés de Urdaneta («un monje de México llamado Andro Vrdaneta»), «el más grande descubridor por mar que había habido en su tiempo», había pasado de la Mar del Sur a Alemania por el Estrecho del Noroeste, haciendo un mapa de la derrota

que había enseñado a Salvatierra; cuando de vuelta a la patria llegó el
fraile a Lisboa, el rey de Portugal le había pedido que no publicase la
noticia, pues de su divulgación vendría gravísimo perjuicio tanto a España como a Portugal. La fábula, salvando el cambio de protagonistas,
repite la misma historia que ya se había contado en el puerto de la
Navidad años antes. Así y todo, da la impresión de que Urdaneta, al final
de sus días, comenzó a sentir vivísimo interés no ya por la zona equinoccial de la Nueva Guinea inexplorada, sino por las islas y estrechos septentrionales de la Mar del Sur; en cuanto al mapa de que habla Salvatierra,
no parece que sea otro que la carta del Pacífico hecha por él mismo de
que le hemos oído hablar en otra ocasión. En definitiva, Gilbert se ofrecía a hacer él en persona ese descubrimiento, triunfo reservado para el
glorioso tiempo de la reina Isabel; él era como otro Colón, con la enorme
ventaja de que disponía de la relación y la autoridad de varios hombres
de gran crédito y de razones meridianas para confirmación de su idea,
todo lo cual le faltaba a D. Cristóbal. A esta especiosa propuesta siguen
en el libro de Hakluyt los argumentos de Richard Willes, rebatiendo las
posibles objeciones que se podrían formular a la teoría del Estrecho. Por
remate, se adjunta la relación de los tres viajes del empecinado Martin
Frobisher a la Meta incognita, realizados en 1576, 1577 y 1578[9].

Estos escritos, muy diferentes entre sí tanto en estilo como en contenido e intereses, coinciden todos en la descripción de la tierra explorada a
partir de los 63° de latitud N.: sin excepción encarecen los tres la nieve
infinita, las peligrosas islas de hielo flotantes, la extrema destemplanza
del clima preñado de tormentas y el caracter intratable y salvaje de los
hoscos indígenas, de cuya lengua se pudo hacer ya en el primer viaje un
rudo y elemental vocabulario. La prosa florida y retórica del cronista de
1577, Dionisio Settle, nos deja entrever entre tantas ráfagas ateridas
de ventisca huracanada otras ilusiones más pingües y doradas: el 19 de
julio el capitán Forbisher, que había saltado en tierra, regresó al navío
«con buenas nuevas de grandes riquezas, que ellas mismas se mostraban
en las entrañas de aquellos montes yermos»[10]. El fundamento de esta
suposición queda indicado poco después: las montañas brillaban al sol
como el oro y también resplandecía la arena del fondo en aguas claras, si
bien, como anota desengañado Settle, sólo para hacer bueno aquel viejo y
sabio proverbio de que «no es oro todo lo que reluce». Por si acaso, en la
isla de Anne Warwick, el general decidió cargar las naves y los bateles de

---

[9] The Principall Voyages, p. 597-610 (Gilbert), 610-615 (Willes), 615-635 (Frobisher). Cf.
sobre estos viajes la excelente introducción de S. E. Morison, The European Discovery of America. The Northern Voyages, Nueva York, 1971, p. 497ss.
[10] The Principall Voyages, p. 776-92.

piedra y mineral aurífero, para poder resarcirse de los gastos de las dos expediciones y encima sacar algún beneficio él y sus hombres: la expectación sentida salta a la vista, y el elemento legendario queda realzado por la observación de que en tierra apenas había reptiles, salvo algunas arañas «que, como muchos dicen, son prueba de gran almacén de oro» [11], en algo semejantes a las hormigas monstruosas de Ofir. En caso de no ser aquella la tierra buscada, debía de encontrarse cuando menos muy cerca, pues los naturales hacían señas de que más allá moraba un pueblo que llevaba en su frente placas relucientes de oro, y como el oro va unido a los gigantes, ya el rey de Meta, según les contaron, era mucho más grande que un inglés; he aquí a un patagón septentrional o a un émulo del cacique de Chicora.

No acaba aquí la información de Hakluyt, pues los tesoneros ingleses no cejaban en su empeño: durante tres años consecutivos (1585-1587) John Davis prosiguió la búsqueda del estrecho, según narraban otras tantas relaciones menos coloreadas que las de Frobisher: así y todo, Henry Morgan se cuidó mucho de coger algunas piedras del suelo, negras y blancas, si bien excusándose por hacerlo, seguro como estaba de que no tenían valor alguno. En cambio, se registraban grandes señales de la existencia del paso, que en 1586 presintió hallar Davis entre los 65 y los 64 grados; en 1587 anunció haber llegado hasta los 73° en mar abierto y con una distancia de 40 leguas entre costa y contracosta: «el paso es segurísimo y la ejecución muy fácil», concluía en un billete a Sanderson [12].

Estas noticias e impresos, así como diversos rumores acerca de las navegaciones de Drake, Cavendish y Noort, llegaron a provocar gran nerviosismo e inquietud en los virreinatos indianos. Queda constancia de la preocupación que embargó al gran marino D. Cristóbal de Eraso cuando se enteró por la Audiencia de Panamá de «la entrada del capitán Francisco inglés en la Mar del Sur». Como explicó al rey en una carta fechada en Nombre de Dios el 24 de mayo de 1579 [13], Drake había cautivado cerca de Panamá a dos pilotos de Filipinas «pláticos de aquella carrera», con cartas de marear y astrolabios, llevándose al más viejo de los dos, que no reveló sus secretos aunque fue sometido a tormento; pero en un nuevo golpe afortunado el inglés había vuelto a cautivar a un piloto portugués, el de la nao de D. Francisco de Zárate, dejando entonces partir a su anterior prisionero. Tales presas eran más sensibles que todo el resto del botín, pues abrían la puerta de las Indias al enemigo. Curiosa-

---

[11] *The Principall Voyages*, p. 788.
[12] *The Principall Voyages*, pp. 785-86 y 792.
[13] A.G.I., Indif. 2661.

mente, Eraso ni por asomo pensó que Drake pudiera tener la intención de dirigirse a Filipinas:

Por lo que yo e visto por las cartas de marear d'esta Mar del Norte y la del Sur tiene [Drake] dos otras partes por donde salir, que es por el mesmo Estrecho de Magallanes y por el Estrecho de Anián, que confina con el gran Quinza (*¿corrupción de Quivira?*), que por allí ay estrecho a passar a la Noruega, y por el Estrecho que llaman del Bretón, que confina con tierra de la Florida, aunque éste no está descubierto, porque el navío d'este bretón le cargó el invierno y no le dio lugar a descubrir estrecho. Y así tengo por cierto saldrá por alguna d'estas partes, si no se le atajan los pasos con brevedad.

El 10 de febrero de 1599 [14] el virrey Velasco mostró su alarma desde Lima ante un posible descubrimiento del Estrecho de los Bacalaos, pues así se llamaba la embocadura atlántica del de Anián, volviendo a incurrir en el mismo error táctico que Eraso. Por otra parte, los indios de la California habían dado cuenta a los diversos exploradores, entre ellos a Juan Rodríguez Cabrillo, de que tierra adentro había otros hombres barbudos semejantes a ellos, que bien podían ser ya los temidos ingleses.

En México, según hemos visto, nadie al parecer albergaba duda sobre la existencia del paso. No por ello siento menos carecer de noticias acerca de la doctrina y los frutos logrados por el geógrafo portugués Francisco Domínguez [15], natural de Viana, que había pasado a la Nueva España en 1570, acompañando al gran médico Francisco Hernández, que cual nuevo Dioscórides tenía a su cargo por orden regia la acuciosa descripción de la flora indiana. Peleado con el galeno, Domínguez culminó cinco años de trabajo «regulando» el Yucatán, Cozumel, Tabasco y gran parte del Nuevo Reino de Galicia; asimismo realizó una tabla de la Gran China y de sus provincias, fijando «la verdadera longitud que ay del meridiano de México a las islas de Filipinas». Todo hace suponer, a mi juicio, que en la descripción del Extremo Oriente se sirviera Domínguez de las nuevas mediciones de fray Martín de Rada, cuya relación de China conoció y vertió al latín Francisco Hernández. Sin haber obtenido el galardón que merecían sus muchas andanzas y no menos numerosos trabajos, el geógrafo murió lejos de su patria en el hospital de San Hipólito de la ciudad de

[14] A.G,.I., Lima 33, vol. III, f. 19. Se adjunta carta del virrey de México a la Audiencia de Guatemala de 8 de noviembre de 1598, dando aviso de que el galeón «San Jerónimo», entrado ya en el puerto de Acapulco, había visto al llegar a la isla de los Cerros cuatro navíos grandes, uno mediano y una lancha, que intentaron por algún tiempo darle alcance; se trata de la escuadra holandesa mandada en un principio por Mahu.

[15] Sobre Domínguez cf. A.G.I., Patr. 261, 9. El 15 de noviembre de 1581 elevó desde la ciudad de México una relación tanto de sus servicios a la Corona como de sus desventuras (A.G.I., Indif. 1096). Cf. G. Somolinos, *Vida y obra de Francisco Hernández*, en *Francisco Hernández. Obras completas*, México, 1960, I, p. 154 y sobre todo p. 252ss.

México. No semeja improbable, sin embargo, que las tablas del Pacífico de Domínguez hicieran mención de este estrecho, que encontraba respetuosa acogida en la cartografía de la época: así, por citar un ejemplo egregio, en el *Theatrum orbis terrarum* de A. Ortelius y bajo una forma por cierto italianizante: «stretto di Anian».

2. El viaje imaginario de Juan de Fuca

Ya Gilbert había creído que Urdaneta había viajado a España a través del paso del Noroeste. Sólo faltaban impostores que avalaran con su nombre, apócrifo o real, otras extraordinarias singladuras [16]. Inició la serie por orden cronológico un tal Apóstolos Valerianos o Juan de Fuca, un griego natural de Cefalonia que, según relataba, había sido protagonista de increíbles aventuras, después de haber pasado 40 años en Indias. En primer lugar, había sido apresado por Cavendish cuando viajaba de regreso a Nueva España en el galeón de Manila, perdiendo en el saqueo 60.000 ducados. Más tarde, desempeñó el cargo de piloto en una armada de tres pequeños barcos que había despachado el virrey de México a descubrir el Estrecho; si no se llegó a resultado alguno fue porque la tripulación, irritada por la sodomía manifiesta del capitán general, se levantó en un motín airado. Por último, en 1592 el virrey le confió a Fuca el mando de una pequeña carabela y una pinaza con la que finalmente, puesto en altura de 47°, entró en un estrecho por el que navegó por espacio de más de 22 días, encontrando mar cada vez más ancho, así que milagro fue que no saliera a la Mar del Norte. Una vez certificada la existencia del paso, Fuca volvió a la Nueva España, pero ni el virrey primero ni el monarca después recompensaron debidamente su hallazgo. Desengañado el navegante pasó a Italia, donde en Venecia, y a través de otro lobo de mar, Juan Dowglas, conoció a un mercader inglés, Miguel Lok el viejo, a quien el griego dejó suspenso y pasmado con su bello cuento, máxime cuando le intimó que estaba muy dispuesto a servir a la reina Isabel, en la inteligencia de que la soberana le haría justicia de los bienes que contra derecho le había tomado Cavendish. Ni corto ni pere-

---

[16] Una serie de interesantes y fantásticos informes relativos al Estrecho fue publicado tardíamente en *Purchas His Pilgrimes*, Londres, 1625, III, p. 849 (testimonio de Cowles), 849ss. (cartas de Lok) y 852ss. (discurso de Brigges). Demostró la falsedad del relato de Juan de Fuca M. Fernández de Navarrete, «Examen histórico-crítico de los viajes y descubrimientos apócrifos del capitán Lorenzo Ferrer Maldonado, de Juan de Fuca y del Almirante Bartolomé de Fonte. Memoria comenzada por D. Martín Fernández de Navarrete y arreglada y concluida por D. Eustaquio Fernández de Navarrete» (*Colección de documentos inéditos para la Historia de España*, XV [1848] 102ss.). Cf. asimismo W. Michael Mathes, *Sebastián Vizcaíno y la expansión española por el Pacífico. 1580-1630*, México, U.N.A.M., 1973, p. 53.

zoso Lok envió cartas al lord del Tesoro, Cecill, a W. Raleigh y a R. Hakluyt, dando cuenta de la dichosa nueva; asimismo y para tenerlo contento entregó 100 libras de su bolsillo al piloto. Durante mucho tiempo obsesionó a Lok la idea de llevarse consigo a Inglaterra al descubridor, pero un pleito que seguía con la Compañía de Turquía embarazó tal propósito. Durante 1596 y 1597 tuvo lugar, eso sí, un intercambio epistolar en español macarrónico entre Lok y Valerianos, que ya de vuelta en Cefalonia no se hartaba de pedirle dineros al inglés, «perche bien save v. m. cómo io vine pover», a causa del desdichado encuentro con Cavendish. Después, en 1602, Lok estuvo en Zante y por junio le escribió otra misiva a Fuca animándolo a pasar al servicio de Isabel I; pero el falso apóstol había desaparecido del mapa como por ensalmo.

La superchería, en cuyo origen no cabe descartar móviles monetarios, no deja de parecer bastante burda, dando la sensación de ser eco lejano y deformado de los viajes de Vizcaíno. Griegos había habido en la carrera de las Filipinas [17], mas de este supuesto marino no queda la más mínima huella. La narración procura datos sobre su figura que podían halagar e interesar a un público inglés: Valerianos habría sido uno de los pasajeros del «Santa Ana», el galeón de Manila tomado por el afortunado Cavendish. Por contra, la historieta no carecía de cierto ingenio, sobre todo teniendo en cuenta la falta total de inventiva que campea en un supuesto testimonio dado el 9 de abril de 1579 por Tomás Cowles de Bedmester (en Somerset), quien declaró que seis años antes, estando él en Lisboa, un portugués llamado Martín Chacke le había leído un libro impreso en portugués hacía otros seis años, donde daba cuenta de haber descubierto en altura de 59° el paso desde las Indias portuguesas (entiéndase españolas) al Labrador, libro que como es lógico había sido retirado de la circulación por la Corona. Si en esta variante de la leyenda de nuevo hacía su aparición el personaje archisabido del descubridor portugués, la narración atribuida a Lok buscaba un protagonista más exótico y al menos procuraba mayor animación geográfica. Por otra parte, fluía en ella cierta ironía soterraña, dado que la figura del español quedaba en ridículo o en entredicho, pues fuerte cosa era que sobre todo un capitán general recayese el tremendo baldón del pecado nefando, y ello sin contar con la ingratitud manifiesta de que hacían gala todos los gobernantes hispanos, empezando por el rey. El periplo imaginario, avalado más tarde por una lucubración del maestro Brigges sobre el *Fretum Hudson,* está compuesto para prender la atención de los ingleses en el Pacífico; pronto le salió otro competidor en la propia España, ni que decir tiene que con el objetivo contrario.

[17] Así, por poner un ejemplo contemporáneo, Alejandro Chéfalo, a quien el 14 de enero de 1594 se le concedió escudo de armas por sus servicios en la pacificación de Filipinas (cf. M. A. Heredia, *Catálogo de las consultas del Consejo de Indias,* Madrid, 1972, II, 69, n.º 2158).

3. Un «marinero alquimista»: Lorenzo Ferrer Maldonado

Cuando el problema que se discute depende de la fantasía y de la estimativa es inevitable que surjan como en terreno abonado arbitristas y falsarios. Entre ellos merece un puesto de honor por derecho propio Lorenzo Ferrer Maldonado, natural de Guadix, sobre cuya figura ha arrojado intensa luz la actual duquesa de Medina Sidonia[18] al historiar las intrigas que bullían en el entorno del conde-duque de Olivares.

La primera vez que vemos a Ferrer brujulear por la Corte es en el reinado de Felipe III. En una súplica sin fecha al Consejo de Indias[19] expuso que había presentado cuatro proposiciones, a cual más maravillosa: a) la aguja de marear fija en línea recta a los polos del mundo; b) el punto fijo y arte de conocer la longitud con la aguja fija y con la varia regular «de tal forma, que por cada grado de variaçión muestre uno de la longitud, navegando no sólo por la equinoçial, sino por todos los paralelos y alturas de polo Artico y Antártico y a cualquiera de los treinta y dos rumbos demostrados en la aguja y carta de marear»; c) un instrumento para sacar con precisión en el mar línea meridiana, para examinar la fijación de la aguja sin necesidad de aguja fija, y d) el punto fijo sin agujas ni varias ni fijas, hallado sólo por el sol. De lo dicho había hecho demostración pública en Junta de Guerra del Consejo de Indias con asistencia de los cosmógrafos regios; por tanto, solicitó que se le dieran los 6.000 ducados de renta perpetua que se habían prometido a quien descubriera la aguja fija, más otros 2.000 por el no menos revolucionario hallazgo del punto fijo; que así remunerado había de tomar ánimo para proseguir sus trabajos y elucubraciones. Un informe adjunto, de mano anónima, garabateó al margen en el colmo del entusiasmo: «Realmente afirmo a vuestra merced que, cuando se hiciera merced de 100.000 ducados de renta por cada proposición de las dos ofrecidas, no le parecerá mucho a quien tubiere cualquiera mediana noticia d'esta materia». Es lástima que no se pueda datar este memorial, que hubo de ser escrito por los mismos días que otra petición, también sin fecha, que fue vista en Junta de Guerra el 6 de mayo de 1608[20]: en ella volvía Ferrer a alardear de que él, como

---

[18] Luisa Isabel Alvarez de Toledo, *Historia de una conjura*, Cádiz, 1985, pp. 30-34. El mérito de estas páginas es tanto mayor si se compara su exactitud con las nebulosas noticias que sobre Ferrer pudo recoger un historiador tan sabio y eminente como C. Fernández Duro, *Armada española*, III, p. 306ss. y 440; no se da cuenta D. Cesáreo que este Ferrer es el mismo que propuso dejar espacios estancos aislados en los navíos, precisamente para hacer el reconocimiento del estrecho de Anián (*Armada española*, III, p. 184). Pero ya M. Fernández de Navarrete, el más grande historiador de la Marina que haya tenido España, había dado un informe muy preciso sobre la personalidad de este descarado falsario (*Colección de documentos inéditos para la Historia de España*, XV [1848] 71ss.).

[19] A.G.I., Indif. 2661.

[20] A.G.I., Indif. 1429.

gran astrólogo y matemático que era, había solucionado después de 40 años de estudios, desvelos y navegaciones el problema de las longitudes, encontrando por fin el tan buscado punto fijo de Este a Oeste. El 13 de junio de 1608 el Consejo de Indias propuso al rey la concesión de alguna merced conforme a la calidad del negocio, en caso de que los experimentos resultasen ciertos, pues con sólo la garantía de la real palabra Ferrer comunicaría su hallazgo [21].

La ocasión no podía estar mejor elegida, pues un portugués, Juan de Fonseca Coutinho, también presumía por aquel entonces de haber hallado «el secreto de la piedra imán con la cual se afixa la aguxa de marear»; según alegaba Fonseca, hombre de «atrevida y sosegada facundia» al decir de D. García de Silva y Figueroa [22], se había hecho ya la experiencia por tres veces en la navegación a la India oriental y los pilotos de la carrera habían verificado que la aguja no hacía variación, quedando sus testimonios y certificaciones en poder de Francisco de Almeida de Vasconcelos, secretario del Consejo de Portugal. Se interesó vivamente por el asunto el de Indias, que ofreció 1.000 reales al inventor [23] para que acu-

---

[21] A.G.I., Indif. 750 (cf. *Catálogo de las consultas del Consejo de Indias. 1606-1609,* Sevilla, 1984, n.º 1795).

[22] *Comentarios de Don García de Silva y Figueroa de la embajada que de parte del rey de España Don Felipe III hizo al rey Xa Abas de Persia,* Madrid, 1903, I, p. 92ss. Según refiere el embajador a continuación, decía Fonseca, apretado a preguntas, que «este secreto lo avía alcançado por particular y oculta revelación de Dios».

[23] El 11 de abril de 1609, a petición de Fonseca, ordenó el Consejo el libramiento de los 1.000 reales (A.G.I., Indif. 1431). A la solicitud de premio replicó el Consejo el 9 de mayo de 1609: «Lo proveído en papel aparte» (A.G.I., Indif. 1432). La participación de Gaspar Lorenzo consta por otro memorial de 1610 en que el capitán pedía daños y perjuicios porque, mientras él estaba en la Corte reconociendo la aguja de Fonseca, le habían quemado una nao suya de 500 toneladas por no estar él en ella (A.G.I., Indif. 1433). Sobre Fonseca contiene mucha información A.G.I., Patron. 262, 4; allí se encuentran dos pareceres y testimonios de Lavanha (uno sin fecha y otro del 10 de setiembre de 1610) y las cartas de Ríos Coronel (la propuesta de Moreno data del 18 de mayo de 1610; las cartas desde México de octubre de ese año).

A lo largo de estas páginas han desfilado algunos de los arbitristas precursores de Ferrer (Jaime Juan, Ríos Coronel). Añado aquí algunos nombres más (cf. E. Fernández de Navarrete, «Memoria sobre las tentativas hechas y premios ofrecidos en España al que resolviese el problema de la longitud en el mar», *Colección de documentos inéditos para la Historia de España,* XXI [1852] 5-241; C. Fernández Duro, *Armada española,* III, p. 439ss.):

–31 de octubre de 1572 (A.G.I., Indif. 1093, 7 n.º 72). Alonso de Grado pretendió haber descubierto un instrumento para tomar la altura del sol a cualquier hora del día. Negaron la validez de tal invento Sancho Gutiérrez, Juan Canelas y el piloto Cristóbal García.

–1590 (A.G.I., Indif. 1100). Domingo de Villarroel (el clérigo napolitano Dominico Vigliaruola), entre otras proezas, como el haber trazado toda la genealogía de la Casa de Austria desde nuestro padre Adán, se jactó asimismo de haber descubierto un astrolabio de efectos semejantes. Se basaba en un reloj de sol (cf. A.G.I., Patron. 262, 1).

–19 de mayo de 1599 (A.G.I., Patron. 262, 2). Informe del doctor Sobrino Morillas, Pedro de Carballido y Andrés García de Céspedes: la longitud se debe tomar por vía de relojes equinocciales.

diera a Madrid a hacer una prueba de sus instrumentos, labrados con todo primor a mayor pasmo de incautos. Una vez en la Corte, el habilidoso Fonseca se prestó también de grado a fabricar «otra aguja regulada con que infalibilimente se conoçe la longitud sin sol ni estrellas», dejando magnánimo la cuantía del premio a sus servicios a la liberalidad del monarca. A examinar la mágica aguja fueron convocados diversos peritos, entre ellos Juan Bautista Lavanha y dos vecinos de Sevilla, el capitán Gaspar Lorenzo y el cosmógrafo Antonio Moreno, nombrado el último por Hernando de los Ríos Coronel, que en un principio, de resultas de las observaciones hechas en un desplazamiento de Sevilla a Cádiz, se había mostrado muy partidario de la aguja fonsequista, no sin manifiesta desaprobación por parte del propio Moreno; pero luego, al utilizar con más calma y por más tiempo el nuevo artilugio en su viaje de vuelta a Nueva España y a Filipinas, hasta el mismo Ríos se convenció de su error y emitió un dictamen adverso, teniendo que escribir apesadumbrado a Fonseca y a los miembros del Consejo que el invento no era por desgracia de ningún provecho ni utilidad.

Pero en aquel tiempo feliz, fértil en ingenios de toda laya, muchos eran los que sabían o pretendían saber tan grande y preciado secreto. Sin ir más lejos, el doctor Juan Arias de Loyola había asentado dos descubrimientos con el Consejo de Indias: uno acerca de «la navegación de Leste a Oeste o punto cierto de escuadría o invención de los grados de longitud navegando por paralelos a la equinoccial... y otro de la corrección y fixación del aguxa y certidumbre de la derrota»[24]. Múltiples fueron las quejas que tuvo que escuchar el Consejo durante 1610 por haber dado preferencia a Fonseca contra todo pronóstico, pues a la ciencia de Arias castellano y cristiano viejo, hubiera tenido que rendirse el más entendido astrónomo del mundo; por fin, ante el desistimiento del portugués, el rey

─1612 (A.G.I., Patron. 262, 5). Propuesta nueva de Juan Martínez.

Entre estos cosmógrafos y astrólogos merece un puesto destacado el muy notable humanista valenciano Jaime Juan Falcó, hombre de Minerva variadísima y un tanto disparatada que disfrutó del mecenazgo del maestre de Mentesa Pedro de Borja (el hermano de S. Francisco de Borja). A Falcó le chiflaba ejercitar su ingenio en superar todas las pruebas, por raras y difíciles que fuesen; así, no sólo compuso poesías en trímetros yámbicos puros o en versos retrógrados, sino que, habiéndose enterado de que una carta del rey de España despachada al ejército había sido interceptada por el enemigo, elucubró una nueva cifra tan intricada, que la llamó él mismo «laberinto». Entre las pasiones de este excéntrico figuró el juego del ajedrez, en el que sobresalía tanto que podía competir con el abad de Zafra. Pues bien, en 1577 (por los años en que le conoció su futuro editor, el caballero portugués Manuel de Sousa Coutinho) Falcó se había empeñado en descubrir la cuadratura del círculo con tanta vehemencia, que todos sus amigos temieron por su salud, pues se pasaba sin comer ni dormir días enteros, metido siempre entre compases y reglas; el fruto de sus vigilias matemáticas fue un tratado impreso en Amberes e 1591.

[24] El Consejo replicó el 21 de febrero de 1618: «lo acordado» (A.G.I., Indif. 1446).

xtendió a Arias una cédula el 2 de julio de 1612 concediéndole 6.000
rs. de renta para él y sus sucesores y otros 2.000 más de renta de por
ida si salía airoso de su empeño[25]. El inquebrantable Arias siguió siem-
re aferrado a la misma monocorde cantinela, y en un memorial de 1615
ensuró a nuestro Ferrer por ofrecer, a su juicio, «lo que está averiguado
er incierto y falso». En 1618 solicitó el jesuítico doctor con fatuo empa-
ue que se le revalidaran sus cédulas y se reconociera su precedencia, ya
ue revelar el invento, a lo que se le instaba, era ni más ni menos que
umplir el asiento por su parte, cumplimiento que constreñía entonces al
nonarca a la observancia de su respectiva obligación. Conminado el 18
e octubre de 1618 por el Consejo a satisfacer de una vez su promesa, el
1 de octubre Arias entregó solícito un libro, del que ya queda hecha
nención, que contenía a su juicio la última palabra al respecto. Todo este
larde de ciencia fue en vano, pues el presidente del Consejo, D. Fernan-
o Carrillo, se retrajo esquivo, infiriéndole «la mayor fuerça, agravio y
justicia que se a hecho a otro hombre en tribunal del mundo»: sin duda,
orque no le hizo el menor caso. En 1622 la aspiración de Arias se
fraba en que se sometiera a juicio su solución ante una junta compuesta
or Lavanha y Cedillo y presidida por D. Diego Brochero o D. Rodrigo
e Aguiar[26]. Diez años después, en 1633, todavía continuaba terne en sus
rece, espantándose de que tratara la Corona de concertarse con un fla-
nenco, Van Langren[27], en vez de respetar su asiento, por el que, ya un
anto atronado, pedía cifras cada vez más astronómicas. Otro eximio
xhibidor de trucos y camelos fue D. Antonio Parisi[28], soldado durante
n decenio y después predicador del evangelio a los infieles de Chile
urante otros doce años, que compuso un tratado de Matemáticas con
istas a la navegación en el que, modesto, enmendó todos sus yerros y
ñadió otros nuevos instrumentos, uno para tomar los grados de longitud
otro para corrección de la variación de la aguja; había pasado examen,
egún afirmaba, ante nada menos que siete juntas de expertos, una delan-
e del príncipe gran prior, y puesto a proponer maravillas ofrecía de paso
tro armatoste para tomar la altura del polo en el mar a cualquier hora
el día; con ello aspiraba a que se le satisficieran asimismo los 6.000

---

[25] A.G.I., Patron. 262, 3, con numerosos papeles y memoriales de Arias.
[26] A.G.I., Indif. 1452. El Consejo ordenó el 22 de setiembre: «que la junta se haga concu-
iendo en ella Don Francisco de Garnica y Juan Baptista Lavaña y doctor Cedillo en casa de
on Francisco»; pero el 20 de octubre accedió a la propuesta de que, como quería Arias, se
alizara en la posada de Brochero o de Aguiar.
[27] Sobre este flamenco cf. A.G.I., Patron. 262, 7.
[28] A.G.I., Indif. 1448. La Junta de Guerra anotó el 1 de febrero de 1620: «que se le dé
dula en que se le prometa que se le hará merced como lo merece la inportancia de lo que
rece, abiéndose de usar de ello».

ducados de renta perpetua por un lado y la recompensa de 100.00(
ducados por otro que había prometido la Corona a quien encontrar;
solución al problema de las longitudes y del variar de la aguja. El inven
tor, a quien el vulgo acabó llamando «aguja fija»[29] por su peculiar mono
manía, se embarcó en la armada que partió de Lisboa en abril de 1614
que llevó a Goa a D. García de Silva, que en el curso de la travesía qued,
muy escandalizado de su ignorancia y de la tosquedad de sus instrumen
tos. Pero nos reclama de nuevo Ferrer.

Era hombre el capitán a quien gustaba jugar con varias barajas a
tiempo, porque a vueltas de sus veleidades cosmográficas y animado po
el éxito forjó, como nuevo John Dee, un «Libro del Tesoro» compuest
presuntamente en época de Alfonso X, volumen incalculable escrito e
«caracteres de diferentes abecedarios de lenguas» y que, robado por und
curiosos en tiempo de los estragos comuneros, tocaba entre otros miste
rios el secreto de la piedra filosofal. Tragaron el anzuelo del rey abaj
todos, incluido su confesor y D. Rodrigo Calderón, y nuestro personaj
vivió feliz y orondo a costa de sus patrañas y descifrando su propia obr
tres largos años, al cabo de los cuales hubo de escapar apresuradament
de Madrid, que es sino común a todos los alquimistas éste de pone
periódicamente pies en polvorosa. En 1614, al tiempo de su partida pai
Persia, D. García de Silva no tenía todavía noticia del paradero de Ferre
ni de lo que había sido de sus inventos, aunque no podía evitar un
sonrisa burlona al evocar su loca jactancia de haber descifrado la clavícul
de Salomón.

Tras unos años de vida retirada, si no de descanso, en los que estuv
huyendo por Francia y otros andurriales, el afán de medro hizo volver
Lorenzo, disfrazado de clérigo, a las andadas palatinas, si bien resolvi
dejarse de nigromancias para ocuparse de asuntos menos peligrosos
igualmente rentables, como el de extender falsas cartas de hidalguía «da
do colores y vejeces a los papeles», que ya en este negocio se hab
estrenado, a través de su hermano Pedro, con el marqués de Estepa. Per
no por ello quedaron arrumbados ni mucho menos sus proyectos cosm
gráficos. Antes bien, en 1615 el campanudo capitán Laurencio, que pa;
nimbar su ciencia marinera se decía criado en Flandes y en las ciudad
hanseáticas, tornó a insistir en sus cuatro famosas proposiciones, pidiend
que se le expidiera a él también una cédula calcada sobre la de Aria
como se hizo en ese mismo año, otorgándosele una crecidísima recor
pensa siempre que sacara a la luz «la aguja fija en todos los meridian

---

[29] Así dice, llamándolo «Maris», D. García de Silva (*Comentarios de D. García de Silva
Figueroa de la embajada que de parte del rey de España Don Felipe III hizo al rey Xa Abas de Pers*
Madrid, 1903, I, p. 93ss.).

del mundo y el punto fijo de la longitud»; asimismo fue atendida su solicitud de que la justicia no le pudiera echar mano por el «negocio» que había pasado entre su hermano Pedro y el marqués de Estepa: los dos hallazgos bien valían un salvoconducto, quizá lo único que andaba buscando el charlatán [30]. No obstante, después de oír y soportar a tantos arbitristas los cosmógrafos oficiales habían aprendido la lección, así que ahora, lejos de calentarse la cabeza ponderando el calibre de la teoría laurenciana, se remitieron directamente a la experiencia. El 19 de enero de 1616 firmaron su informe Juan Bautista Lavanha, Don Francisco de Garnica, Lucas Guillén de Veas y el doctor Juan Cedillo, afirmando que, como les hubiese parecido «cosa berisímil que el toque que hizo y afijación será cierto», propugnaban sin más dilación hacer la prueba del invento ferreriano, encomendando a su autor una descomunal navegación de más de 10.000 leguas por todo el globo terráqueo, que había de emprender en una carabela de 50 toneladas y acompañado de dos pilotos portugueses, dos castellanos y una persona que supiera sacar línea meridiana. El punto de partida del laberíntico viaje era Cádiz y de ahí seguía la derrota al cabo de Cantín y de Aguer, Sierra Leona, la Mina, Santo Tomé y Angola hasta doblar el cabo de Buena Esperanza y el de las Agujas; después, volviendo al Noreste, había de correr la costa de Natal hasta el cabo de Corrientes y de allí hasta los bajos de la India; una vez llegado a tal punto, debía regresar a Santa Elena y atravesar en aquel paralelo a Buenos Aires; de allí, perlongando el litoral del Brasil, tenía que pasar a Cartagena, Honduras, San Juan de Ulúa y dirigirse entonces a la Florida hasta el cabo de los Mártires y de allí al cabo de San Antón por la costa meridional de Cuba, poniéndose, si el tiempo daba ocasión, sobre los bajos de la Serrana y Serranilla y corriendo a continuación la costa de Cuba hacia el Noreste hasta Santo Domingo y el cabo de Cañaveral; el resto era coser y cantar, pues sólo faltaba tomar la vuelta de España sin mudar derrota hasta tocar en Portugal. Detrás del mareante danzar de tantas vueltas y revueltas por todos los océanos del mundo parece escucharse una carcajada homérica, pues no semeja verosímil que sesudos astrónomos pudieran proponer en serio este viaje disparatado. La reducción al absurdo les hubo de parecer la manera más expedita y menos comprometida de librarse de un pelmazo; no contaban con que el capitán, que sabía latín, alegó que no era menester su presencia física en semejante odisea, que bien podían realizar otros mientras él seguía sirviendo al rey en la fábrica de instrumentos peregrinos y hallazgo de otros no menos raros secretos.

[30] A.G.I., Patron. 262, 6. Debo esta noticia a una oportuna indicación de mi amigo D. Eduardo Trueba. Cf. asimismo *Catálogo de las consultas del Consejo de Indias. 1610-1616*, Sevilla, 1984, p. 389, n.º 1678 (8 de octubre de 1615).

La jugada le había salido mal. Así, pues, dejando correr un plazo de tiempo prudencial para olvido de sus burlerías, el habilidoso calígrafo y pillo redomado que era el ingeniosísimo Ferrer presentó con grandes alharacas al conde-duque un libro intitulado «Alfabeto historial de las cosas memorables del mundo desde su creación hasta el año de 1580», que antes había pretendido enderezar al conde de Ardales [31]. La nueva y más feliz dedicatoria valió a su autor 400 ducados, porque a vueltas de mil genealogías Ferrer se había sacado de su caletre un fraude y embuste mayúsculo, del que se desprendía que el mayorazgo de la Casa de Medina Sidonia le correspondía en realidad al valido, y no al duque del momento. Dulcísima era en verdad la ofrenda que se hacía al de Olivares, legítimo sucesor entonces en el histórico ducado por presunta bastardía de D. Juan Alonso de Guzmán, y bien se comprende que D. Gaspar lo remitiera a todos los secretarios habidos y por haber: al poeta Francisco de Rioja, a Garci Pérez de Araciel, a la muerte de éste al licenciado Gilimón de la Mota y por último al fiscal de causas Baltasar de Alanís. Como tan desmesuradas perspectivas se apoyaban todavía en flaca base documental, se pidió más y mejor información, y muy en especial Garci Pérez de Araciel le escribió que sería muy al caso que apareciera el pleito o algún pedazo de él o de sus probanzas.

Nada arredró a Ferrer que, con objeto de cumplir cuanto antes su cometido, metió en sus enredos a otro ilustre hijo de Guadix, Jacinto Arias Añasco, el futuro marido de su hijastra Catalina, y a un madrileño, Martín de Yepes Ortiz, que quedó encargado de buscarle, para mejor copiar firmas y personajes, pleitos seguidos en la Cancillería de Granada desde el año de 1528 hasta el de 1536. Pertrechado con semejantes instrumentos y flanqueado de tan esforzados colaboradores, Ferrer, que falsificaba con tal arte y esmero que Yepes por un momento pensó

---

[31] Archivo ducal de Medina Sidonia, legajo 865. Al testamento siguen unas «Declaraciones de Martín de Yepes Ortiz sobre las falsedades del capitán Lorenzo Ferrer Maldonado». Aparte de la mujer de Ferrer, doña Francisca de Inestrosa, de su hijastra, doña Francisca Cerón de Molina, de su presunto «sobrino» D. Jacinto Arias de Añasco y de Luis Carríllo, hermano de Gabriel Carrillo, agente del duque de Sessa, Yepes invocaba el testimonio de cuatro personas, a las que había que llamar a declarar cuanto antes: el capitán Alonso Turrillo de Yebra, con su casa, mujer e hijos en Cartagena de Indias, que se disponía a partir en 1628 para hacer la casa de la moneda de dicha ciudad, pues, como «discípulo en el estudio de las Matemáticas del capitán Ferrer, tiene mucha noticia de cómo el capitán Ferrer sabía hazer escripturas y privilegios antiguos por quien se los pagava, con tanta propiedad cuanto la imaginación podía prevenir» (de este capitán se vio un memorial en Consejo del 29 de noviembre de 1623, pidiendo cobrar en Madrid su salario hasta fin de 1623, dando aviso a los oficiales de Santa Fe para que hicieran el correspondiente descuento [A.G.I., Indif. 1453]); Alonso López de Haro, consultor del Consejo de Ordenes y autor del *Nobiliario genealógico de la nobleza de los títulos de España* y muy despechado de no haber obtenido nombramiento de cronista de Indias; el madrileño Pedro Cegrí y un vecino de Sevilla, D. Bernardino de Ahumada, pretendiente de un hábito, que se había concertado con Ferrer en 600 ducados por la confección de una ejecutoria falsa.

que «debía de tener algún familiar [demonio] que haçía la tal obra», entregó al conde-duque cuatro escrituras que quitaban la respiración: la cesión a D. Juan del ducado por parte de D. Pedro de Guzmán (el primer conde de Olivares), por 800.000 ducados; la reclamación y protesta de D. Pedro, que se había visto forzado a hacer tal dejación por el emperador y la reina Doña Juana; un pleito que trajeron los dos hermanos sobre la validez de la transacción y, por último, una declaración hecha por el propio D. Juan sobre su legitimación.

La muerte de Ferrer en 1625 interrumpió de forma inesperada tan ambiciosos y suculentos tejemanejes. Una pobre ventaja de seis escudos para Milán libró al conde-duque en 1626 del acoso de los herederos del embaucador profesional, sellando al mismo tiempo sus labios: obtenida la merced, Jacinto y Catalina, ya carnalmente ayuntados sin esperar la bendición del sacerdote, mudaron de repente su hato y desaparecieron como por ensalmo. Tan inesperado desenlace tuvo la tragicomedia. Pero el caso fue que Yepes no se contentó con su suerte y se pasó de listo. Buscando su avío y un tanto desorientado acabó entregando entre Pascua de Flores y la de Pentecostés de 1626 al padre jesuita Hernando de Salazar, confesor del conde-duque, una relación en confesión para que la diese a Olivares y lo desengañara de las artimañas de Ferrer. Este monumental error de cálculo lo llevó de la euforia al pánico, y el 9 de enero de 1627 Yepes, para salvar su pellejo, otorgó testamento narrando para descargo de su conciencia las anteriores peripecias, en las que él, alma cándida, había intervenido de forma involuntaria.

Volvamos ya a la superchería por la que Ferrer pasó a la posteridad, la *Relación del descubrimiento del estrecho de Anián*, a cuya última redacción dio fin en la segunda mitad de 1609 [32]. Pocas son en verdad las noticias que nos depara este escrito sobre las circunstancias en que se pudo realizar tan morrocotudo viaje, fechado en 1588: Ferrer, a fuer de buen falsario, deja de su rastro las menos pistas posibles. Entre tantos tripulantes sólo queda constancia de un nombre, el del piloto Juan Martínez, un portugués natural del Algarve, «hombre muy viejo y de mucha esperiencia», que no supo sin embargo pese a sus muchos años y conocimientos reconocer la boca del estrecho, señalada por unos montes a manera de sillares, con una peña coronada por tres árboles altísimos: no en vano el de Anián llevaba también el nombre de estrecho de los Tres

[32] Fue editado en *C.D.I.A.*, V, p. 420ss. Demostró su falsedad M. Fernández de Navarrete, *Colección de documentos inéditos para la Historia de España*, XV (1848) 5-363. Cf. asimismo P. Novo y Colson, *Sobre los viajes apócrifos de Juan de Fuca y de Lorenzo Ferrer Maldonado. Recopilación y estudio*, Madrid, 1881, C. Fernández Duro, *Armada española*, III, 307-08, G. Pennesi, «Lorenzo Ferrer Maldonado e il passagio di NO», *Bolletino della Società Geografica italiana*, IX (1984) 623ss.

Hermanos. El derrotero previo a la entrada en el paso se sume igualmente en la más densa oscuridad: presuponiendo que partiese de Lisboa, el capitán tocó en los Bacalaos; de allí fue en demanda de la isla de Frislandia para proveerse de bastimentos, como lo hizo en las Gelandillas y encima en la época más rigurosa del invierno, enero o febrero, pues parte de este último mes se empleó en cruzar el estrecho del Labrador, sin que a nadie se le alcance la elección de esta estación insólita para navegar entre hielos.

La ruta por el desaguadero, en cambio, no guarda secretos para nuestro Ferrer, que la describe con todo mimo y pormenor. A los 60° se encuentra el estrecho, mostrando a su embocadura dos brazos, de los que hay que tomar el que tuerce al Noroeste. Así se penetra en el primer tramo, el estrecho del Labrador, que va serpenteando entre Noroeste y Norte hasta alcanzar los 75 grados de altura escasos; su longitud es de 290 leguas, su anchura de 20 a 40 leguas y en sus costas se ven humos, señal de estar poblado. A la salida del estrecho del Labrador se bordea la tierra a lo largo de 350 leguas con rumbo al Oeste cuarta al Sudoeste, avistándose a 71° la contracosta de la Nueva España; entonces se ha de emproar al Oes-Sudoeste por espacio de 440 leguas, bajando a los 60°, donde se halla el último tramo, el estrecho de Anián, que está separado en consecuencia de España por 1710 leguas de distancia. Llegado a este momento estelar, Asia a un lado, al otro América, el intrépido nauta, sentado en su gabinete, no pudo por menos de divisar, muy a lo lejos, los humos de las ciudades cercanas del Catayo, entre las que se habría de encontrar la mítica Cambalú de Marco Polo.

Pintado con pelos y señales el estrecho, urgía hermosear su aspecto añadiendo un fondeadero donde se pudiera hacer un asentamiento o al menos erigir un fuerte; como la exuberante fantasía de Ferrer tenía salidas para todo, «a la banda de la América» colocó uno anchurosísimo, donde podían fondear 500 naves; al Este hizo que se extendiera una gran llanura, muy indicada para fundar una populosa ciudad. El mismo suelo brindaba toda suerte de facilidades a los futuros colonos: aunque la tierra estaba a 59°, era «de muy gracioso temperamento», provista de muchos y frondosos árboles, la mayoría frutales, sin faltar uvas silvestres y «lechias» de la China, así como abundosa en caza de todo tipo; en sus aguas nadaban mil peces y marisco infinito, y enfrente de la boca del puerto, junto a un cañaveral, se hacía grandísima pesquería. No se podía pedir más; para colmo, el estrecho de Anián, de 15 leguas de largo, tenía calado, sí, para todas las naos, pero era muy angosto, de modo que dos baluartes uno a cada orilla podrían cerrar el canal, sobre el que era factible tender incluso una cadena para impedir el paso al enemigo. Cabía recelar, en efecto, incursiones hostiles, pues durante el tiempo que la nave de Ferrer estuvo fondeada en tan maravilloso puerto, recaló también en él un barco mercante de porte de 800 toneladas, tripulado por luteranos, con quienes no hubo más remedio que recurrir al latín para entenderse. No era maravilla que los hanseáticos conocieran este paso, «porque como habitan en 72 grados de altura, les es cosa fácil y a propósito tratar este estrecho y navegación». Breve y presidida por la mutua desconfianza fue la relación entre unos y otros; pero de resultas de la erudita conversación latina se averiguó que los protestantes venían de una gran ciudad, sometida al Gran Kan, en cuyo puerto quedaba cargando otro navío de su misma nacionalidad.

Como antes Gilbert, expuso Ferrer con elocuencia las ventajas que se obtendrían de frecuentar el estrecho, que no eran chicas. Gracias a él se ahorraba en la navegación al Extremo Oriente la mitad de camino, que podría hacer encima la misma embarcación; por este derrotero era más cómodo llevar socorro a Filipinas, mientras que su fortificación prohibiría el paso previsible de los ingleses a la Mar del Sur; además, desde el punto de vista económico, Sevilla se convertiría en el mayor mercado de las especias del mundo y el comercio de China pasaría asimismo a España. No faltó ni siquiera un presupuesto global de la expedición, que contando con tres embarcaciones y una tripulación de unos doscientos hombres dotados de todos los pertrechos necesarios alcanzaba una suma máxima de 47.077 ducados.

Por desgracia, ningún documento aclara qué fines perseguía tamaña falsificación. Las ideas de Ferrer se enmarcan sin embozo en las tesis que iba a propugnar después el partido belicista: en la relación se sostiene que el enemigo último es Inglaterra y que en la hegemonía naval estriba la clave de la victoria. Con todo, resulta difícil apurar más, descubriendo a quién servía con sus engendros geográficos esta pluma mercenaria, atizando la alarma a pocos días de la firma y ratificación de la tregua con los Estados Generales: el 9 de julio es cabalmente la única fecha que aparece en el memorial, y no celebrando el armisticio, sino para sembrar preocupación con la nueva de un establecimiento francés en los Bacalaos. Al menos se vislumbra que el fantástico nauta era amigo del no menos visionario Quirós y que estaba igualmente interesado en la exploración del Pacífico. En efecto, la razón primordial que aconsejaba acometer la nueva navegación era evitar que el enemigo «se venga a apoderar de todos aquellos reinos y más fácilmente de aquel nuevo descubrimiento de la Nueva Austrialia, que siendo tan grande y dilatado, como nos informan, aquel que se hiciese señor de él, lo será de todo el Mar del Sur». Con la población del estrecho, además de atajar la posibilidad de tal penetración, se tocaban asimismo con los dedos las riquezas del legendario reino de Quivira y las perlas de la California: se trata de un puñado de quimeras que hemos visto acariciar asimismo a hombres como Silva, Cardona y Carbonel.

Enemigo acérrimo de las imposturas de Ferrer fue el ya mencionado D. García de Silva y Figueroa[33], hombre muy latino y de discreto y certero juicio, más conocido por sus andanzas y aventuras como embajador de Felipe III ante la Corte del Shah Abbas. En 1609, un familiar con aficiones secretas a la alquimia llevó al capitán a la posada de D. García y éste quedó admirado de la desfachatez de Ferrer, que «entró con tanta gravedad y mesura como si todo cuanto prometía lo uviera ya provado y hecho cierto». Se produjo un vivaz intercambio de preguntas y respuestas, en el curso del cual el presunto marino afirmó que había navegado el paso en poco más de 30 días por los meses de noviembre y diciembre, trasladando el verano austral al hemisferio norte. Después de la tormentosa entrevista, nunca más volvieron a verse el embaidor y el prócer, que todavía acertó a ver mapas del Estrecho diseñados por Ferrer, si bien comunicó al marqués de Velada su opinión condenatoria de todas estas novelerías. A su crítico entendimiento, la navegación por un mar poblado de hielo ofrecía dificultades casi insuperables de vencer; además, de existir tal paso sería a 75° y más, por lo que no se ahorraría camino en el tráfico de la Especiería y aun del Japón, por ser forzosa la invernada durante la travesía.

4. Atisbos y presentimientos del Estrecho

Sentadas estas bases teóricas, era de esperar que todos los marinos del Pacífico, y sobre todo los descubridores de la California, barruntasen haber entrevisto el famoso paso al alcanzar el punto más alto en su navegación. Ya el capitán Quirós en sus últimos y desaforados sueños plantaba un pie en la Austrialia y el otro en el cabo opuesto, abrazando bajo su capitanía toda la cuenca del océano:

Desde aquellas tierras haré que con todo secreto se descubra el Estrecho de Anián, porque si le ay, se ponga remedio, y si no le ay, sabráse cierto que por aquella parte no pueden recibir las Indias los daños que en ellas harán los enemigos que le han buscado cinco vezes; y esto será sin que cueste los veinte mil ducados de renta perpetua que pidieron a Vuestra Magestad por descubrirle[34].

---

[33] Comentarios de D. García de Silva y Figueroa de la embajada que de parte del rey de España Don Felipe III hizo al rey Xa Abas de Persia, Madrid, 1905, II (libro VI [en realidad V], cap. II), p. 191ss.
[34] Memorial impreso (ejemplar en A.G.I., Indif. 1451).

En cuanto a la California, sentó el precedente la jornada de Vizcaíno, en la que, según relataba en 1620 fray Antonio de la Ascensión, se llegó en 43° hasta el cabo de San Sebastián, «adonde la costa da buelta al Nordeste, y parece toma allí principio la entrada para el Estrecho de Anián»[35]. Y aun señaló el religioso que, a juzgar por las noticias habidas de los indios, que les hablaban de gente barbuda, vestida de ropas con cuellos y balonas, poblada tierra adentro, no se podía descartar que estos extranjeros fueran ingleses u holandeses asentados en el mar mediterráneo de la isla California, al que habrían llegado a través del Estrecho de Anián. Sería conveniente averiguar si fray Antonio pudo leer la falsificación de Ferrer o si, por el contrario, informes semejantes, ya propalados por Ladrillero, estimularon la imaginación del capitán injerto en astrónomo. En cualquier caso, también en la Corte subsistió el temor a un posible asentamiento de los ingleses en «el cabo de California, el cual pueden sustentar y con ganancia con el beneficio que tendrán de la pesquería de perlas, y con el cual serán padrastros sobre el reino de México que alinda con el Mar del Sur»; éste, después del acoso a las Filipinas, era uno de los mayores peligros que en 1622 veía cernirse D. Antonio Sherley[36] sobre el dominio español en Indias.

Las ideas cosmográficas del docto carmelita se hicieron moneda corriente en México. La insularidad de California fue defendida asimismo por Nicolás de Cardona en su memorial de 1634, con expresa referencia al religioso; y en él también se recoge la importancia de hallar el Estrecho que «corresponde a la Mar del Norte y costa de Terranova, que comúnmente llaman los Bacallaos»[37]. Antes, al subir en la exploración del golfo californiano hasta los 34°, la expedición de Iturbe y Cardona divisó el mar que separaba las tierras, mar que se supuso fueran ya aguas del paso[38].

La conveniencia de poblar o no el presunto estrecho fue discutida acaloradamente en México con motivo de la prisión de Carbonel, como hemos visto. El debate, unido al firme convencimiento en la existencia de la comunicación marina, siguió vivo a lo largo de todo el s. XVII. En sus postrimerías, cuando un barco inglés, el «Wellfare», se adentró en la Mar del Sur tras cruzar el Estrecho de Magallanes, los miembros del Consejo

---

[35] Cf. su «Relación breve», publicada por A. del Portillo, *Descubrimientos y exploraciones en las costas de California*, Madrid, 1947, p. 420 y 426. El original firmado por el carmelita se encuentra en BU Sevilla, ms. 333/17 ff. 252r-74r, con una nota en 274v que advierte: »Este manuscripto dice D. Nicolás Antonio que *fuit in Bibliotheca D. Laurentii Ramírez de Prado*.

[36] *Peso político de todo el mundo de D. Antonio Xerley* (Colección de documentos inéditos de historia económica y social, I), Madrid, 1961, p. 82.

[37] Editado por A. del Portillo, *Descubrimientos*, p. 459.

[38] Cf. A. del Portillo, *Descubrimientos*, p. 220.

de Indias especularon el 7 de setiembre de 1692 con la posibilidad de que hubiese proseguido su derrota a las Californias para desembocar en el Mar del Norte [39]; y no hay que olvidar que uno de los objetivos del espía Oliveros Belin había sido precisamente alcanzar el paso del Noroeste.

[39] A.G.I., Lima 89.

XI. EL SIGLO XVIII. OCASO Y FIN DE LAS QUIMERAS

1. El descubrimiento de las Palaos y las Carolinas

Durante muchos años no se emprendió en el Pacífico una nueva exploración por iniciativa de la Corona, de modo que el tráfico marítimo se limitó al rutinario circuito comercial que unía Manila con Acapulco. Todo acontecimiento que rompiera esta monotonía causaba angustia inmediata en Filipinas, pero también cautivaba por su novedad los ánimos de los curiosos y henchía de orgullo a unos marinos por lo general ignorantes, en la creencia de haber llevado a cabo hallazgos de importancia. En 1686 el galeón «Santa Rosa» no realizó su escala preceptiva en las Marianas, ante la noticia de que allí se mantenían dos naves enemigas al acecho de su paso, y desviándose hacia el Sur topó, como a treinta leguas de distancia de Guam, con otra isla, «sobre que ay opiniones:» —escribía al rey el gobernador de Filipinas Curuzelaegui [1]— «unos que la tienen por nuevo descubrimiento y otros que la señalan por apuntada en la carta de marear». Tan densas tinieblas se cernían sobre un arrecife (¿Falalep?) que, para magnificar al desdichado monarca reinante, después fue llamado pomposamente Carolina.

Si los sucesivos gobernadores y virreyes se daban por satisfechos con un mediano funcionamiento de la maquinaria colonial dentro de las estrecheces y apuros de rigor, esta pasividad —tácita confesión de impotencia— distó mucho de contentar a todos. Antes bien, desde finales del . XVII el imparable movimiento de expansión de los jesuitas buscó nue-

---

[1] Carta del 23 de julio de 1684, con un añadido del 11 de diciembre de 1686, que es el que nos interesa (A.G.I., Filip. 13, 4 n.° 58). De la arribada del galeón «Santa Rosa» dio cuenta el 7 de diciembre de 1686 (A.G.I., Filip. 13, 4 n.° 55). Sobre este descubrimiento cf. D. D. Brand, The Pacific Geographical Exploration by the Spaniards, (43 The University of Texas. Offprint), p. 31, que remite a un artículo de Dahlgren que me ha sido inaccesible.

vos campos donde sembrar la fe de Cristo, y ello no sólo en las Marianas, sino en los archipiélagos vecinos a Filipinas, pero punto menos que desconocidos por quedar desviados del tráfico del galeón de Manila[2]. Entre ellos, después de evangelizadas las Marianas, ocupó un lugar preferente el de los Palaos, que tuvo una atormentada y dramática historia, jalonada de muertes y fracasos[3]. Ya en 1689, bajo el mandato de D. Fausto de Crozat y Góngora, la Compañía de Jesús, sin costa de la Hacienda real y con alguna ayudilla del caudal particular del gobernador, aparejó una fragata que naufragó a causa de un fuerte temporal que le sobrevino.

En 1700 tuvo lugar un incidente no nuevo, pero sí oportuno y que entonces fue considerado como providencial. Los vientos arrojaron a las Filipinas una embarcación de palaos, en la que iban diez indios y un principal, Moac, hombre al parecer de discreto juicio que por sus luces o por su autoridad llamó la atención del padre jesuita Andrés Serrano, como a fines del s. XVIII el capitán H. Wilson quedó cautivado por las prendas de un *Pelew islander*, el príncipe Li-Bu. Metiósele a la cabeza a Serrano ser un nuevo San Vítores en las Palaos, y pronto sucedió lo que por pura lógica tenía que suceder: en 1708 Moac, alumbrado por el celo jesuítico, renegó de las tinieblas de la idolatría y con gran contento de todos abrazó en Manila la fe cristiana.

Por su parte Serrano, convertido en procurador de la Compañía en Filipinas, logró enardecer con su verbo encendido la diplomática reserva de la curia romana, tanto que el Papa Clemente XI expidió sendos breves apostólicos a Luis XIV y a su nieto Felipe V, interesándose por la evangelización de las islas australes. No se necesitaban espuelas en París, donde hacía tiempo que se sentía vivísimo interés por el Extremo Oriente. En setiembre de 1689 entraron en China cinco clérigos franceses misioneros apostólicos, y con vistas a la futura intervención tanto política como religiosa se había creado en la Corte de Luis XIV una cátedra de lengua china, innovación audaz que en Madrid no fue vista con buenos ojos por el Consejo de Indias: el imperio del Sol Naciente estaba demasiado cerca

---

[2] Las demás Ordenes no podían competir ni por pienso con el tren misional que llevaban los activísimos jesuitas. En 1691 el provincial de los dominicos, fray Cristóbal de Pedroche, propuso la conquista y reducción de los naturales infieles y apóstatas que habitaban en el riñón de la isla esto es, las provincias de gadanes, sifun, yoga y paniqui, desde la Pampanga hasta la Nueva Segovia (A.G.I., Filip. 15, n.° 16-G). Pero este plan carece de la envergadura de los proyectos de la Compañía.

[3] Para redactar lo concerniente a las Palaos me baso en A.G.I., Filip. 215, de donde proceden todas las citas subsiguientes. De importancia, además de los autos correspondientes, es la carta del conde de Lizárraga al rey del 30 de junio de 1711, en la que se hace una breve historia de todos los intentos fallidos, así como las deliberaciones y determinaciones del Consejo de Indias. En A.G.I., Filip. 193, 6 n.° 250 se conserva una carta de Francisco de Padilla dando cuenta de su viaje. Hace un resumen de los hechos J. Montero y Vidal, *Historia general de Filipinas desde el descubrimiento de dichas islas hasta nuestros días*, Madrid, 1887, I, p. 402ss.

de Filipinas, y era en Manila donde con mayor fruto se podía y debía impartir tal enseñanza, dado que vasallos del rey de España vivían en el parián o alcaicería de los sangleyes [4]. Ahora, cuando sobre el papel habían desaparecido los Pirineos, la mirada del monarca francés se extendía no ya a las costas limeñas del Pacífico frecuentadas por sus naves, sino a las remotas islas del Poniente y del Austro, que ofrecían todavía la posibilidad de hacer realidad el sueño de los Albaigne. La propaganda se preparó cuidadosamente, y hasta se llegó a dar a la estampa una nueva carta geográfica con las confusas noticias que habían proporcionado los indígenas acerca de la graduación de la latitud y de la longitud de las Palaos, islas que fueron bautizadas por los «mapistas modernos» con el adulador nombre de Nuevas Filipinas, dedicadas al nuevo Felipe que regía los destinos de la monarquía hispana. El rey adolescente, halagado en su vanidad, mandó cursar las órdenes oportunas para que se evangelizase el archipiélago a lo que creía mayor gloria suya y fomentaba en realidad la ambición de la Compañía y de los Borbones franceses. De resultas de tal combinación de intereses múltiples a nadie puede causar asombro que el primer decenio del nuevo siglo asistiera al despliegue de una actividad colonizadora inusitada para los medios con que contaba la Caja de Filipinas. En 1707 su gobernador D. Domingo de Zabálburu despachó a las Palaos una galeota al mando de D. Pedro González de Pareja, que no alcanzó su meta; en 1709 volvió a insistir Zabálburu enviando un patache con una embaración más pequeña en conserva, bajo el mando de D. Miguel de Elgorriaga, sin que tampoco en esta ocasión le sonriera la fortuna.

Si con la conversión de Moac la futura misión y apostolado prometía frutos opimos, otra casualidad afortunada vino a hacerla posible, pues coincidió por aquel tiempo en Filipinas un piloto mallorquín, que decía conocer bien el mar y las costas de las Palaos; no en balde había ido antes allá con naves holandesas que navegaban a la contratación de especias, sobre todo clavo, con los naturales. La ocasión parecía pintiparada para llevar a feliz término una empresa que tantas veces se había intentado en vano, y la Compañía supo aprovechar bien las circunstancias.

El 18 de junio de 1710 el gobernador de Filipinas, conde de Lizárraga, anunció al monarca que, cumpliendo lo ordenado por la real cédula del 19 de octubre de 1705, quedaban aprestados en Cavite dos bajeles de mediano porte en espera de su despacho al descubrimiento de las islas. Poco más tarde, el 30 de setiembre, se hicieron a la vela el patache «Santísima Trinidad» y la balandra «San Miguel», provistas de avío y

---

[4] Un memorial redactado por un consejero y fechado en 27 de agosto de 1696, en el que se tocaban estos problemas, fue visto en Consejo de Indias ese mismo año (A.G.I., Filip. 14).

matalotaje muy a satisfacción de Serrano, bajo el mando del sargento mayor D. Francisco Padilla; a bordo iban el jesuita y Moac, que debían de formar un par curioso de ver. No obstante, la mala suerte continuó rondando los intentos de colonización. Al llegar a vista del puerto de Palapag en Leyte, la balandra dio el 20 de octubre en unos bajos y se fue a pique, si bien la tripulación logró salvarse. Los trámites y diligencias subsiguientes retuvieron a Serrano en tierra; pero el 12 de noviembre el patache siguió su viaje por expresa disposición suya, llevando dos religiosos y un lego de la Compañía que eran franceses, Jacobo Duberon (=Duperron), Joseph Cortil y el hermano Esteban Baudin: en algo se había de notar el cambio político acaecido con la instauración borbónica. El barco descubrió el 30 de noviembre en altura de 5° 24' N. dos isletas, las de Sonsonrol, que fueron llamadas de San Andrés por celebrarse aquel día la festividad del apóstol. A su llegada, la costa se cubrió de naturales cubiertos de un capisayo muy fino, como el de los sangleyes de Manila, que hicieron grandes fiestas a los españoles y se entendieron a las mil maravillas con Moac. Ante sus amistosos agasajos y la invitación de Moac el 3 de diciembre, festividad de San Francisco Javier y día por consiguiente fasto y propicio en los anales jesuíticos, saltaron en tierra los dos religiosos acompañados del piloto mallorquín, el contramaestre, Daniel Bagatin, y doce hombres más provistos de armas, mientras el patache se mantenía al pairo. No bastó dar bordadas para contrarrestar el mal tiempo, pues mientras se trababa efímera amistad con los indígenas, las corrientes y los vientos contrarios arrastraron el barco sin remedio y lo alejaron de la costa hasta ponerlo en altura de 7° 20', donde el 11 de diciembre los navegantes toparon con dos islas grandes habitadas por indios desnudos y llamadas Paloc y Palaos, que situaron a 150 leguas del cabo del Espíritu Santo; cuando la «Santísima Trinidad» pudo regresar por fin a la isla de San Andrés, morada imprevista de los religiosos y marineros, Padilla no recibió señales ni de fuego por la noche ni de humo por el día, así que por falta de lancha se vio obligado a emprender un triste regreso, entrando en la provincia de Caraga el 3 de enero y en Manila el 16 de junio de 1711.

El incansable padre D. Andrés, que ufano se intitulaba «superior y viceprovincial de las misiones de las islas Australes, que vulgarmente se llaman de País o Palaos», no se dio por vencido ante tamaña contrariedad, antes bien, sacando fuerzas de flaqueza presentó un voluminoso memorial al gobernador en el que, puesto a acumular argumentos para seguir disfrutando de apoyo oficial, no vacilaba en remontarse a antiguallas como la bula de Alejandro VI, dado que el dadivoso regalo del dominio sobre medio mundo por parte del Pontífice conllevaba de manera muy explícita su evangelización; después Serrano pasaba a realizar la importancia del descubrimiento y entremedias, desplegando toda su batería erudita, desde Torquemada y Quirós a Herrera y Solórzano, insistía en ideas que recuerdan muy de cerca las de San Vítores, su modelo evidente. La evangelización de las Palaos, decía el superior, no sólo traía provecho en lo espiritual, sino también en lo temporal, pues las islas, eslabonándose con las Marianas y las Filipinas, formaban un centro estratégico desde el cual se proyectaban nuevas conquistas:

§ 23 por este medio se abre camino a las dilatadíssimas provinçias de la Nueba Guinea (de la cual no distan las Palaos mayores, como se a dicho y se ve en el mapa que se presentó el año pasado), la cual tierra es una parte de la Austral incógnita, y fue siempre el prinzipal intento en la conquista y poblasión de estas tierras e islas Philipinas a que hanhelavan tanto los que más notiçia tenían... § 24 A la misma vía se abre la puerta a la espaçiosíssima región y dilatadíssimas tierras e islas que descubrieron en catorze grados y medio y quinze los capitanes Pedro Fernández de Quirós y Luis Báez de Torrez,

región que era

tanta como la de toda Europa, Assia Menor y hasta el Caspio y la Persia con todas las islas del Mediterráneo y Océano que en su contorno se le arriman, entrando las dos de Ynglaterra e Yrlanda [5].

La insistencia de Serrano acabó por triunfar y no sin motivo, pues tampoco un cristiano sensible ni un militar cabal podía dejar abandonados a su suerte a los hombres perdidos en San Andrés. En primer lugar se dio una batida con el patache que llevaba el socorro anual a las Marianas; así, el «Santo Domingo», a las ordenes del piloto mayor D. Bernardo de Egoy y Zabalaga, salió el 30 de enero de 1712 de Guam y descendiendo más cerca del ecuador de lo que era su derrota ordinaria dio con una isla muy grande y muchas pequeñas; lástima que no se llegara a un entendimiento con sus naturales, de manera que la fiesta acabó a tiros [6]. Visto este desenlace poco feliz el gobernador Lizárraga despachó de Cavite el 15 de octubre de 1712 otro patache, en el que iba el propio padre Serrano; mas de nuevo se torció de manera siniestra la empresa: la noche del 18, cuando se hallaba entre Mindoro y Tayavas, a 35 ó 40 leguas de Manila, una recia tempestad hizo trastornar la nave, y en el naufragio se ahogaron tanto Serrano como otro sacerdote de la Compañía destinado

---

[5] *Testimonio de los autos concernientes a la real zédula su fecha en Madrid a los 19 de octubre de 1705* (A.G.I., Filip. 215), f. 44r (para el título de Serrano cf. f. 24r); allí también se encuentra el diario del viaje.

[6] Se conserva en A.G.I., Filip. 215 una relación circunstanciada de la tornavuelta de las Marianas del patache «Santo Domingo», así como el diario del viaje (el último en los autos de 1712).

asimismo a la misión. Por último, el galeón de Manila, en su tornaviaje de aquel año, se desvió de su ruta para rastrear también las huellas de los jesuitas y los demás españoles; su general, Elgorriaga, consiguió llegar con gran destreza a las Palaos, pero sin otro fruto ni efecto[7].

La desdichada muerte de Serrano conmovió profundamente a los miembros de su Orden, que vieron en ella un estímulo o un pretexto. El procurador general en México de las misiones jesuitas en Filipinas, el padre Francisco de Borja y Aragón, escribiendo desde México el 6 de agosto de 1714, trazó una sucinta historia de los azarosos avatares del padre Andrés y propuso continuar la predicación del evangelio en las Palaos bien a través del socorro de las Marianas, bien mediante otro arbitrio mejor y menos costoso, la concesión del título de adelantado al canario D. Antonio Fernández de Rojas, «gran piloto, graduado de almirante en la carrera de Philipinas, y no sé qué expedición general de dicho galeón» y «hombre de caudal», a cuyo cargo quedaría entonces la pacificación de las islas tal y como se había acostumbrado a hacer en los primeros tiempos de la conquista. Por la calidad de su noble autor no pareció mal este plan al marqués de la Mejorada, según se desprende de la carta que dirigió a D. Manuel Vadillo el 7 de agosto de 1715, ni tampoco desagradó al Consejo de Indias, que lo hizo suyo el 19 de agosto y el 19 de setiembre, de suerte que el 11 de noviembre se cursaron órdenes al gobernador de Filipinas para que pusiese en ejecución el proyecto. Así cayeron en saco roto las sabias indicaciones del fiscal discutidas en Consejo el 25 de junio de 1714, haciendo ver que a corta distancia de Filipinas había multitud de indios bárbaros, en cuya conversión podía volcarse con menor gasto e igual fruto el celo jesuítico. Mas los hijos de San Ignacio no se conformaban entonces con el simple apostolado, sino que buscaban una meta más conforme a su tan ilimitada como admirable ambición, mecida ahora en la idea de conquistar un nunca visto imperio en aquella tierra incógnita por la que ya había suspirado Urdaneta. Por desgracia para la Compañía, el nuevo adelantado no emuló las glorias de sus antecesores, así como tampoco supo estar a la altura de las circunstancias el piloto de una embarcación que zarpó en 1722 de las Marianas para dejar una misión en las Palaos.

En 1728 se repitió la historia, cuando tornaron a aparecer indios desgaritados en las islas españolas y volvió a soñar con santidades la Orden jesuítica[8]. Se dio el caso que en 1725 el gobernador de las Maria-

---

[7] También se intentó llegar a las Carolinas desde las Marianas. El 31 de mayo de 1711 Juan Antonio Pimentel dio cuenta de que había enviado desde Agaña a tal efecto a Juan Antonio de León, pero que no había podido montar la isla de Guam (A.G.I., Filip. 193, 6 n.º 245).

[8] Las cartas y los autos referentes a la evangelización de Falalep se encuentran en A.G.I., Filip. 320. Conviene destacar las tres cartas escritas por Cantova en la isla, fechadas una el 25 de

nas, D. Manuel de Argüelles, se dirigía en el patache desde Filipinas a hacerse cargo de su puesto, cuando fue divisada en alta mar una «banca» derrotada de indígenas que volvían de Yap; invitóles el capitán a subir a bordo, pero sólo entraron en el patache cuatro hombres, entre ellos un linajudo mozo, Digal, quien no se sabe si a regañadientes sirvió cuatro años a Argüelles y, a la muerte del gobernador, a los padres jesuitas. Se encontraba entonces en las Marianas un maestro en Teología, el padre italiano Juan Antonio Cantova que, terminados sus deberes misionales, solía matar su nostalgia mirando con el catalejo el remoto perfil de la Carolina. Cantova tomó a su cargo la educación religiosa de Digal, catecúmeno entonces, le administró a su tiempo el bautismo y aprendió de él la lengua de las islas Ulie. Con el lento pasar del tiempo en la doctrina de Guam se hizo una nueva luz en la mente del jesuita: la evangelización ordenada por el monarca podía ser muy bien transferida a la Carolina, pues la cédula se refería a las islas situadas al Sur de las Marianas, y al Sur de las Marianas se hallaba la Carolina, siendo genérico el nombre de Palaos. La Compañía aprobó entusiásticamente la idea, y en diciembre de 1728 fue propuesta al gobernador de Filipinas por el prelado superior de los jesuitas, Pedro de la Hera. En la junta posterior, a finales de junio de 1730, defendió el proyecto el propio Cantova, a quien no arredró incurrir en ciertas contradicciones de bulto con tal de imponer su novedoso criterio. Antes se había ensalzado la mansedumbre de los palaos, y de su «docilidad» hablaba la provisión regia de 1715; ahora eran tildados de comehombres carniceros, mientras que se alababa el ingenio apacible y suave de los carolinos: el ansia misionera conseguía estas metamorfosis sorprendentes. Y no era ésta la única proposición chocante; todos estaban de acuerdo sobre la dulce condición de los carolinos, pero quizá para estimular su natural pacífico Cantova pedía, lo primero de todo,

cuatro pedreros de a dos libras de bala, con cien balas. Yten veinte escopetas con mil balas. Yten veinte garnieles y veinte frascos para pólvora. Yten doce pistolas con duzientas balas. Yten diez arrobas de pólvora de munición.

Mucho se sopesó en Manila la forma de llevar a la práctica la evangelización, si bien prevaleció a la postre la idea de enviar en el patache de

mayo y dos el 27 de mayo de 1731. La dirigida al padre Hera, junto con algunas diligencias, fue editada por F. Carrasco en *Boletín de la Real Sociedad Geográfica de Madrid*, X (1881) 263ss., con reproducción del mapa de Cantova frente a p. 320. Según F. Coello (*Boletín de la Real Sociedad Geográfica de Madrid*, XIX [1885] 234), «este nombre [Garbanzos] se debe a la circunstancia de que algunos carolinos, llegados a Guaján, marcaron con garbanzos la situación respectiva de las islas»; más pausible resulta la explicación de P. Murillo Velarde (*Geographía histórica*, Madrid, IX, 1752, p. 385): fueron llamadas así por ser «más mogotes que islas». Cf. el amplio resumen de J. Montero y Vidal, *Historia general de Filipinas desde el descubrimiento de dichas islas hasta nuestros días*, Madrid, 1887, I, p. 465ss.

las Marianas los aparejos necesarios para armar en Guam una embarcación de 22 codos y medio de quilla, limpia de codillo a codillo. El esfuerzo realizado se frustró al perderse la nave de socorro en 1729. Entonces el padre Hera propuso recurrir al pequeño barco que tenían los jesuitas en Guam, y con la aprobación del fiscal y de la junta general de Hacienda D. Fernando de Valdés Tamón despachó en 1730 al padre Cantova a las Marianas.

Sin pérdida de tiempo, el 11 de febrero de 1731 salió Cantova de las Marianas, en unión de otro padre, Víctor Walter —la Compañía trataba entonces de cambiar de imagen enviando extranjeros y no españoles a las misiones—, doce soldados y ocho grumetes. La balandra jesuítica, tomando el rumbo y derrotero seguido por Egoy en 1712, arribó el 2 de marzo a las islas llamadas antes de los Garbanzos y ahora de los Dolores, por haber sido descubiertas en viernes y el segundo día de la novena que se rezaba a bordo a la Señora Dolorosa. Su número calculó Cantova que ascendía a 36, de las que sólo ocho estaban pobladas, y fijó su posición en 9° 54' N. y a 3° al O. de las Marianas. Los religiosos saltaron a tierra en Mogmog (San Joseph), donde habitaba el «tamol» o señor; pero la falta de agua y su angostura —sólo tenía una legua de boj— los indujo a trasladarse a la

vecina isla de Falalep. Allí se encontraban en mayo con la tierra quieta y la gente pacífica, pero con las armas listas y con una buena cerca para la seguridad del real y de nuestras vidas; porque aunque todos los naturales son muy manzos, ay en estas islas unos advenedizos de la isla de Yap [a unas 50 leguas al Oes-Sudoeste, poblada por caníbales]

que solivantaban el pueblo. Así y todo, para entonces se habían bautizado 127 niños, con 592 almas empadronadas. La misión parecía que daba sus frutos. Todas las noches se rezaba el rosario y se cantaba la *Salve*, «con notable gusto de estos indios», descritos así por Cantova:

Es gente de genio alegre y holgazán. Así todo el día y la noche se les va en cantar, y parecen un coro de capuchinos que están cantando maitines. Son muy amigos de danzar, especialmente las noches de luna, pero vailan separadamente los hombres de las mugeres.

No obstante, ya se había advertido algún gesto amenazador. Un indio natural de las islas de Ulie huido de las Marianas había relatado a sus paisanos los muchos trabajos que allí les hacían sufrir los españoles, así que, vista la alteración de los ánimos, Cantova empezó a temer una revuelta. Por otra parte, faltaban los víveres y las sementeras habían sido pasto de los ratones. En estos agobios se decidió que partiera el padre Víctor para las Marianas a dar cuenta de lo sucedido y a pedir socorro en mayo de 1731, con la mala fortuna de encontrar un viento contrario, que le impidió llegar a Guam, obligándolo a arribar a Manila. Esta demora fue fatal. Valdés, habida consulta de peritos y marinos, envió a las Marianas a Walter en el primer barco, que sólo pudo ser el patache de socorro de 1732, el «San Fernando», que llevó orden de reconocer las Carolinas en el tornaviaje, dejando una embarcación por armar. Para entonces, de nuevo un martirio quizá innecesario había puesto fin a las bellas ilusiones de la Compañía, como tuvo ocasión de comprobar Walter al volver a Falalep en 1733. El erario de Manila, por otra parte, no podía afrontar por más tiempo el gasto que requería la misión, por infinitas que fuesen las almas por convertir en aquellas Nuevas Filipinas y por mucho lustre que adquiriese la monarquía del nuevo Felipe[9].

Después las Palaos, juntamente con las Carolinas, se sumergieron en el más profundo de los olvidos oficiales, hasta que en 1885 la anexión de los dos archipiélagos ordenada por Bismarck provocó en España una tan comprensible como imprevista reacción de patriotismo irracional, que desembocó en una defensa exacerbada de los últimos flecos del antaño majestuoso imperio. La pasión se desbordó. El 2 de setiembre de 1885 M. Ferreiro y C. Fernández Duro, en nombre de la Sociedad Geográfica, elevaron una instancia al presidente del gobierno, Cánovas, cogido en falta y por una vez poco avisado[10]; a su vez, Francisco Coello dio a la imprenta una tan vibrante como docta conferencia denunciando lo que calificó de intolerable agresión del canciller alemán, con alarde de erudición variada y exaltación orgullosa de «los actos de gran virilidad» del pueblo español[11]: todo ello quizá justificado y a tono con el momento, pero en balde y sin efecto, según se tuvo ocasión de comprobar en 1898. De lo caldeados que estaban los ánimos podía esperarse lo peor. Por fortuna, el arbitraje de León XIII puso fin al conflicto, firmando los protocolos en Roma el 17 de diciembre de 1885 el marqués de Molíns y Schloesser[12]. Había quedado de manifiesto el imperialismo oportunista, sí, pero también una cierta dosis de buena voluntad por parte de Bis-

[9] Ya el 15 de julio de 1731 expresó al monarca el gobernador Valdés que la empresa no se podía sustentar por faltar medios necesarios para conseguir y mantener todo. Comentando estos informes el fiscal del Consejo de Indias puso de relieve asimismo la imposibilidad económica de socorrer a las nuevas misiones con el dinero de la Caja de Filipinas, de no aumentarse el real situado; también aconsejó pedir cuentas al padre Gaspar Rodero acerca del estado y progreso de las misiones en las islas Marianas.

[10] Publicada en el *Boletín de la Real Sociedad Geográfica*, XIX (1885) 193ss. Con motivo de esta triste popularidad publicó E. Butrón y de la Serna, que había visitado la isla de Yap y las Palaos con el crucero «Velasco» en 1885, una «Memoria sobre las islas Carolinas y Palaos», *ibidem*, 23ss., 95ss. y 138ss.

[11] Editado asimismo en el *Boletín de la Real Sociedad Geográfica*, XIX (1885) 220ss. y 264ss., 273ss. con un mapa de los archipiélagos cuya soberanía se discutía.

[12] Se reprodujo el texto en el *Boletín de la Real Sociedad Geográfica*, XX (1886) 102ss.

marck, que no quiso forzar una guerra inútil, quién sabe si obligado por el ceño fruncido de Inglaterra, que antes y por el mismo procedimiento expeditivo había arrebatado a España el territorio del Norte de Borneo.

2. De nuevo las islas Rica de Oro y Rica de Plata

El ensueño austral se había desvanecido una vez más incluso antes de haber sido llevado a la práctica. Pero en el Pacífico Norte las cartas de marear seguían dibujando con terca insistencia unas islas, la Rica de Oro y la Rica de Plata, que rozaban casi las quillas de los galeones de Manila en su tornaviaje a Acapulco.

En los primeros meses de 1729 el gobernador entrante de Filipinas, Fernando Valdés Tamón, mientras esperaba en México la estación propicia para partir a desempeñar su cargo, entretenía su tiempo en muy eruditas conversaciones con el padre Oviedo, jesuita, rector del colegio de San Pedro y San Pablo de México y «muy práctico en estas islas». Y una de las cosas que le encarecía el jesuita era la oportunidad de buscar escala para el galeón de Manila, ya que

todos los que han cursado la carrera de China combienen en que, a mitad de aquel golfo, ay dos islas no descubiertas, llamada la una isla Rica de la Plata, que corresponde con poca diferencia a la propria altura que thoman los galeones en su ida a la Nueva España, y la otra nombrada de Oro, al parecer más distante y no tan a propósito como la primera: que, descubierta y poblada, podría servir de escala y alivio a nuestras naos en su larga navegazión, que a lo menos dura seis meses desde Acapulco sin asilo alguno.

A esta razón de peso, la misma que esgrimía Ríos Coronel, se añadía ahora que la fortuna, no tan ciega como parece, había deparado al gobernador la posibilidad de cumplir tal designio, toda vez que

en essa ciudad de Manila ay un vezino de crecido caudal, que a sus expensas promete la imbestigazión y descubrimiento de la referida isla con sólo algunas condiciones que pide si se consiguiese el intento.

Entusiasmado notificaba Valdés estas nuevas al gran ministro Patiño el 12 de marzo de 1729; a su vez, Patiño animaba a Valdés a fomentar la población de las Ricas en carta de 28 de junio de 1730 [13]. Sin embargo, las cosas no comenzaron a rodar tan bien una vez que llegó Valdés a Filipinas. El fiscal de Manila, en efecto, objetó el 1 de octubre de 1731, cuando el gobernador se disponía a poner en ejecución el proyecto, que la carta de Patiño no equivalía a un real decreto, por lo que convenía

---

[13] *Diligencias* adjuntas a la carta de 10 de junio de 1734 (A.G.I., Filip. 145, ff. 1-3r).

indagar la personalidad del hombre que intentaba hacer el descubrimiento a sus expensas [14]. Gracias a esta puntillosa oficiosidad el 8 de enero de 1732 se desveló el secreto: el acaudalado ciudadano que se ofrecía a costear la expedición no era otro que D. Pedro González de Rivero Quijano, el cual, el 26 de junio, trató de anular la primera objeción del fiscal argumentando que el descubrimiento de las Ricas había sido ya ordenado por Felipe III en dos cartas, una a D. Pedro de Acuña del 19 de agosto de 1606 y otra a D. Juan de Silva de 27 del setiembre de 1608 (en realidad, sólo la segunda orden era pertinente), por lo cual, si no había que esperar nueva cédula de Felipe V, estaba dispuesto a poner manos a la obra. Se produjo acto seguido otro elusivo quiebro del fiscal, que pidió el 28 de junio copia de las diligencias evacuadas al recibo de las órdenes emitidas más de un siglo antes, con el único resultado de enterarse por certificación de Miguel de Allanegui, fechada a 30 de junio, que no constaban en la secretaría a su cargo tales diligencias: hasta tal punto había caído en olvido, probablemente interesado, la expedición de Vizcaíno o tales estragos había sufrido el archivo de Manila después de tantas peripecias.

A requerimiento del fiscal, González de Rivero expuso sus condiciones: se obligaba a a costear el navío y un patache con todos sus aparejos, pertrechos, víveres, etc., así como a pagar de su bolsillo a los oficiales y a la tripulación; de lograr el descubrimiento, pedía licencia para dejar en la isla una colonia de 10 ó 12 hombres con un sacerdote; se reservaba la libre elección de oficiales, cuyo sueldo no habría de ajustarse a la práctica que se seguía en la nómina de los galeones; asimismo pedía el título de adelantado. Hasta aquí no había nada de particular; pero a continuación reclamaba González que se le dejara embarcar el número de piezas de la medida regular que permitiese su buque, sin que por dicho permiso, registro y embarque se le regulasen derechos, y que se le concediera tras el descubrimiento facultad para tomar tierra en el puerto de Acapulco o en otro cualquiera de la Nueva España, donde poder desembarcar y beneficiarse de la mercadería, todo ello también sin pagar cargos ni derechos. Estos dos fueron los puntos que infundieron justo recelo al fiscal: como González de Rivero ponía entre sus condiciones «la concesión de fardos de comercio para la Nueva España» y el comercio estaba limitado, la concesión no le parecía «arbitrable» sin permiso expreso del soberano, como hizo público el 8 de abril de 1734. Vistas las dichas razones el gobernador Valdés escribió al monarca recabando su real licencia el 10 de junio de 1734. Aunque el tema se discutió ya en sesión del 29 de octubre de 1735, el Consejo se eternizó en llegar a un acuerdo. Para empezar, un

[14] *Ibidem*, ff. 3v-5r.

despiste había hecho que el secretario de Filipinas numerase mal los folios, y al fiscal del Consejo le pareció, en un arrebato de ceguera interesada o bien por cansancio producido por exceso de trabajo, que también el sentido estaba cojo (12 de enero de 1736), así que propuso devolver todo el expediente a Filipinas, parecer que hizo suyo el Consejo reunido el 11 de mayo de 1736. Llegó, no obstante, otra copia, y cotejadas las dos y comprobada su integridad, volvió a deliberarse sobre el asunto con desesperante calma el 21 de junio de 1737, el 16 de diciembre de 1737 y el 25 de enero de 1738. En esta última fecha se tomó la siguiente resolución:

Escrívase al Señor Governador que, tomando noticias verídicas de pilotos y prácticos, informe si subsisten oy la necesidad y utilidad que se consideraron el año de 1606 para el descubrimiento de estas islas, y si se navegan los mismos rumbos que entonzes o se han tomado otros rumbos; cómo discurre se podrá providenziar esta empresa; qué coste tendrá; qué calidad y buque de embarcación se ha de aprestar; qué genero y pertrechos será combeniente conducir; qué gente será nezesaria; qué utilidad se debe esperar resulte a aquel comerzio y, casso que se haya de pensar en alguna contribuzión que facilite el intento, que proponga el modo de regularla, con lo demás que se le ofrezca para prevenir al Consejo para la más acertada resolución [15].

La real orden se expidió el 12 de marzo de 1738 y llegó a manos de Valdés el 17 de agosto de 1739. Habían pasado diez años baldíos sin que se adoptara ninguna decisión, difícil de alcanzar porque en la lontananza casi siempre parecía brillar el sentido común en la actuación de todos y cada uno de los hombres de Filipinas. Pero las islas se hallaban demasiado lejos, la centralización era excesiva, y el antaño admirable y gigantesco aparato burocrático acababa ahora por ahogar cualquier iniciativa, de suerte que, cuando se conocía la respuesta, por lo general se había cerrado un ciclo: el 7 de setiembre de 1739 había tomado posesión un nuevo gobernador, Gaspar de la Torre, que no compartía los puntos de vista de Valdés ni tenía sus mismos intereses. Se procedió —eso sí— a realizar unas diligencias exhaustivas para dar satisfacción a los deseos del monarca. Fue convocada solemne asamblea de peritos. Los pilotos, preguntados al respecto, manifestaron que en 1739 subsistía la misma necesidad de tener una escala que había en 1606. También fue de la misma opinión la ciudad y su comercio. Sin embargo, cuando Pedro González de Rivero manifestó que pedía 100 fardos y libertad de embarque de 300.000 pesos sin pagar derechos [16], el cabildo llegó al pronto convencimiento de que, por muy importante que fuera el descubrimiento, más aún lo era su

---

[15] A.G.I., Filip. 146.
[16] *Diligencias*, f. 10v ss.

propia conveniencia: no se debía encomendar tal empresa a un particular, «porque con la carga que llevare el patache del descubrimiento, se proveerá la Nueva España y abundarán los géneros», situación que abocaría en la ruina del comercio por un año, y ello sin contar que, por su parte de cargas, el fisco tendría que dejar de percibir 166.000 pesos por derechos reales amén de otros 7.500 más por el almojarifazgo de salida. A su vez, los oficiales reales estimaron que la expedición, de correr a cargo de la Hacienda regia, costaría 68.931 pesos, dos tomines y un grano: precisión ante todo. Con estos datos en la mano contestó Gaspar de la Torre el 13 de julio de 1740 que, si bien sería de gran utilidad el descubrimiento de tales islas, no existía certidumbre ni había razón perentoria que persuadiera a hacerlo. Además

la situación de estas [islas] no tiene punto fijo: unos les dan más y otros menos grados de longitud y latitud, pero hasta ahora ninguno las vio. Todos ignoran sus tamaños. No se save qué gente las havita o si están absolutamente despobladas,

razones todas ellas que lo inducían a mostrarse contrario al proyecto de Pedro González de Rivero, si bien proponía que se hiciera algún reconocimiento con un patache, bien desde las Marianas o bien desde las Filipinas.

A través de estos complicados enredos jurídicos y comerciales se adivina que, tras un profundo bache, la burguesía de las islas comenzaba a salir de la depresión económica[17]. Por esta razón volvió a sentirse en las primeras décadas del s. XVIII el mismo espíritu emprendedor que había alentado en los albores del s. XVII los viajes de descubrimiento. Está claro que este gran personaje de las islas que era D. Pedro González, marqués de Montecastro y Llanohermoso, no obraba así por noble anhelo de ganar fama de utópico altruista o de bondadoso benefactor de la navegación: el año de 1734 el general D. Mateo Zumalde le había puesto una denuncia por haber embarcado de por alto, en el galeón de 1727, mil setenta fardos. Lo que pretendía González era colar de rondón en Acapulco un navío cargado de mercancías sin pagar derechos reales: contrabando, en suma. Pero no es menos cierto que este afán de lucro podía revertir en común provecho de los filipinos si la empresa llegaba a buen fin. También parece que el marqués y el gobernador Valdés se habían hecho muy amigos, tanto que los dos, en unión de Domingo Bermúdez y el marqués de las Salinas, persiguieron en causa criminal al fiscal Cristó-

---

[17] P. Chaunu (*Les Philippines...*, p. 255ss.) fecha la segunda fase de expansión a partir del 1680, con su momento culminante en 1716-1720; seguiría después una gran recesión intercíclica desde el 1720 hasta el 1750 por lo menos.

bal Pérez de Arroyo [18], que acusaba a Valdés de haber detraído de la
Hacienda real más de dos millones y medio de pesos. Como se ve, uno
hacía la vista gorda y otros embarcaban de más: la canción era siempre la
misma y al final venía a sonar también el eterno estribillo, que arrullaba
los oídos de los marinos hablando de unas islas fabulosas cargadas de
riquezas sin cuento, que casi se veían pero que siempre se escurrían de las
manos para ocultarse cada vez más lejos. Lo más curioso del caso es que
nadie dudaba de su existencia, como se pone de manifiesto en las declaraciones de los pilotos: Jerónimo Monterio llegaba a situar la Rica de Oro
a 29° 25' y a 32° 50', a 342 y 420 leguas respectivamente del volcán de
cabo del Espíritu Santo; a su vez, Pedro de Laborda Tausias las localizaba
a 29° 25' y a 32° 50'. a 342 y 420 leguas respectivamente del volcán de
San Agustín en las Ladrones. Manuel Gálvez, que había ido cuatro veces
en el galeón, no descendía a tantas precisiones, pero las ponía entre los
30° y los 40° [19].

En coyunturas históricas paralelas vuelven a surgir inquietudes semejantes, y suele ocurrir que, de no haber cambiado grandemente las circunstancias, al final se den respuestas parecidas a los problemas de siempre. Tanto en el s. XVII como en el XVIII Manila vivía del galeón, cuya
seguridad y consiguiente derrotero se convirtió en una obsesión de los
habitantes de las islas. Como se recordará, Ríos Coronel había defendido
con todo ahinco el descubrimiento de las Ricas, pero también había indicado una nueva ruta para el tornaviaje. Pues bien, ahora que González
del Rivero ponía de nuevo sobre el tapete la exploración de las Ricas,
salió asimismo a relucir la otra cuestión: en efecto, el almirante D. Enrique Herman elevó al rey una propuesta «para fazilitar el viaje de los
galeones para Nueva España sin los conocidos riesgos del embocadero de
San Bernardino, montando por la parte del Norte los cavos del Bojeador
y Engaño», ni más ni menos como había pensado dos siglos antes Ríos

---

[18] A.G.I., Filip. 150. Otro caso muy claro de contrabando ocurrió por aquella época. El
patache «San Cristóbal», a cargo de D. Tomás de Pardiñaux, se hundió camino de Manila en los
bajos de Calantas. Se hizo el buceo correspondiente y se sacaron de un cajón, que no venía
registrado, 186 marcos y seis onzas de plata labrada. El general Antonio González Quijano,
probable pariente de nuestro D. Pedro, afirmó que eran suyos, ya que constaba su recibo en el
puerto de Acapulco. No parece que encontrara mucho crédito; Pardiñaux afirmó (f. 8r) que «en
otras ocaciones avían pasado a estas islas plata de la misma naturaleza sin registrar para tales
personas». La plata fue declarada por de comiso el 24 de mayo de 1736 y fue confirmada la
sentencia en Madrid el 23 de junio de 1739 (A.G.I., Escribanía 505-C). En cuanto a la fortuna
de D. Pedro, no parece que sea fácil hoy evaluarla, y me falta tiempo para entrar en esta
cuestión; baste decir que consta que en el galeón «Nuestra Señora de Guía» D. Pedro Domínguez González de Rivero cargó en 1737 catorce marquetas de cera, de números uno al catorce
(A.G.I., Filip. 150).
[19] A.G.I., Filip. 149 (*Diligencias*, f. 5r ss.).

Coronel. D. Enrique se mostró muy constante y tesonero en la defensa de su proyecto, que, presentado por vez primera en enero de 1730, recibió la aprobación del monarca el 26 de junio de 1734[20]; pero el gobernador Valdés suspendió por falta de pilotos prácticos —el eterno problema— la proyectada navegación[21]. Su sucesor, Gaspar de la Torre, envió una fragata al reconocimiento de los dos cabos[22], pero a su vuelta tanto el piloto Manuel Correa como su acompañado Joseph Macías García expresaron «los inconvenientes que.. hacían impracticable la salida de los galeones por este nuevo derrotero». También se manifestó en contra la junta de pilotos el 27 de junio de 1741, haciendo constar que se seguía tal rumbo cuando se traficaba con Japón, «que con esto es muy suficiente para probar que dicha nueva derrota no es nueva en su realidad»[23]. Esta opinión tajante no hizo amainar la esperanza depositada en la nueva ruta, que volvió a ser discutida en el gobierno de Arechaderra[24], del marqués de Ovando y de D. Simón de Anda, y se puso por fin en práctica en 1779[25].

3. El reconocimiento de Tahití

Bueno será ahora volver la vista al Perú para contemplar por un momento las luces y las sombras del reinado de Carlos III. No todo, en efecto, fue de color de rosa durante el apogeo de la Ilustración española. Por un lado, desde el punto de vista político, el imperio español sufrió reveses tan considerables como la ocupación de La Habana y Manila por los ingleses en el mismo año (1762), a consecuencia de la entrada de España en la guerra por virtud del pacto de familia con Luis XV, así como la pérdida momentánea de las islas Maluinas (1771). El descontento provocado por tan ruidosos e inauditos fracasos queda reflejado en unas redondillas anónimas que comentan no sin irónica desvergüenza el fracaso regio:

> Por un pacto familiar,
> La espada desembainó,

[20] A.G.I., Filip. 416.
[21] En carta al rey de 18 de junio de 1737 (A.G.I., Filip. 148).
[22] Cf. su carta del 14 de junio de 1740 (A.G.I., Filip. 149).
[23] A.G.I., Filip. 150.
[24] Arechaderra, a fin de suplir la carencia de pilotos para realizar la exploración, tuvo que nombrar capitán guardacostas a un indio paravaz cristiano, Tomé Gaspar de León (A.G.I., Filip. 457).
[25] Cf. en general sobre esta cuestión el artículo de M.ª de Lourdes Díaz Trechuelo, «Dos nuevos derroteros del galeón de Manila (1730, 1773)», Anuario de Estudios Americanos, XIII (1956) 5ss.

Y al verse así se creyó
Que iba el mundo a conquistar.
Mas ya la bolvió a embainar
Después de avernos perdido
Un exército lucido,
Una marina eminente,
Mucho caudal, mucha gente.
Y La Habana sin honor.
¿Y en cuanto tiempo, Señor?
En seis meses solamente [26].

Por otra parte, el entramado social comenzó a resquebrajarse: al creciente
descontento de los criollos, siempre con la protesta en la boca con razón
y sin ella, vino a sumarse la inquietud y definitiva rebeldía de los explota-
dos indios, que culminó en el alzamiento más importante ocurrido en
toda la época virreinal, el de Tupa Amaro (1780), que logró transmitir sus
convulsiones a Nueva Granada; a su vez, el secular conflicto entre Iglesia
y Estado en las colonias se zanjó con la expulsión de los jesuitas (1767),
quizá justificada, pero culpable de dejar un tremendo vacío de poder en
gobernaciones tan vastas como la de Paraguay o la de Santa Cruz de la
Sierra, todo ello en provecho de Brasil. Otros aspectos fueron más hala-
güeños, muy especialmente en lo que toca a expediciones científicas, que
supusieron el último destello de relativo esplendor de la colonia. Todos
estos ingredientes adoban el virreinato de Manuel de Amat (1761-1776),
hombre culto y amigo de concebir ideas grandiosas, que por su misma
ambición, no exenta de cierta grandilocuencia y megalomanía muy característica del espíritu de la época, fomentó asimismo una serie de navegaciones por la Mar del Sur. La iniciativa, en verdad, no podía ser más
oportuna: el Pacífico, desde la expedición de lord Anson tan celebrada
por Voltaire, había sido surcado una y otra vez por los grandes marinos
ingleses: John Byron (1765), Samuel Wallis (1767), Philip Carteret (1767)
y sobre todo el gran Cook (primera navegación en 1769-1770), cuyos
viajes inspiraban enorme y lógico recelo [27]. La tensión llegó a su punto
culminante cuando el 8 de abril de 1770 entró en el Callao un navío
francés con una tripulación exhausta y diezmada, que, habiendo zarpado
de la India, del puerto de Pondichèry, decía ir en búsqueda de la isla de
David, isla de la que su desdichado capitán, Juan Surbill (Surville) [28],

---

[26] BN Madrid, ms. 3967, f. 485r, después de varias obras del padre capuchino Francisco Ajofrín.

[27] La preocupación se refleja en los escritos de Amat (V. Rodríguez Casado y F. Pérez
Embid, *Manuel de Amat y Junient, Virrey del Perú. 1761-1776. Memoria de gobierno*, Sevilla,
1947, p. 211ss.).

[28] Sobre el viaje de Surville cf. Corney, p. LIIss., C. Jack-Hinton (*The Search of the Islands of
Solomon*, p. 261ss.)

había escrito verdaderas maravillas[29]. Como informaba en carta al ministro Julián de Arriaga el 10 de octubre de 1770 el propio Amat,

es el caso que entre los asumtos examinados por entonces con ocasión del repentino arribo del navío franzés venido de la Yndia fue uno, y aun el que se presentaba como principal objeto de aquel desesperado viaje, el descubrimiento de las tierras que llaman de David, situadas entre los 27 y los 28 grados de latitud meridional, que se suponían halladas por un navío inglés, según lo divulgó su equipaje en el cabo de Buena Esperanza, y que a su emulación fraguó aquella derrota la compañía de Pondicheri[30].

Henos aquí, pues, con unas islas que, si no son de Salomón, se disfrazan con el nombre más llamativo todavía de David. El virrey sopesó una y otra vez la noticia, que, por más que tuviera todos los visos de ser una burda superchería, no dejaba de ofrecer seductoras perspectivas al tiempo que abría un abanico de inquietantes posibilidades, pues al aliciente siempre risueño de los tesoros se contraponían los insistentes rumores de que los ingleses habían poblado colonias en el Pacífico. ¿No podría ser una de ellas esta isla de David, «estampada en todas las cartas posteriores al año de 680»? Para salir definitivamente de dudas sobre la «existencia de tan perjudicial padrastro», Amat envió al capitán de fragata Felipe González de Haedo al mando de un navío de guerra, el «San Lorenzo», y de la fragata «Santa Rosalía», a descubrir la enigmática isla (10 de octubre de 1770), que, hallada por fin el 15 de noviembre a 27° 15' de latitud y 264° 36' de longitud, fue bautizada sin pérdida de tiempo con el nombre de San Carlos, en honor del monarca reinante[31]. El 10 de abril de 1771 volvía a escribir Amat a Arriaga en el atildado y exótico estilo de la época[32]:

[29] Así dice el propio Amat en carta del 5 de febrero de 1771 (n.º 396); cf. Corney, pp. LXXII-LXXVIII y 327. Todas las citas documentales que hago a continuación proceden, de no advertir otra cosa, de A.G.I., Lima 1035. Las referencias a Corney provienen de su libro fundamental *The Voyage of Captain Don Felipe González in the Ship of the Line San Lorenzo, With the Fragate Santa Rosalía in Company, to Easter Island in 1770-71,* Cambridge, 1908 (Hakluyt Society, 2d. Series, 13). Es asimismo indispensable la consulta de su otra obra monumental, *The Quest and Occupation of Tahiti by Emissaries of Spain During the Years 1772-1776,* Londres, 1913-1918, en tres espléndidos volúmenes publicados también por la Hakluyt Society.

[30] *Ibidem,* n.º 363.

[31] El 28 de marzo de 1771, al darle cuenta Felipe González de su viaje a Amat, le confesaba «quedar bien cierto y asegurado que no hay en todo lo nabegado ni en sus immediaciones más tierra que la anteriormente descubierta, nombrada por las cartas de David y haora de San Carlos». De este viaje de González tuvo noticia Bougainville al redactar su *Diario* (*Viaje alrededor del mundo,* Buenos Aires, 1943, p. 143, n. 2). Ahora disponemos de la muy pormenorizada monografía de F. Mellén Blanco, *Manuscritos y, documentos españoles para la historia de la isla de Pascua. La expedición del capitán D. Felipe González de Haedo a la isla de David,* Madrid, 1986.

[32] Cf. Corney, pp. 62-63.

De esta diligencia también resulta convencida de cierta la sospecha que siempre tube de·haber sido fraguada la historieta que se pretextó como objeto de la arribada y viaje del navío franzés nombrado «S. Juan Baptista» desde el puerto de Pondicheri, como ya lo apunté en carta de 20 de abril de 1770 [n.º 305 [33]; ésta es la n.º 404] y lo repito en la subsecuente, mirando esta indagación como uno de los objetos parciales que me indujeron a instruirles la derrota a las dos embarcaciones de guerra... Y sobre el supuesto de no hallarse otra isla ni tierra firme en aquella vecindad, se comprehende que para colorir la falta de expresión de los A. A. ingleses, nombre de navío y otras circunstancias que devían apoyar la primer noticia del descubrimiento y opulencia que se le atribuye, se añadieron aquellos otros segundos viages, tornos y retornos de Nueba Guinea, Japón, Batavia y demás puertos que se mencionan, con el fin conocido de alucinar con el bulto de riesgos, intereses de cargazón, compañías y demás particiones que se mencionan en la citada instrucción dada por el Gobernador de Pondicheri al mencionado navío.

En todo este notable asunto se ha de advertir, como primera providencia, que la isla de David no existió sino gracias a una curiosa deformación lingüística: en realidad se trata de la isla avistada por Davis en 1687 a 27° 20' S [34]. Pero como en el Pacífico no hay lugar sino para sonoros nombres bíblicos, este Davis, pronunciado a la francesa, vino a transformarse en el rey mesiánico, y ello no sólo en las relaciones españolas, sino aun en las francesas y alemanas. El propio González de Haedo había oído decir que este descubrimiento, realizado «el año 1680 en adelante», se debía a un capitán inglés [35]. También es cierto que Davis creyó ver al O. de la isla un largo trecho de tierra coronada de muy altas sierras: la tierra firme que buscaba Surville y antes que él Roggeveen. Lo más interesante, sin embargo, no estriba en esta divertida confusión onomástica, sino en el halo misterioso que rodea la isla, que goza fama de una opulencia que para un hombre ilustrado como el virrey tenía «vizos de historieta». Resulta de todo lo expuesto que Surville, como Fuentes, Quirós y tantos otros, buscaba por el Océano en la latitud de las minas de plata de Copiapó islas y tierras riquísimas, búsqueda que ayuda a comprender la

---

[33] Reproduce la carta n.º 305 Corney, p. LVIIIss. (cf. Mellén, o.c., p. 237).
[34] Se discute sobre cuál fue la isla vista por Davis. A. Sharp (*The Discovery of the Pacific Islands*, Oxford, 1962, pp. 89-90) se inclina por Sala y Gómez; C. Jack-Hinton (*The Search of the Islands of Solomon*, p. 426) por San Ambrosio y San Félix.
[35] En realidad, ya las instrucciones dadas a Felipe González el 5 de octubre de 1770 indican que «el nombre de David... era el del capitán Ynglés que se dize haverla descubierto en uno de los viages que repitió a los mares australes desde el año de 1680 en adelante», achacando la causa de no haberla encontrado hasta entonces a la discrepancia de latitud en los planos. Amat demuestra además conocer la *Historia de las navegaciones australes* de Ch. de Brosses impresa en París en 1756 y la traducción del viaje de Byron hecha por D. Casimiro Ortega. Estaba, pues, al día, en bibliografía española y francesa; pero quienes dominaban entonces el mar eran los ingleses. Es de notar que Jorge Juan, en informe de 16 de abril de 1771 a Arriaga, dice correctamente Davis.

metamorfosis espectacular de Davis en David. González de Haedo, en vez de llevar a cabo una investigación a fondo, se limitó a comprobar pragmáticamente que, en un radio de 80 millas alrededor de su nueva isla de San Carlos (en realidad la isla de Pascua, como advirtió el propio Amat)[36], no había tierra firme alguna; pero este seco informe no bastaba a acallar los rumores ni a despejar la impaciencia, así como no acababa de entrar en la cabeza de Amat que la expedición de Cook se hubiese detenido en Tahití, que se creía pertenecer a las tierras australes descubiertas por Quirós, tan sólo para hacer observaciones astronómicas sobre el tránsito de Venus por el disco solar; y a fe que no le faltaba cierta razón.

Estos razonables motivos y el firme interés de Carlos III por el asunto hicieron que Amat despachara el 26 de septiembre de 1772 la «María Magdalena» (alias «Aguila»), bajo el mando del capitán de fragata Domingo de Boenechea con un doble objetivo: volver a explorar con más diligencia la isla de San Carlos, fundando allí un establecimiento, y llegar también a la isla del rey Jorge o San Jorge, llamada por los naturales Otajeti (escrito también Otaeyte), para ver si se había asentado en ella alguna colonia extranjera[37]. Boenechea llegó a Tahití el 8 de noviembre de 1772, y en la isla, que tenía entonces según sus cálculos unos 10.000 habitantes, divididos en cuatro «castas» con clara organización matriarcal, encontró indicios y señales concluyentes del paso de los ingleses. Una avería en la fragata, que lo forzó a volver a Chile, le impidió cumplir el resto de su misión. El 20 de setiembre de 1774 tornó a partir Boenechea con la «Santa María Magdalena» y el paquebote «Júpiter» rumbo a Tahití, llevando consigo a dos religiosos franciscanos[38], un intérprete y dos naturales de las islas, con el fin de establecer allí, y no ya en San Carlos, una misión que, de paso, podría impedir un posible asentamiento inglés: no cabe olvidar que en 1773 Cook había pisado por segunda vez tierra tahitiana. Este plan evangélico y político no llegó a prosperar[39]. Los nervios traicionaron a los franciscos, acostumbrados al ritmo de las misiones tradicionales —inextricable mezcla de predicación y conquista— y

[36] En carta de 31 de mayo de 1772 (n.º 607); cf. Corney, p. 80.

[37] Sobre estos viajes disponemos de otras fuentes: merece atención el libro de J. de Andía y Varela, el capitán del paquebote «Júpiter», *Relación del viaje hecho a la isla de Amat, por otro nombre Otahiti, y descubrimiento de otras adyacentes en los años 1774 y 1775*, publicado por Joaquín de Sarriera en Barcelona, 1947; al segundo viaje está dedicado el *Estracto del Diario del viaje que acaba de hacer Juan Pantoja y Arriaga en la fragata de Su Magestad nombrada Santa María Magdalena, alias el Aguila* (BU Sevilla, ms. 330/107).

[38] La instrucción a los frailes se dio el 22 de setiembre de 1772. Es de notar que también se procuró que los marinos recogiesen un vocabulario mínimo tahitiano, quizá basado en el cuestionario enviado por la emperatriz Catalina de Rusia según las directrices de P. S. Pallas.

[39] Al morir en Tahití el 26 de enero de 1775 Boenechea, asumió el mando el teniente de fragata Tomás Gayangos.

crispados entonces en la inmensa soledad del Océano; en un tercer viaje de la fragata[40], comenzado el 27 de setiembre de 1775, Juan de Lángara tuvo que recoger a los frailes, «aterrados de uno que otro incidente de poca consideración», siempre a juicio del mordaz y escéptico Amat, que desahogó así su malhumor en una carta del 26 de febrero de 1776. Tan triste y deslucido colofón tuvo la exploración española y la evangelización franciscana en el Pacífico austral. En 1777, cuando Cook holló por tercera vez el suelo de Tahití, mandó quitar de la cruz erigida por Lángara la inscripción española[41], que había bautizado la isla con el nombre de Amat, y la hizo sustituir por otra que recordaba que la isla había sido descubierta por Wallis en 1767. La indignación con que fue acogida esta justa reivindicación en Lima y en Madrid no sirvió de nada, pues, como reconocía el nuevo virrey Teodoro de Croix (5 de julio de 1786), el erario, exhausto, no podía permitirse ya el lujo de enviar nuevas expediciones colonizadoras.

De esta suerte, la exploración española en el Pacífico Sur desde Lima acaba como había comenzado: con la búsqueda de las islas misteriosas de Salomón o, con el paso del tiempo, de un David apócrifo. Y la misma idea que había impulsado a Mendaña o a Quirós rebrota ahora en tiempo de Amat, que en carta del 31 de marzo de 1773 a Arriaga (nº 762) le exponía que el descubrimiento de Boenechea en 1772 era

el más eficaz comprobante de mi firme convicción de ser esta parte del globo compuesta de inmensidad de tierras, de que son un pequeño principio las descubiertas, y que ninguna de estas islas es la famosa del Taití, ponderada de Mr. de Bouganville en su viage executado alrededor del mundo en los años de 1766-67-68-69, impreso en el próximo pasado de 71, aunque la contemplo a muy corta distancia[42].

He aquí un párrafo que podían haber suscrito los primeros navegantes del Pacífico. Corrían, no obstante, otros vientos y nuevas modas. El 24 de febrero de 1786 fondeó en el puerto de la Concepción el navío del desventurado La Pérouse, que por cierto había de morir, como Mendaña, en Santa Cruz. Es muy notable observar cómo el virrey Teodoro de Croix, haciendo recaer ya sobre los franceses la entera responsabilidad de los futuros descubrimientos en el Pacífico, describe el ánimo y la disposi-

[40] Fue su comandante Juan y no Cayetano de Lángara, como por despiste dice el propio Amat en su *Memoria* (p. 335) y el propio Corney, *The Quest,* I, p. XXXss. Así lo atestiguan los despachos de Amat: n.º 1161, del 8 de octubre de 1775 (Corney, *The Quest,* II, p. 356), y n.º 1189, del 25 de febrero de 1776 (Corney, *The Quest,* II, p. 362).

[41] En la cruz estaba esculpida la inscripción *Christus uincit, Carlus III imperat* (Corney, *The Quest,* II, p. 98), en recuerdo de la famosa antífona medieval *Christus uincit, Christus regnat, Christus imperat.*

[42] *Ibidem,* n.º 762 (Corney, *The Quest,* I, p. 12, 261).

ción de los tripulantes galos, muy agasajados en su virreinato; a su juicio, «todos los que navegan en la presente expedición no respiran más que el entusiasmo de descubrimientos, progreso de la navegación, de la Geografía, de la investigación de los mares, sus islas, y configuración más exacta del Globo con cuanto contiene útil para los habitantes del mundo. Esta es la filosofía al parecer de estos preciosos hombres; mas no es regular que se descuiden al propio tiempo en la buena política de echar el visual acia los parages más proporcionados para establecimientos»[43]. Unas nuevas creencias y una terminología inusitada hacen su triunfante aparición en este párrafo: la Religión y la Fe son sustituidas por el Progreso, en cuyo altar se ofrendan ahora nuevos sacrificios y se inmolan gustosas nuevas víctimas.

Mientras tanto, y no por una curiosa coincidencia, los grandes viajes de Cook —en especial el segundo— ponían punto final al prolongado ensueño de la existencia de un continente austral, tan ávidamente buscado como fogosamente discutido en los mentideros náuticos y academias científicas desde el s. XVI en adelante. Así se desvanecía también otra quimera, en la que se mezclaron de manera inextricable el más prosaico interés y el ardor religioso más acendrado: la posesión de las islas del rey Salomón, que habían de iniciar con su oro mágico el período definitivo de la Historia universal. Por la consecución de esta idea —y, con el tiempo, de otras afines y derivadas— habían rivalizado durante siglos los más intrépidos navegantes del mundo.

4. *Un palo de ciego afortunado: Mourelle en el archipiélago de Mayorga*

Si el virreinato de Lima parecía haber cejado en todo empeño descubridor, no podía decirse lo mismo de los habitantes de esa punta de lanza española en Oriente que era Filipinas, si se repara en que en fecha tan tardía como 1781 todavía el alférez de navío Francisco Antonio Mourelle llegó a las cercanías del archipiélago de Salomón en el desatinado viaje de la fragata «Princesa»[44]. La causa última de tal navegación se sume en densas tinieblas; fue una orden en apariencia descabellada del gobernador de Filipinas D. José Basco y Vargas la que hizo zarpar a Mourelle, en pleno diciembre, de la isla de Luzón para dirigirse al puerto de San Blas o de Acapulco portador de un mensaje secreto para el virrey de Nueva España. No me siento con fuerzas para depurar las responsabilidades del gobernador Basco, que obligó al marino a tomar, para ir en busca de los

---

[43] Carta de 12 de mayo de 1786.
[44] Editó los *Diarios* de Mourelle con una introducción biográfica. A. Landín Carrasco, *Mourelle de la Rúa, explorador del Pacífico*, Madrid, 1978.

vientos, un rumbo más al Sur de la derrota normal del galeón de Manila. Pero tampoco acierto a explicarme la tozudez con que el alférez de navío siguió el rumbo meridional hasta pasar el trópico de Capricornio, en vez de enderezarlo al Norte cuanto antes, si no es porque pretendía arrancar al Pacífico los secretos tan celosamente guardados durante siglos. La interminable navegación de diez meses, que arrojó como único saldo positivo el descubrimiento de las islas de D. Martín Mayorga (Vavao), en el archipiélago de Tonga, estuvo erizada de dificultades y llena de miserias. A la falta de víveres se sumaron otras carencias no menos sensibles, pues Mourelle no disponía de las cartas más recientes del Pacífico, a excepción de la francesa de Bellin, muy manoseada ya por el uso, dado que era la misma de que se había servido como guía en la exploración de California en 1775; así, y a pesar del concurso del piloto José Vázquez, que conocía ya de vista las costas de Nueva Guinea, parece claro que en buena parte del viaje el marino navegó a la ventura, en «un repetido descubrimiento», como dice él mismo, émulo quizá no involuntario de Dampier, Bougainville y Cook. La noche del 22 de enero de 1781, a 6° 17' S., el bramar del oleaje y el blanquizal de la espuma le hicieron precaverse del peligro que suponían los bajos del Peregrino Roncador, los arrecifes que Mendaña había llamado de la Candelaria. A mediados de febrero la escasez de agua lo impulsó a poner proa a «la tierra de Salomón», sin saber que la había dejado ya atrás; el 20 del mismo mes, no obstante, los vientos del Este le hicieron perder la esperanza de tocar en «Santa Cruz o Guadalcanar», pues una y otra isla le sonaban igual a este marino errabundo. Así es como se decidió a bajar hasta el archipiélago de Tonga, donde tuvo ocasión de probar la amable hospitalidad de los polinesios, raza que le produjo gratísima y perdurable impresión. Bien provisto de refresco Mourelle todavía mantuvo el rumbo hacia el Sur, llegando a más de 25° de latitud; el 3 de abril escribió en su diario que su propósito hubiese sido continuar la navegación hacia el Este. Como se ve, queda muy lejos de esta ruta la Nueva España, a cuyo virrey había que entregar unos pliegos tan secretos como urgentes; evidentemente el áspero marino no era hombre tan insensato ni soldado tan indisciplinado como para desobedecer una orden con el único fin de darse un paseo inacabable en el Pacífico, luego hay que concluir que entre los objetivos de su misión figuraba esta exploración austral, a la que puso término inesperado e estrago causado en la galleta de la nave por una plaga de cucarachas. Así volviendo a derrotas más conocidas, el 31 de mayo la «Preciosa» anció en Guam y el 27 de setiembre en San Blas. Todavía Mourelle hizo otro viajes por el Pacífico, y más tarde alardeó mucho de haber sido el prime oficial español que fondeó con el navío «San Felipe» en el puerto de Cantón, favoreciendo las actividades de la Real Compañía de Filipinas mas en todos ellos se atiende a otros intereses que no son los puramente descubridores. El insensato periplo de 1781 recuerda en cierto modo la alocada navegación de Surville; sólo es lástima que Mourelle no nos revelara su verdadero destino en aquella memorable ocasión.

5. *La expedición de Alejandro Malaspina (1789-1794)*

España se incorporó con notable retraso a la tarea de exploración científica del Pacífico, tan brillantemente iniciada por Inglaterra y Francia. El Océano había sido suyo durante más de un siglo; a otros habría de incumbir su estudio. No fue pequeño el chasco que se llevó lord Anson [45] cuando, al apresar en 1743 el galeón de Manila con esa suerte que se mostró tan propicia a los ingleses como esquiva a los holandeses, se percató con desilusión enorme de que la nao, repleta de riquezas, no llevaba el tesoro más preciado del mundo: una colección de cartas hidrográficas del Pacífico. Los españoles de entonces no disponían de nuevos rumbos que revelar ni de islas desconocidas donde hacer escala; hacía mucho tiempo que la rutina más asfixiante presidía el curso de la navegación intercontinental.

En 1789 salió de Cádiz la primera y única expedición científica digna de este nombre. La dirigió Alejandro Malaspina [46], a quien aureolaba el merecido prestigio de haber realizado la circunnavegación del mundo en la fragata «Astrea» (1786-1788), con vistas a determinar las futuras vías del tráfico marítimo de la Compañía de Filipinas; y se componía de dos corbetas, la «Descubierta» y la «Atrevida» [47], que emplearon cinco años y dos meses en recorrer las costas españolas del Pacífico, desde Chile a

---

[45] Celebró mucho el viaje de Anson Voltaire, *Précis du siècle de Louis XV, Oeuvres complètes*, XXII, s. l., 1785, cap. XXVII, p. 232ss.

[46] Después de P. Novo y Colson (Madrid, 1885), Mercedes Palau, Aránzazu Zabala y Blanca Sáez han dado a la luz el *Viaje científico y político a la América Meridional, a las Costas del Mar Pacífico y a las Islas Marianas y Filipinas, verificado en los años de 1789, 90, 91, 92, 93 y 94 a bordo de las corbetas Descubierta y Atrevida de la Marina Real, mandadas por los capitanes de navío D. Alejandro Malaspina y D. José Bustamante. Diario de viaje de Alejandro Malaspina*, Madrid, 1984. A esta última publicación van referidas todas las citas en el texto, añadiendo las fuentes. Parte de la inmensa producción gráfica de la expedición ha sido expuesta en las muestras conmemorativas de nuestro siglo (cf. por ejemplo M. Palau, *Catálogo de los dibujos, aguadas y acuarelas de la Expedición Malaspina*, Madrid, 1980, y el volumen dirigido por ella *La spedizione Malaspina in America e Oceania 1789-1794*, Génova, 1987). La bibliografía italiana queda bien recogida en el volumen colectivo (Astengo, Ballo, etc.) dedicado a *Alessandro Malaspina nella geografia del suo tempo*, Genova, Civico Istituto Colombiano, 1987, sobre todo p. 77ss. Inaugura una importante serie R. Cerezo Martínez, *La expedición Malaspina. 1789-1794. I. Circunstancia histórica del viaje*, Madrid, 1987. En el aspecto artístico, el más estudiado, cf. J. Torre Revello, *Los artistas pintores de la expedición Malaspina*, Buenos Aires, 1944 y sobre todo C. Sotos Serrano, *Los pintores de la expedición de Alejandro Malaspina*, Madrid, 1982, 2 vols. con inventario y reproducción de los dibujos.

[47] Señala con razón D. Manfredi (*Alessandro Malaspina nella Geografia del suo tempo*, Geno-

Nutka, desde Acapulco a Cavite, desde Cavite de nuevo al Callao, no sólo
por obvias razones de prestigio al competir con otras naciones, sino también con el propósito de levantar cartas hidrográficas y trazar derroteros
para el fomento del tráfico mercantil en los dominios de la Corona. Por
primera vez embarcaban en naves de la Marina de guerra astrónomos,
cartógrafos, botánicos y dibujantes con objeto de llegar al mejor conocimiento de un imperio tan dilatado como ignorado e inconexo; algunos de
ellos, no obstante, proclamaban con su extranjería lamentables lagunas de
la ciencia española: Malaspina provenía de Italia, así como los pintores
Ravenet y Brambilla, y de los dos botánicos el uno, Luis Neé, era francés,
el otro, Teodoro Haenke, alemán; a pesar de los esfuerzos beneméritos
de D. Casimiro Ortega y de su escuela no eran todos españoles, ni mucho
menos, quienes herborizaban en las colonias: el discípulo de Linneo Pedro Loeffling había sentado la pauta al participar como botánico en la
demarcación de fronteras hecha por Iturriaga en el Orinoco.

Al decir de un juez tan competente como Don Antonio Alcalá Galiano [48], era Malaspina «entendido en su profesión y de instrucción varia,
hombre muy de mundo y cortesano travieso además». A su espíritu ilustrado, barnizado de «filosofía» al estilo de la época, no se le escapaban ni
las limitaciones ni las posibilidades de su misión. Muy consciente de que,
yendo en pos de tantos ilustres navegantes, de un Bougainville, de un La
Pérouse y sobre todo de un Cook, sería vana presunción e infundado
empeño tratar de encontrar alguna novedad en aguas muy trilladas, cuando la tierra habitable apenas si albergaba ya secretos geográficos, el propio marino afirma más de una vez que el fin de su viaje no era el descubrimiento, sino «el conocimiento cabal de unas posesiones inmensas» [49],
único modo de llegar a una dependencia mutua entre la metrópolis y las
colonias, unidas para siempre por «la común utilidad», madre verdadera
del patriotismo bien entendido. La consecución del bien común obsesio-
na a Malaspina, que alberga más que justificados recelos no sólo contra el
deseo de conquista, sino incluso contra el hecho mismo de descubrir,
paso previo a la dominación por la fuerza. La idea de tomar posesión de
unas islas tras trocar algunas fruslerías con los naturales le produce no
disimulada repugnancia, que le hace calificar esta nueva cara del imperialismo de «triste ambición solapada con el semblante apacible de las ciencias y de la filosofía» [50].

---

va, 1987, p. 117 n. 20) que los nombres recuerdan en evidente emulación los de la «Discovery»
y la «Resolution» de Cook.

[48] Memorias, I 1 (BAE 83, p. 260 b). Es probable que en esta apreciación se refleje el juicio
del padre, el gran marino D. Dionisio Alcalá Galiano.

[49] Diario, ed. cit., p. 29, 41, 386, 401.

[50] Diario, p. 429.

La exploración de Malaspina asestó al menos el golpe de gracia a un mito que acababa de resucitar en la Academia de Ciencias de París una memoria cabalmente presentada en 1790 por el geógrafo mayor del rey de Francia, Felipe de Buache, propugnando la existencia del estrecho de Anián por el que habría navegado en 1588 nuestro viejo conocido, el capitán Lorenzo Ferrer Maldonado. Malaspina recibió al respecto instrucciones muy precisas del monarca de España: sólo debía acometer la empresa si así lo aconsejaban las circunstancias, y en caso de ser cierta la noticia, estaba obligado a guardar el silencio más absoluto para salvaguardar de previsibles incursiones enemigas la California y todo el litoral restante del Pacífico. En junio y julio de 1791 las dos corbetas reconocieron la costa del Noroeste; un abra les infundió cierta esperanza de poder encontrar el paso, pero su exploración circunstanciada los convenció de lo contrario: el puerto, en consecuencia, fue llamado del Desengaño[51]. El 13 de agosto la «Descubierta» y la «Atrevida» fondearon en Nutka. La superchería por fin quedaba al desnudo; nada menos que una docena de fundadas objeciones hizo Malaspina al relato de Ferrer Maldonado, poniendo de relieve manifiestas contradicciones del falsario y quejándose, de paso, de que la moderna Geografía, en vez de ser el resultado de un viaje científico, se hubiese convertido en producto de elucubración erudita, realizada en cómodos gabinetes muy alejados de la realidad descrita[52]. Así y todo, para despejar cualquier duda sobre la existencia del estrecho de Juan de Fuca, las goletas «Sotil» y «Mexicana», al mando de Dionisio Alcalá Galiano y de Ciriaco Ceballos, llevaron a cabo un nuevo reconocimiento, también con resultados negativos, un año después, en 1792.

Otro mito brilla por su ausencia en el *Diario:* los tesoros de la isla de Salomón. El 20 de diciembre de 1791 Malaspina partió de Acapulco para las Filipinas, donde tuvo la mala fortuna de perder en Badoc al zoólogo y litólogo Antonio Pineda, víctima de la fiebre; un epitafio latino, compuesto por Haenke, conmemoró en Manila sus virtudes ensalzadas en cálido ditirambo. Tras costear Nueva Zelanda, en marzo de 1793 las dos naves fondearon en Sydney, confraternizando con los ingleses de la colonia, y después pusieron proa a las islas de Mayorga, el último descubrimiento español en el Pacífico, con objeto de afianzar los títulos de derecho de España sobre su suelo llevando a cabo un estudio científico de las mismas. Se trataba, según concluyó Malaspina, del archipiélago de Vavao, del que Cook sólo había tenido noticia indirecta a través de las referencias de los indígenas; por tanto, era «de los pocos reconocimientos útiles

[51] *Diario,* p. 254.
[52] *Diario,* p. 298ss.

que aún quedaban por hacer en el mar Pacífico» [53]. Muy curiosas son las descripciones que de la isla y de sus habitantes nos dejó Malaspina, prendado de unas mujeres que, en su púdica y natural lascivia, le parecían nuevas sacerdotisas del templo de Cnido o de Amatunte [54] y que le traían a la memoria dulces versos de la *Aminta* del Tasso referentes a la «bella Età de l'Oro» [55]; mientras, el pintor Ravenet no daba descanso a sus pinceles inmortalizando tipos y costumbres, como si en vez de posar en bucólico disfraz se desnudara ante el caballete la nobleza retratada por Watteau. Dos semanas duró la estancia en Vavao, toda vez que el 5 de junio de 1793 las corbetas se hicieron a la vela hacia el Callao, puerto en el que fondearon el 31 de junio. De allí se decidió regresar a España después de reconocer el cabo de Hornos; por una vez Malaspina pudo aventajar a su inmortal predecesor inglés, avistando el 24 de diciembre la isla, o mejor dicho, el archipiélago de Diego Ramírez de Arellano, «única pesquisa útil en esos mares que había dejado el capitán Cook a quienes le siguiesen» [56]. En el camino de vuelta, tal y como aconsejaba la razón de estado, no dejaron de recalar en las Maluinas, plagadas a la sazón de barcos pesqueros americanos, para estudiar bien sus puertos y accidentes geográficos, muchos de ellos ya de nombre anglosajón (puerto Egmont, cabo Percival, punta Bluff). Después les dio acogida Montevideo y por último, principio y fin, Cádiz. Como se ve, en todo el largo recorrido por el Pacífico fue entregada al olvido más absoluto la tierra de Tarsis y Ofir, a la que ni siquiera se dedicó un mínimo y elemental recuerdo.

Realizada veinte años antes, la navegación de Malaspina hubiese constituido una verdadera proeza; entonces venía a ser una imitación de los viajes de Cook, no por bien ejecutada menos pobre en resultados descubridores: no deja de ser una ironía que se considerase objetivo prioritario el reconocimiento de la isla de Diego Ramírez y antes el de Vavao, islas las dos ya descubiertas por españoles. Es innegable la enorme repercusión científica del viaje en las colonias, donde se quedaron a vivir hombres de la categoría de Haenke, y aun en la Península. Sin embargo, el auténtico fruto de la expedición, el político, no llegó a granar jamás, torpedeado por las intrigas cortesanas, la enemiga de Godoy y la impru-

[53] *Diario*, p. 429.
[54] *Diario*, p. 457.
[55] *Diario*, p. 445 (= 703-704), p. 449 (= 680-91). Realmente se trata de un lugar común, que en cierto modo puso de moda L. A. de Bougainville (*Viaje alrededor del mundo*, Buenos Aires, 1954, p.153) al ponderar las «ninfas» que vivían en aquella «Edad de Oro», en descripción que recuerda mucho el tono ditirámbico de Pedro Mártir, entusiasmado con sus buenos salvajes de la Española. La admiración subsiste un siglo después: F. H. H. Guillemard (*Australasia. II. Malaysia and the Pacific Archipelagoes*, Londres, 1894, p. 49ss. y sobre todo pp. 451-52) hablando de Tahití afirma: «This terrestrial Eden is peopled by one of the finest races in the world» (*ibidem*, p. 513).

dencia del italiano[57]. De haber triunfado las tesis de Aranda y de Malaspina es probable que no hubiese estallado la guerra de la Independencia, y en un clima menos crispado quizá se hubiese podido evitar la por esperada no menos indeseable división de unas colonias tan inmensas como insolidarias entre sí. La historia, no obstante, prefirió tomar otros rumbos y todo se perdió en el vendaval napoleónico.

Al menos una cosa nos enseña el curso ulterior de los acontecimientos. En San Blas debería de haber sido Mourelle quien tomara a su cargo la exploración del estrecho de Fuca con la goleta «Mexicana»; no fue así, sin embargo: entre otras razones alegó Malaspina que el estado de salud del marino no hacía recomendable su partida en solitario y una excusa tan evidente como política ha sido aceptada hace poco hasta por Landín Carrasco. Los solapados roces entre Malaspina y Mourelle se explican por la actuación del último en 1720, poco después del levantamiento de Riego. Mientras la oficialidad de Marina de Cádiz se mostraba reacia a precipitar por sus actos hostiles una guerra civil, el brigadier Mourelle era el único que no dudaba en cañonear desde sus lanchas a los barcos que proveían a los insurgentes acuartelados en San Fernando, forzando los rigores del bloqueo[58]. En la rígida mente de Mourelle no cabía sino una concepción absolutista del poder, mientras que Malaspina propendía más bien a aceptar ideas liberales. De este contraste de carácter nació sin duda una abierta discrepancia que fue la que indujo a Malaspina a relevar del mando a Mourelle, y ello a pesar de sus conocimientos y de su experiencia.

---

[56] *Diario*, p. 497.

[57] Según A. Alcalá Galiano (*Memorias*, I 2 [*BAE* 83, p. 268-69]), Malaspina trató de conspirar contra Godoy. El fracaso de la conjura estuvo a pique de arruinar la carrera de todos los colaboradores en la expedición.

[58] *Memorias*, II 2 (*BAE* 84, p. 47 b).

XII. EPILOGO

Con este segundo volumen se cierra también el ciclo de los descubrimientos que desde 1492 realizaron por mar los españoles. Es el momento, en consecuencia, de pasar revista somera, sin aspavientos ni alharacas, a las andanzas y vicisitudes de su hilo conductor, el mito, *primum mobile* de la acción de tantos y tan destacadísimos protagonistas. No hay que dejar escapar esta ocasión que se nos brinda de volver sobre algunas cosas dichas en lugares diferentes, recordando unas y perfilando y desarrollando otras con mayor nitidez y precisión.

Procede ante todo dejar reiterada constancia de que los mitos tanto del Atlántico como del Pacífico entroncan sin la menor solución de continuidad con las creencias de la Antigüedad tardía que, muy vivas a lo largo de toda la Edad Media, prolongan su ya un tanto achacosa existencia hasta principios del s. XVIII. Desde tiempo inmemorial los griegos habían situado en el Océano unas islas que venían a ser cifra de todas las aspiraciones humanas, la mayoría al Poniente, pero otras también en el mar de la India, como la Panquea de Evémero: en las aguas índicas, allí donde ya no se veían las Guardas ni otras estrellas de nuestro firmamento, se encontraba también el archipiélago descrito por Iambulo; el ecuador cortaba una isla enorme de 5.000 estadios de perímetro donde reinaba maravillosa templanza y cuyos naturales, de más de cuatro codos de altura y dotados de dos lenguas con las que imitaban los idiomas de todos los hombres y de los pájaros, vivían sanos y robustos hasta los 150 años, sometidos a una curiosa constitución natural en la que, además de ser preceptiva la comunidad de mujeres y de hijos, estaba regulado por ley el tiempo de vida, las profesiones y hasta el tipo de manjares[1]. Las mismas

[1] Da un extracto de esta relación fantástica Diodoro Sículo, *Biblioteca*, II 55-60. Señala con

características ideales se repiten en las islas fantásticas del Atlántico: unos marinos cartagineses que navegaban más allá de Gades, arrastrados por un temporal, llegaron a una gran isla de tan ubérrimo suelo y tan placentero clima que les pareció ser «morada de unos dioses y no de hombres»[2]. En el s. I a.C. corrían insistentes noticias en Hispania acerca de dos islas, llamadas de los Bienaventurados, de suavísimo clima y de verdor deslumbrante que estaban situadas al Poniente, con cuyo embrujo se dejó hechizar por un momento Sertorio cuando en el 81 a.C. andaba refugiado en el litoral onubense huyendo del acoso de Annio, pensando que en ellas podría llevar una vida tranquila y apartada de la ambición humana[3]. Con el correr de los siglos no cambia el panorama, pues una isla se requiere también en el Medievo para que se den cita a porfía todas las maravillas del mundo; el ejemplo de San Brandán, al que pronto le salieron competidores[4], incita a investigar los secretos del Poniente, que en último término la mentalidad cristiana viene a reducir a dos: la isla inalcanzable de la Promisión de los Santos, el Paraíso, o la más asequible de Salomón; isla

toda razón E. Rohde (*Der griechische Roman und seine Vorläufer*, Hildesheim, 1960[4], p. 257 nota) que la isla donde vivió Iambulo tiene rasgos tomados de la Tapróbana (=Ceilán). Sobre la literatura etnográfica, las utopías geográficas y las novelas de viaje de Grecia y Roma merecen todavía leerse sus sabias observaciones (*ibidem*, p. 183ss.)

[2] La describe Diodoro Sículo (*Biblioteca*, V 19).

[3] Salustio, *Historias*, I 100-101; Plutarco, *Sertorio*, 8-9. Las islas en cuestión son identificadas con las Canarias con buenos argumentos por Ph. O. Spann («Sallust, Plutarch, and the 'Isles of the Blest'», *Terrae incognitae*, IX [1977] 75ss. y su *Quintus Sertorius and the Legacy of Sulla,* The University of Arkansas Press, 1987, p. 49ss.); concluye Spann que tanto Salustio como Plutarco derivan de una fuente común, a su juicio Posidonio.

[4] Hasta una gallega se añade al ya extenso cupo de islas paradisíacas: la de la Gran Solistición (nombre derivado de *solstitium* quizá con un cruce con el *annus magnus* [cf. San Isidoro, *Etimologías*, V 36, 3]), situada enfrente de la Coruña y que reseñan diligentemente las mapamundis de los Beatos (así, p.e., el de Osma *[Solitio magna]*). En esta nueva Perdida, oculta por voluntad de Dios en la oscuridad de las nubes y en la que se levantaba una espléndida basílica de Santa Tecla, festejadísima por los coros celestiales en su aniversario, residió solo un tal Trezenzonio durante siete años (los mismos que Iambulo en su exilio oceánico), gozando su alma con la visión de los santos y su cuerpo con la templanza primaveral. La niebla que la cubre, distintivo de la isla de San Brandán, recuerda la «negrume» como de boca del infierno que tapaba la isla de la Madera, cuyo boscaje ardió también siete años (A. Cordeyro, *Historia insulana das ilhas a Portugal sugeytas,* Lisboa, 1717, p. 94ss.); de otra isla «ainda encoberta» llamada Garsa, al N.O. de la del Cuervo, habla el mismo Cordeyro basado en Fructuoso (*ibidem*, p. 490). Hay una nueva edición del texto gallego preparada por M. C. Díaz y Díaz (*Visiones del Más Allá en Galicia durante la Alta Edad Media,* Santiago de Compostela, 1985, p. 133ss.), en cuyo texto latino conviene introducir algunas correcciones: en la p. 113 anoto *subtili brebitate <e> multis pauca decerpens conclusi; Quum* (en vez de *quoniam,* por confusión de la abreviatura *qnm* y *quum*) *igitur totius Gallecie... ciuitates funditus extirpate... essent; Cumque oberrauissem... quepia umquam* (*quempiam quia* codd.) *nec uestigia inuenire potuissem* y *Cui(us)* (scil. *phari) mane primo egressu solis lucidus splendor;* y en p. 117 *per septem uero annorum mee habitationis* (*mei —onem* codd.) *nulla me praua cogitatio perturbauit* y quizá también *proferre* en vez de *perferre* y *satur <et> plenus* en vez de *sature plenus.* Sobre la Perdida medieval cf. A. Graf, *Miti, leggende e superstizioni del Medio Evo,* reimpr. Nueva York, 1971, I, pp. 108-09.

que, por la irresistible atracción que ejerce todo polo mítico, es también la de los Magos, esa Tarsis rumbo a la cual los Reyes de Oriente se habían embarcado después de postrarse en el portal de Belén y de burlar la vigilancia de Herodes[5].

Resulta así que la nueva en apariencia y exultante vitalidad descubridora discurre en el plano de la motivación ideológica por cauces muy tradicionales, pues a un impulso típicamente medieval responde la incesante búsqueda de la isla del rey Salomón, el objetivo más o menos confesado de todos los grandes navegantes de la era moderna. A nadie le puede extrañar que así ocurriera, dado que en la Biblia, el libro por excelencia, se hablaba de Tarsis y Ofir, y estas riquísimas comarcas de cuya existencia real no cabía dudar habían de encontrarse en algún paraje de la tierra, de suerte que antes o después un afortunado mortal acabaría por dar con el principal venero de oro y de plata del mundo: sólo se requería un golpe de suerte y la aquiescencia del Señor. Si todos los hombres necesitan un poderoso acicate para efectuar un esfuerzo fuera de lo común, en este caso tanto el estímulo como la recompensa eran bien golosos y se comprende sin más que muchos —incluida la Corona— no vacilaran en lanzarse a la aventura.

Lo más extraordinario de este paciente rastreo no estriba, sin embargo, en la búsqueda en sí de las minas del rey Salomón, muy lógica dadas las circunstancias, sino en su significado último. Hemos visto cómo la isla fue puesta en relación con los Reyes Magos, personajes que, por haber sido ellos mismos los primeros grandes viajeros del cristianismo, presiden la mayoría, si no la totalidad, de las grandes convulsiones anímicas de la Edad Media que preludian la época de los descubrimientos, siempre encaminados hacia ese Oriente de donde ellos habían partido. Así, cuando en tiempo de las Cruzadas comenzaron a llegar a Europa inquietantes noticias sobre el Preste Juan, vemos a un obispo armenio de Siria, venido a Italia, relatar en Roma a fines de 1145 que este Juan, rey y sacerdote que señoreaba allá en los confines del Oriente, provenía del linaje de los Magos, gobernando a los mismos pueblos que aquéllos —que eran asimismo sumos pontífices—, y que gozaba de tan gran riqueza que su cetro era de esmeraldas; y seguía contando el prelado que el fabuloso monarca, inflamado por el ejemplo de sus antepasados, que habían acudido diligentes a adorar al Niño en la cuna, se había propuesto ir también él a Jerusalén, aunque no había hallado lugar ni ocasión para cruzar un caudalosísimo río que lo separaba de su meta[6]. He aquí cómo el venerable

---

[5] Esta escena está representada en el arte medieval (cf. L. Réau, *Iconographie de l'art chrétien*, II 2, París, 1957, p. 253).

[6] Ofrece estas noticias Otón de Frisinga en su *Cronica* (VII 33 [*Monumenta Germaniae Historica, Scriptores*, XX, p. 266, 8ss.]).

figurón, que dio motivo a un sinfín de viajes —a su tierra quería todavía dirigir sus andariegos pasos San Francisco Javier[7]—, no sólo estaba emparentado, sino que era el legítimo descendiente de los Magos. La figura del Preste Juan nos interesa, en consecuencia, no tanto por su posible historicidad —en último término, a nuestro propósito da igual que fuera o no el general chino Yeh-lü Ta-shih— como por su valor etiológico, puesto que su presunta existencia vino a satisfacer de golpe una gavilla de acuciantes preguntas que se formulaba a la sazón la Iglesia occidental y que todavía mordían la curiosidad de los europeos del Quinientos: así, la razón misma de la indubitable presencia de cristianos, sobre todo nestorianos, en los más remotos parajes del lejano Levante; después, su posible identificación con los paganos convertidos por Santo Tomás, apostol que algún fruto tendría que haber cosechado en la India con sus prédicas; por último y sobre todo, su inevitable relación con los Reyes venidos de Oriente y tornados allí, después de adorar a Dios hecho hombre, para desaparecer sin nunca más volver a dar señales de vida. A todas estas cuestiones ofrecía cumplida respuesta la leyenda del soberano sacerdote descendiente de los Magos, cuyo más íntimo deseo consistía en volver a Jerusalén para cerrar así el círculo de la Historia: según una profecía recogida por Jacobo de Vitry, el Preste Juan y el emperador de romanos se habían de reunir victoriosos en la Ciudad Santa, reverdeciendo en ese

---

[7] Documento 41, 5 (p. 146 Zubillaga). Con el paso de los años la leyenda se desplazó a Etiopía, una vez más confundida con la India, y cuya comarca de Sabá se prestaba de maravilla a manipulaciones de este jaez. Por otra parte, los cristianos de Abisinia podían sustituir de mil amores a los nestorianos de Oriente, y asimismo cabía allí encontrar un Zăn rey y sacerdote. Como es sabido, en Abisinia se estrelló la búsqueda de los portugueses, deseosos también ellos de encontrar al heredero de los Magos, durante los s. XV y XVI (cf. Conde de Ficalho, *Viagens de Pero da Covilhã,* reimpr. Lisboa, 1988). Allí lo localizó el *Libro del conoçimiento de todos los reynos e tierras e señoríos* editado por M. Jiménez de la Espada (Madrid, 1877, p. 63), que, tras convertirlo en «patriarca de Nubia e de Etiopía», afirma que «señorea muy grandes tierras e muchas ciudades de christianos, pero que son negros como la pez e quémanse con fuego en señal de cruz en reconosçimiento de bautismo» (cf. Marco Polo, III 43). B. de Breindenbah (*Viaje de Tierra Santa,* Zaragoza, 1498, f. 126r) precisa que los «abassinos... son de la India, donde señorea el Preste Juan». En el globo de Behaim el Preste Juan domina el reino de los Magos: *der ein verweser ist über das konikreich di drei konik* (E. G. Ravenstein, *Martin Behaim. His Life and his Globe,* Londres, 1908, p. 96), que se extiende hasta la tierra y el mar del Gran Golfo de Ptolemeo. Pero Tafur (*Andanças y viajes* [pp. 94 y 96ss. de la edición de M. Jiménez de la Espada]) lo confunde con el Gran Kan.

Un pliego impreso en alemán, sin lugar ni año, contiene entre otras cosas la carta del rey David, el Preste Juan, al Papa Clemente VII, oída en público consistorio el 29 de enero de 1533 (descrito por H. Harrisse, *Bibliotheca Americana Vetustissima* [reimpr. de C. Sanz, Madrid, 1958], n.º 177, p. 303), eco remoto de la embajada del Negus de Abisinia a Carlos V con motivo de su coronación en Bolonia en 1530. El libro clásico al respecto es el de Damián de Goes: *Fides, religio moresque Aethiopum sub imperio Pretiosi Iohannis* \(*quem uulgo Presbyterum Ioannem uocant) degentium una cum enarratione confoederationis et amicitie inter ipsos Aethiopum Imperatores et Reges Lusitaniae initae,* Lovaina, 1540.

momento cenital de la historia el famoso árbol seco[8]. Ahora bien, ingrediente fundamental de la fábula es siempre el linaje mágico del Preste Juan: tanto es así que en 1242 Ivón de Narbona[9], dirigiendo una carta al obispo de Burdeos Giraldo para darle noticias sobre la pavorosa irrupción de los tártaros en Europa, adujo muy serio como motivo de su venida en son de guerra el propósito de rescatar para su patria los restos de los Tres Reyes, a los que entonces se rendía culto en la catedral de Colonia tras ser trasladados allí desde Milán en tiempo de Federico Barbarroja: excusa que induce a sospechar que la genealogía del famoso Preste no fue sino una urdimbre propagandística montada para servir —y después como réplica para desacreditar— a la causa de los Staufen.

Con el trascurso de los siglos la fabulosa estrella del Portal de Belén volvió a brillar para marcar justo el comienzo de los viajes ultramarinos. Cuenta en su crónica fray José de Sigüenza que el gran matemático y astrólogo que fue D. Enrique el Navegante, con toda su alma puesta en la navegación atlántica, levantó en Lisboa la humilde ermita de Belén, la misma que D. Manuel habría de dotar de imponente fábrica; es que el infante, como más tarde Mendaña y Quirós,

llevó por abogada de tan atrevida peregrinación a Nuestra Señora y a los Tres Reyes Magos, rogándoles que le guiassen y le mostraṡen otras nuevas estrellas, nuevos hombres y nuevos mundos. Partían las armadas de aquel lugar mismo que los primeros moradores llamaron 'la estrella', y fabricando allí la hermita, veníale bien llamarla Belén, pues hasta allí guió la estrella a los Magos, y desde allí desseava y pedía él que le guiassen a él[10].

Los viajes por el Pacífico en demanda de la isla de los Magos colman en consecuencia un antiquísimo anhelo[11]. Es evidente que en este penoso y milenario navegar rumbo a Poniente[12], siguiendo el fatídico curso de las estrellas que, como hemos visto, regulan la traslación de los imperios danielinos, se persiguen riquezas sin cuento; pero en definitiva el oro no

---

[8] Cf. F. Kampers, *Die deutsche Kaiseridee in Prophetie und Sage*, München, 1896, pp. 80-81.

[9] Mateo París, *Crónica mayor (Monumenta Germaniae Historica, Scriptores,* XXVIII, p. 233, 15ss.).

[10] *Historia de la Orden de San Gerónimo,* III 1, 16 (*NBAE* 12, p. 70 b).

[11] Señala L. Réau (*Iconographie de l'art chrétien,* II 2, París, 1957, p. 238) que el hallazgo del Nuevo Mundo supuso un descalabro para el simbolismo de los Tres Reyes, otrora representantes —entre otros misterios— de las tres partes del mundo conocido. El rey negro fue reemplazado por un cacique del Brasil en un retablo de la catedral de Viseo, pero este audaz intento de usurpación no tuvo éxito; el negro Baltasar aparece en una miniatura del Libro de Horas llamado «de D. Manuel».

[12] Al Poniente navegó Guilgamés, y al Poniente se encuentra el jardín de las Hespérides, la Atlántide de Platón y la Merópide de Hecateo.

lo es todo, pues se esperan del descubrimiento cosas de muchísima mayor enjundia que nadar en mares de abundancia y se auguran sucesos de importancia radical para la humanidad toda. De aquel olvidado lugar de Oriente habían partido los Tres Reyes para adorar al Niño en la primera parusía del Mesías; podía deducirse sin gran esfuerzo ni violencia, siempre dentro de la mentalidad cíclica que está larvada bajo el cristianismo, que de allí también había de arrancar la definitiva cruzada para llevar a cabo la postrera conquista de Jerusalén, justo antes de que tuviera lugar la segunda parusía de Cristo en Majestad, dado que era de suponer que uno y otro magno acontecimiento estaban íntimamente relacionados: ni más ni menos que como, en los estertores del imperio romano, se intentó fijar el tiempo del segundo advenimiento del Mesías siguiendo los mismos cálculos proféticos que habían vaticinado el primero, y ello a pesar de que el propio Jesús había advertido a sus discípulos que no estaba en manos del hombre conocer el tiempo ni la hora de su llegada; en vano, como se ve, dada la flaqueza y los desvaríos de la mente humana, máxime cuando ensombrecían el horizonte otras señales que presagiaban el inminente fin de los tiempos, entre ellas y sobre todo el cumplimiento aparente de la predicación del evangelio a todas las criaturas, punto éste que, antes de su rechazo, mereció muy atento y prolijo examen por parte del jesuita T. Maluenda [13].

De la tenebrura de la expectación escatológica la amable versatilidad del mito permite pasar a otros simbolismos más risueños y cortesanos. Los vecinos de la ciudad de Lima, puesta por los españoles bajo la advocación de los Tres Reyes, era natural que desbocaran su fantasía en forjar ensueños australes y en rastrear islas mágicas echando puntos en las cartas de marear; pero también, a la hora de festejar el nacimiento de un príncipe, su zalamera adulación podía expresarse en muy refinadas metáforas. Al conmemorar en verso los solemnes regocijos con que Lima celebró a finales de 1630 y principios de 1631 la venida al mundo de D. Baltasar Carlos un poeta antequerano, Rodrigo de Carvajal y Robles, no vaciló en comparar con el Niño Jesús al recién nacido y con los Magos la capital del virreinato, imaginándola postrada ante el principito:

> A quien como deidad, si no divina,
> Exceso de la humana,
> Rinde las tres coronas de su frente

---

[13] *De Antichristo libri undecim,* Romae, 1604. Todo el libro tercero está consagrado a esta cuestión, y más en concreto el capítulo 32 (p. 177ss.) viene a demostrar que en su tiempo todavía quedaban tierras por recibir la semilla del evangelio. El otro signo del fin es la desolación del imperio romano, estudiada por Maluenda con exquisita ingenuidad en el libro cuarto, llegando a la conclusión en el capítulo 14 (p. 218) de que el imperio había perdurado hasta el presente y había de permanecer siempre en el futuro en Alemania.

Y estrella cristalina
De su divisa ufana,
Por imitar los Reyes, que a la Corte
De Belén traxo el Norte
De aquel astro luziente [14].

Claro es que, para despejar posibles dudas, escribió Carvajal a continuación que «la semejança del uno al otro no del todo alcança»; pero no por ello el monarca español y su estirpe dejaba de ser algo más que hombre, una especie de semidiós o, en palabras de Tirso de Molina, una «deidad humana» [15] cuya frente estaba ceñida por el oro de Ofir, según precisa Bartolomé Leonardo de Argensola [16].

Si el eco mágico vibra en las alegrías, no menos resuena grave en las tristezas, pues las quimeras tampoco hacen remilgos a la hora de enlutarse para dar fantástico realce a los ceremoniosos lamentos que acompañan a un funeral regio. La Corte se había hartado de ver a Quirós ahuecando la voz para cantar las excelencias de su Austrialia y el áureo centelleo de las

[14] *Fiestas de Lima por el nacimiento del príncipe Baltasar Carlos,* edición de F. López Estrada, Sevilla, 1950, p. 11. Es de notar que en los festejos vemos aparecer a muchos personajes conocidos: así a D. Fernando de Castro, «en la China... de herejes vivo estrago» (p. 33); a D. Sebastián Hurtado de Corcuera, confiado en «atropellar de Olanda la vandera» (p. 165); a D. Antonio de Morga, «levantado a la encumbrada roca del valor« (p. 37); y, por último, a D. Francisco de Quirós, émulo de su padre «a quien... puede... igualar, si no le excede» (p. 156). La descrita por Carvajal fue desde el principio la divisa de la ciudad de los Reyes. El domingo 25 de julio de 1557, fiesta de Santiago, fue proclamado monarca en Lima Felipe II. En la solemne ocasión Nicolás de Ribera el Viejo, como alférez, llevó el «pendón de damasco amarillo, que por la una parte tenía e tiene las armas del ynperio e de la corona real d'España e por la otra parte las armas de la dicha cibdad, que son un luzero azul con tres coronas debaxo, que fue e es el pendón de la dicha cibdad« (BU Sevilla, ms. 330/122, f. 102v).
No sé con qué cabalgatas se celebraba en Lima la Epifanía, detalle que no dejaría de tener interés por su repercusión en los descubrimientos australes. Acerca de la importancia del drama litúrgico medieval en la evolución de la iconografía de los Reyes Magos cf. el artículo, tan impertinente como sabio, de E. Mâle sobre «Les Rois Mages et le drame liturgique», *Gazette des Beaux-Arts,* LII (1910), 2 sem., 261ss.
[15] *En Madrid y en una casa (BAE* 5, p. 539 a).
[16] *Canción a Felipe III, después de celebradas las exequias de su padre (BAE* 42, p. 355 a). Distingue Argensola entre Ofir (=Perú) y Tarsis, que entiende emparejado con las islas del mar en el sentido del salmista. Así, en la poesía dedicada a la adoración de los Magos los Reyes dirigen a Cristo las siguientes palabras (*ibidem,* p. 332 b):

«Tarsis», dicen, «Señor, y las remotas
Islas agradecidas y devotas
(Hasta agora enemigas de tu nombre),
Arabia y su Sabá, con cuanto encierra,
Las provincias que el mar abraza y cierra,
Y nosotros, en nombre de sus reyes,
Te pedimos de hoy más gobierno y leyes».

minas salomónicas. Al deplorar el fallecimiento de la reina Margarita en 1611 el mismo Argensola recurrió a una hipérbole común del epicedio, suponiendo que no España, mas la tierra entera vertía lágrimas ante tan triste caso; y entonces, en la enumeración tópica, venía de perlas el recuerdo de aquella parte austral recién hollada:

> Y la cuarta porción del orbe, ufana
> De no rendirse a términos algunos
> Que ostentar pueda la noticia humana;
> De donde, opuesto a vientos importunos,
> Descubrió el lusitano temerario [17]
> El gran comercio de los dos Neptunos [18];
> Sus provincias de culto y color vario,
> Que en las desnudas leyes naturales
> Sirven a tu derecho hereditario [19].

Pero también puede ser que en ocasiones prevalezca sobre todos los demás aspectos el juicio negativo: esta búsqueda desasosegada de la isla mágica servía de hecho a la diatriba moral y religiosa para poner de relieve, no la bondad intrínseca del descubrimiento y de sus consecuencias, sino la vanidad de la ambición humana, siempre zascandileando por el mundo en pos de insensatas locuras. Este es el caso de los autos sacramentales. En *El viaje del alma* de Lope de Vega los vicios intentan seducir al alma, arrullándola con cantos llenos de falsas promesas; y así, mientras la memoria, vencida, se adormece recostada en unas flores, entonan las voces del apetito, del amor propio y del engaño la siguiente canción:

> Esta es nave donde cabe
> Todo contento y placer.
> Esta es nave de alegría
> Que va a las islas del Oro,
> Donde es el gusto el tesoro
> Que has de cargar, alma mía:
> No hay tempestad que temer.
> Esta es nave donde cabe
> Todo contento y placer [20].

---

[17] Quirós.
[18] El Océano Pacífico y el Indico.
[19] *Elegía en la muerte de la reina Margarita* (BAE 42, p. 344 a).
[20] BAE 58, p. 156 a. Por cierto que en el Prólogo, entre los hombres esclarecidos, se menciona a «Juan Bautista Labaña matemático».

Queda todavía por tocar un último punto, pues tampoco se ha estudiado que yo sepa el influjo de la tradición cristiana de los Reyes Magos en la mentalidad de los esclavos de color, que un día al año contemplaban atónitos cómo uno de los suyos era enaltecido y reverenciado por los blancos[21]. Resulta muy llamativo, p.e., que en 1608 corriese en México el rumor de que los negros tramaban una rebelión para el próximo día de Reyes, en la que habían incluso nombrado su rey, su reina y sus nobles. Es claro que Baltasar podía respaldar con su prestigio las aspiraciones de aquella masa irredenta, conduciéndola a la liberación justo en el aniversario de su adoración al Niño Dios; sin embargo, nada dicen al respecto los historiadores modernos, que se limitan a reproducir lo que cuenta Torquemada[22]. Bien es verdad que las grandes sublevaciones siempre han tenido lugar en solemnes fiestas, las ocasiones más propicias para pillar desprevenido al adversario, absorto en espectáculos y musicorios: los pro-

---

[21] La antigua ida a Belén justifica precisamente al idólatra en el auto sacramental *La siega* de Lope de Vega; el negro de Manicongo (*BAE* 58, p. 179 a), interpelando al «Siñolo» en su pintoresca jerga, se ofrece a servir él mismo de tizón para quemar al judío «crucificandera»:

> Si no hay carbón, aquí estamo,
> Que dejaremo quemar,
> Porque quemá ese embiacos,
> Que fue crucificandera:
> Que negro a Belén yevamo
> De oro, de censos y mirros
> Cargados cuatro cagayos.

Corrijo «de censos» (= de inciensos, pronunciado a la portuguesa, *incensos*) por el «decentos» impreso por E. González Pedroso (*BAE* 58, p. 181 b), que no da sentido alguno; cagayos, mejor cangayos, es el portugués *cangalhas*, 'alforjas'. Obsérvese que se deja traslucir que todos los Reyes, y no sólo el negro, llevaban una comitiva de esclavos atezados.

El habla aportuguesada de los negros aparece imitada ya en un pliego de Rodrigo de Reinosa, que representa un diálogo mantenido en Sevilla entre un jilofo de Mandinga y una mujer de Guinea (editado por J. M. Cabrales Arteaga, *La poesía de Rodrigo de Reinosa*, Santander, 1980, p. 97ss., con algunos malos entendidos, como en v. 33 poner «odemo» en vez de «o demo», 'el demonio'). Después su media lengua, utilizada como medio jocoso, caracteriza a algunos entremeses: así ocurre en el de *Los negros de Santo Tomé* (*NBAE* 17, p. 138) y sobre todo en el de *Los negros* (*ibidem*, p. 232), que muestra idénticos rasgos fonéticos que los remedados por Lope: aspiración de la -*s* («vamo»), cambio de *y* y *ll* («yamo») y además confusión de vibrante y oclusiva dental sonora («comiro», «dormiro» por 'comido' y 'dormido'; por eso hay que enmendar «batizamolo; jura ro mi señolo fue lo padronos» en «batizamo. Lo juraro (=jurado) etc.»). Por cierto que también en este caso los esclavos se muestran orgullosos de ser cristianos, en contraste con los judíos: «Y si samo túnica de la Soledad [de San Lorenzo, virgen que por salir en Sevilla el Sábado Santo va enlutada], no samo a lo meno de lo judío que yeba lo paso«. De data mucho más tardía, como acredita la ausencia de lusismos típicos, es *El negrito hablador* de Quiñones de Benavente (*NBAE* 18, p. 605ss.).

[22] Cf. L. Querol y Roso, «Negros y mulatos de Nueva España (historia de su alzamiento en Méjico en 1612)», *Anales de la Universidad de Valencia*, XII (1931-1932) 125ss. Nada nuevo aporta el flojo artículo de E. F. Love, «Negro Resistence to Spanish Rule in Colonial Mexico», *The Journal of Negro History*, LII (1967) 89ss. Debo esta referencia a la Dra. J. Sarabia.

pios negros intentaron alzarse después en la Semana Santa de 1612, los segadores catalanes aprovecharon el Corpus Christi de 1640 para realizar su revuelta; pero ahora se podía dar a la rebeldía un sentido nuevo, máxime cuando en la sociedad municipal castellana ya existía el «rey de los negros» [23], cargo de etéreas atribuciones que bien podía llenarse de contenido real en aquella fiesta «harto regocijada», como califica Sigüenza [24] la de la Epifanía. La empresa no era una locura ni faltaban precedentes: el negro Miguel se había atrevido a coronarse en 1553, instaurando un remedo de corte con obispo y todo en Venezuela, y lo mismo había hecho por las mismas fechas el esclavo Bayamo en Panamá. Quizá por esta razón, y para canalizar desahogos, el día de Reyes pasó a ser una festividad sonadísima que, al menos en Cuba, como me recuerda muy oportunamente la Dra. E. Vila, permitía a los esclavos no sólo celebrar la ceremonia expiatoria de «matar la culebra», sino entregarse a una especie de «saturnal negra de escandalosa confusión, un verdadero *pandemonium*» en el que los «diablitos» bailaban y danzaban por doquier, incluso ante el palacio del capitán general, hasta que todo acabó en 1880 [25]; la fiesta entonces podría haber tenido una doble finalidad apotropaica, para los negros por un lado y para los blancos por otro, en el más conseguido de los mestizajes culturales.

Dejemos ya a la tríada mágica. En definitiva, cúmplenos señalar aquí que el mito, gracias a su carácter polivalente, puede ser utilizado de muy diferentes maneras, desde la transcendencia y desde la inmanencia, como halago cortesano y como arma arrojadiza. Se trata otra vez de un modo muy tradicional de entender las cosas, que nos retrotrae a una época en la que lo sagrado y lo profano estaban íntimamente ligados y cuando, a guisa de propaganda política, se esgrimían burdos oráculos amañados para favorecer las aspiraciones de tal o cual príncipe, para enardecer los ánimos de los naturales de este o aquel reino. El posible hallazgo de los tesoros de Salomón escondidos desde tiempo inmemorial en la isla de

[23] Lo era en Sevilla hacia 1500 Juan de Castilla (A.P.S., Legajo 41, sign. V. 5, f. 24v [se compromete el «rey» a «thener en su poder e guarda» al esclavo negro Juan, de unos 25 años, durante cuatro meses]); A. Franco Silva (*La esclavitud en Sevilla y su tierra a fines de la Edad Media*, Sevilla, 1979, pp. 222-23; sobre Castilla cf. asimismo p. 269) supone que se trataba de una especie de juez de los negros, parecido a ese famoso Conde negro del que todos hablan, pero que sólo ha dejado recuerdo en el callejero hispalense.

[24] *Historia de la Orden de San Gerónimo*, III 2, 26 (*NBAE* 12, p. 279 a). Los Tres Reyes aparecen en el auto sacramental de Moreto *La gran Casa de Austria*, la mayor parte del tiempo como personajes mudos y llevando antorchas, lo que implica que el resto de la escena permanecía en penumbra, como correspondía a los claroscuros de la acción (*BAE* 58, p. 557 b).

[25] Cf. F. Ortiz, *Los bailes y el teatro de los negros en el folklore de Cuba*, La Habana, 1951, p. 192ss. y 337ss., libro fundamental del que procede lo entrecomillado. No me ha sido accesible el folleto del mismo autor sobre *La fiesta afrocubana del «Día de Reyes»*, La Habana, 1926.

los Magos —la más clara prueba de la benevolencia de Dios para con sus elegidos— presta a estos viajes una muy clara dimensión religiosa, lo que no excluye en modo alguno que intervengan en su preparación otros motivos menos santos y aun intereses claramente bastardos por parte de los armadores. El mismo violento contraste de luces y sombras se aprecia en el ánimo diverso que impulsa a los marinos a formar parte de la tripulación: mientras éstos se enrolan para escapar de las garras de la justicia, ésos por enriquecerse y aquéllos por el placer de la aventura, a unos pocos los alienta un propósito más elevado que culmina en la fe extrema, rayana en lo anormal, de la mayoría —me atrevería a decir que de la totalidad— de los capitanes que salieron en demanda de la isla mítica. Baste recordar algunos nombres: Colón, Magallanes, Urdaneta, Lope Martín, Quirós, Medina Dávila, hombres que en determinados momentos de su vida obraron como iluminados, sin más norte que su fervor religioso, hasta caer en algún caso en el ridículo, en el desatino o en el asesinato.

La persecución de una quimera tan huidiza como la isla de Salomón presenta aristas cambiantes, pues si no la esencia, al menos los accidentes de la isla se ven sometidos a la férula de dos coordenadas, tiempo y espacio, que imponen inexorables sus condiciones. El mismo mito no suena igual oído en el Atlántico que en el Pacífico, ni es lo mismo a mediados del Quinientos que en el s. XVIII. El tiempo actualiza adornos y hasta perifollos del vestuario, pero también rescata otros nimios detalles del olvido. Hemos visto cómo en el Pacífico los cartógrafos del s. XVIII dibujaban unas islas del Trípode, las Trévedes de los mapas españoles; pues bien, una antigua profecía atribuida a Martín Behaim vaticinaba que, al Sudoeste del Fayal y de Pico, quedaban por encontrar tres islas en triángulo, la primera muy grande, la otra más chica y la última más pequeña todavía, pero llena de oro y de arenas, si bien no había llegado el tiempo de que fuera descubierta esta tríada mística [26]. Se trata evidentemente de la misma tradición, sin que falte el típico aojamiento que impide el disfrute del tesoro hasta que se cumpla el plazo fatídico. No es ésta la única coincidencia que se observa en la nebulosa insular traída y llevada por el turbión de la marinería. A unos 33° N. más o menos se hallaban las islas Ricas; del mismo modo, a 33° al Oeste de Madeira se encuentra otra isla fabulosa, la de Santa Cruz, el nombre cabalmente que se le había puesto en principio al Brasil, isla donde el vulgo soñaba que vivía toda-

---

[26] Recoge el vaticinio el jesuita Antonio Cordeyro en su *Historia insulana*, Lisboa, 1717, p. 495. Obsérvese que son también tres las islas maravillosas de Evémero, situadas enfrente de la India (Diodoro Sículo, *Biblioteca*, V 41), mientras que otro número mágico, el siete, es el escogido por Iambulo para su archipiélago en el Indico (Diodoro Sículo, *Biblioteca*, II 48).

vía, en su particular limbo, el rey D. Sebastián de Portugal, que no podía haber muerto sino que permanecía oculto, según corresponde a un monarca mesiánico [27]; como escondidos estaban, más de fuerza que de grado, los «perdidos» del Estrecho.

El tiempo no pasa sin cobrarse sus víctimas. De los raros seres que pueblan la región dorada perecen al llegar al Renacimiento las gigantescas hormigas carnívoras que custodian el oro; pero todavía los hombres de Colón sienten miedo pánico a grifos, que tornan a aparecer en la Tierra Firme. Si de todas maneras la razón y el interés tienden a eliminar la otrora indispensable vigilancia monstruosa, es fuerza que lo vigilado —la arena aurífera purificada al fuego del fogón de la nave— perdure, así que sólo cambia, de ordinario, el nombre de la isla Perdida por antonomasia: Gaspar Conquero y Francisco Palomino aplican a la isla de Salomón lo que en tiempos colombinos, por extensión, se predicaba de la isla de las Siete Ciudades, poblada para colmo de solícitos cristianos a diferencia del suelo yermo, rico sólo en tesoros y endriagos, que suele ser propio de la tierra mágica; también los gustos literarios imponen nueva toponimia y con la moda de los libros de caballerías toman arraigo palabras campanudas, como la isla de la sonora California.

Las circunstancias espaciales dejan a su vez su impronta, haciendo que se entreveren tradiciones de origen muy diverso. En el Perú la isla de Salomón recibe el respaldo de leyendas ingas que conforman un nuevo y pintoresco panorama dominado por el cráter de un volcán, además de proporcionar a la toponimia nombres exóticos tan sugestivos como Avachumbi y Niñachumbi; por su parte, en el Extremo Oriente cuajado de islas surge la idea de una Ofir a la que sólo se puede llegar surcando las aguas de estrechos traicioneros. Al mismo tiempo, es la propia movilidad de la ambición humana la que va angostando las lindes del mito, dado que las sucesivas navegaciones lo van empujando y retrayendo a los más recónditos rincones del Pacífico, donde busca último amparo y cobijo.

El cruce del tiempo y del espacio trae consigo otras y no chicas cortapisas pues acaba por producir hábito, y la costumbre inveterada es mala consejera en determinados casos y en especial cuando se trata de aquilatar ensueños. Un hombre tan erudito y de inteligencia tan lúcida como el jesuita Pedro Murillo Velarde (1753) no titubeó un instante en emitir sentencia condenatoria contra los mitos de las Indias cuando les tocó el turno de pasar revista ante la razón geográfica en su magna sinopsis de la Tierra. A la comarca de los Césares le dio buen despacho el

---

[27] A. Cordeyro, *Historia insulana*, pp. 496-97, siempre basado en Gaspar Fructuoso, quien al parecer tenía una carta de marear donde estaba dibujada la isla.

padre relegándola sin piedad al «mapa de los países imaginarios»[29]. Las fábulas relativas al Estrecho de Anián arrancaron de su pluma otro sarcástico comentario: «los estrangeros nos tratan como guineos»[29]. Hasta Ofir, el famoso ceñidor de la monarquía española, fue localizado en Sofala por nuestro acucioso geógrafo[30], que tampoco tuvo reparo en propinar un palmetazo al padre Colín, que se había tragado todavía la existencia de rémoras, para él convertidas ya en «cuento»[31]. Pues bien, a este hombre tan escéptico le resultó imposible romper con la tradición de las Ricas, cuya latitud se atrevió a dar en el mapa: a 29° 48' se encontraba la de Oro y a 33° 24' la de Plata[32]; es que los largos años de permanencia en Filipinas, identificadas con las islas de los lequios (étnico de donde provenía a su entender el nombre de Luzón), habían embotado su capacidad de crítica y enturbiaba su juicio el cariño a la tierra y el peso inerte de la común opinión: que no es lo mismo prescindir de lo propio que de lo ajeno, por más que las Ricas en apariencia no conservaban de su antiguo resplandor más que el nombre. Idéntico motivo hizo que perdurara en Chile y en Buenos Aires el recuerdo de aquella región de los Césares repudiada de un alegre plumazo por Murillo Velarde: en 1772 coincidieron en Bolonia y en la misma pensión los padres J. Cardiel y L. Hervás y Panduro[33], los dos ex-jesuitas, los dos hombres cultivados; y satisfacía el misionero Cardiel la vivísima curiosidad del sabio Hervás relatando que

---

[28] *Geographía histórica*, Madrid, 1752, IX, p. 332.

[29] *Ibidem*, IX, p. 179.

[30] *Ibidem*, VIII, p. 204. Dejó la cuestión sin zanjar Livingstone (cf. D. y Ch. Livingstone, *Explorations dans l'Afrique australe et dans le bassin du Zambèse depuis 1840 jusqu'à 1864*, traducidas por H. Loreau y resumidas por J. Belin-de Launey, París, 1868, p. 172). La identificación remonta a los primeros años del s. XVI. En una carta de un mercader dirigida a sus compañeros de Florencia y Venecia se lee: «Tenemos también por cierto que esta mina de oro es la de Salomón, de donde sacó tantos tesoros; y allí la reina de Sabá, que fue a Salomón» (S. Grynaeus, *Novus orbis*, Basileae, 1537, p. 136). Todavía hoy sigue la tediosa disputa sobre la localización de la famosa mina. En la costa occidental de Arabia sitúa la Ofir bíblica H. von Wissman, *RE* s.u. 'Ophir' Suppl. Bd. XII (1970) c. 906ss.

[31] *Ibidem*, VIII, p. 23.

[32] *Ibidem*, IX, p. 386.

[33] Cf. su *Catalogo delle lingue conosciute e notizia della loro affinità e diversità*, Cesena, 1785, p. 18 (reimpr. anastática en A. Tovar, *El lingüista español Lorenzo Hervás*, Madrid, 1987). La expedición de Cardiel, Strobel y Quiroga salió de Buenos Aires el 5 de diciembre de 1745; la relación del viaje, escrita por Lozano, fue recogida por Charlevoix (*Historia del Paraguay*, traducida por P. Hernández, Madrid, 1916, VI, p. 319ss. [sobre el río del Sauce, «que es el que otros llaman el Desaguadero», cf. p. 448; sobre los Césares cf. p. 433]).

En cuanto al Estrecho de Anián, Hervás le da ya el nombre de Bering (*ibidem*, p. 151). Sus informantes en todo lo tocante a las Filipinas y Marianas fueron D. Plácido Lampurlanes, D. Francisco García de Torres, D. Bernardo de la Fuente y sobre todo el misionero Antonio Tornos, que también vivía en Cesena (*ibidem*, p. 94ss.). Como es sabido, Hervás redujo al malayo todas las lenguas habladas en el Pacífico.

en la desembocadura del río Sauces, a 41° de latitud, estaba poblada una colonia de españoles o europeos, a juzgar por las noticias que les habían proporcionado los puelches —los «serranos» bonaerenses— tanto a él como a Tomás Faulkner (Falconer). En suma, todos criticaban lo de los demás y todos creían en lo suyo: nada más fácil que ver la paja en el ojo ajeno.

Para la recta comprensión del mito es preciso tener siempre en cuenta que el oro de las minas de Salomón no está suelto y aislado, sino que se engarza en un conjunto de tradiciones que, desde la Antigüedad, caracteriza a toda tierra de frontera: según se ha visto, las mismas maravillas aparecen con tediosa reiteración en la India, en Etiopía e incluso en el país de los Hiperbóreos, dondequiera que se extienda una anchurosa comarca desconocida por la que puede vagar a placer la imaginación, no tan creativa como se podría pensar a primera vista, ya que esta misma restricción es la única manera de que dispone hasta el s. XVIII el hombre europeo para identificar lo desconocido y no perderse en un mundo plagado de misterios a los que siempre es buena cosa colgar una etiqueta, lección que tenían muy bien aprendida los griegos, los hombres más sabios del mundo. Los mitos geográficos se eslabonan unos con otros y no se puede tirar de uno de ellos sin sacar ensortijada una balumba mítica de envergadura insospechada. Consecuencia de lo dicho es que junto a la isla mágica se encuentran, se especifique o no, los demás portentos de la mitología de frontera: amazonas, gigantes, pigmeos, cinocéfalos y todos los monstruos habidos y por haber, ante cuya aparición ya es lícito inferir que se ha llegado a la meta deseada, en este caso el Extremo Oriente, ni más ni menos que como la sola presencia de corcovados bisontes anuncia la proximidad del lejano Oeste (y por supuesto de pieles rojas y el quinto de caballería, pistoleros y tahures, vaqueros y buscadores de oro, prostitutas y *sheriffs*). De que un río fuese bautizado con un nombre tan llamativo como el de Jordán cabe colegir, asimismo, que en la remota isla del Espíritu Santo Quirós tuvo el presentimiento de que estaba cerca de cumplirse el secular anhelo de prolongar por tiempo indefinido una milagrosa juventud.

Como la célula, el mito tiene la extraña capacidad de reproducirse de modo indefinido, sin duda porque en iguales circunstancias el hombre recurre a los mismos expedientes, y de la frontera —esa frontera a cuyos azarosos sobresaltos hacía siglos que estaba habituada la vida de castellanos y portugueses— no se espera más que incalculables riquezas y adelantamientos, pero también peligros sin cuento que trae buena cuenta encajar en un esquema consabido. Es así como la mina de oro se va desdoblando sin cesar por todas las comarcas del Nuevo Mundo y después, y con mayor razón, se desparrama por la vasta inmensidad del

Pacífico; y de esta suerte la isla de los Magos, nunca hallada [34], se localiza en el hemisferio Norte y más tarde en el hemisferio Sur, dando los mismos bandazos que sufre un pueblo tan característico de la frontera como son las amazonas, que hacen acto de presencia en el Atlántico y en el Pacífico, en la California y en el Estrecho de Magallanes: no de otro modo que en la geografía fantástica de los portulanos medievales las islas fabulosas corren a ocupar un puesto a los dictados del capricho y unas veces se desplazan al septentrión, otras al austro y, si es necesario, hasta se duplican a gusto del cartógrafo o de su mecenas para no herir la susceptibilidad ni los sentimientos de nadie, visto que ningún pueblo quiere renunciar a la posesión de un tesoro al alcance de la mano. Mas esta dispersión prolífica es compensada por una tendencia integradora, gracias a la cual el mito fecundo repone sus gastadas fuerzas nutriéndose de savia nueva. Por esta venturosa convergencia es atraída a la órbita ofírica la isla de los Magos ptolemaica, la «ilha do ouro» o las Ricas de Oro y de Plata (la Crise y Argire de Plinio), que remontan a tradiciones que no semejan tener nada en principio que ver con Salomón ni con sus híbridas flotas [35].

Europa hasta el s. XVIII vivió ajustada a una manera de pensar que no puede decirse que difiriera sustancialmente de la que prevalecía en el s. V d.C. Salvadas las distancias, entre estas centurias tan distantes se tendía un puente que facilitaba la comprensión inmediata de una serie de puntos de referencia hoy ya ininteligibles. La Ilustración trajo consigo la quiebra de algunos esquemas míticos seculares, cuando por primera vez en la historia se intentó separar, con mejor o peor fortuna, las esferas de lo sagrado y de lo profano. Quedaron entonces flotando en el aire, como privadas de apoyo, creencias antañonas que pronto fueron tenidas por vulgar superstición o fruto banal de una imaginación legendaria. Aplicada a los descubrimientos, la nueva mentalidad enarboló una pujante mitología laica, la del Progreso, que con sus espectaculares logros tuvo visos de

[34] Por su carácter volátil se puede quizá explicar la famosa anécdota narrada por el Pseudo-Aristóteles (*Mir. ausc.* 84), según la cual unos navegantes fenicios encontraron por casualidad una isla en el Atlántico, a la que después prohibieron viajar los propios magistrados fenicios. En efecto, esta historia (cuentos semejantes se contaron después del Estrecho de Anián) semeja ser un intento de dar una explicación racional al mito de la llamada después Perdida; y de hecho el mismo Diodoro (*Biblioteca*, III 38) aplica la misma prohibición a la isla del topacio, asimilada en cambio por Plinio a la tierra errante por las aguas, punto el uno y el otro no recogido por Estrabón (*Geografía*, XVI 4, 6).

[35] La independencia es muy clara en el caso de la «isla del oro». Ya Nicolò de' Conti indica que Andamania, isla de 800 pasos de boj situada a mano derecha de Sumatra y habitada por antropófagos, quiere decir *insula auri* (*Poggii Bracciolini Florentini Historiae de uarietate fortunae libri quattuor*, París, 1723, p. 130); la etimología se debe probablemente a un cuento de marineros según H. Yule (*The Book of Ser Marco Polo*, Londres, 1921, II, p. 310), pero en último extremo de origen oriental.

que iba a arrumbar para siempre los viejos espectros de la religiosidad
ofírica. Nada parecía más justificado. Si en la segunda mitad del s. XVII
todavía se podía proponer al monarca español nuevos descubrimientos
dentro de las mismas fronteras de su colosal imperio [36], la situación se
había transformado por completo una centuria después. Los grandes viajes marítimos de la segunda mitad del s. XVIII apenas habían dejado costa
en el mundo por descubrir, de modo que resultaba ilusorio —y así lo
reconocía Malaspina— andar en busca de novedades sensacionales y entre ellas de la más sensacional de todas: la isla de Salomón. La era de la
mitología religiosa había tocado a su fin, según todas las trazas, y las
ajadas quimeras sólo servían para ser pasto de parodias burlescas, como
ocurre en el romance dedicado a una disparatada «isla de Jauja», composición que, si no renombre poético, procuraba cuando menos desahogo a
una vena filantrópica que apunta a finales del s. XVII y se desarrolla
plenamente en el s. XVIII, avanzada del socialismo utópico, pues a gozar
de las dichas y venturas de la ciudad imaginaria se convocaba a todos los
desheredados de la tierra:

> Animo pues, caballeros,
> Animo, pobres hidalgos,
> Miserables, buenas nuevas,
> Albricias, todo cuitado,
> Que el que quisiere partirse
> A ver este nuevo pasmo,
> Diez navíos salen juntos
> De la Coruña este año [37].

[36] Cf., p.e., los curiosos *Apuntamientos de todo lo que está por descubrir, por el capitán Andrés
de Vila y Heredia*, ingeniero militar. Ofrécelo al Excmo. Sr. Marqués de Aytona, mi señor,
Gobernador de estos reynos y Mayordomo mayor de Su Magestad (BN Madrid, ms. 18719/42).
Hago un extracto de esta propuesta presentada en 1669, reproduciendo sólo lo que, dentro del
Pacífico, atañe al tema de este libro:
1.º) Reino de Quivira.
2.º) Isla de Gallo y la Gorgona.
3.º) Río de Orellana (que es mar y no río, «y que esto sea fijo lo publica la observançia
intrínseca de la esphera»).
4.º) La navegación del reino de Canadá [es decir, el Estrecho de Anián].
5.º) «Malarta [Malaita] es una isla [del archipiélago de Salomón]; en mi opinión es tierra firme.
Está devajo del trópico de Capricornio en 9 grados acia la parte del Polo Antártico. Las mayores
notiçias no llegan sino muy confussas. Lo çierto es que los que an entrado en el mar Paçífico,
que an sido bien pocos, no an allado inteligençia para mayores descubrimientos.
6.º) Tierra asta ahora no conoçida al Mediodía. Se a de dividir el mundo en 5 partes, y es ésta la
una y la más distante y caudalosa de todas las demás del mundo, porque esta parte es mayor que
toda la Hasia, en Geometría lo más hermosso del mundo. Tengo por cierto que se hallarán
hombres de mucha altura; la platta, que es metal que le influye el sol, como en la Europa se
hallan piedras, que es tierra congrutinada del clima en la propiedad de los elementos, en ella se
hallaran piedras de platta».
[37] *Romancero general*, ed. de Durán, n.º 1347 (*BAE* 16, p. 593ss.). El comienzo de la utopía

La geografía fabulosa semeja en la altanera Europa decimonónica una reliquia del pasado, una muestra de incultura propia sólo de pueblos sumidos en el fanatismo. La angustia de un viejo afgano de Kandahar, que a mediados de siglo confiaba a Bellew sus temores sobre la posible salida de Gog y Magog de la puerta de hierro, sólo lograba arrancar una sonrisa burlona del mundo civilizado [38]. Bien estaba que hacia el año 844 el califa Al-Watik, atormentado por agobiantes ensueños, hubiese despachado en demanda del muro de Alejandro a un emisario, Salam el intérprete, para ver si su fábrica seguía en pie y se desvanecían así sus temores y pesadillas, pero un milenio después la misma creencia sonaba ridícula a los concienzudos sabios que habían puesto los pilares de la geografía científica.

Sin embargo, toda generalización es peligrosa. Los hombres del s. XIX, que asistieron admirados a los descubrimientos gigantescos que hizo en Africa el Progreso coetáneo, fueron asimismo testigos de una alucinación más: el gran Livingstone creía que iba a dar con el Paraíso Terrenal al despejar el secreto de las fuentes del Nilo, donde la tradición medieval situaba la montaña de la Luna y también —cómo no— las minas del rey Salomón, el escenario de la popular novela de Enrique Rider Haggard. Una vez más, como en los viejos tiempos, caminaron a la par mito y descubrimiento, conjunción que hoy parece difícil que vuelva a repetirse; pero Livingstone, antes que explorador, era fervoroso misionero, tal como misioneros son los que en la actualidad se adentran en el corazón del Chaco o penetran por las cuencas de los grandes ríos americanos, si bien ahora —otro indicio de los vaivenes que da el péndulo del tiempo— lo que de esta trama subyuga al novelista, lejos de ser la mitología del europeo, es la mitología del indio, presentada no por mor del exotismo decimonónico, sino como una atracción obsesiva que, según acontece en *El hablador* de Mario Vargas Llosa, acaba por anular, subsumiéndolas, las propias señas de identidad del blanco: triste y desgarrador símbolo de la aparente imposibilidad de una pacífica coexistencia cultural y de una integración armónica, sí, pero prueba la más evidente de todas del cambio de mentalidad operado y del surgimiento de nuevos intereses y sensibilidades. En efecto, hubo ya en el s. XVI algunos españoles que, tras el amargor de un trago revulsivo, decidieron vivir como indios el

---

arranca de la ridiculización de las realidades indianas ya visible en el entremés *El talego-niño* de Quiñones de Benavente (*NBAE* 18, p. 511 a). Nótese que el romance en cuestión, referido no a Jauja, sino a una isla maravillosa, aparece ya en *El entretenido* de Antonio Sánchez Tórtoles, publicado en 1673 (cf. M. Herrero en *Revista de Indias*, II 5 [1941] 153ss.).

[38] Recuerda el episodio, publicado por Bellew en Londres en 1862, O. Peschel, *Geschichte der Erdkunde*, reimpr. Amsterdam, 1961, p. 115, nota 1, calificándolo de «divertido».

resto de sus días; mas Gonzalo Guerrero en el Yucatán[39] o Francisco
Martín en Venezuela[40] constituyeron siempre la excepción espeluznante y
abominable. El europeo en el Nuevo Mundo lo que hizo en realidad fue
buscarse a sí mismo —en cuanto al indígena, bastante era si lo moldeaba
a su imagen y semejanza— y nunca, ni aun en los más ejemplares extre-
mos de abnegación o de tiranía, entendió que alguien pudiera ser un
apóstata de sus raíces, acción que, privándolo de su fe, lo condenaba en
cuerpo y alma para siempre; razón de más para que, en su peculiar y
comprensible egolatría, fuese también en demanda de sus mitos seculares,
absorto en sus ensoñaciones y quimeras por muy abierta y receptiva que
pareciera su mente, y por tanto adaptase a su manera de pensar las creencias auctóctonas, tal y como antes los griegos habían pasado por su tamiz
particular las leyendas de la India, trasvasando a los hiperbóreos los
maravillosos portentos del país de Uttara Kuru.

ADDENDA

p. 108 nota 121] Contra lo que se dice en el texto, parece que los reyes de España
también podían conceder la gracia de ser caballero de espuelas doradas. Al menos, así
lo dice de manera expresa Diego Méndez, el criado de Cristóbal Colón, en una
probanza hecha en Madrid el 30 de diciembre de 1511: estando el muy católico rey
D. Fernando en la villa de Fuentedecantos, en 15 de diciembre de 1508 compareció
ante él Diego Méndez y le pidió ser nombrado caballero de espuelas doradas en
recompensa de sus muchos servicios a la Corona. Entonces el monarca dijo que le
placía, «e el dicho Diego Méndez sacó un espada de la vaina que traía e dióla a Su
Alteza, e Su Alteza la tomó en la mano e dióle con ella un golpe en la cabeça e dixo:
'Yo te armo cavallero d'espuelas doradas. ¡Dios te haga buen cavallero y señor Santiago!'». Le otorgó también entonces escudo de armas, «en que van señaladas las dichas
islas e la dicha canoa e dos indios desnudos asidos de los lados cada uno con un
bastón dorado en la mano» (A.G.I., Justicia 2, n.º 1 ff. 23v-24r).
p. 126] A Francisco García del Fresno alude de manera expresa un libro muy curioso,
la *Peregrinación del mundo de D. Pedro Cubero Sebastián*, Zaragoza, 1688, p. 269.
p. 214] Este Manuel de Sousa Coutinho ha de ser el hermano del conocido negrero
Juan Rodrigues Coutinho (cf. E. Vila Vilar, *Hispano-América y el comercio de esclavos*,
Sevilla, 1977, pp. 70 y 107). Por tanto, hubo de ser el interés por la trata de esclavos
lo que propició su amistad con J. J. Falcó en Valencia: nuestro humanista, además de
escribir en excelente latín, también sabía hacer otras cosas menos ilustres pero más re-
muneradoras.

---

[39] Cf. Bernal Díaz del Castillo, *Verdadera historia*, XXVII (*BAE* 22, p. 22 b).
[40] Cuenta su historia Pedro de Aguado, *Historia de Venezuela*, I 9 (p. 77ss. Bécker), 12
(p. 94ss.) y 13 (p. 104ss.).

INDICE DE PERSONAS

Abbas, Sha, 176, 212, 334.
Abdías, 149.
Abreu, Alvaro de, 278.
Abreu, Diego de, 232.
Abreu, Gonzalo de, 275, 277, 278, 280.
Acebo, Isabel del, 38.
Acevedo, Jaime de, 158.
Acosta, Andrés de, 151.
Acosta, Gonzalo de, 32.
Acosta, padre J., 195.
Acosta, Marcos de, 205.
Acosta, Martín de, 46, 47, 76.
Acuña, Antonio de, 298.
Acuña, Pedro de, 168, 302, 347.
Acuña, Rodrigo de, 37, 41.
Adamo, José María, 291.
Adanero, conde de, 307.
Adán, 119, 325.
Agatárquides, 196, 261.
Aguado, Pedro de, 232, 380.
Aguiar, Rodrigo de, 188, 327.
Aguilar, Diego de, 96.
«Aguila», 355.
Aguila, Juan del, 172.
Aguirre, 41.
Aguirre, Andrés de, 126, 141, 199.
Aguirre, Francisco de, 100, 270, 272, 274, 275.
Aguirre, Lope de, 63, 232.
Agustín Felipe, 96.
Ahumada, Bernardino de, 330.
Ahumada, Juan de, 271.
Ahumada, Luis de, 271.
Aillón, 45.

Ajofrín, Francisco, 352.
Alaminos, Antón de, 69, 70, 72.
Alanís, Baltasar de, 330.
Alarcón, Hernando de, 79.
Alas, Andrés de las, 184.
Albaigne, Andrés, 98, 339.
Albaigne, Francisco, 97.
Albertos de Oñate, Marcos, 300.
Alberto, archiduque, 184, 187.
Albítez, Diego, 48.
Albornoz, Felipe de, 287.
Albo, Francisco, 18.
Alcalá Galiano, Antonio, 360, 363.
Alcalá Galiano, Dionisio, 360, 361.
Alcazaba, Simón de, 39, 259, 262.
Alderete, Jerónimo de, 259, 260, 273.
Aldonza, 300.
Alejandro VI, 65, 68, 340.
Alejandro, 71, 73, 74, 75, 93, 261, 380.
Alfinger, Ambrosio, 30.
Alfonso X, 328.
Almazán, Gonzalo de, 13.
Almeida de Vasconcelos, Francisco de, 325.
Almeida, Andrés de, 122.
Almiger, 296.
Alonso de Guzmán, Juan, 330.
Alonso de Sousa, Martín, 33.
Alonso, Diego, 157.
Alonso, Gonzalo, 233.
Altamirano, Blas, 111.
Alva de Liste, conde de, 217, 236, 297, 298.
Alvarado, 269.

Alvarado, Alonso de, 265.
Alvarado, Juan de, 194.
Alvarado, Pedro de, 44, 45, 46, 48, 49, 73, 79, 80, 197.
Alvarez Serrano, Juan de, 162.
Alvarez de Escobar, Juan, 110.
Alvarez de Figueroa, García, 193.
Alvarez de Montenegro, Pedro, 250.
Alvarez de Toledo, Alonso, 104.
Alvarez, Hernán, 40.
Alvarez, Inés, 87.
Alvarez, Pero, 213.
Alzola, Tomás de, 132, 135.
Allanegui, Miguel de, 347.
Aller Ussategui, Juan de, 227.
Amalfi, León de, 50.
Amat, Manuel de, 352, 353, 354, 355.
Anda, Simón de, 351.
Andía y Varela, J. de, 355.
Andrada, Hernando de, 26, 32, 42.
Andrade Colmenero, Juan de, 178.
Andrea, maestre, 61.
Anes, Pedro, 278.
Anglico, Bartolomé, 127.
Annio, 365.
Anson, 352, 360.
Antonelli, J. B., 129.
Antón, 32.
Anunciación, Gabriel de la, 281.
«Anunciada», 26.
Apolo, 94, 308.
Aragón, Juan de, 37.
Aranda, Juan de, 13, 14, 16, 302.
Aranda, conde de, 363.
Arano, Juan de, 118.
Arbolancha, Martín de, 35, 36.
Arbolancha, Pedro de, 36.
Ardales, conde de, 330.
Ardiles, Miguel de, 266.
Ardilla Guerrero, Pedro de, 242.
Arechaderra, 351.
Areizaga, Juan de, 45, 258, 259, 260, 261.
Arellano, Alonso de, 61, 62.
Arellano, Tristán de, 87.
Arévalo, Juan de, 159.
Argensola, Bartolome, L. de, 16, 370, 371.
Argüelles, Manuel de, 343.
Argüello, Sebastián, 291, 292, 295.
Argumedo, Juan de, 131.
Arias Añasco, Jacinto, 330, 331.
Arias Montano, 211.
Arias Pardo, 269.

Arias de Loyola, Juan, 101, 102, 149, 169, 170, 189, 326, 327, 328
Ariosto, 28, 54, 119.
Aristóteles, 170.
Arizabalo, Lorenzo de, 297.
Arlington, 293, 300.
Armendáriz, Pedro de, 236.
Armiger, Tomás, 302, 312.
Arnao, Catalina, 210.
Aroche, Pedro de, 79.
Arriaga, Julián de, 353, 354, 356.
Ascensión, Antonio de la, 134, 153, 154, 157, 159, 162, 335.
Ascensión, S. Martín de la, 56.
Asqueta, Pedro de, 289.
Astorga, Juana de, 36.
«Astrea», 359.
Astriges, 50.
Astudillo, Juan de, 13.
Atabalipa, 278.
Ataíde, Tristán de, 44.
Atondo, Isidro, 165, 166, 167.
«Atrevida», 359, 361.
Aveiro, duque de, 296.
Aveiro, duquesa de, 245.
Avendaño Villela, Pedro de, 178.
Avendaño, Alvaro de, 255.
Aventrot, Juan, 189, 210.
Ayala, 195.
Ayala, Iñigo de, 177, 205, 292.
Aybar, Silvestre de, 177.
Ayolas, 266.
Azevedo Coutinho, Antonio de, 40, 41.
Azoca, Antonio de, 208.

«Bachelor», 293.
«Bachiller», 296.
Bagatin, Daniel, 340.
Balbás, 230.
Baldovinos, Diego de, 178.
Balmaseda y Esquivel, María de, 242.
Baltasar, Carlos, 369.
Bances, Lorenzo de, 222.
Banha Cardozo, Benito, 177.
Baños, conde de, 236, 238, 255, 256.
Bañuelos, Jerónimo, 223, 227.
Barbosa, Diego, 17.
Barbosa, Duarte, 121.
Barco de Centenera, 259, 261, 277, 279.
Barfind, 56.
Barinas, marqués de, 56, 220, 254.
Barlovento, islas de, 251.

Barlow, Roger, 37.
Barrasa, Estacio de, 88.
Barreda, Gabriel de, 230, 232, 233.
Barrenechea, Pedro de, 205, 206.
Barrera, Alonso de la, 248.
Barreto, Francisco, 213.
Barreto, Isabel, 109, 123.
Barreto, Lorenzo, 110.
Barreto, Nuño, 213.
Barrientos, Juan de, 278.
Barroso, Francisco, 213.
Barros, João de, 240.
Barros, Manuel de, 213.
Barzana, 276.
Basco y Vargas, José, 358.
Basiñana, Pero Benito de, 29.
Baudin, Esteban, 340.
Bautista, Francisco, 130.
Bautista, Juan, 72.
Bazán, Nicolás, 242.
Bayamo, 373.
Bear, O Solivan, 186.
Beauchesne, 309.
Beauvais, Vicente de, 127.
Becerra, Diego, 77.
Becerra, Isabel de, 282.
Becheti, Juan Bautista, 169.
Bedmar, 193.
Behaim, Martín, 16, 54, 127, 374.
Belin, Oliveros, 302, 303, 336.
Bellew, 380.
Bellin, 358.
Belmonte, Luis de, 120.
Beltrán, 26.
Beltrán, Francisco, 71.
Benavente, Toribio de, 21, 23.
Benavides Bazán, Juan de, 194.
Benavides, Jerónimo, 299.
Benítez, Gonzalo, 156.
Berdugo de Peñalosa, Alonso, 300.
Bermúdez, Domingo, 349.
Bernal de Mercado, Lorenzo, 272, 273, 274.
Bernal de Pinadero, Bernardo, 164, 253.
Bernal, Andrés, 15, 52.
Bernardino, fray, 122.
Bernardo, 128, 290.
Bernou, 300.
Beroso, 219.
Berrío, Luis de, 158.
Betancor, Juan de, 150.
Betancor, Pedro de, 233.

Betancur, 167.
Betanzos, Domingo de, 52.
Bismarck, 345.
Bivar, 221.
Blanco, Juan, 185, 186, 190.
Blas, Pedro, 34.
«Boa ventura», 91.
Boccaccio, Juan, 95, 127.
Boenechea, Domingo de, 355.
Boguer, Tristán, 35.
Bolaños, Francisco de, 79, 317.
Bonconte, Pedro, 89.
Bondinar, Leonardo, 35.
Bonifaz, Luis de, 163.
Borja y Aragón, Francisco de, 342.
Borja, Pedro de, 326.
Borja, San Francisco de, 326.
Botello, Alonso, 155.
Botello, Hernando, 58.
Bougainville, 28, 300, 353, 356, 358, 360, 362.
Bourne, W., 317, 318.
Braganza, duque de, 234.
Braga, arzobispo de, 179.
Brambilla, 360.
Bravo de Acuña, Pedro, 235.
Bravo de Saravia, Catalina, 298.
Bravo de Saravia, Francisco, 100, 271, 298.
Briceño, 212.
Briceño, Lope de, 282.
Brigges, 322, 323.
Brine, Silvestre de, 34.
Brochero, Diego, 184, 186, 187, 192, 327.
Brosses, Ch. de, 354.
Brouwens, Gerardo, 245.
Bruneo, 172.
Buache, Felipe de, 361.
Bucher, Nataniel, 294.
Bucher, Pedro, 294.
Bucher, Tomás, 294.
Bueno, Alonso, 36, 38.
Burgos, Francisco de, 27, 48.
Burgos, Juan de, 78.
Bustamante, Juan de, 63.
Butrón y de la Serna, E., 345.
Byron, John, 352, 354.

Caballero Carranco, Juan, 163.
Caboto, Juan, 25, 43.
Caboto, Sebastián, 17, 25, 29, 30, 31, 33, 34, 35, 36, 37, 38, 39, 40, 204, 264, 265, 315, 318.

Cabral de Melo, Diego, 263.
Cabrera, 277.
Cabrera, Gonzalo Luis de, 282.
Cabrera, Jerónimo Luis de, 274, 282, 283, 284, 285, 286, 287, 288.
Cabrera, Pedro, 283.
Cáceres, Francisco de, 87.
Cadereita, 155, 161, 162, 236.
Calderón, 35, 37.
Calderón, Julio, 249.
Calderón, Martín, 164.
Calderón, Rodrigo, 328.
Calvete de Estrella, Juan Cristóbal, 171, 265.
Calvo, J., 190.
Calzada, conde de la, 251.
Camacho, Juan, 48.
Cámara, Alonso de la, 289.
Camargo, 295.
Campos, 265.
Candía, Pedro de, 100.
Canelas, Juan, 325.
Cañete, marqués de, 87, 106, 107, 288.
Cantillana, 213.
Cantova, Juan Antonio, 342, 344, 343.
Caonabó, 54, 73.
Carballido, Pedro de, 325.
Carbonel, Esteban, 151, 159, 160, 161.
Carbonel, Francisco Esteban, 155, 156, 157, 158, 160, 161, 162, 163, 334, 335.
Cardenal Infante, 157.
Cárdenas, Francisco de, 267.
Cardiel, J., 376.
Cardona, Domingo de, 160.
Cardona, Nicolás de, 149, 150, 151, 152, 153, 154, 160, 161, 334, 335.
Cardona, Tomás de, 148, 149, 150, 151, 154.
Cardoso, Manuel, 213.
Cardoso, Marcos, 213.
Caribana, 277.
Carlos III, 351, 355.
Carlos I, 14, 16, 17, 20, 22, 24, 25, 26, 29, 30, 34, 37, 39, 40, 41, 43, 65, 67, 70, 72, 119, 260, 262, 317, 367.
Caro, Antonio, 34.
Caro, Gregorio, 34, 36.
Carquizano, Andrés de, 27, 46.
Carrascosa, Pablo de, 158.
Carrillo, Fernando, 184, 190, 191, 192, 193, 201, 327.
Carrillo, Gabriel, 330.

Carrillo, Luis, 330.
Carrillo, María, 123.
Carrión, Juan Pablo de, 58, 64, 87.
Carteret, Philip, 352.
Cartier, J., 97.
Carvajal, 105.
Carvajal, Gaspar de, 153.
Carvajal, Juan de, 287.
Carvajal y Robles, Rodrigo de, 369, 370.
Casado, Manuel, 213.
Cascos, Simón, 158.
Castellar, conde de, 232, 305.
Castellón, 78.
Castilla, Esteban de, 46.
Castilla, Juan de, 373.
Castillejo, 289.
Castillo, Bernardino del, 168.
Castillo, Juan Pedro del, 158, 159.
Castillo, Pedro del, 269.
Castrillo, Luis de, 317.
Castrillo, conde de, 222, 223, 226.
Castro, Francisco de, 36.
Castro, Andrés de, 300.
Castro, Beltrán de, 109.
Castro, Fernando de, 87, 88, 97, 98, 105, 110, 112, 113, 115, 122, 135, 136, 216, 217, 270, 370.
Castro, Jorge de, 57.
Castro, Juan de, 13.
Castro, Mariana de, 113.
Castro, Pedro de, 123.
Catalina de Rusia, 330, 331, 355.
Cataño, Leonardo, 29, 31.
Catoira, 90, 91, 92, 95.
Cauchelo, Andrés, 58.
Cavendish, 106, 181, 284, 295, 320, 322, 323.
Cayancura, 289.
Cazón, Miguel, 177.
Cea, Pedro de, 233.
Ceballos, Ciriaco, 361.
Cecil, 323.
Cedillo Díaz, Juan, 169, 187, 188, 189, 327, 329.
Cegrí, Pedro, 330.
Centeno, Francisco, 177.
Centurión, 14.
Cepeda, 106, 282.
Cerbín, 276.
Cerda Contreras, Juan de la, 299.
Cerdeño, Luis, 256.
Cerón de Molina, Francisca, 330.

Cervantes de Salazar, 69, 70, 71, 76.
César, Francisco, 36, 38, 264, 265, 267, 270, 272, 274, 277, 281.
Céspedes, 71.
Cevicós, Juan, 215.
Cíclopes, 94.
Cisternas, Pedro de, 313.
Clemente VII, 367.
Clemente VIII, 113, 176.
Clemente XI, 338.
Clemente, Sebastián, 108, 113, 114, 149.
Cleopatra, 154.
Clerc, Juan, 178.
Coello, 240.
Coello, Francisco, 345.
Coello, Leandro, 239.
Coe, Luis, 295.
Cogseng, Pumpuan, 247.
Colbil, Jaques, 172.
Coligny, 98.
Colín, 376.
Coloma, Francisco, 91.
Colón, Cristóbal, 15, 16, 19, 20, 21, 27, 36, 52, 54, 55, 69, 70, 71, 74, 76, 84, 90, 92, 109, 113, 117, 119, 127, 128, 154, 196, 197, 203, 218, 220, 221, 240, 246, 258, 318, 319, 374, 375, 381.
Colón, Hernando, 25, 30, 229, 240, 251.
Collado, Diego, 247.
Coma, 54.
Commerson, 28.
«Concepción», 76, 237.
«Conquerant», 310.
Conquero, Alvaro, 199.
Conquero, Antonio, 199.
Conquero, Catalina, 199.
Conquero, Gaspar, 198, 199, 200, 201, 202, 203, 204, 205, 375.
Conquero, Inés, 199.
Conti, Nicolò de, 121, 378.
Contreras, 191, 192, 193, 198.
Contreras, Andrés de, 278.
Contreras, Jerónima de, 279.
Cook, 302, 352, 355, 356, 357, 358, 360, 361, 362.
Copart, Juan Bautista, 166.
Copérnico, 66.
Corbalán, 54.
Cordero, Antonio, 213.
Cormida, 267.
Cornejo, Diego, 184.
Cornelius a Lapide, 92.

Cornex, Diego, 312.
Correa, Fernando, 149.
Correa, Francisco, 213.
Correa, Manuel (s. XVII), 209.
Correa, Manuel (s. XVIII), 302.
Corso, Antonio, 49, 57.
Cortés, 22, 34, 43, 44, 45, 46, 47, 71, 72, 73, 74, 75, 76, 77, 78, 79, 102, 220.
Cortés, Juan Lucas, 256.
Cortés, Pedro, 101, 178, 273.
Cortil, Joseph, 340.
Corzana, vizconde de la, 222, 226.
Corzo, Carlos, 90.
Covarrubias, Francisco de, 13.
Cowles, Tomás, 322, 323.
Crave, Arnaldo, 210.
Cresques, Abraham, 16.
Cristobalillo, 81.
Cristóbal, 214.
Croix, Teodoro de, 356.
Crozat y Góngora, Fausto de, 338.
Cruz, Juan de la, 160.
Cruz, Lupercio de la, 177.
Cruz, Pedro de la, 90.
Cruz, Pedro de, 235.
Cubero Sebastián, Pedro, 381.
Cuéllar, Dionisio Phelipe, 304.
Cuevas, María de, 123.
Cueva, Juan de la, 216.
Cueva, cardenal de la, 207.
Cúneo, 55.
Curuzelaegui, 238, 245, 337.
Cuyper, Pablo de, 210.

Chacke, Martín, 323.
Chacón, Ana, 123.
Chamber, Juan, 306.
Chaparro, Sebastián, 299.
Chaves, Alonso, de, 104.
Chaves, Jerónimo de, 65.
Chaves, Nuflo de, 92.
Chéfalo, Alejandro, 323.
China, Tristán de la, 48.
Chinchón, conde de, 213, 216, 222, 230, 232.
Chumacero, Chaparro, 313.

Daifusama, 142, 145.
Dalrymple, 120.
Damián de Goes, 367.
Dampier, 358.
Dans, Simón, 156.

David, 355, 356, 367.
David, Richarte, 313.
Dávila, Manuel, 185.
Dávila, Pedrarias, 45, 71, 301.
Davis, John, 320, 354, 355.
Dee, John, 328.
Delgado, Pedro, 217.
«Descubierta», 359, 361.
Desvalers, Francesc, 95.
Díaz Jaramillo, Juan, 203.
Díaz Melgarejo, Ruy, 232, 261.
Díaz Soltero, Juan, 177.
Díaz de Guzmán, Ruy, 259, 264, 265, 268, 280, 281.
Díaz del Castillo, Bernal, 22, 23, 71, 72, 73, 77, 380.
Díaz, Alfonso, 198.
Díaz, Bartolomé, 16, 19.
Díaz, Juan, 33.
Díaz, Manuel, 199, 200.
Díaz, Pero, 128, 213.
Dicastillo, Miguel de, 256.
Diego, 236.
Díez Ortiz, Juan, 282.
Díez Soltero, Juan, 205.
Díez de Games, 74.
Díez de la Calle, Juan, 163, 236.
Digal, 343.
Diodoro, 378.
«Discovery», 360.
Doesborch, Jan van, 127.
Dolores, 167.
Domingo Antonio, 213.
Domínguez, Francisco, 321, 322.
Dotraff, Daniel, 172.
Dowglas, Juan, 322.
Drake, 99, 106, 108, 199, 260, 320, 321.
Dubal, Pedro Miguel, 190.
Duberon, Jacobo, 340.
Durango, 37.
Durán, Diego, 73.
Durán, Tomás, 25.
D'Ailly, Pedro, 25, 53.
D'Avenant, William, 297.

Egoy y Zabalaga, Bernardo de, 341, 344.
Elcano, Juan Sebastián de, 19, 23, 27, 38, 262.
Elgorriaga, Miguel de, 339, 342.
«El Rosario», 209.
«Engel», 147.
Enoch Estelgenio, 213.

Enríquez Clerque, Carlos, 199, 293, 294, 295, 296, 297, 302, 303.
Enríquez de Losada, Francisco, 241, 242.
Enríquez, Catalina, 88.
Enríquez, Enrique, 249.
Enríquez, Juan, 290, 292, 293, 296.
Enríquez, Luis, 206.
Enrique, 302, 368.
Eolo, 94.
Eraso, Cristóbal de, 199, 320, 321.
Eratóstenes, 16.
Ercilla, Fortún de, 41.
Ercilla, Martín de, 41.
Escalante Alvarado, García de, 49, 50, 57, 84, 128.
Escalante de Mendoza, Juan de, 112.
Escalona, Luis de, 81.
Escobar y Bacache, Pedro, 289.
Escobar, Juan de, 236.
Escobedo Altamirano, Lucas, 217.
Espelberc, Jorge, 184. Cf. Speilbergen.
Espíndolas, 14.
Espinosa, Alonso de, 26.
Espinosa, Rodrigo de, 58, 60, 61, 86, 112.
Esplá, Damián de, 245.
Esquilache, 54.
Esquilache, príncipe de, 180, 181, 207, 213, 218, 284.
Estacio Venegas, Manuel, 242.
Estefan, 61.
Estenquer, Jorge, 42.
Estepa, marqués de, 328, 329.
Este, Alfonso de, 119.
Estrabón, 16, 127, 378.
Estrada, Famiano, 171.
Estuardo, María, 171, 172.
Evémero, 364, 374.

Fajardo, Alonso, 178, 183, 185, 204.
Fajardo, Diego, 225, 227, 234.
Fajardo, Luis, 113.
Falcón, Juan, 157, 159, 160.
Falcó, Jaime Juan, 326, 381.
Falero, Francisco, 65.
Falero, Ruy, 13, 14, 15, 17, 24.
Faría, Pero de, 84.
Faulkner, Tomás, 377.
Faxardo, Alonso, 193.
Feijóo, 245.
Felipe II, 56, 58, 64, 67, 68, 99, 105, 134, 137, 171, 172, 208, 211, 304, 316, 370.
Felipe III, 101, 114, 123, 140, 141, 148,

174, 175, 176, 194, 208, 218, 296, 302, 324, 334, 347.
Felipe IV, 154, 207, 208, 220, 243, 248, 339.
Felipe V, 302, 310, 338, 347.
Felipillo, 159.
Felipón, Miguel Angel, 106.
Fernández Ladrillero, Juan, 58, 315, 317, 335.
Fernández Pizarro, Cristóbal, 313.
Fernández de Alanís, Juan, 218.
Fernández de Córdoba y Sotomayor, Luis, 91.
Fernández de Enciso, Martín, 28, 75.
Fernández de Madrigal, Francisco, 247, 251.
Fernández de Oviedo, Gonzalo, 22, 43, 45, 48, 73, 74, 75, 93, 129, 258, 259, 260, 261, 285, 315.
Fernández de Quirós, Pedro, 82, 91, 96, 109, 112, 113, 114, 115, 116, 117, 118, 119, 120, 122, 140, 148, 149, 152, 164, 168, 169, 170, 195, 216, 218, 219, 220, 229, 244, 253, 254, 255, 256, 277, 285, 302, 333, 334, 341, 354, 355, 356, 368, 370, 374, 377.
Fernández de Rojas, Antonio, 342.
Fernández de Velasco, Antonio, 278.
Fernández, Gaspar, 199.
Fernández, Juan, 101, 102, 271, 272, 286, 287, 313.
Fernández, Tomé, 181.
Fernando VI, 219.
Fernando el Católico, 218, 381.
Fernando, esclavo, 33.
Fernando, príncipe, 20.
Ferreira, Francisco, 292.
Ferreiro, M., 345.
Ferrelo, Bartolomé, 80.
Ferrer, Pedro, 328, 329.
Ferrer Maldonado, Lorenzo, 302, 324. 325, 327, 328, 330, 331, 332, 333, 334, 335, 361.
Figueredo, Jerónimo de, 84.
Filiberto de Saboya, 175, 186, 195.
Finar, Sebastián de, 36.
Fiore, Joaquín de, 118, 149.
Fise, Thomas, 306.
Fletcher, 108.
Flores Rabanal, Juan, 194.
Flores de Valdés, Diego, 98, 181, 199, 277.
Flores, Bartolomé, 110.

Flórez de León, Diego, 185, 208, 286.
Flórez, Alonso, 208.
Fonseca Coutinho, Juan de, 325, 326.
Fonseca, 25.
Fonseca, Luis de, 146.
Fonte, 296.
Fortescue, Juan, 295, 296.
Fortún, Jaimes, 58.
Fosa, Jerónimo de la, 61.
Fourquevaux, 97.
Francia, María de, 226, 227.
Francia y Espinosa, Pedro de, 227.
Francisco, buzo, 159.
Franco, Antonio, 156.
Franco, Salomón, 296.
Francisco, esclavo, 57.
Freitas, Nicolás de, 301.
Frobisher, Martín, 318, 319, 320.
Fúcares, 15, 23, 27, 30, 42, 44, 48.
Fúcar, Antonio, 42.
Fúcar, Juan, 26.
Fuca, Juan de, 296, 322, 323.
Fuente, Bernardo de la, 376.
Fuente Villalobos, Francisco de la, 291.
Fuentes de Sotomayor, Salvador, 282.
Fuentes, 108, 354.
Fuentes, Alonso de, 107.
Fuentes, Jerónimo de, 223.

Galdo de Guzmán, Diego, 236.
Gales, Príncipe de, 173.
Galíndez de Carvajal, Lorenzo, 40.
Galí, Francisco, 129, 130, 136, 137.
Galvão, Antonio, 19, 48, 77, 84, 285.
Gálvez, Manuel, 350.
Gallego, Hernán, 89, 90, 91, 95, 110.
Gallego, Juan, 200.
Gallo, Lope, 26, 42.
Gamarra, Pablo de, 26.
Gama, Juan de, 131, 132.
Gamelle, Madelene, 158.
Garay, F. de, 71.
Garay, Domingo de, 283.
Garay, Juan de, 278, 279, 282.
García Tas, Juan, 286.
García de Carquizano, Martín, 27.
García de Céspedes, Andrés, 139, 187, 325.
García de Loyola, Martín, 102.
García de Solís, Juan, 180.
García de Tovar, Juan, 232.
García del Fresno, Francisco, 237, 381.

García del Nodal, Bartolomé, 172, 186, 205.
García, Andrés, 240, 241.
García, Cristóbal, 325.
García, Diego, 31, 32, 33, 53.
García, Esteban, 43.
García, Francisco, 238, 239.
García, Juan, 287.
García, Tomás, 242.
García, Vasco, 26.
García de Torres, Francisco, 376.
Garnica, Francisco de, 327, 329.
Garro, Pedro de, 44.
Gaspar Luis, 96.
Gaspar de León, Tomé, 351.
Gaspar, 54, 57, 290.
Gastaldi, 317.
Gattinara, Mercurino de, 40.
Gautier, Teófilo, 232.
Gayangos, Tomás, 355.
Gennes, conde de, 307.
Gessio, Juan Bautista, 43, 67, 68, 98, 103, 136, 254.
Gibraleón, Rodrigo de, 243.
Gigantes, 166.
Giganta, 97, 153, 167.
Gilbert, Humphrey, 318, 319, 322, 333.
Gil, 167.
Giménez, Pedro, 233.
Ginaldo, 368.
Godínez, Jerónimo, 287.
Godoy, 362, 363.
Gog, 380
Goiri, Juan de, 27.
Goiti, Martín de, 58.
Golma, Leuchen, 263.
Gómara, 21, 47, 71, 72, 263.
Gombau, 213.
Gómez Jurado, José, 312.
Gómez de Malaver, 37.
Gómez de Mora, Andrés, 161.
Gómez de Solís, 87.
Gómez, Esteban, 17, 25, 26, 33, 315.
Gómez, Manuel, 233.
Gondomar, conde de, 170, 173.
Góngora Marmolejo, 263, 264, 268, 269, 272.
González Barriga, Alonso; 163.
González Dávila, Gil, 24.
González Quijano, Antonio, 350.
González de Haedo, Felipe, 213, 353, 354, 355.

González de Leza, Gaspar, 112, 116, 117.
González de Nájera, Alonso, 197.
González de Pareja, Pedro, 339.
González de Prado, Pero, 266.
González de Rivero, Pedro, 302, 347, 348, 349, 350.
González de Sequeira, Ruy, 177.
González, Antonio, 213.
González, Juan, 213.
González, Marcos, 233.
Gordey, Rafael, 233.
Goropius, 197.
Gory, 310.
«Gracht», 147.
Grado, Alonso de, 325.
Grajeda, Antón de, 34.
Gran Kan, 333.
Granado, Francisco, 46.
Granvela, 172.
Gregorio XIII, 67.
Gregorio XV, 149.
Griego, Jorge, 61.
Griego, Juan, 61, 284, 285.
Grijalba, Francisco Javier, 47, 48, 70, 71, 74, 77, 92, 292.
Grijalba, Hernando de, 46, 76.
Grimaldo, 14.
Guadalcázar, marqués de, 111, 145, 175.
Guanomilla, 263.
«Guaterrale», 183.
Guernica, Juan de, 97.
Guerrero, Gonzalo, 380.
Guevara, 41.
Guevara, Juan Luis de, 273.
Guilgamés, 368.
Guillén de Veas, Lucas, 329.
Guillermo de Inglaterra, 306.
Guiral Belón, Juan, 150.
Gutierre de Carvajal, 279.
Gutiérrez, Alonso, 211, 230.
Gutiérrez Cortés, Isabel, 230.
Gutiérrez Flórez, Garci, 288.
Gutiérrez de Moscoso, Jacinto, 301.
Gutiérrez de San Vítores, Francisco, 243.
Gutiérrez, Alonso, 96.
Gutiérrez, Diego, 241.
Gutiérrez, Pedro, 161.
Gutiérrez, Sancho, 65, 325.
Gutiérrez, Sebastián, 155.
Guzmán Ponce de León, Francisco de, 157.
Guzmán, Diego de, 100.

Guzmán, Fernando de, 232.
Guzmán, Gaspar de, 150.
Guzmán, Juan de, 331.
Guzmán, Pedro de, 331.

Haedo, Pedro de, 87, 88, 90.
Haenke, Teodoro, 360, 361, 362.
Haggard Rider, Enrique, 380.
Hakluyt, R., 316, 319, 320, 323.
Haro, Cristóbal de, 14, 23, 24, 26, 27, 32, 45, 48, 97.
Haro, Francisco de, 109.
Harpes, 220.
Hawkes, H., 104, 316.
Hawkins, Richard, 109, 312.
Hegoen, Augustín de, 225.
Henríquez, Luis, 213.
Heraclio, 22.
Hecateo, 368.
Hera, Pedro de la, 343, 344.
Herborn, Nicolás, 21.
Herckmans, Elías, 295.
Heredia, Nicolás de, 266.
Herman, Enrique, 350, 351.
Hernández Girón, Francisco, 89.
Hernández de Córdoba, 69.
Hernández, Andrés, 233.
Hernández, Cristóbal, 276, 277, 283.
Hernández, Francisco, 96, 103, 321.
Hernández, Gonzalo, 33.
Herodes, 366.
Herrera, Alonso de, 270.
Herrera, Antonio de, 188, 341.
Herrera, Domingo, 233.
Herrera, Jerónimo de, 242.
Herrera, Juan de, 103, 224.
Herrera, Melchor de, 273.
Herrera, Simón de, 213.
Hervás, Lorenzo, 376.
Hesíodo, 94, 196.
Hide-Tada, 145.
Hide-Yoshi, 140.
Highway, Thomas, 293.
Higuera, Román de la, 219.
Hiperbóreos, 94.
Hiram, 24, 220.
Hoces, Lope de, 211.
Hogazón, Francisco de, 34.
Hojeda, 54.
Horacio, 154.
Horozco, Juan de, 96.
Huerta, Juan de, 290.

Humboldt, Alejandro de, 236.
Hurtado, Lope, 41.
Hurtado de Corcuera, Iñigo, 222, 225.
Hurtado de Corcuera, Juan, 222.
Hurtado de Corcuera, Pedro, 218, 221, 222, 223, 226, 227.
Hurtado de Corcuera, Sebastián, 216, 217, 223, 224, 225, 226, 227, 228, 230, 233, 234, 235, 241, 242, 370.
Hurtado de Mendoza, Diego, 76, 222.
Hurtado de Mendoza, García, 88, 109, 272. Cf. Mendoza y Cañete.
Hurtado de Mendoza, Lope, 57.

Iambulo, 365, 374.
Ibáñez de Espalza, Mari, 34, 35.
Ibáñez de Urquiza, Martín, 35.
Ibarra, Alvaro de, 232.
Icasayan, 284.
Iglesias, Tomás, 295.
Igueríbar, Juan de, 161.
Illanes, Gonzalo de, 83.
Inestrosa, Francisca de, 330.
Ingram, David, 260.
Iñiguez Carquizano, Martín, 46.
Inojosa, Diego de, 225.
Irala, Domingo de, 232, 266.
Iranzo, Miguel Lucas de, 56.
Iriarte, Antonio de, 305.
Iriarte, Pascual de, 305.
Isabel de Portugal, 40.
Isabel, infanta, 207.
Isabel, reina de Inglaterra, 319, 323.
Isaías, 246.
Iscar, marqués de, 256.
Isla, Juan de, 136.
Islares, Martín de, 46, 48, 49.
Iturbe, Juan de, 91, 118, 150, 152, 335.
Iturriaga, 360.
Ivón de Narbona, 368.

Jacobo I, 172, 173, 203, 204.
Jacobo de Vitry, 367.
Jacobsz, F., 147.
Jácome, Ana, 177.
Jaramillo, Juan, 76, 81.
Jasekura, 144.
Jesús, Jerónimo de, 145.
«Jesús María», 306.
Jiménez, Jerónimo, 57.
Jiménez, Juan, 198.
Jiménez, Ortún, 77, 79, 164.

Jouin, Manuel, 309, 310, 311.
Jozuquendono, 143.
Juan, D., 82, 294, 331.
Juan, Jaime, 136, 325.
Juan, Jorge, 291, 354, 312.
Juan Fancisco, 82, 224.
Juan III de Portugal, 40, 41, 57, 84, 202.
Juana, 277, 331.
Juaneles, 312.
Juárez Vela de Priego, Antonio, 208.
Juárez de Toledo, Martín, 281.
Jufré, Juan, 99, 100, 101, 102, 270, 271.
Junco, Juan de, 33.
«Júpiter», 355.
Justino, 73.

Kino, Eusebio Francisco, 166, 167.

«La Concepción», 243.
La Gasca, 268.
La Pérouse, 356, 360.
La Salle, 302.
Labezaris, Guido de, 64, 87.
Laborda Tausias, Pedro de, 350.
Labreña, Francisco, 304.
Laercio, Diógenes, 308.
Lafuente Villalobos, Francisco de, 313.
Lafuente Villalobos, María de, 313.
Lainez, Fernando, 154.
Laiseca, Juan de, 231.
Lamero, Hernando, 96, 108.
Lampurlanes, Plácido, 376.
Landero, Salvador, 233.
Lángara, Cayetano de, 356.
Lángara, Juan de, 356.
Larraga, Bernardino de, 280.
Larrea, Juan de, 289.
Las Casas, 15, 22, 43, 92, 119, 136, 196.
Lasso de la Vega, Francisco, 217, 299, 311.
Latumba, Juan de, 26.
Lavaña, Juan Bautista, 169, 170, 188, 325,
    326, 327, 329, 371.
Leardo, Franco, 29, 34.
Ledesma, Juan de, 172.
Ledesma, Martín de, 288.
Ledesma, Pedro de, 172, 186.
Lee, 31.
Legazpi, 56, 57, 58, 61, 62, 66, 67, 85, 86,
    87, 99, 169. Cf. López de Legazpi.
Lemos, conde de, 232, 291, 293, 300.
León XIII, 345.

León, Alonso de, 32.
León, Antonio de, 233.
León, Juan Antonio de, 342.
León, Manuel de, 241, 243.
León, Pompeo, 103.
Lerma, duque de, 122, 168, 169, 183, 207.
Lespergue, Pedro de, 110.
Lestre, Pedro de, 184.
Let, Pedro de, 185.
Leto, 94.
Lezama, Martín de, 151.
Liébana, Beato de, 127.
Lima, Francisco de, 185.
Linneo, 360.
Lisboa, Juan de, 66.
Lisperguer, Rodulfo Juan, 110.
Livingstone, 376, 380.
Lizarazu, Joseph de, 302.
Lizárraga, L. de, 312, 338, 339, 341.
Lizárraga, Reginaldo de, 259, 260, 274.
Li-Bu, 338.
Loarte, 105.
Loaysa, 14, 24, 26, 27, 29, 34, 37, 38, 39,
    42, 43, 44, 45, 48, 56, 179, 258.
Loaysa, García de, 40.
Lobo Sarmiento, Antonio, 313.
Loeffling, Pedro, 360.
Lok, Miguel, 322, 323.
Lope de Castro, Diego, 14.
Lope de Vega, 113, 371, 372.
Lopedana, 282, 283.
Lopes de Sequeira, Diego, 84, 177, 179.
López, Bartolomé, 203.
López, Gonzalo, 75.
López, Jerónimo, 280.
López, Juan Luis, 302.
López, Juan, 103.
López, Lorenzo, 233.
López, Pero, 97.
López Gallo, Diego, 13.
López Largo, Juan, 198.
López Valero, Pedro, 280.
López de Bolaños, Diego, 211.
López de Córdoba, Juan, 265.
López de Elorriaga, Juan, 27.
López de Gómara, F., 19, 74, 85, 263, 315.
López de Haro, Alonso, 330.
López de Haro, Juan, 26.
López de Legazpi, Miguel, 59, 60, 99, 141.
López de Porras, Juan, 272.
López de Pravia, Juan, 32.
López de Saavedra, Jerónimo, 111.

López de Velasco, Juan, 91, 97, 102, 103, 128, 189.
López de Villalobos, Ruy, 34, 39, 48, 49, 52, 56, 57, 59, 61, 64, 80, 84, 87, 90, 92, 128.
López de la Cruz Rendón, Juan, 158.
López de la Paraja, María, 149.
Lorenzo, Cosme, 155.
Lorenzo, Gaspar, 325, 326.
Lorenzo, María, 34.
Lorero, Domingo, 213.
Losada, Juan de, 272.
«Los Tres Reyes», 88, 91, 115, 134.
Loyola, Martín de, 131.
Lozano, 376.
Lucas, maestro, 35.
Lucenilla, Francisco de, 163, 164, 165.
Luciano, 28.
Lugo, Pedro de, 290.
Lugo y Navarra, Pedro de, 214.
Luis XIV, 301, 308, 338.
Luis XV, 310, 351.
Luján, Francisco de, 199.
Luna, Gonzalo de, 235.
L'Hermite, Jacob, 205, 207.
«Lyon», 305, 306, 307.

MacDonnell, 172.
Macías García, Joseph, 351.
Madera, Rodrigo, 199, 200.
«Madre Luisa de la Ascensión», 155.
Mafra, Ginés de, 20, 23, 49, 62.
Magallanes, Fernando de, 13, 14, 15, 16, 17, 18, 19, 20, 21, 23, 25, 27, 29, 34, 35, 38, 44, 49, 57, 66, 84, 91, 102, 112, 128, 179, 197, 258, 259, 264, 374.
Magdalena, 302.
Maginosola, 238.
Magog, 380
Mahu, 321.
Maino, 207.
Malaspina, Alejandro, 359, 360, 361, 362, 363, 379.
Maldonado, 37.
Maldonado, Diego, 199.
Maldonado, Francisco de, 149, 150.
Maldonado, Gabriel, 133.
Maldonado, Melchor, 149, 150.
Mallart, Tomás, 31.
Maluenda, T., 369.
Mancera, marqués de, 164, 216, 217, 229, 230, 231, 232, 248, 249, 253, 254, 299.

Mandevilla, Juan de, 24, 53, 127.
Mangel, Juan Mateo, 167.
Manrique de Lara, Sabiniano, 237, 246, 248.
Manrique de Mendoza, Pedro, 280.
Manso, Juan, 157, 159, 160, 185, 186, 202.
Manuel, Nuno, 33, 368.
Manzanedo, 42.
Marco Antonio, 154.
Margarita, 371.
Margarite, Pedro, 54.
María, 172, 173.
«María Magdalena», 355.
María de Inglaterra, 306.
Marialva, marqués de, 297.
Marino, 16.
Mariño de Lobera, 89, 263, 268, 269, 271, 272, 273, 286.
Marmolejo, Pedro, 184, 192, 212.
Marmoutiers, Ganilón de, 94.
Marqués de Aitona, 379.
Márquez, Francisco, 217.
Márquez, Jerónimo, 153.
Martel, Luisa, 285.
Martín, Ana, 34.
Martín, Antonio, 213.
Martín, Cristóbal, 34.
Martín, Diego, 58.
Martín, Gaspar, 213.
Martín, Hernán, 278.
Martín, Jusepe, 158.
Martín, Lope, 61, 62, 63, 64, 164, 202, 374.
Martín, Pero, 34.
Martín, Vasco, 200.
Martín, Francisco, 380.
Martín de Poveda, Tomás, 293.
Martinet, Juan Nicolás de, 309, 310, 311.
Martínez, Diego, 233.
Martínez, Enrico, 134, 154.
Martínez, Juan, 46, 326, 331.
Martínez, Marcos, 71.
Martínez, Martín, 246.
Martínez Palacios, Jerónimo, 134.
Martínez de Arestizábal, Juan, 63.
Martínez de Grimaldo, Francisco, 228.
Martínez de Leiva, Sancho, 17.
Martínez de Pradillo, Jerónimo, 189.
Martínez de Yanguas, Ambrosio, 282.
Mártir, Pedro, 20, 197, 362.
Masamune, Date, 144.
Mascardi, Nicolás, 291, 292.

Mascarenhas, 211.
Massertie, 308.
Mastrilli, Marcelo, 225.
Mateo, 128.
Mateo, Tomás, 233.
Mateo y Sanz, Lorenzo, 250.
Mateos, Alonso, 164.
Matías, 37.
Matienzo, 17.
Mauro, Fr., 16, 18, 53.
Mayre, Jacobo de, 186, 190, 195.
Mazuecos, Juan de, 46.
Medellín, conde de, 305.
Médicis, Catalina de, 97.
Medina, Fernando, 257.
Medina, Juan de, 233.
Medina, Pedro de, 65, 231.
Medina Dávila, Andrés de, 165, 218, 219, 220, 221, 225, 226, 227, 228, 229, 231, 233, 234, 235, 236, 237, 238, 239, 240, 241, 245, 247, 251, 252, 253, 256, 257.
Medina Dávila, Juan de, 230, 231, 374.
Medina Dávila, Pedro de, 241.
Medina Lisón, Gonzalo de, 198, 205.
Medina Reinoso, Francisco, 158.
Medina Sidonia, duque de, 175, 178.
Medinaceli, duque de, 255, 256.
Mejía Miraval, Hernán, 274, 275, 276.
Mejía, Juan, 190, 192.
Mejorada, marqués de la, 342.
Mela, Pomponio, 127.
Melián, Pedro, 234.
Melkon, 54.
Mena, Joseph de, 184, 194.
Mena, Juan de, 27.
Mencos, Martín Carlos de, 255.
Mendaña, Alvaro de, 50, 51, 64, 88, 89, 90, 91, 95, 96, 97, 98, 99, 100, 102, 103, 104, 105, 106, 107, 108, 109, 110, 112, 114, 119, 123, 148, 169, 195, 201, 209, 218, 219, 221, 253, 254, 256, 302, 308, 356, 358, 368.
Mendes Pinto, Fernão, 84.
Méndez de Vasconcelos, Alvar, 33.
Méndez, Antonio, 208.
Méndez, Diego, 381.
Méndez, Hernán, 38.
Méndez, Martín, 38, 39.
Mendojana, Francisco de, 205, 206.
Mendonça, Cristóbal de, 84.
Mendoza, 67, 79, 80, 97, 267.
Mendoza, Antonio de, 49, 57, 87, 317.

Mendoza, Bernardino de, 172.
Mendoza, Francisco de, 266.
Mendoza, García de, 89, 181, 262, 268, 269, 271.
Mendoza, Juan de, 180.
Mendoza, Lope de, 40.
Mendoza, Lorenzo de, 214.
Menéndez de Avilés, Pedro, 137, 199, 316.
Meneses, Francisco de, 232, 296, 297, 298, 299, 303.
Meneses, Jorge de, 48.
Meneses, Manuel de, 179.
Meneses, Pedro de, 231.
Meneses, capitán, 48.
Meno, Antonio de, 79.
Merás, Sancho de, 149.
Mercado, Miguel de, 154.
Mercator, 85, 308.
Mérida, Juan de, 173.
Mesa, Gonzalo de, 98.
«Mexicana», 202, 363.
Miguel, fray, obispo, 135.
Mirandaola, Andrés de, 58, 63.
Miranda, Juan de, 199, 200.
Miranda, Pedro de, 263.
Miraval, 310.
Moac, 338, 340.
Moctezuma, 73.
Molina, Diego de, 182, 183, 184, 185, 194, 201.
Molina, Fernando de, 36.
Molina, conde de, 293, 300.
Molina Parragués, Luis de, 288.
Molinez, Juan de, 263.
Molíns, marqués de, 345.
Mollinedo, Luis de, 178.
Monclova, conde de la, 306, 307, 309.
Mondéjar, marqués de, 57.
Monegro, Juan Bautista, 169.
Monroy, Alonso de, 263.
Montaner, Lucas, 224.
Montañés, Juan, 83.
Montecastro y Llanohermoso, marqués de, 349.
Montemayor, 274.
Monterio, Jerónimo, 350.
Monterrey, conde de, 111, 133, 134, 135.
Montes, Enrique, 35.
Montesclaros, marqués de, 111, 115, 120, 122, 137, 138, 139, 140, 175, 212.
Monzón, 89.
Morales, Andrés Jerónimo de, 96, 241.

Morales, Andrés de, 96.
Morales, Martín de, 273.
Moreira, Gaspar, 179.
Moreno de Vilches, Antonio, 169, 189, 190, 194, 325, 326.
Moreto, 373.
Morga, Antonio de, 138, 175, 179, 370.
Morgan, Henry, 320.
Mori, Juan de, 262.
Moro, 28.
Mota, Gilimón de la, 330.
Motolinía, 21, 22, 55, 117, 155.
Mourelle, Francisco Antonio, 357, 358, 359, 363.
Moya y Contreras, Pedro de, 129, 141.
Munibe, Lope Antonio de, 299.
Munilla, Martín de, 96, 118.
Muñoz, Ignacio, 219, 247, 248, 249, 250, 251, 252, 253, 254.
Muñoz, Juan Bautista, 190.
Muñoz Rico, Francisco, 89.
Muñoz de Arambula, Fernando, 177.
Muñoz de Carmona Mendiola, Pedro, 242.
Muñoz de Cuéllar, Manuel, 303.
Muñoz de Morara, Jacinto, 166.
Murillo Velarde, Pedro, 241, 247, 375.
Muruchaga, Martín de, 280.

Nápoles, Vicente de, 45.
Narborough, 294, 300, 304.
Nassau-Siegen, Juan Mauricio, 211.
Nava, Diego de la, 152.
Nebrija y Solís, Sancho de, 280.
Neé, Luis, 360.
Negrete, Gil, 217.
Negro, Gaspar de, 34.
Negus, 367.
Nicols, Norton, 190.
Nieva, conde de, 87, 270.
Niza, Marcos de, 76, 79, 80, 81.
Nobre, Miguel, 46, 47, 48.
Nodal, Gonzalo de, 185, 205.
Nodales, 181, 187, 191, 194, 209.
Nodar, Juan de, 272, 273.
Noort, Oliver van, 174, 320.
Norimberga, Lorenzo de, 30.
Novar, Melchor de, 171.
Novoa, Berenguela de, 88.
«Nuestra Señora de Guía», 350.
«Nuestra Señora de la Concepción», 156.
«Nuestra Señora del Rosario», 163, 233.

«Nuestra Señora la Bella», 199.
Núñez, Alvar, 81.
Núñez, Juan, 185, 187.
Núñez, Manuel, 202.
Núñez Magro de Almeida, Manuel, 282.
Núñez de Balboa, Vasco, 48, 128, 197.
Núñez de Figueroa, Diego, 67.
Núñez de Prado, Juan, 268.
Núñez de Rozas, Melchor, 198.
Núñez de Valdivia, Alonso, 286.
Núñez de la Yerba, 54.
Nuño de Guzmán, 74, 75, 77.

Ocampo, Diego de, 301.
Ochandiano, Domingo de, 34.
Ochoa de Chinchetru, Bernabé, 297.
Olavide, Pablo de, 311.
Olid, Cristóbal de, 43.
Olivares, 174, 207, 220, 222, 232, 330, 331.
Olmedilla, Bernardo de, 187.
Olmedo, Bartolomé de, 22.
Ome, Baltasar, 198.
Ome, Melchor, 198.
Oñate, Juan de, 301.
Oñate, Pedro de, 284.
Oquendo, Antonio de, 156, 178, 211.
Ordás, Diego de, 34.
Orellano, 217.
Orihuela, Pedro de, 226.
Orozco, Jerónimo, 317.
Orta, García de, 94.
Ortega, Casimiro, 354, 360.
Ortega, Francisco de, 151, 152, 155, 160, 161.
Ortega Valencia, Pedro de, 89, 96, 106.
Ortelius, A., 18, 128, 322.
Ortiz de Goiri, Pero, 46.
Ortiz de Retes, Iñigo, 57, 84, 104.
Orué, Martín de, 278.
Osas, Francisco de las, 110.
Osores de Ulloa, Pedro, 189, 205, 231, 278, 286.
Osorio, Luis, 233.
Osuna, duque de, 156, 157, 173.
Otaeza, Antonio de, 222.
Otón de Frisinga, 366.
Ovando, marqués de, 223, 351.
Oviedo, 346.

Pablos, Antón, 58, 98, 181.
Pablos de Carrión, Juan, 58, 86.

Pacheco, Diego, 84, 268.
Pacheco, Francisco, 37.
Pacheco, Pedro, 87.
Padilla, Francisco de, 338, 340.
Padilla, García de, 40.
Padilla, Juan de, 81.
Páez de Castillejo, Pedro, 108, 288.
Palacio, Lope de, 131.
Palata, duque de la, 292, 293, 303, 312.
Palencia, Pedro de, 78.
Palomino, Francisco, 254, 255, 256, 257, 375.
Pallas, P. S., 355.
Pando, Andrés de, 203.
Pandiero, 376.
Pantoja y Arriaga, Juan, 302.
Paraja, Francisco de la, 149.
Paraja, Juan de la, 150.
Pardiñaux, Tomás de, 350.
Pardo de Figueroa, Joseph, 211.
Paredes, Alonso de, 239.
Paredes, conde de, 165.
Paredes Hinojosa, Gonzalo de, 282.
Parisi, Antonio, 327.
París, Francisco de, 46.
París, Mateo, 368
Parma, duque de, 172, 288.
Parra, Juan de la, 168.
Pastene, Juan Bautista, 100, 264.
Paternina, Joseph de, 241, 242.
Patiño, 346.
Paz, Alonso de, 90.
Paz de Vallecillo, Juan de, 180.
Pedroche, Cristóbal de, 338.
Pedro, 159.
Pelan, 277.
Peña Salazar, Juan de la, 298.
Peñafiel, Juan de, 158.
Peñalosa, Diego de, 293, 296, 300, 301, 302.
Peñalosa, Martín de, 269.
Penn, Guillermo, 211.
Peralta, Gabriel de, 280.
Perea, Juan de, 46.
Perea de Lasalde, Lope, 27.
Peredo, Angel de, 297, 298.
Pereira Solórzano, María, 229.
Pérez, Antonio, 235.
Pérez, Francisco, 208, 213.
Pérez, Hernán, 260.
Pérez, Pedro, 285.
Pérez Dasmariñas, Gómez, 110, 111.

Pérez Dasmariñas, Luis, 110, 111, 136, 137.
Pérez Franco, Andrés, 235.
Pérez de Araciel, Garci, 330.
Pérez de Arroyo, Cristóbal, 350.
Pérez de Carquizano, Gonzalo, 46.
Pérez de Carquizano, Mari, 46.
Pérez de Carquizano, Rodrigo, 46.
Pérez de Espinosa, Juan, 288, 290.
Pérez de Salazar, Alonso, 287.
Pérez de Soto, Melchor, 236.
Pérez de Valdés, Tomás, 304.
Pérez de Zorita, Juan, 268, 270.
Pericón, Juan, 62, 63.
Perseo, 94.
Pessoa, 215.
Petrarca, 157.
Petruche, Lorenzo, 151.
Petrucho, Antonio de, 90.
Picado, 100.
Picado, Alonso, 217.
Pie de Palo, 162.
Pigafetta, A., 16, 18, 23, 28, 258, 259.
Pimentel, Antonio, 245.
Pimentel, Juan Antonio, 238, 342.
Pimentel, Luis, 246.
Píndaro, 94, 196.
Pineda, Antonio, 361.
Pineda Matienzo, Luis de, 242.
Pinelo, Diego, 150.
Pinelo, Lorenzo, 17.
Pinto, Francisco, 213.
Pinto, Gonzalo, 213.
Pinzón, Alonso Yáñez, 214.
Pinzón, Martín Alonso, 61.
Pinzón, Vicente Yáñez, 214.
Pío II, 196.
Pires Cotão, Jerónimo, 52.
Pizarro, Francisco, 46, 47, 197.
Pizarro, Gonzalo, 100, 282.
Pizarro, José, 312.
Plasencia, Alvaro de, 33.
Platón, 16, 368.
Plinio, 94, 127, 154, 196, 259, 318, 378.
Plutarco, 365.
Plin, Pierres, 58, 60, 61.
Polanco, 41.
Polanco, Juan de, 246, 250.
Polo, Marco, 24, 27, 53, 62, 65, 80, 121, 170.
Polo, Melchor, 217, 253.
Ponce de León, Luis, 34.

Poncevera, 18.
Ponce, Antonio, 33, 34, 37.
Ponce, Blas, 274.
Pontchartrain, Jerónimo de, 309.
Ponte, Bartolomé da, 307.
Pordenone, Odorico de, 121.
Porter Casanate, Pedro, 155, 159, 160, 162, 163, 227, 235, 253, 296, 297.
Portugal, Diego de, 284.
Portugal, Fernando de, 57, 58.
Portugal, Jorge de, 17.
Portugal, Manuel de, 14.
Portugal, Sebastián de, 375.
Posidonio, 16, 365.
Poyo, Macías del, 45.
Poza, Andrés de, 317.
Prada, Andrés de, 123.
Prado, Diego de, 115, 116, 117, 118, 119, 120, 121.
«Preciosa», 358.
Presa, Juan de la, 289.
Preste Juan, 366, 367, 368.
«Princesa», 357.
Pseudo-Aristóteles, 378.
Pseudo-Calístenes, 93, 261.
Pseudo-Honorio de Autun, 94.
Pseudo-Metodio, 155.
Ptolemeo, 16, 24, 25, 29, 53, 54, 66, 169, 170.
Puebla, Isidoro de la, 136.
Puebla del Maestre, conde de la, 178, 209.
Puelles, 265.
Puente, Alonso de la, 48.
Puente, Lope de la, 270.

Quevedo, 219.
Quilquilta, 277.
Quintilio, Alexandro, 122.
Quinto Curcio, 73.
Quiñones de Benavente, 372, 379.
Quiroga, Jerónimo de, 306.
Quiroga, Pedro de, 227.
Quiroga, Rodrigo de, 263, 376.
Quiroga y Losada, José de, 245.
Quirós, Francisco de, 216, 217, 229, 231, 254, 299, 370.
Quirós, Lucas de, 123.

Rada, Martín de, 66, 136, 137, 321.
Ragusa, Miguel de, 262.
Raimundo, 79.
Raleigh, W., 173, 203, 204, 323.

Ramírez, Melchor, 35.
Ramírez Galindo, Antonio, 230.
Ramírez de Arellano, Diego, 146, 185, 186, 187, 190, 191, 192, 193, 194, 205.
Ramírez de Velasco, Juan, 276, 277, 278.
Ramos, Esteban, 243.
Ravenet, 360, 362.
Rayo Doria, Sebastián, 158, 242.
Recalde, Pedro de, 217.
Recco, Niculoso de, 95.
Reinel, Pedro, 16.
Reinosa, Rodrigo de, 372.
Reinoso, Alonso de, 269.
«Resolution», 360.
Rey Coronado, 154.
Reyes Magos, 51, 53, 54, 55, 56, 60, 61, 90, 91, 92, 93, 96, 115, 254, 366, 367, 370, 372.
Reyes Palacios, Gapar de los, 251.
Ribadeneira y Carvajal, Juan Manuel de, 298.
Ribas, Damián de, 58.
Ribera, Alonso de, 283, 299.
Ribera, Diego de la, 199, 200.
Ribera, Payo de, 165.
Ribera Maldonado, Antonio de, 168.
Riberol, Juan de, 29.
Rico, Pedro, 285.
Richarte, 109, 311.
Riego, 363.
Rifos, Miguel, 36.
Rioja, Francisco de, 330.
Ríos Coronel, Hernando de los, 135, 136, 137, 138, 139, 140, 141, 142, 145, 146, 189, 190, 201, 203, 206, 238, 302, 317, 325, 326, 346, 350.
Río, Antonio del, 48.
Río, Juan del, 198.
Ríos, Francisco de los, 150.
Rivadeneira, Juan de, 92, 279.
Rivera, Antonio de, 213.
Rivera, Francisco de, 262.
Rivera el Viejo, Nicolás, 370.
Roberto de Bohemia, 294.
Robles, Andrés de, 305.
Rodas, Isabel de, 38.
Rodas, Miguel de, 38.
Rodero, Gaspar, 345.
Rodolfo el Cartujano, 53.
Rodrigues, Simón, 128.
Rodríguez, Diego, 235, 237.
Rodríguez, Esteban, 58, 60, 61.

Rodríguez, Jerónimo, 233.
Rodríguez, Leonor, 70.
Rodríguez, Manuel, 253.
Rodríguez, Pedro, 96.
Rodríguez, Sebastián, 34.
Rodríguez, Simón, 199.
Rodríguez, Coutinho Juan, 381.
Rodríguez Cabrillo, Juan, 77, 79, 80, 316, 321.
Rodríguez Cermeño, Sebastián, 112, 132, 135, 146.
Rodríguez Ladrillero, Juan, 79, 335.
Rodríguez Paniagua, Juan, 90.
Rodríguez de Figueroa, Esteban, 130, 135.
Rodríguez de Velasco, Juan, 275.
Rodríguez del Castillo, Miguel, 232.
Roggeveen, 354.
Rojas y Oñate, Francisco de, 235.
Rojas, Diego de, 100, 265, 266, 267, 268, 269.
Rojas, Francisco de, 32, 34, 35, 36, 38, 39, 204.
Roldán, Francisco, 109.
Roldán Dávila, Juan de, 107, 109.
Román, Juan Bautista, 24, 43, 111, 113, 129, 132, 135.
Romero, Cristóbal, 235.
Romero, Juan, 280.
Ronquillo, Gonzalo, 256.
Ronquillo, Pedro, 302.
Ropero, Sebastián, 17.
Rosales, Juan de, 241.
Rosa, Jerónimo de la, 287.
Roes (Roy), Gabriel de, 182.
Rozas, Antonio de, 247.
Rozas, Francisco de, 282.
Ruiz, Gaspar, 158.
Ruiz Bustillo, Miguel, 282.
Ruiz Lozano, Francisco, 312.
Ruiz de Contreras, Juan, 169, 178, 183, 184, 186, 188, 190, 191, 192, 193, 198, 201, 202.
Ruiz de Gamboa, Martín, 262, 263, 273.
Ruiz de Sologuren, Martín, 110.

Saavedra Cerón, Alvaro de, 43, 45, 50, 51, 59, 74, 85, 281, 282, 283, 285, 286, 287, 288.
Saavedra, Hernandarias de, 275, 279, 284.
Sáenz de Navarrete, 234.
Salam, 380.

Salas, Francisco de, 283.
Salas, Juan de, 178.
Salazar, Hernando de, 331.
Salazar, Juan de, 298.
Salazar, Julián de, 158.
Salcedo, Diego de, 193, 222, 238, 239, 240, 241, 242, 243, 244.
Salcedo, Francisco de, 290.
Salinas, Juan de, 183.
Salinas, marqués de las, 349.
Salomón, 20, 24, 31, 50, 51, 60, 62, 63, 70, 72, 90, 91, 92, 96, 102, 148, 218, 220, 221, 252, 328, 378.
Salto, Lorenzo del, 184.
Salustio, 365.
Salvatierra, Juan María de, 167.
Salvatierra, conde de, 163, 227, 228, 231, 234, 235, 319.
Samano, Juan de, 26.
«San Agustín», 133, 135.
San Ambrosio, 93.
San Bartolomé, 50, 51.
San Brandán, 56, 93, 94, 95, 365.
«San Cristóbal», 49, 350.
«San Damián», 243.
«San Diego», 134.
«San Felipe», 49, 106, 358.
«San Fernando», 345.
«San Francisco», 143, 144, 161.
San Francisco Javier, 52, 128, 367.
«San Gabriel», 27, 30.
San Isidoro, 94, 114, 127, 261, 365.
San Jerónimo, 62, 106, 136, 202, 260, 321.
«San Jorge», 49, 51.
«San Joseph», 237, 238, 241, 245.
San José, Francisco de, 239.
«San José», 307.
«San Juan Bautista», 144, 209, 354.
San Juan Bautista, 302.
«San Juan de Letrán», 49.
«San Juan», 61, 130.
«San Lázaro», 76, 77.
«San Lesmes», 26.
«San Lorenzo», 353.
«San Lucas», 61, 63.
«San Martín», 130.
«San Miguel», 201, 339.
«San Nicolás», 199.
San Nicolás, Pedro de, 224.
«San Pablo», 61, 133, 135.
«San Pedrico», 115.
«San Pedro y San Pablo», 115.

«San Pedro», 61, 132, 133, 135.
«San Simón», 199.
San Vítores de la Portilla, Jerónimo de, 243.
San Vítores, Diego Luis de, 243, 244, 245, 246, 247, 251, 253, 254, 338, 341.
Sanabria, María de, 281.
Sánchez, Alonso, 68, 99, 214.
Sánchez, Andrés, 313.
Sánchez, Gabriel, 159.
Sánchez, Juan, 33
Sánchez, Juan, fray, 159, 160, 161.
Sánchez, Tristán, 269.
Sánchez Garzón, Gonzalo, 264.
Sánchez Pericón, Pero, 63.
Sánchez de Betancor, Miguel, 159.
Sánchez de Toledo, 78.
«Sancti Spiritus», 262.
Sanderson, 320.
Sande, Francisco de, 64, 128.
Sandoval, Alonso de, 103.
Sandoval, Juan de, 33.
«Sant Juan», 129.
«Santa Agreda», 78.
«Santa Agueda», 77.
«Santa Ana», 323.
«Santa Catalina», 106.
Santa Cruz, Alonso de, 18, 28, 32, 36, 65, 66, 67, 76, 204.
Santa Cruz, Francisco de, 34.
Santa Cruz, marqués de, 193.
«Santa Isabel», 106.
«Santa Margarita», 135.
«Santa María», 34, 302.
«Santa María Magdalena», 355.
«Santa María de la Concepción», 30, 72.
«Santa María del Espinar», 30, 35.
«Santa María del Parral», 26.
Santa María, Alfonso de, 94.
Santaella, Rodrigo de, 53, 246.
Santander, Martín de, 269.
«Santa Rosalía», 353.
«Santa Rosa», 337.
Santa Tecla, 365.
Santelmo, 79, 92.
Santiago, 41
«Santiago», 49, 370, 381.
«Santísima Trinidad», 339.
Santisteban, Jerónimo de, 52, 57.
Santisteban, conde de, 312.
«Santo Crucifijo», 199.
Santo Domingo, Diego de, 96.

«Santo Domingo», 341.
«Santo Tomás», 77, 78, 134, 367.
Santo Tomás, 50, 53, 56, 170.
Sarmiento de Gamboa, Pedro, 88, 89, 90, 91, 95, 96, 98, 100, 102, 103, 105, 107, 108, 133, 181, 199, 200, 201, 260, 274, 277.
Sarmiento, Bernardino de, 88.
Sarmiento, Francisco, 88.
Sarmiento, Pedro de, 132, 135.
Schloesser, 345.
Schott, 127.
Schouten, 186, 216.
Sebastián, 65, 67, 68.
Sebastián, Jorge, 208.
Segura Manrique, Juan de, 139, 146, 147.
Seignelay, marqués de, 301.
Semple, Guillermo, 152, 170, 171, 172, 173, 174, 181, 182, 208.
Sepúlveda, Antonio de, 233.
Serrano, 18, 88, 340, 341, 342.
Serrano, Andrés, 338.
Sertorio, 365.
Sesé, Miguel de, 198.
Sessa, duque de, 114, 330.
Settle, Dionisio, 319.
Sharp, 305.
Sherley, Antonio de, 175, 176, 206, 335.
Sículo, Diodoro, 364, 365, 374.
Sierra, Lope de, 256.
Sigüenza, José de, 368, 373.
Silva, Esteban de, 164, 165.
Silva, García de, 76, 328.
Silva, Jerónimo de, 168.
Silva, Juan de, 148, 149, 150, 334.
Silva, Juan de, gobernador de Filipinas, 140, 141, 142, 143, 168, 174, 347.
Silva, Luis de, 178.
Silva, Pedro de, 110.
Silva Solís, Fernando de, 197.
Silva y Figueroa, García de, 186, 212, 325, 334.
Simón, Pedro, 204.
Sinachacota, 167.
Sisebuto, 22.
Sisternas, Juan de, 313.
Sisternas Carrillo, Juan de, 313.
Sisternas de la Serna, Juan de, 313.
Sisternas y Miranda, Juan de, 313.
Sobrino Morillas, 325.
Solana, Miguel, 242.
Solar, Juan del, 297.

Solino, 93, 196, 261.
Solís Holguín, Gonzalo de, 280.
Solís, J., 35.
Solón, 308.
Solórzano Paniagua, Bartolomé de, 229.
Solórzano y Velasco, Alonso de, 290.
Solórzona Pereira, Juan, 207, 220, 228, 341.
Sonora, 167.
Sopeña, 310.
Sorle, conde de, 210.
Sotelo, Luis, 144, 145.
Sotelo Narváez, Pedro, 215, 224, 268.
«Sotil», 302.
Sotomayor, 274, 289.
Sotomayor, Alonso de, 184, 273.
Sotomayor, Cristóbal de, 289.
Sousa, Manuel de, 213, 381.
Sousa Coutinho, Manuel de, 326.
Sousa y Castro, Manuel, 165.
Speilbergen, Joris van, 151, 175, 185.
Staufen, 368.
Strobel, 376.
Strong, John, 306, 307.
Suardo, Antonio, 222.
Suárez de Castilla, Pero, 38.
Suárez de Figueroa, C., 109, 115.
Suárez de Figueroa, Lorenzo, 275.
Subengchiu, príncipe de, 247.
Suit, Ricardo, 294.
Surville, Juan, 108, 352, 354, 359.
Sutene, Roberto, 294.
«Swipstakes», 293, 294, 299, 300, 305, 312.

Tahití, 351.
Taicosama, 140, 145.
Talaverano, Francisco, 269.
Taléstride, 74.
Tales, 308.
Tasman Jauszoon, Abel, 147.
Tasso, 362.
Taúco, Iñigo de, 177.
Tegghia de Corbizzis, Angelino del, 95.
Teixeira, Pedro, 188, 189.
Tejada, Francisco de, 123, 183, 198, 201.
Tejeda Mirabal, Juan de, 275.
Tejeda, Tristán de, 275.
Téllez de Almazán, Cristóbal, 168.
Tello, Francisco, 135, 145.
Ternoc, 56.
Terrazas, Bartolomé de, 152.

Texada, Francisco de, 184.
Thevet, A., 259.
Thorne, Roberto, 29, 31, 318.
Tipayante, 287.
Tirso de Molina, 370.
«Todos los Santos», 88.
Toledo, Francisco de, 88, 100, 104, 105, 260, 270, 271, 274.
Toledo, García de, 149.
Tolomeo, 25, 95.
Topavera, 204.
Topiwary, 204.
Taurus, Antonio, 376.
Torquemada, 341, 372.
Torre, Bernardo de la, 66.
Torre, Gaspar de la, 348, 349, 351.
Torre, Hernando de la, 27, 45, 46.
Torres, 272, 297.
Torres, Gregorio de, 158.
Torres, José de, 296.
Torres, Pedro de, 217.
Torrézar, Ramón de, 307.
Toscanelli, 16, 70.
Tovar Godínez, Luis de, 161.
Tovar, Mariana de, 313.
Transilvano, Maximiliano, 14.
Trejo, Hernando de, 280.
Trejo, Pedro, 303.
Trezenzonio, 365.
«Trinidad», 26, 30, 34, 38, 49, 78, 91.
«Triomphant», 310.
Tristán, Pedro, 30.
Tula Cerbín, Alonso de, 275.
Tumai, 116.
Tupa Amaro, 352.
Turrillo de Yebra, Alonso, 330.

Udny, 300.
Ulises, 94.
Ulloa, 312.
Ulloa, Francisco de, 77, 79.
Ulloa, Lope de, 284, 286, 289, 291.
Umansoro, Diego de, 290, 298, 299.
Unamuno, Pedro de, 130, 131, 132, 146.
Urbina, Francisco de, 269.
Urculaegui, Antonio Luis de, 149.
Urdaneta, Andrés de, 27, 44, 45, 48, 49, 57, 58, 59, 60, 61, 65, 66, 85, 86, 87, 90, 103, 112, 115, 126, 136, 137, 141, 162, 199, 259, 316, 318, 319, 322, 342, 374.
Urdanivia, Sancho de, 209.
Ureña, Mancio de, 122.

Uribe, Juan de, 305.
Urrutia de Vergara, Antonio, 161, 235.

Vaca, Francisco, 153.
Vaca de Castro, 265.
Vadillo, Manuel, 342.
Váez de Torres, Luis, 120, 341.
Vaglienti, P., 15.
Valdeolivos, Antonio de, 87.
Valderraín, Francisco Alberto, 158, 162.
Valderrama, 87.
Valdés, 37.
Valdés, cf. Flores de Valdés.
Valdés, Antonio de, 297.
Valdés, Bernardino de, 256.
Valdés Tamón, Fernando de, 302, 344, 345, 346, 347, 348, 349, 350, 351.
Valdivia, Luis de, 288.
Valdivia, Pedro de, 93, 100, 262, 263, 264, 267, 268, 269, 272, 274, 301.
Valencia, Martín de, 22, 52, 56, 84.
Valencia, Pedro de, 101, 102.
Valenzuela, Juan de, 290.
Valerianos, Apóstolos, 322, 323.
Valignani, 68, 131.
Valverdi de Mercado, Fernando, 229.
Valverdi de Mercado, Francisco, 229.
Vallecilla, Martín de, 201.
Van Langren, 327.
Vargas Hurtado, Juan de, 242.
Vargas de Carvajal, Gutierre, 262.
Vargas, Francisco de, 45, 105.
Vargas, Juan de, 244.
Vargas Llosa, Mario, 380.
Varona Encinillas, 213.
Vasconcelos, 231, 254, 299.
Vasilini, Simón, 151.
Vaz Coutinho, 212.
Vazconcelos, Constantino de, 253.
Vázquez, Catalina, 35, 38, 265.
Vázquez, Francisco, 32.
Vázquez, José, 358.
Vázquez, Melchor, 199.
Vázquez de Coronado, Francisco, 79, 80, 81.
Vaz, Simón, 212.
Vea, Antonio de, 305, 306.
Vega, Roque de, 161.
Veitia, Joseph de, 256.
Velada, marqués de, 334.
Velasco, Luis de Velasco, I, 57, 58, 59, 82, 86, 87, 90.

Velasco, Luis de Velasco, II, 110, 132, 133, 135, 138, 141, 142, 143, 311, 321.
Velasco, Luis de, 132, 133, 135, 138, 311, 321.
Velázquez, 71, 209.
Velázquez, Gabriel, 282.
Velázquez de Lorenzana, Cristóbal, 237.
Vélez, marqués de los, 312.
Velho, Bartolomé, 97.
Veloso, Juan, 280, 281.
Vello, Francisco, 226.
Vello de Acuña, Catalina, 106.
Venecia, Marco de, 33.
Venegas, Gaspar, 271.
Venero, 212.
Ventura, Pascual, 177.
Vera, Francisco de, 149.
Vera, Santiago de, 130.
Vergara, 265.
Vergara, Francisco de, 155, 156, 157.
Vergara, Miguel de, 297.
Verga, Mateo de, 158.
Vernon, 307.
Verstegen, Guillermo, 147.
Vespuche, A., 29.
Vespuche, Juan, 25.
«Victoria», 20, 23, 31.
Vila y Herendia, Andrés, 379.
Vilodo, Marina de, 265.
Villa, Francisco de, 233.
Villadiego, Conrado de, 23.
Villagrá, Francisco de, 100, 264, 268, 269, 270.
Villagrá, Pedro de, 269.
Villalcázar, conde de, 249.
Villalobos, Gabriel de, 252, 255.
Villamanrique, marqués de, 130, 245.
Villanueva, Santo Tomás de, 53.
Villareal, marqués de, 40.
Villarroel Quiroga, Alonso de, 216.
Villarroel, Domingo de, 325.
Villar, conde de, 106.
Villaumbrosa, conde de, 256.
Villegas, Bernardo de, 216.
Villegas, Francisco, 177.
Villegas, Juan de, 269.
Villegas, Jusepe de, 269.
Vimioso, conde de, 44.
«Viracochamocos», 304.
Viscardo, Juan Pablo, 300.
Viterbo, Annio de, 219.
Vitoria, Francisco de, 276.

Vitrián, Juan, 156.
Vivero, Rodrigo de, 142, 162.
Vizcaíno, Juan, 48.
Vizcaíno, Sebastián, 126, 133, 134, 137,
    138, 139, 140, 141, 142, 143, 144, 145,
    146, 147, 150, 151, 155, 175, 185, 201,
    302, 323, 335, 347.
Voltaire, 352.
Voss, 306.
Vries, Juan de, 190.
Vries, Teodoro de, 190.

Waldseemüller, M., 29.
Walter, Víctor, 344, 345.
Wallis, Samuel, 352, 356.
Watteau, 362.
«Welfare», 306, 307, 335.
Welser, 15, 23, 42, 44.
Welser, Jerónimo, 26.
White, Ricardo, 300.
Wilson, H., 338.
Willes, Richard, 319.

Ximénez, Carlos, 158, 159.

Yáñez, Fernando, 26.
Yansen, Valentín, 185, 186, 190.
Yebra, Pedro de, 59, 87.
Yepes Ortiz, Martín de, 330.
Yeh-lü Ta-shih, 367.
Ye-Yasu, 142, 143, 144, 145.
York, duque de, 296, 300, 303.

Zabálburu, Domingo de, 339.
Zafra, abad de, 326.
Zamorano, Rodrigo, 103, 169, 181, 194.
Zán, 367.
Zaragoza, Joseph, 250.
Zárate, Francisco de, 320.
Zuazola, Lorenzo de, 177, 190, 192, 193.
Zuazo, A., 71.
Zumalde, Mateo, 349.
Zumárraga, Juan de, 52.
Zúñiga, Antonio de, 179.
Zúñiga, Diego de, 245.
Zúñiga, Joseph de, 292.
Zúñiga, Juan de, 67.

INDICE DE LUGARES

Abisinia, 367.
Acaponeta, 155, 161.
Acapulco, 46, 61, 62, 78, 110, 119, 133, 134, 135, 137, 141, 144, 146, 147, 150, 161, 168, 202, 206, 209, 215, 219, 227, 228, 234, 237, 238, 241, 245, 252, 254, 255, 256, 295, 296, 302, 320, 346, 347, 349, 350, 357, 360, 361.
Acari, 85.
Acus, 81.
Afortunadas, islas, 95.
Africa, 16, 24, 114, 248, 380.
Agadña, 244.
Aguada, isla de la, 47.
Aguayaluco, 71.
Aguer, 329.
Agujas, cabo de las, 329.
Ahijados, 301.
Alaona, 266, 267.
Alcalá de Henares, 108.
Alejandría, 15, 54, 170.
Alemania, 107, 318, 369.
Algarve, 213, 331.
Almada, 213.
Almagro, 307.
Alsacia, 294.
Allana, 289.
Amatunte, 362.
Amat, isla de, 356.
Ama, 204.
Ambar, isla del, 94.
Amberes, 28, 126, 210.
América, 127, 301, 318, 332.
Andalucía, 105, 172.

Andamania, 378.
Andes, 266, 283, 284, 290.
Anepas, 204.
Angola, 177, 329.
Anián, estrecho de, 129, 137, 152, 166, 246, 295, 296, 315, 317, 321, 322, 331, 332, 334, 335, 361, 376, 378, 379.
Anián, reino de, 154.
Anne Warwick, isla de, 319.
Antártico, 324.
Antillas, 97.
Arabia, 94, 370, 376.
Arábico, seno, 52, 252.
Aranda, 14.
Arauco, 267, 270, 301.
Arequipa, 269.
Argel, 159, 210.
Argire, 126, 127, 378.
Arica, 83, 87, 107, 185, 194, 299.
Armenico, 130.
«Armenica», 127.
«Armeniçao», 129.
Armenio, islas de, 126, 130.
Armino, 137.
Aromata, 66.
Arras, 260.
Arreçifes, islas de los, 59.
Artico, polo, 324.
Asia, 53, 65, 107, 114, 115, 215, 247, 315, 332.
Asia Menor, 341.
Astorga, 122.
Asunción, 261, 278.
Atacama, 265, 288.

Atlántico, 15, 28, 74, 81, 127, 174, 199, 240, 295, 301, 318, 364, 365, 374, 378.
Atlántide, 318, 368.
Atocos, 196.
Auerea Creonesse, 170.
Aurea Cresonensus, 25.
Aurea Chersonesus, 229.
Aurea Quersoneso, 66, 169.
Australia, 84, 101, 120, 147.
Austrialia, 118, 120, 122, 148, 149, 220, 334, 370.
Avachumbi, 201, 375.
Ayamonte, 62.
Ayauta, 305.

Bahamas, canal de las, 251.
Bacalaos, los, 332, 333, 335.
Bacalaos, estrecho de los, 321.
Bacarra, 238.
Badajoz, 24, 169.
Badoc, 302.
«Baga del Noroeste», 318.
Baharen, 28.
Bahía sin Fondo, 281, 284, 285.
Bahía, 177, 206, 207, 213.
Baja, isla, 47.
Balaitigui, punta, 175.
Bangka, estrecho de, 180.
Baquián, 91.
Barbudos, 64.
Barcelona, 13, 158, 193.
Barco, 268.
Bassi Bassa, 18.
Batas, 84.
Batavia, 147, 295, 354.
Bedmester (Westminster?), 323.
Belén, 53, 55, 93, 366, 368, 370, 372.
Benevento, 51.
Bengala, 247.
Bermeja, mar, 78.
Bermejo, mar, 113
Bermejo, río, 270, 272, 288.
Bermuda, 162, 183.
Bermudas, 173.
Betanzos, 26.
Bética, 183.
Bienaventurados, islas de los, 365.
Biobío, 93, 263.
Blanco, cabo, 279.
Bluff, punta, 362.
Bojeador, cabo del, 146, 350.
Bolbol, 275.

Bolduq, 210.
Bolinao, 241.
Bongay, 103.
Bons Sinaes, ilha dos, 19.
Borneo, 66, 67, 136, 346.
Bósforo, 149.
Bracamoros, 265.
Braganza, 84, 123.
Brasil, 32, 94, 174, 181, 195, 200, 213, 215, 247, 282, 299, 329, 352, 368, 374.
Breda, 209.
Brest, 302.
Bretaña, 98.
Bretón, estrecho del, 321.
Brissac, 294.
Brístol, 31.
Brujas, 171.
Bruselas, 207.
Buena Esperanza, cabo de, 19, 39, 44, 177, 178, 179, 180, 187, 189, 190, 193, 209, 221, 248, 294, 302, 329, 353.
Buena Vista, 91.
Buenas Señales, 19.
Buenos Aires, 205, 206, 208, 274, 275, 277, 279, 280, 281, 282, 283, 284, 286, 288, 289, 290, 292, 297, 303, 305, 307, 312, 313, 329, 376.
Burgos, 14, 25, 34, 247.

Cabo Verde, islas de, 31.
Caboto, fortaleza de, 266, 267, 277.
Cádiz, 18, 24, 34, 156, 172, 184, 187, 193, 205, 297, 300, 302, 326, 329.
Calantas, bajos de, 350, 359, 362, 363.
Calchaquí, valle de, 287.
Calicut, 13, 29, 132, 133, 157, 182, 335.
California, 44, 46, 74, 76, 79, 80, 82, 97, 107, 132, 133, 134, 138, 149, 150, 152, 153, 154, 155, 157, 159, 160, 161, 162, 163, 164, 165, 166, 176, 182, 253, 302, 315, 316, 333, 334, 335, 358, 361, 375, 378.
Callanac, 305.
Callao, 88, 91, 100, 111, 115, 117, 180, 213, 216, 217, 222, 252, 256, 299, 302, 312, 352, 360, 362.
Callau, 207.
Callupén, 292.
Cambalú, 332.
Cambao, 54.
Camboya, 136.

Campeche, 156.
Canadá, 379.
Canal Vieja, 156.
Canarias, 39, 95, 156, 159, 164, 365.
Cantón, 358.
Cañaveral, cabo de, 329.
Candelaria, arrecifes de la, 302.
Candire, 92.
Canela, 265.
Cañete, 268.
Canpangu, 18.
Cantalapiedra. 215.
Cantín, 329.
Cantón, 131, 302.
Canynea, tierra de la, 32.
Capricornio, trópico de, 103, 358.
Capul, 133.
Caraga, 340.
Cardona, 116.
Caria, 269.
Caridat, islas de la, 95.
Carnero, puerto del, 304.
Carolina, 337, 343.
Carolinas, 167, 342, 345.
Carrizal, río del, 78.
Cartagena, 156.
Cartagena de Indias, 103, 113, 123, 203, 212, 251, 277, 329, 330.
Caspio, 341.
Castilla, 14, 37, 41, 44, 45, 66, 169, 174, 211, 212, 227, 266, 267, 284.
Castro, 262, 263.
Castro, isla de, 307.
Castrovirreina, 111.
Cataluña, 300.
Catayo, 25, 63, 64, 318, 332.
Catayo Oriental, 26, 29, 30, 39.
Catígara, 25, 66.
Cavite, 110, 120, 138, 146, 169, 202, 234, 238, 241, 252, 302, 339, 341, 360.
Cayoa, 120.
Cazapaguazú, 214.
Cedros, isla de los, 78.
Cefalonia, 322, 323.
Ceilán, 211, 229, 247, 365.
Cempoal, 72.
Centicpac, 157, 158, 159, 163.
Cerquezca, 171.
Cerros, isla de los, 321.
Cesarea Caroli, 51.
Césares, 267, 268, 269, 270, 271, 273, 275, 276, 277, 278, 279, 280, 281, 283, 284,

285, 287, 288, 289, 291, 295, 299, 300, 303, 307, 313, 376.
Cesena, 376.
Cestos, cabo de, 143.
Cetím, 24.
Cezimbra, 214.
Cibao, 54, 73.
Cíbola, 49, 79, 81.
Cienpago, 27.
Ciguatán, 74, 75.
Cilicia, 53.
Cimpegua, 18.
Cipango, 18, 27, 30, 39, 52, 54, 62, 63, 121.
Cipango-Ofir, 73, 90.
Ciquique, 81.
Ciudad Rodrigo, 34.
Claro, río, 280, 285, 287, 288.
Clementina, 116.
Cnido, 362.
Cocuzpe, 159.
Cochabamba, 301, 305.
Cochinchina, 241.
Cochinoca, 288.
Coimbra, 276.
Colima, 45.
Colonia, 53, 368.
Colorado, río, 280.
Colorado, río, 167.
Compostela, 164, 316.
Concepción, la, 100, 263, 264, 271, 272, 284, 291, 293, 305, 306, 356.
Conlara, 100, 268, 270, 272, 273.
Conversión de San Pablo, 116.
Copaia, 301.
Copiapó, 354.
Coquimbo, 313.
Corales, islas de los, 51, 59, 61.
Córdoba, 268, 274, 275, 276, 277, 278, 283, 284, 285.
Corea, 137, 142.
Cori, 66.
Coronados, provincia de los, 262.
Corrientes, cabo de, 169, 238, 329.
Coruña, 23, 24, 26, 29, 30, 32, 39, 42, 89, 379.
Corunga, 145.
Cozumel, 69, 70, 321.
Crise, 126, 127, 128, 378.
Crisis, 128.
Cuama, 252.
Cuarto, río, 275.

Cuatro Coronadas, 116.
«Cuatro hermanas», 116.
Cuba, 52, 69, 212, 235, 240, 329.
Cubagua, 79.
Cuernavaca, 236.
Cuervo, isla de, 365.
Culiacán, 89.
Culuacán, 316.
Curaçao, 162, 211.
Cután, 284.
Cuyo, 100, 269, 270, 271, 288, 289, 290, 298.
Cuzco, 85, 111, 265, 266, 270.

Chacala, 164.
Chacao, 305.
Chaco Gualamba, 288, 380.
Chachapa, 275.
Chachapoyas, 265.
Chanduy, punta de, 306.
Chaqui, 285.
Charaba, 275.
Charcas, 274, 284.
Chiametla, 75.
Chicoana, 266, 267.
Chicora, 45, 320.
Chile, 87, 89, 99, 100, 101, 102, 103, 163, 178, 181, 189, 195, 197, 205, 206, 208, 217, 218, 259, 260, 262, 263, 264, 267, 268, 269, 270, 271, 273, 274, 275, 276, 277, 279, 280, 281, 284, 285, 286, 288, 289, 290, 291, 294, 295, 296, 297, 298, 299, 301, 303, 305, 307, 310, 311, 312, 313, 327, 355, 359, 376.
Chili, 265.
Chiloé, 100, 217, 262, 269, 272, 281, 284, 285, 287, 291, 292, 304, 305, 307.
Chillán, 273.
China, 19, 25, 28, 49, 52, 56, 62, 63, 64, 67, 68, 85, 86, 98, 104, 107, 111, 128, 129, 131, 136, 158, 180, 239, 243, 295, 302, 316, 318, 332, 333, 338, 370.
Chincha, 107.
Chinos, 19.
Chocayo, 292.
Chucuito, 282.
Chupas, 265.
Chuquisaca, 282.

Çamatra, 25.
Çeçilia, 260.
Çepango, 29.

Çibú, 136.
Çubú, 23 (cf. Zebú).

David, isla de, 352, 353, 354.
Davís, 302.
Delfos, 308.
Delo, 94.
Desaguadero, 376.
Desengaño, puerto del, 362.
Diamante, 289.
Diego Ramírez de Arellao, archipiélago de, 302.
Diego Ramírez, isla de, 302.
Dinamarca, 294.
Diu, 66.
Dolores, 344.
Don Felipe, 200.
Don Jorge, 47.
Dorado, 153, 154, 204, 276, 278, 279.
Dormida de San Bartolomé, 290.
Dublín, 296.
Dunas, puerto de las, 294.
Dunquerque, 171.
Durango, 234.

Edén, 56.
Egipto, 154.
Egmont, puerto, 362.
El Condado, 18.
El Escorial, 114.
Elvas, 24, 169.
Empedradillo (México), 158.
Enclusa, 171.
«Encontradas», 95.
Engaño, cabo del, 350.
Escocia, 172.
España, 13, 27, 34, 38, 43, 44, 46, 48, 49, 52, 63, 65, 72, 97, 107, 113, 122, 123, 131, 137, 138, 146, 148, 149, 151, 152, 155, 160, 162, 163, 168, 172, 175, 177, 181, 182, 194, 197, 199, 200, 201, 202, 203, 208, 209, 210, 213, 220, 221, 226, 231, 241, 246, 247, 248, 249, 264, 265, 295, 296, 302, 310, 315, 318, 322, 323, 326, 329, 332, 333, 339, 345, 346, 357, 371, 381.
Española, 16, 55, 71, 72, 92, 222, 302.
Espinosa de los Monteros, 247.
Espíritu Santo, cabo del, 146, 240, 340, 350, 351, 361.
Espíritu Santo, fuerte del, 273.
Espíritu Santo, isla del, 116.

Estados Generales, 175, 207, 211, 333.
Estrechos, 187.
Estrella, cabo de la, 92.
Etiopía, 52, 54, 367, 377.
Europa, 25, 114, 176, 190, 239, 248, 341, 368.
Evangelistas, cabo de los, 305.
Extremadura, 242.

Falalep, 337, 342, 344, 345.
Fayal, 374.
Filipinas, 18, 20, 48, 49, 56, 57, 58, 59, 60, 62, 63, 64, 65, 66, 67, 68, 82, 85, 86, 87, 99, 101, 104, 105, 110, 111, 112, 114, 126, 128, 129, 131, 132, 133, 134, 136, 138, 139, 140, 141, 142, 143, 144, 145, 146, 147, 151, 157, 162, 168, 169, 174, 175, 176, 177, 178, 179, 180, 184, 185, 188, 190, 191, 193, 194, 195, 201, 202, 204, 205, 206, 208, 209, 214, 217, 219, 222, 223, 224, 227, 228, 234, 235, 236, 237, 238, 242, 243, 246, 247, 248, 249, 250, 252, 255, 256, 285, 302, 320, 321, 323, 326, 333, 335, 337, 338, 339, 341, 342, 343, 346, 348, 349, 357, 358, 359, 361, 376.
Fisón, 153.
Flandes, 14, 91, 149, 172, 183, 209, 221, 272, 328.
Florencia, 376.
Florida, 82, 87, 98, 104, 149, 153, 183, 184, 260, 315, 321, 329.
Florida, estrecho de, 137.
Fontasia, 107, 109.
Fontáurea, 107, 109.
Formosa, 137.
Francia, 98, 107, 301, 302, 303, 307, 309, 310, 328.
Frislandia, 173, 332.
Fuca, estrecho de, 361, 362.
Fuego, tierra del, 85, 220.
Fuendecantos, 381.

Gaboto, cerro de, 272.
Gades, 365.
Galán, cabo, 308.
Gallo, isla de, 379.
Galway, 172.
Gambia, 307.
Ganges, 52, 66, 75, 76, 127.
Gange, 25.
Gangético, seno, 25.

Garachico, 156, 157.
Garachiné, cabo de, 307.
Garbanzos, 343, 344.
Garsa, isla de, 365.
Gelandillas, 332.
Génova, 156, 193.
Germania, 318.
Gibraltar, 174, 187, 205.
Gigántea, isla, 167.
Gilolo, 31, 25, 318.
Goa, 67, 84, 128, 247, 328.
Gorda, 55.
Górgona, isla de, 379.
Gran China, 154, 321.
Gran Golfo, 29, 367.
Gran Solistición, isla de la, 365.
Gran Tartaria, 39, 154.
Granada, 34, 40, 265, 330.
Grande, isla, 307, 308.
Grande, río, 166, 284, 308.
Grecia, 16, 365.
Groenlandia, 316.
Guadalajara, 96, 157, 161, 317.
Guadalcanal, 358.
Guadalquivir, 119.
Guadalupe, isla de, 55, 203.
Guadix, 324, 330.
Guam, 244, 337, 341, 342, 343, 344, 345, 358.
Guanato, 123.
Guaneque, 292.
Guardafui, 66.
Guatemala, 44, 45, 49, 60, 79, 218, 321.
Guautla, 236.
Guayana, 203.
Guazpatepeque, 57.
Gueldres, 171.
Guetaria, 162.
Guinea, 372.
Guipúzcoa, 60.

Hacari, 87, 107.
Hainán, 317.
Harahey, 82.
Harlem, 171.
Haucintgo, 236.
Haz, 47.
Hermosa, isla, 234, 247.
Hespérides, jardín de las, 368.
Hierusalem, 220.
Higueras, cabo de las, 43.
Hispania, 365.

Holanda, 173, 174, 175, 182, 205, 207, 211, 234, 247, 294, 307.
Honduras, 329.
Hornos, cabo de, 362, 311.
Huancavelica, 229, 231, 254.
Huánuco, 265.

Ilo, 83.
Imperial, la, 269, 274, 289, 301, 304.
Incógnita, 220, 221.
India Oriental, 182.
India, 25, 37, 43, 50, 51, 54, 73, 127, 168, 173, 177, 179, 186, 195, 196, 212, 221, 234, 247, 260, 285, 302, 309, 329, 352, 364, 367, 374, 377, 381.
Indias, 147, 300.
Indico, 371, 374.
Indo, 127.
Inglaterra, 171, 173, 181, 183, 186, 208, 211, 217, 226, 283, 294, 300, 301, 302, 303, 307, 323, 333, 341, 346.
Ireney, 120, 121.
Irlanda, 172, 186, 318, 341.
Isabela, 54, 55, 96.
Italia, 89, 91, 107, 260, 272, 302, 322, 360, 366.
Itata, 306.

Jacal, 157.
Jaén, 56.
Jalisco, 76.
Jamaica, 211, 212.
Japón, 18, 56, 67, 68, 86, 126, 128, 130, 142, 143, 144, 145, 146, 201, 215, 224, 225, 243, 244, 245, 247, 294, 334, 354.
Jaquijaguana, 100.
Játiva, 188.
Java, 121.
Java Mayor, 18, 115.
Java Minor, 170.
Jerez, 164.
Jerusalén, 20, 52, 53, 149, 366, 367, 369.
Jesús, 295.
Joló, 223.
Jora, 160.
Jordán, 117, 377.
Juan Fernández, islas de, 100, 217, 218, 306, 310, 311.
Jujuy, 288.

Kandahar, 380.
Keilang, 137.

La Asunción, 214.
La Habana, 137, 156, 157, 200, 224, 226, 251, 351.
La Palma, 156, 189.
La Paz, 270, 300, 301.
La Plata, 106, 180, 213, 282, 288.
Labrador, estrecho del, 323, 332.
Ladrones, islas de los, 18, 63, 99, 224, 239, 240, 243, 244, 246, 302, 350.
Lágrimas de San Pedro, 116.
Laicacota, 232.
Lampón, 243.
Larecaja, 301.
Laredo, 48.
Lequios, 19, 39, 52.
Levante, 208.
Levanto, 265.
Leyte, 340.
Lezcano, 60.
Licaonia, 50.
Lieja, 171.
Lima, 87, 90, 97, 99, 100, 106, 107, 110, 113, 117, 123, 158, 180, 206, 208, 216, 217, 221, 225, 229, 230, 231, 233, 264, 265, 291, 293, 295, 298, 299, 303, 304, 305, 312, 356, 369, 370.
Linlín, 268, 270, 275, 277.
Liorna, 294.
Lípari, 50.
Lisboa, 40, 66, 94, 97, 119, 127, 168, 169, 177, 179, 185, 186, 197, 213, 294, 296, 298, 319, 323, 328, 332, 368.
Lombardía, 178, 184.
Londres, 172, 173, 183, 268, 275, 287, 294, 300, 301, 306.
Los Confines, 269.
Los Patos, bahía de, 37.
Los Patos, puerto de, 32.
Lovaina, 210, 294.
Lucayos, 251.
Luna, 28.
Luzones, isla de los, 19.
Luzón, isla de, 105, 357, 376.

Llanquihué, 262.

Macán, 67, 68, 129, 130, 131, 139, 214, 215, 234, 247.
Mactán, 23.
Macha, 285.
Madeira, 374.
Madera, 156, 365.

Madrid, 65, 105, 174, 185, 188, 214, 230, 231, 241, 247, 249, 250, 251, 274, 294, 297, 300, 312, 326, 328, 330, 338, 350, 351, 356, 381.
Magallanes, islas de, 102.
Magallanes, tierra de, 308, 309.
Magna Margarita, 121.
Magno, seno, 25.
Magos, golfo de los, 54.
Magos, isla de los, 54, 374, 378.
Maire, estrecho de, 178, 181, 184, 185, 189, 190, 207, 209, 220, 305.
Malaca, 25, 169, 170, 229, 285.
Malac, 19.
Málaga, 18, 51.
Malarta, 379.
Malasia, 65.
Malaventura, 266.
Malayo, 180.
Malmesbury, 31.
Malta, 149, 156.
Malucas, 170, 244.
Maluco, 18, 23, 24, 27, 28, 29, 32, 34, 39, 40, 41, 43, 44, 45, 46, 47, 48, 49, 52, 57, 58, 59, 65, 66, 67, 68, 84, 85, 86, 103, 111, 114, 128, 136, 168, 169, 177, 190, 195, 207, 214, 237, 316.
Maluco, islas del, 102.
Malucos, 25, 87, 191.
Maluinas, 351, 362.
Mámora, 199.
Mandinga, 372.
Manila, 61, 68, 82, 99, 105, 110, 111, 131, 132, 135, 136, 137, 139, 142, 143, 144, 146, 151, 158, 163, 167, 174, 177, 179, 189, 202, 215, 219, 222, 223, 224, 226, 234, 241, 242, 243, 244, 246, 248, 302, 322, 323, 338, 339, 340, 341, 342, 343, 345, 346, 347, 350, 358, 359, 361.
Manicongo, 372.
Marañón, 265, 277.
Maratta, 81.
Margarita, 98.
Margaritana, 116.
Marianas, 165, 244, 245, 246, 253, 302, 337, 338, 341, 342, 343, 344, 349, 376.
Mariquina, 292.
Marquesas, 114.
Marquesas de Mendoza, islas, 110.
Marsella, 155, 156.
Marshall, archipiélago, 28.
Martín Mayorga, islas de, 357, 358, 361.

Mártires, cabo de los, 329.
Matacumbi, cayos de, 205.
Matalotes, 51, 59.
Matanzas, 194, 210.
Matininó, 74.
Maule, 306.
Mazagua, 19, 49.
Mazatlán, 152.
Mazava, 18.
Media Luna, isla, 116.
Medina, 14.
Medina de Rioseco, 100.
Mediterráneo, 15.
Melinde, 252.
Mendocino, cabo, 134.
Mendocino, seno, 246.
Mendoza, 100, 269, 273, 290.
Meocuir, 47.
Merópide, 368.
Meta, 318, 319, 320.
México, 57, 58, 62, 65, 72, 73, 74, 75, 79, 81, 86, 90, 99, 104, 111, 117, 131, 136, 141, 142, 143, 144, 147, 150, 151, 155, 157, 158, 159, 160, 161, 162, 163, 165, 168, 177, 180, 223, 234, 235, 236, 237, 241, 242, 246, 248, 249, 253, 275, 302, 318, 321, 322, 335, 342, 346, 372.
Milán, 53, 294, 368.
Mina, 329.
Mindanao, 51, 223, 227.
Mindoro, 133, 341.
Minuso, 47.
Mischipí, 301.
Moabar, 31.
Mocha, isla de la, 108, 208, 217.
Mogmog, 344.
Moguer, 98.
Molinos, 266.
Molíns del Rey, 72.
Moluco, 107.
Monchilco, 107, 108.
Monomotapa, 252.
Monterrey, puerto de, 134, 135, 137, 138, 145.
Montevideo, 362.
Moscovia, 173.
Motil, 66.
Motril, 156.
Mozambique, 252.
Mujeres, islas de las, 107, 150.
Mujeres, punta de las, 69, 71, 74.
Murcia, 189.

Nagapatán, 247.
Nangasaqui, 143, 215.
Nápoles, 156, 294.
Nasca, 107, 216.
Natal, 329.
Navidad, 61, 66, 80.
Navidad, puerto de la, 49, 58, 62, 65, 67, 68, 89, 119, 169.
Negro, río, 280, 281.
Nehuelhuapi, 287.
Nicaragua, 45.
Nicolaisti, 275.
Nilo, río, 380.
Niñachumbi, 201, 375.
Niuporte, 171.
Nombre de Dios, 320.
Nombre de Jesús, 200.
«Nombre de Jesús del Poniente, islas de», 96.
Normandía, 60.
Noroeste, estrecho del, 318, 322, 336.
Noruega, 221, 321.
Nova Galicia, 68.
Nublada, 59.
Nuestra Señora de Loreto, 116.
Nuestra Señora de Valverde, 247, 251.
Nuestra Señora del Socorro, isla de, 116.
Nueva Austrialia, 333.
Nueva España, 23, 27, 34, 43, 47, 48, 49, 52, 57, 58, 59, 62, 64, 68, 72, 74, 76, 80, 84, 85, 86, 89, 99, 104, 112, 128, 130, 131, 133, 134, 135, 137, 140, 142, 143, 144, 145, 149, 163, 174, 177, 179, 184, 185, 194, 200, 201, 206, 208, 215, 226, 227, 228, 233, 234, 235, 237, 238, 240, 244, 248, 251, 253, 256, 264, 302, 315, 316, 321, 322, 332, 347, 349, 350, 358.
Nueva Galicia, 49, 75, 80, 161, 262, 316.
Nueva Granada, 362.
Nueva Guinea, 18, 64, 68, 84, 85, 86, 87, 88, 89, 90, 99, 103, 114, 115, 120, 121, 123, 191, 192, 253, 294, 319, 341, 354, 358.
Nueva Jerusalem, 117.
Nueva Palestina, 117.
Nueva Segovia, 338.
Nueva Sevilla, 278.
Nueva Veracruz, 223.
Nueva Vizcaya, 302.
Nueva Zelanda, 101, 361.
Nuevas Filipinas, 339, 345.
Nuevas Hébrides, 116.

Nuevo Israel, 117.
Nuevo México, 137, 301, 302.
Nuevo Reino de Galicia, 321.
Nuevo Reino de San Francisco, 81.
Nutka, 360, 361.

Ofir, 19, 20, 24, 28, 29, 30, 31, 37, 39, 50, 51, 52, 63, 71, 83, 92, 102, 149, 154, 191, 197, 203, 220, 221, 229, 241, 302, 320, 362, 366, 370, 375, 376.
Omaguaca, 288.
Ongol, 270, 272, 273.
Oporto, 214.
Orán, 39, 194.
Orellana, río de, 379.
Orihuela, 160.
Orinoco, 183, 204, 262, 265, 302, 360.
Ormuz, 212, 213.
Oro, 302, 376.
Oro, isla del, 202.
Osma, 40, 71.
Osorno, 262, 263, 269, 281, 291.
Otaeyte, 355.
Otajeti, 355.

Pacífico, 18, 34, 37, 43, 46, 63, 66, 74, 79, 82, 83, 96, 97, 98, 106, 112, 117, 127, 141, 174, 176, 177, 178, 179, 181, 197, 199, 201, 205, 207, 216, 218, 221, 225, 240, 252, 271, 295, 296, 297, 298, 299, 301, 302, 305, 306, 307, 308, 310, 316, 317, 319, 322, 323, 333, 337, 339, 352, 353, 354, 356, 358, 359, 361, 362, 364, 371, 374, 375, 376, 378.
Padua, 294.
País, 340.
Países Bajos, 172, 301.
Paita, puerto de, 47, 106, 266.
Paitite, 51.
Palaos, 337, 338, 339, 340, 341, 342, 343, 345.
Palapag, 340.
Palinban, 180.
Palmas, isla de, 116.
Paloc, 340.
Pampanga, 338.
Panamá, 89, 91, 150, 181, 187, 218, 222, 230, 256, 272, 293, 300, 307, 317, 320, 373.
Panda, 18.
Panquea (de Evémero), 364.
Paradas, 163.

Paraguay, 31, 33, 34, 38, 214, 280, 282, 352.
Paraiba, 177.
Paraíso Terrenal, 56, 74, 127, 153, 154, 196.
Paraná, 31, 33, 35, 36, 39, 214.
Paria, 196.
París, 308, 338, 361.
Parte Austral del Espíritu Santo, 118.
Parte Yncógnita del Sur, 191.
Pascua, isla de, 355.
Pastrana, 187.
Patagonia, 289.
Paz, puerto de la, 150, 151, 161, 166.
Pedreñera, 185.
Peñas de San Pedro, 93.
Percival, cabo, 362.
«Perdida», 94, 95, 365, 375, 378.
Peregrina, 116.
Peregrino Roncador, bajos del, 358.
Pernambuco, 35, 200, 210.
Perros, isla de, 216.
Persia, 53, 176, 212, 213, 328, 341.
Pérsico, golfo, 54.
Perú, 37, 46, 85, 87, 88, 90, 97, 100, 102, 103, 104, 105, 106, 111, 121, 122, 123, 149, 158, 159, 174, 175, 177, 180, 181, 185, 189, 209, 212, 213, 216, 217, 218, 221, 226, 228, 229, 230, 232, 233, 244, 252, 253, 254, 255, 256, 260, 263, 267, 276, 278, 279, 283, 293, 294, 296, 297, 299, 300, 301, 302, 303, 306, 307, 311.
Pico, 374.
Pirineos, 339.
Pirú, 80, 98, 99, 211, 222, 256, 370, 375.
Pisco, 222.
Piura, 185, 194, 307.
Plasencia, 262, 277, 279, 284, 289.
Plata, 376.
«Platareas, islas», 128.
Plotas, 94.
Polinesia, 118, 149.
Polo Norte, 318.
Pondichèri, puerto de, 352, 353, 354.
Pontevedra, 185.
Portales de Belén, 116.
Porto Pisano, 15.
Portobelo, 251.
Portugal, 14, 15, 17, 24, 31, 33, 40, 41, 44, 52, 65, 66, 68, 84, 97, 134, 168, 169, 174, 175, 187, 211, 215, 234, 247, 297, 317, 318, 319, 325, 329.

Posesión, isla de la, 80.
Potonchan, 70.
Potosí, 105, 107, 108, 221, 269, 282, 286.
Principado de Asturias, 226.
«Promisión de los Santos, isla de», 93, 365.
Puebla, 157, 162, 234, 238.
Puerto Fame, 295.
Puerto Galand, 309.
Puerto Hércules, 197.
Puerto Rico, 209, 226.
Puerto Santo, 156.
Puerto Viejo, 97.
Puertos, puerto de los, 78.

Quantó, puerto de, 201.
Quaroar, 47.
Quechocabi, 287.
Quiapo, 224.
Quijos, 290.
Quinsay, 318.
Quinto, río, 278, 290.
Quiriquire, 266.
Quito, 111, 123, 180, 307.
Quivira, 81, 82, 153, 154, 166, 301, 321, 333.

Ratiles, 121.
Real de San Bruno, 166.
Recife, 211, 295.
Resurrección, 100.
Rey Jorge, isla del, 355.
Reyes, islas de los, 46, 51, 59, 60, 89, 96, 270.
Rica de Oro, 128, 130, 138, 142, 202, 205, 246, 302, 346, 350, 378.
Rica de Plata, 128, 130, 131, 138, 139, 142, 146, 246, 265, 302, 346, 350, 378.
Rica, isla, 129.
Ricas, islas, 126, 129, 132, 140, 141, 144, 145, 147, 199, 201, 203, 254, 302, 347, 374, 376.
Río de Janeiro, 186, 199, 200, 205, 214, 307.
Río de la Plata, 31, 32, 33, 34, 35, 205, 258, 266, 267, 268, 274, 275, 277, 278, 279, 282, 283, 284, 311.
Río del Paraguay, 35.
Riobamba, 305.
Roca Partida, isla de, 59, 86.
Rochela, la, 307, 309.
Roma, 51, 117, 215, 218, 294, 345, 365, 366.

Rouen, 158.
Rubro, mar, 24.
Rumios, 39.
Rusia, 318.

Saba, 53, 54, 55, 96, 367, 370.
Sabba, 53.
Sabba, río, 53.
Sabeos, 55.
Sagain, 47.
Saint Malo, 303, 309.
Sal, 268, 270, 271.
Salado, río, 266.
Sala y Gómez, 354.
Salamanca, 45, 134.
Salerno, 51.
Salomón, islas de, 61, 62, 96, 98, 99, 102, 103, 104, 105, 113, 123, 147, 165, 190, 195, 196, 197, 201, 205, 209, 218, 219, 228, 244, 246, 252, 253, 254, 255, 256, 285, 294, 296, 354, 356, 357, 358, 361, 365, 366, 374, 375, 379.
Salomónica, isla, 256.
Salta, 274, 275.
Salvador, 117.
Samar, 19.
Samatra, 229.
Samba, 95.
San Agustín, volcán de, 350.
Sam Ambrosio, 354.
San Andrés, 341.
San Andrés, ancón de, 78.
San Andrés, isla de, 340.
San Andrés, isletas de, 340.
San Antón, cabo de, 329.
San Antón, río de, 25.
San Bartolomé, bajos de, 50, 51.
San Bartolomé, isla de, 27, 48, 49, 50, 59, 60, 61, 64, 86, 92, 96, 120, 121, 128, 239.
San Bernardino, embocadero de, 350.
San Bernardo, isla de, 118.
San Blas, puerto de, 116, 302, 357, 358, 363.
San Brandán, isla de, 365.
San Carlos, isla de, 353, 355.
San Cristóbal de La Habana, puerto de, 209.
San Diego, puerto de, 134.
San Dimas, 91.
San Felipe de Austria, 217.
San Felipe y Santiago, Bahía de, 117.

San Felipe, 295.
San Félix, 354.
San Félix y San Ambor, islas de, 102.
San Fernando, 363.
San Gabriel, baluarte de, 223.
San Guillermo, 116.
San Ignacio, puerto de, 152.
San Jerónimo, canal de, 295.
San Jorge, isla de, 355.
San Jorge, puerto de, 259, 260.
San Joseph, 344.
San Juan Bautista, isla de, 116.
San Juan de Ulúa, 57, 138, 329.
San Juan de la Frontera, 271, 289, 290.
San Julián, puerto de, 258.
San Lázaro, archipiélago de, 18, 255.
San Lucas, cabo de, 164, 238.
San Lucas, puerto de, 166.
San Luis de Loyola, 289, 290.
San Marcos, 116.
San Marcos, bahía de, 78.
San Mateo, cabo de, 116.
San Miguel, 80, 163, 275.
San Miguel, isla de, 118, 214.
San Nicolás, 173.
San Nicolás, puerto de, 92.
San Pedro Mártir, 275.
San Pedro y San Pablo, bahía de, 164.
San Pedro y San Pablo, río de, 78.
San Pedro, río de, 163.
San Salvador, 279.
San Salvador, río de, 33.
San Sebastián, cabo de, 335.
San Vicente, cabo de, 189.
San Vicente, estrecho de, 188.
San Vicente, puerto de, 32, 33, 38.
Sancta Elena, 139.
Sancti Spiritus, fortaleza de, 31, 35, 264, 265.
Sanlúcar, 189, 199.
Sanlúcar de Barrameda, 30, 38, 67, 105, 114, 175, 183, 189, 192, 199, 233, 251.
Sant Juan, 72.
«Santa Apolonia», 116.
Santa Catalina, bahía de, 32, 78.
Santa Catalina, isla de, 35, 37, 38, 204.
Santa Catalina, puerto de, 155.
Santa Cruz, 77.
Santa Cruz, isla de, 96, 110, 116, 358, 374.
Santa Cruz de la Sierra, 270, 280, 352.
Santa Elena, 173, 329.
Santa Elena, punta de, 306, 307.

Santa Fe, 212, 279, 330.
Santa Isabel de la Estrella, 95.
Santelmo, isla de, 116.
Santiago, 159, 161, 205, 264, 269, 273, 289, 290, 291, 298, 299.
Santiago, río de, 163.
Santiago de Chile, 270, 297.
Santiago de Jerez, 280.
Santiago de la Espada, monasterio de (Sevilla), 32.
Santiago del Estero, 266, 268, 271, 274, 275, 276.
Santiponce, 31.
Santo Domingo, 71, 211, 212, 213, 262, 329.
Santo Tomé, 41, 329.
Saña, 230.
São Paulo, 214.
Sarpana, isla, 240.
Sarrangán, 52.
Sasso, 171.
Sauce, río, 376, 377.
Sefarad, 149.
Sendai, 144.
Sensios, 39.
Septem ciuitates, 18.
Serena, 270, 304.
Serrana, bajos de la, 329.
Serranilla, 329.
Sésares, 278, 303.
Sesarga, 96.
Setúbal, 179, 199.
Sevilla, 13, 15, 17, 18, 24, 26, 29, 30, 31, 32, 33, 34, 37, 38, 40, 41, 98, 107, 117, 118, 135, 142, 151, 152, 160, 162, 178, 180, 182, 184, 186, 187, 189, 191, 192, 194, 208, 210, 214, 226, 227, 232, 245, 255, 265, 291, 294, 298, 307, 326, 333, 372, 373.
Shizu-Oka, 145.
Sicilia, 156, 195.
Solís, río de, 33.
Sydney, 361.
Sierra Leona, 329.
Siete Ciudades, 75, 81, 203, 375.
Sin Provecho, islas, 130.
Sinaloa, 163, 165.
Sina, 25.
Singapur, 295.
Singapur, estrecho de, 195.
Sino a la *Magno,* 25.
«Sin Provecho», 116.

Siria, 366.
Siyam, 241.
Sobo, 55.
Soconcho, 266.
Sofala, 252, 376.
Solís, río de, 33, 35, 37.
Somerset, 323.
Sonda, 18.
Sondai, 18.
Sonora, 164.
Sonsonrol, isletas de, 340.
Suecia, 294.
Sumatra, 18, 66, 84, 169, 318.
Sumbdit-Pradit, 18.
Sumbedit, 18.
Sunda, 18.

Tabasco, 70, 321.
Tacuba, 235.
Tagula, 120.
Tahití, 28, 101, 355, 356.
Talamochita, 266, 275, 277.
Talan, 276, 277.
Talangame, 180.
Talavera de Madrid, 283.
Tamazula, 87.
Támiro, 127.
Tamo, 127.
Taongui, 28.
Tapróbana, 29, 54, 93, 127, 229, 318, 365.
Tarija, 288.
Tarsia, 53.
Tarsis, 19, 20, 25, 29, 30, 31, 39, 52, 53, 54, 56, 102, 105, 197, 220, 302, 362, 367, 370.
Tarso, 53.
Tartaria, 246.
Tayavas, 341.
Tehuantepec, 161.
Tenerife, 156.
Tenochtitlán, 275.
Terceras, islas, 225.
Tercero, 266.
Terra Aurea, 229.
Terranova, 316, 335.
Terrenate, 48, 52, 151, 168, 180, 208, 215.
Tharsis, 31.
Theguayo, 301.
Tiberina, isla, 51.
Tidori, 45.
Tierra Austral, 244, 341.
Tierra Incógnita, 220, 244.

Tierra del Fuego, 273.
«Tierra de Promisión de los santos», 56.
«Tierra del fogo», 186.
Timor, 18.
Tizón, 153.
Tlascala, 111.
Tocaima, 203.
Tocuyo, 123.
Todos Santos, estrecho de, 29.
Tokio, 145.
Toledo, 66.
Toluca, 151.
Tonalá, 75.
Tonga, archipiélago de, 358.
Topacio, 94.
Topocalma, 306.
Torres, estrecho de, 120.
Tortuga, 157.
Totonteac, 81.
Trafalgar, cabo de, 193.
Trapalanda, 175.
Trapananda, 268, 269, 270, 277.
Tres Hermanos, estrecho de los, 331.
Trévedes, 374.
Triana, 31, 199.
Trinidad, isla de la, 203.
Trinidad, punta de la, 78.
Trípode, islas del, 308.
Trujillo, 299.
Tucapel, 269.
Tucumán, 264, 266, 267, 268, 270, 274,
    275, 276, 278, 279, 280, 281, 283, 287,
    288.
Túnez, 89.
Turbio, río, 280, 287.
Turquía, 323.
Tuspa, 87.
Tutepeque, 73.

Ulie, 343, 344.
Ulúa, 72.
Urangava, 143, 144.
Uruguay, 214.
Utopia, isla, 28, 29.
Uttara Kuru, 196, 381.

Valdeporras, 34.
Valderas, puerto de, 238.
Valdivia, 182, 208, 211, 217, 218, 253,
    254, 269, 270, 272, 273, 287, 291, 292,
    293, 294, 298, 299, 300, 301, 302, 304,
    305, 310.

Valencia, 156, 158.
Valenciennes, 296.
Valparaíso, 108, 218, 264, 299, 306.
Valladolid, 14, 187, 247, 250.
Vavao, 358, 361, 362.
Velas, islas de las, 41.
Venecia, 15, 294, 322, 376.
Venezuela, 44, 373, 380.
Venus, 355.
Veracruz, 57, 59, 87, 117, 156, 157, 160,
    233, 234.
Veragua, 55.
Veraven, 186.
Verga, isla, 47, 48.
Vergel, 116.
Viana, 197, 321.
Victoria, cabo de la, 295.
Victoriaco, 53.
Villa Rica, 264, 292.
Villa Rica de la Vera Cruz (cf. Veracruz),
    72.
Villalobos, bajos de, 86.
Villanueva de Portimam, 185.
Virgen María, isla de la, 116.
Virginia, 182, 183.
Visco, 368.
Vizcaya, 26, 29, 208.

Westfalia, 219.
Whitehall, palacio de, 318.

Xolalpa, 236.

Yap, 343, 344, 345.
Yaquimi, 75.
Yebra, 55.
Yeddo, 145.
York, cabo, 120.
Yucatán, 70, 71, 72, 92, 209, 235, 321,
    380.
Yúngulo, 268, 269.

Zacatula, 74, 151.
Zaitón, 62.
Zalagua, 133, 150.
Zante, 323.
Zapotlan, 87.
Zaragoza, 17, 40, 302.
Zebú, isla de, 20, 61, 65, 66, 67.
Zelandia, 127.
Zumaco, 265.
Zuraca, 276, 277.